Книга издана при поддержке Фонда Ави Хай
и Чейс Фэмили Фаундейшн

проза еврейской жизни

מאיר שלו

רומן רוסי

Меир Шалев

Русский роман

Перевод с иврита
Рафаила Нудельмана
и Аллы Фурман

Москва
«Текст»
2008

УДК 821.41
ББК 84(5Изр)
Ш18

Серия основана в 2005 году

Оформление серии А. Бондаренко

ISBN 978-5-7516-0781-4

К русскому читателю

«Русский роман» — первая «взрослая» книга самого популярного израильского писателя Меира Шалева. Она написана еще в 1985 году, но такова уж судьба — приходит она к русскому читателю едва ли не последней по счету, после уже переведенных «Эсава» (1991), «Нескольких дней» (1994) и «В доме своем в пустыне» (1998). Немудрено. Это, вероятно, самый сложный и многоплановый роман Шалева и самый трудный для восприятия неизраильского читателя. Эта книга рассказывает в основном о Палестине начала XX века, так что события, в ней описанные, отделены от такого читателя не только географией, но и историей, не только пространством, но и временем. Но еще большую сложность представляет то, что и описанные в ней люди знакомы русскому читателю в лучшем случае понаслышке. Сага трех поколений, а именно такой сагой является «Русский роман», начинается с истории группы молодых евреев, покинувших Россию незадолго до Первой мировой войны, чтобы отправиться в Палестину возрождать свою историческую родину и себя самих, свой народ, — и тут-то начинаются сложности.

Вообразите себе прощание на вокзале: вы расстаетесь с молодыми людьми, которые навсегда уезжают на Чукотку. Безумие, конечно, но им вздумалось поднять этот необжитый, дикий, суровый край. Третий звонок, поезд трогается, еще видны в окнах юные веселые лица — и для вас опускается занавес. Он опускается надолго: война, революция, беспощадные тридцатые, еще одна война — «сороковые роковые», холодная война... Вы уж и думать забыли о чудаках, пропавших где-то в ледяной дали, разве что старикам порой вспомнится: «А как там эти... на своей Чукотке? Хе-хе-хе...»

Потом занавес поднимается снова, и вы вдруг узнаете, вы слышите, вы видите на своих экранах, что на Чукотке происходит что-то неслыханное. Сверкает электричество, шумят города, мчатся электрички, ревут потоки машин, колышутся злаки, гремят симфонические оркестры, печатают шаг дивизии и, сотрясая асфальт, ползут по площади атомные ракеты. Вы подозреваете, что вас обманывают. Вы твердо знаете, что тогда, в поезде, чудаков были считанные десятки. Но вам кладут на стол книгу и говорят: «Вот. Эта книга рассказывает о том, что произошло с теми чудаками. Они выжили, они добились. Из этой книги вы все узнаете». Вы заинтересованны. Вы открываете книгу, читаете, перелистываете. И тут происходит самое неприятное — не только для вас, но и для самой книги: вам — непонятно. Герои отделены от вас иначе прожитой жизнью, они богаты иным жизненным опытом. У них иные реалии и иные мифы. Свидание — почти через сто лет — состоялось, но встретившиеся уже не понимают друг друга.

Вам непонятно, что это у них там за «Движение» такое, о котором они столько раз упоминают? Какие «идеологические страсти» терзают их и разводят по разные стороны баррикад? Что это за страна, где бродят гиены, люди зачем-то годами тайком собирают оружие в отстойных ямах и дети в четыре года читают доклады на каких-то партийных конференциях? Кто они такие, все эти их «пионеры», «мошавники», «стражи», «харедим», «предатели-капиталисты», «Вторая алия», «Третья алия», «ашкеназим», «марокканцы»? Вы напрягаетесь понять, вы взываете к автору, но увы — автор вам не помогает, кажется, даже не хочет помочь, он, похоже, немного посмеивается над вашими заботами, потому что у него свои заботы, своя, писательская, игра — раскладывать на плоскости книжного листа яркие, многоцветные осколки судеб, вырванные из потока времени и перетасованные в самом причудливом порядке. Рассказчику не до вас и не до нас, он играет временем и судьбами, творит из них калейдоскоп затейливого сюжета, над кем-то смеется, на что-то намекает, вы чувствуете, что смеется, вы ощущаете, что намекает, а еще и волнуется, и впадает в пафос, и выпадает в иронию, но вам невнятны его пафос и его ирония, вы злитесь, вам непонятно все — начиная с самого заглавия книги. «Русский роман». Почему «Русский роман»? Чем он «русский»? О ком и о чем эта книга?

Это название — наверно, самое вызывающее в романе. Не случайно в России вокруг этой книги Шалева сложилась уже своя мифология: о ней без конца писали, как о уже переведенной, в крайнем случае — как о хорошо известной русскому читателю, а она только еще ждала своего дня, чтобы к нему прийти. В самом деле, раз «Русский роман» — значит, о русских, значит — для русских, и тем более обидно, когда оказывается, что вроде как бы и не про них и как бы не для них.

Между тем здесь всего лишь — вариация известного социологического парадокса: наибольшее непонимание порождают именно небольшие отличия. Герои книги, хоть они и евреи, но — евреи русские, и этим все сказано: и о книге, и о ее названии. Они выросли из того же единого ствола — того же нетерпеливого, жадного утопического ожидания, которое когда-то породило русскую революцию и привело в нее множество молодых русских евреев. Но герои этой книги — это та часть русского еврейства, которая решила привить свои утопические ожидания не на русскую землю, а на дичок собственной земли. Тем не менее воодушевляли их те же идеи «свободы, равенства и братства», разве что усложненные многовековым еврейским мессианством да историческими, библейскими воспоминаниями. Даже их «религия труда» и «мистика почвы» — и та очевиднейшим образом выросла из русского народничества и толстовства. Стоит ли упоминать еще о душевном максимализме или, скажем, о крестьянской жизненной цепкости? И без того очевидно, что «Русский роман» — это русский роман вдвойне: не только о русских евреях, но и о русских идеях. Хотя можно и наоборот: о еврейской идее — на русский лад. Ибо, как известно многим (а неизвестно еще большему числу), тот сионизм, которому обязаны своим возрождением земля Израиля и Государство Израиль, ни в коем случае не был «сионизмом вообще» или «сионизмом по Герцлю» — это был именно и прежде всего «русский» вариант сионизма. Начиная уже с того, что именно молодые сионисты из России, все эти Вейцманы и Жаботинские, они и только они отвергли, вопреки Герцлю, идею еврейского государства в Уганде в пользу еврейского государства в Палестине, и кончая тем, что именно эти молодые сионисты из России своим пóтом и кровью, за каких-нибудь полвека, превратили эту Палестину из малярийных болот и безжизненной пустыни в...

Во что же? Вы уже заинтересованы. Как реализовалась революционная утопия на русской земле, вы знаете. Весь ее путь, от октября 1917-го до сегодняшней России, вам известен. А как она же, эта утопия, реализовалась на земле еврейской?

Именно об этом — «Русский роман», книга, при всей ее общечеловеческой проникновенности и мощи, глубоко погруженная в историю, вросшая в нее корнями своих диких акаций и могучих олив.

Поэтому на самом деле, вопреки упомянутому выше социологическому парадоксу, русскому читателю — именно ему — понять «Русский роман» легче, чем французу или американцу. Ибо в основном и сущностном это — о «своем», непонятны на самом деле только конкретные реалии. Что-то вроде знакомой пьесы на не вполне знакомом языке. Необходимо лишь небольшое либретто, что-то вроде предисловия или вступления, которое объяснило бы эти реалии и напомнило «правила чтения» на этом чужом языке.

Такое вступление могло бы начинаться так. Иврит — очень «плотный» язык. Он не знает гласных, он их пропускает. Он пишет: «гбн» — и это может быть «гибен», т.е. горбун, или «габан», т.е. сыровар. Прочтение слова предполагает предшествующее знание, оно требует напряженного внимания, догадки и работы мысли. Библия — очень «плотная» книга. Ее огромная художественная мощь — в ее высшей сдержанности, в пропуске деталей. Она говорит: «И служил Иаков за Рахиль семь лет, и они показались ему за несколько дней, потому что он любил ее» — и предоставляет нам заполнить эти долгие, мучительные годы своим воображением, своим знанием жизни. Такое заполнение потребовало от Томаса Манна двух томов «Иосифа и его братьев», и только тогда его машинистка счастливо вздохнула: «Теперь я знаю, как это было на самом деле». «Русский роман» написан в библейской манере. Это по-библейски «плотный» роман. В отличие от истинно русского романа, он последовательно опускает многие психологические мотивировки. Но он их предполагает. Он говорит, что над могилой отца стоят «плачущий сын и разгневанная дочь», — и предлагает вдуматься: почему сын — плачет, а дочь — разгневанна? Живая вода читательского воображения и знания жизни призвана заполнить поры этого романа-губки. Это глубоко психологическая проза именно потому, что ее психологизм укрыт глубоко «между словами». Точно так же «плотна» в этом романе историческая ткань. Она предполагает и требует читательского участия. Учитель Пинес защищает деревню не только от колорадских жучков, но и от государственной лотереи, от полчищ саранчи, как от полчищ джазменов. Почему лотерея и жучок, саранча и джаз поставлены в один ряд? Мотивировки опущены, пропуск требуется заполнить, и это предполагает предшествующее знание.

Израильский читатель книги Шалева впитывает это знание с молоком матери и из воздуха страны, в школе, из книг и «по жизни». Русскому читателю нужно напомнить. Постараемся сделать это предельно кратко. Напомним читателю, что основная масса древних евреев покинула свою страну около двух тысяч лет назад, после двух нашествий римских армий. С тех пор евреи жили в рассеянии, поддерживаемые мечтой о возвращении на историческую родину. Вернуться решались немногие. Все эти века Палестина оставалась под чужим господством — римским, греческим, арабским, византийским, турецким. Еврейское ее население начало заметно возрастать только в конце XIX века. К 1881 году оно насчитывало всего 25 тысяч человек. Основную его часть составляли нищие религиозные семьи Иерусалима, Тверии, Цфата, жившие благодаря милостыне зарубежного еврейства. Ситуация изменилась с началом еврейских погромов в России: в 1882 году большие группы русских евреев ушли от этих погромов в Палестину, совершили, как это называется в еврейской традиции, «восхождение в Сион», «алию», как это называется на иврите (в Сион всегда восходят, в Египет и прочий окружающий мир всегда спускаются, потому что гористая Иудея всегда лежала выше низменностей Египта). Эта «первая» по счету алия продолжалась до 1903 года и привела в Страну свыше десяти тысяч человек. Часть из них располагала небольшими собственными средствами и купила землю у арабов, остальные создали свои поселения на деньги Эдмона Ротшильда, знаменитого «Барона» — выдающегося филантропа, который в течение шестнадцати лет вложил в свои палестинские колонии 1,6 млн фунтов стерлингов. За это время были созданы такие поселения (нынешние израильские города), как Ришон-ле-Цион, Петах-Тиква, Зихрон-Яаков, Реховот, Хедера. Тогда это были небольшие сельскохозяйственные поселки, и появлялись они на свет поистине в родовых муках: достаточно сказать, что за первые двадцать лет из пятисот сорока жителей Хедеры умерли от малярии двести четырнадцать. Тем не менее к началу XX века жители двадцати этих поселков, называвшихся «новым ишувом», составляли уже 20 процентов всего еврейского населения Палестины. И костяк их составляли люди, жившие не на милостыню, как в ишуве «старом», иерусалимском и цфатском, а трудом собственных рук. Впрочем, хотя все эти люди Первой алии были в основном русские евреи, «Русский роман» начался не с них.

Он начался с легендарной «Второй» алии. Ее привели в Палестину идеи сионизма, сознательное стремление совершить революцию в истории еврейского народа, возродить землю исторической родины и создать на ней свободное общество тружеников земли. Пришпорили эту утопию новые погромы в России, начавшиеся в 1903 году. Тогда впервые еврейская молодежь организовала отряды самообороны, и многие бойцы этих отрядов вскоре оказались в Палестине. Но были там и начитанные мальчики в очках, и девочки в пелеринах — бросившие родительские семьи, уехавшие за мечтой, в страшных снах не представлявшие, какие трудности ждут их на земле предков. Сочетание утопического воодушевления и подвижнической активности сплотило всех этих разных людей в группу единомышленников, придало этой алие ее уникальный характер и наложило сильнейший отпечаток на всю дальнейшую жизнь ишува в течение нескольких десятилетий.

Вторая алия, продолжавшаяся до 1914 года, привела в страну свыше 30 тысяч человек. Вот как описывает этих молодых людей лучший хроникер еврейского возрождения Феликс Кандель в своей книге «Земля под ногами»: «Молодежь из Второй алии была в основном далека от религии... Право еврейского народа на эту землю они обосновывали... не Божественным обещанием; свое право они связы-

вали лишь с трудом: землю завоюет тот, кто ее обрабатыва-
ет. Эти идеалисты и бессребреники, бунтари и ниспровер-
гатели в заношенной рваной одежде выделялись на фоне
благополучных старожилов». Многие из них вдохновлялись
идеями своего «учителя жизни», толстовца Гордона, его
«религией труда»: «Мы сможем создать народ лишь тогда,
когда каждый из нас воссоздаст себя заново путем труда и
естественной жизни. Если воссоздание и не будет для нас
полным, то по этому пути пойдут... наши дети... Таким образом, у нас будут со временем хорошие крестьяне, хорошие рабочие, хорошие евреи и хорошие люди». Идеи Гордона стали основой, на которой возникла одна из первых на
этой земле политических партий — «а-Поэль а-Цаир» —
«Молодой рабочий». Она не была единственной. Молодые
еврейские утописты другого толка, вдохновлявшиеся идеалом Борохова и Сыркина — слить сионизм с социализмом и
марксизмом, построить в Сионе еврейское социалистичес-
кое государство «на основе справедливости, государствен-
ного планирования и общественной солидарности», —
создали еврейскую социал-демократическую рабочую партию, «Поалей Цион». Яростные идеологические споры о
практических путях и дальних целях «практического сионизма», начавшиеся еще в России, возобновлялись в первые же дни по прибытии в Страну и продолжались потом
годами и десятилетиями, пока эти партии не слились в
единое Рабочее движение, естественным образом ставшее
почти монопольным правителем ишува. Как полагается мо-
нопольному правителю — со своими канцеляриями, кори-
дорами власти, конгрессами и бюрократами. Со своими
мифами о героическом прошлом, громкими словами о сио-

низме и неизбежным «обуржуазиванием» (слава Богу — не большевизмом). Но все это произошло потом...

А поначалу из этих парней и девушек долго не получались «хорошие крестьяне» и «хорошие рабочие». Сначала им пришлось искать работу — у своих же единоплеменников, на виноградниках, на пастбищах и в винодельнях поселенцев Первой алии, уже немного к тому времени обжившихся. «Каждое утро, — продолжает Кандель, — молодые люди, вчера только приехавшие из России, выходили на площадь в центре поселка... в поисках работы, а хозяева прохаживались от одного к другому и решали, кого из них взять... У (молодого) еврейского рабочего не было ничего: его заработка хватало лишь на убогое жилье и скудную еду... если он заболевал, то был обречен на голод». А вот из воспоминаний Бен-Гуриона, одного из этих же молодых: «Я голодал и мучился от малярии больше, чем работал». Те, кто не мог ужиться с ишувом первой алии, уходили в свободный поиск. Проще говоря — на еще не обжитые земли. Эти земли скупались у богатых арабских землевладельцев сначала легендарным Ханкиным, потом Палестинским бюро для приобретения и освоения новых земель под руководством Руппина. Так происходило еврейское заселение севера страны, ее внутренних земель — Галилеи, Изреельской долины, побережья озера Киннерет. Туда и добраться-то было не так просто. Как писал современник, «поездов туда не было, в Галилею «поднимались» кто пешим ходом, а кто на лошадях». Малярийные болота, почище хедерских, иссохшая земля, сорняки и колючки, враждебные арабские деревни, голые, выжженные на солнце горы, неподвижный воздух — места вокруг Киннерета лежали на двести метров ниже уровня моря, температура летом достигала тридцати и больше градусов в тени. А потом, уже на вожделенном месте — жара, и лихорадка, и теснота в жилищах, и тяжкий ежедневный многочасовой труд, и смерти, смерти, одна за другой, кто от малярии, кто от пули, — и как писал другой из этих молодых пионеров-первопроходцев: «Несмотря на чарующую тишь Киннерета, не было покоя на душе его обитателей. Изнеможение и тоска делались по временам нестерпимы. Кладбище, притаившееся на склоне холма... свидетельствует о покончивших самоубийством».

Одни уходили из жизни, другие — в города, на побережье, третьи вообще покидали Страну (по свидетельству Бен-Гуриона, из десяти приехавших с ним человек девять отчаялись и бежали из Палестины), но те, кто остался, — строили. Строили хижины, потом коровники, потом дома, потом целые поселки. Именно здесь, на берегах Киннерета и в Изреельской долине, возникли новые, неведомые доселе миру формы еврейской коммунальной жизни — кибуц Дгания (1909), «мать израильских кибуцев», с их коллективными трудом и владением средствами производства, и мошав Нахалаль (1921) с его семейной структурой ведения хозяйства и коллективной общественной жизнью. Здесь зародилась и легендарная еврейская организация самообороны «а-Шомер», т.е. «Страж», объединявшая десятки молодых «дозорных», тайком собиравших оружие, чтобы защитить хрупкие ростки этих кибуцев и мошавов от арабских нападений, порой ценой собственной жизни. Отсюда вышла социальная и идеологическая элита будущего Израиля и его будущее политическое руководство — генералы, премьеры, президенты. А главное — здесь, в этих кибуцах и мошавах, так верили их строители, «выковывался новый еврей» — ибо эти строители, как и другие «строители будущего» в тогдашней России, искренне верили, что создадут «нового человека на новой земле», и ждали этих своих «первенцев», и возлагали на них фантастические надежды: понесут знамя... продолжат дело... воплотят мечту...

Их дети и внуки действительно выросли «новыми», другими, о них тоже рассказано в романе. Лучше или хуже дедов и отцов — об этом можно спорить, но — другими. Меир Шалев — лучший тому пример. Он один из «внуков Нахалаля». И он другой, потому что никто из «дедов» и «отцов» не мог бы написать «Русский роман» — для этого нужна была печальная и насмешливая перспектива десятилетий; но и никто из тех, кто не прошел через «русский» Нахалаль или «русскую» Дганию, тоже не мог бы написать эту поразительную, мудрую и трогательную книгу.

Теперь можете ее раскрыть.

Р. Нудельман

I

В одну из летних ночей старый учитель Яков Пинес проснулся в холодном поту. Кто-то снаружи выкрикнул изо всей силы:

— Я трахнул внучку Либерзона!

Крик — отчетливый, дерзкий и громкий — прорвался сквозь кроны канарских сосен у водонапорной башни, на мгновенье распластался в воздухе, точно хищная птица, и упал на деревню, на лету рассыпавшись на отдельные слова. Сердце учителя стиснула знакомая боль. Опять он один услышал эту непристойность.

Многие годы Яков Пинес героически затыкал каждую щель, неустанно латал каждую прореху, отважно вставал в каждом проломе. «Как тот голландский мальчик, с пальцем в плотине!» — гордо восклицал он, отразив очередную угрозу. Колорадские жуки, тиражи государственной лотереи, коровьи клещи, малярийные анофелесы, полчища саранчи и джазменов — все они накатывались на него черными волнами и все разбивались в мутную пену о бруствер его сердца.

Пинес приподнялся на постели и вытер вспотевшие руки о мохнатую грудь. Гнев и изумление переполняли его. Тут совершалось открытое попрание всех основ общественного порядка, а жизнь в деревне шла себе своим чередом как ни в чем не бывало.

Деревня, как говаривали у нас в Долине[1], давно уже спала праведным сном[2]. Спали дойные коровы в своих стойлах, спали куры-несушки в своих курятниках, спали труженики-идеалисты в своих жестких кроватях. Но точно старая машина, части которой давно притерлись друг к другу, деревенская жизнь и во сне продолжала свою рутину. Набухали молоком коровьи соски, наливались соком виноградные гроздья, набрякали первосортным мясом плечи обреченных на забой бычков. Прилежные бактерии, «наши одноклеточные друзья», как любовно именовал их на уроках природоведения Пинес, привычно хлопотали у корней растений, поставляя им молекулы азота. Но старый воспитатель, хоть и был человеком мягким и терпеливым, не мог допустить, чтобы в такую минуту люди — и сам он, конечно, в первый черед — мирно почивали на лаврах своих трудовых свершений. «Все равно я тебя поймаю, мерзавец!» — яростно шепнул он, тяжело вставая с железной кровати. Дрожащими руками застегнул старые брюки цвета хаки, сунул ноги в черные рабочие ботинки, придававшие прочность его лодыжкам, и вышел, готовый к ночному сраженью. Только очки он не сумел отыскать в темноте и спешке и теперь угадывал дорогу по лунному свету, который слоями лился в дверные щели.

За порогом нога учителя тотчас зацепилась за бугор, коварно взрытый кротом, который давно уже вел в его дворе свою подрывную работу. Пинес торопливо поднялся, отряхнул колени, выкрикнул: «Кто тут? Кто тут?» — и напряженно прислушался в ожидании ответа. Близорукие глаза так и буравили тьму ночную, седая и большая, как у совы, голова поворачивалась во все стороны, словно вращалась на невидимой оси.

Но наглый возглас больше не повторился. «Как всегда, — подумал старый учитель. — Крикнет что есть силы — и замолчит».

Душу Пинеса точила тревога. Возмутительный выкрик свидетельствовал об опасном идеологическом уклоне. Налицо была погоня за дешевыми наслаждениями, а также предпочтение личных благ интересам коллектива. Речь шла о явном и вызывающем нарушении деревенского устава. Старому учителю, «воспитавшему всех наших детей в духе неустанного труда и высоких идеалов», невольно вспомнились и Великое Шоколадное Ограбление, когда-то совершенное в деревенском кооперативе группой его взрослых учеников, и прибывший из России огромный, громыхающий сундук Ривы Маргулис, набитый всевозможными излишествами, которые смутили покой мирных тружеников полей и едва не пошатнули их моральные устои, а главное — сатанинский смех той гнусной гиены, что с недавних пор зачастила в наши края. Тот же вред и то же бахвальство.

Вспомнив о гиене, да еще без очков на носу и практически ничего вокруг не различая, Пинес почувствовал, что тревога его переходит в настоящий испуг. И в страхе застыл.

Эта мерзкая хищница время от времени наведывалась в деревни Долины, точно коварный посланец тех других миров, что лежали за пшеничными полями и далекой голубой горой. За годы, прошедшие с основания мошава[3], учитель не раз слышал ее отчетливый, резкий и насмешливый вопль, доносившийся из соседнего вади[4], и всякий раз холодел от испуга.

Укус гиены вызывал тяжелейшие последствия. У некоторых ее жертв так мутился рассудок, что они забывали азы земледелия — пеницилларию[5] сеяли с осени, а виноградные лозы подрезали летом. Другие совсем теряли разум — забрасывали свои наделы, а то и вовсе отказывались работать на земле, срывались в город, умирали или покидали Страну[6]. Пинес был вне себя от волненья. Ему уже доводилось видеть людей, сбившихся с правильного пути, — согбенные, крадущиеся тени дезертиров в Яффской гавани, ссохшиеся тела самоубийц в их могилах. Извращенцев и отступников он тоже видывал немало. «Все эти присосавшиеся к халуке[7] паразиты из Иерусалима, эти мистики из Цфата[8] с их апокалиптическими расчетами прихода Мессии и эти наивные коммунисты, что поклонялись Ленину и Мичурину и развалили Рабочий батальон»[9]. Годы наблюдений и размышлений убедили его, что ничего нет легче, чем свалить с ног человека, который потерял иммунитет и идейную стойкость.

«Она особенно настойчиво охотится за детьми, эта гиена, потому что детское мировоззрение еще не вполне сформировалось», — предостерег он родителей, когда следы наглой твари появились вблизи домов мошава, и потребовал немедленно установить охрану вокруг деревенской школы. По ночам он стал присоединяться к молодым парням, своим бывшим питомцам, когда те с оружием в руках выходили в поля в поисках коварного искусителя. Но гиена была изворотлива и хитра.

«Как всякий известный науке вредитель», — заметил Пинес на одном из общих собраний коллектива.

Как-то раз, выйдя ночью охотиться на землероек и древесных лягушек для школьного живого уголка, он внезапно увидел своего заклятого врага. Гиена пересекала поле по другую сторону оврага и шла ему навстречу широким хищным шагом, пожиравшим пространство. Пинес застыл на месте, а гиена уставилась на него сверкающими оранжевыми зрачками и вкрадчиво заворчала. Он увидел покатость широких плеч, вздувшиеся желваки челюстей и пятнистую шерсть, вздыбившуюся и дрожащую на округлой крутизне ребер.

Потом гиена ускорила шаг, прошелестела мягкими ростками вики и, перед тем как исчезнуть в высокой стене стеблей сорго, снова глянула на старого педагога и насмешливо улыбнулась, обнажив гнилые клыки. Пинес никак не мог понять смысл «этой наглой улыбки», пока не заметил, что забыл свое ружье дома.

«Пинес всегда забывает свое ружье дома», — улыбнулись в деревне при известии об этой ночной встрече, припомнив, как много лет назад, когда отцы-основатели[10] только еще закладывали первые дома мошава, умерла от малярии его жена Лея вместе с двумя дочерьми-близняшками, которых носила тогда под сердцем. Отпрянув от мертвого тела, которое, даже остынув и закоченев, все еще продолжало истекать зеленым пóтом, Пинес бегом помчался в сторону вади, в рощу акаций, что была облюбована в те дни самоубийцами. Несколько человек тут же бросились его спасать, но увидели, что он лежит в гуще чертополоха, заливаясь слезами. «Он и тогда забыл свое ружье дома!»

Сейчас, когда в его зачастившем от страха сердце всплыло воспоминание о хищной твари, об умершей жене и о двух посиневших «безгрешных» зародышах, он торопливо прервал свои возгласы: «Кто там?» — вернулся домой, отыскал свои очки и в темноте поспешил к моему деду.

Пинес знал, что дедушка почти никогда не спит. Он постучал и вошел, не дожидаясь ответа. Хлопнувшая о косяк решетчатая дверь разбудила меня. Я глянул на дедушкину кровать. Она была пуста, как всегда, но из кухни тянулся дымок его сигареты.

В ту пору мне было пятнадцать лет. Почти все эти годы я провел в маленьком домике деда. Его руки, сильные руки человека, выращивающего деревья, растили и меня. Его глаза следили за тем, как я рос и взрослел. Его губы обматывали меня, как привитую ветку, плотным пальмовым волокном своих историй. «Сирота старого Миркина» — так называли меня в деревне, но дедушка Яков, мой милосердный, ревнивый и мстительный дед, всегда называл меня «Малыш».

Старый он был уже и очень бледный. Словно и сам раз навсегда окунулся в тот белый раствор, которым каждую весну белил стволы деревьев своего сада. Низкорослый, жилистый, усатый и лысеющий человек. С годами его глаза все глубже уходили в орбиты, пока их прежний блеск не исчез насовсем. Теперь только два озерка сероватого тумана глядели оттуда.

Летними ночами дедушка любил сидеть за кухонным столом в поношенной рабочей майке и синих коротких штанах, окруженный горьким дымом сигареты и сладким запахом молока и деревьев, и, покачивая торчащими из штанин искривленными работой черенками ног, размышлять о былых свершениях и проступках. Он писал сам себе короткие записки на маленьких клочках бумаги, и они порхали потом по всему дому, точно стайки бабочек-белянок. Он все время ждал возвращения всех, кого утратил. «Встанут во плоти перед моими глазами», — прочел я однажды на одной из бумажек, которая спланировала прямо мне в руки.

С тех первых дней, что я себя помню, и до самого дня его смерти я много раз спрашивал у него: «О чем ты все время думаешь, дедушка?» — и он всегда отвечал мне одно и то же: «О себе, Малыш, и о тебе».

Мы жили в старой времянке. Иглы казуарин шуршащим ковром покрывали крышу нашего небольшого жилища, и дважды в год, по приказу дедушки, я поднимался туда и сгребал толстые пласты зеленой хвои. Пол дома был слегка приподнят над землей, чтобы сырость и насекомые не источили деревянные доски, и из мрачного, тесного пространства под полом то и дело доносились звуки жестоких сражений змей с ежами да мягкий шелест чешуек медяницы. Как-то раз, после того как в комнату вползла огромная сороконожка, дедушка обложил подпол кирпичами, закрыв его со всех сторон. Но поднявшиеся оттуда предсмертные стоны и мольбы о милосердии заставили его разобрать кирпичи, и больше он уже не повторял этой попытки.

Наша времянка была одной из последних, еще сохранившихся в деревне. Когда отцы-основатели только осели на землю, свои первые заработанные деньги они вложили в строительство бетонных коровников для молочных коров, потому что у коров не было той выносливости, что у людей, и они больше страдали от причуд стихии, а долгие столетия одомашнивания и людской заботы начисто выкорчевали из их сердца всякое стремление к жизни на воле. Люди же сначала жили в палатках, а потом в деревянных времянках. Прошли годы, прежде чем они перешли в кирпичные дома, но тот дом, что стоял на нашем участке, занимали мой дядя Авраам, его жена Ривка и их сыновья — мои двоюродные братья-близнецы Иоси и Ури.

Дедушка решил остаться во времянке. Он был садоводом и любил дерево и его запах.

«Деревянный дом движется и ходит под ногами. Он дышит и потеет. И скрипит по-разному под каждой ногой», — говорил он мне, любовно похлопывая рукой толстую балку над своей кроватью, которая каждую весну выпускала зеленые побеги.

В доме были две комнаты и кухня. В одной комнате мы с дедом спали на железных кроватях и колючих матрацах, которые в наших местах называли «матрацами из морской капусты». Тут стоял также большой, безыскусный платяной шкаф, а возле него — дедушкин *комод*, ящики которого были покрыты треснувшей мраморной плитой. В верхнем ящике дедушка держал липкую ленту и паклю из волокон рафии[11], которыми он обматывал привои, а на гвозде за дверью висел его кожаный пояс, из карманов которого торчали садовые ножницы с красными ручками, ножи для прививки и тюбик черной мази собственного изготовления — замазывать подрезы. Другие его рабочие вещи: пила, банки с лекарствами и ядами против насекомых и кастрюли, в которых он смешивал свой «суп из Бордо» — так он именовал гремучую смесь мышьяка, никотина и пиретрума, — хранились в запертом сарае, пристроенном к коровнику, в том сарае, где когда-то укрывался мой дядя Эфраим перед тем, как ушел из нашей деревни и исчез навсегда.

Во второй комнате стояли книги, из тех, что можно было встретить в любом доме нашей деревни. «Справочник насекомых для земледельца» Клайна и Боденхаймера, подшивки «Поля» и «Садовода» в синих обложках, «Евгений Онегин» в переводе Шленского в светлом льняном переплете, черный «Танах»[12], ивритские книги из серий «Мицпе» и «Штибель», а также самое любимое дедушкино чтение — два зеленоватых томика «Урожая лет» американского селекционера-кудесника Лютера Бербанка. «Низкорослый, худой и сутуловатый, с искривленными многолетней тяжелой работой коленями и локтями», — читал мне дедушка описание внешности Бербанка. Только у Бербанка глаза были «голубые», а у дедушки — серые.

Следом за Бербанком стояли тома воспоминаний, написанных дедушкиными друзьями. Некоторые названия я помню и сейчас — «На дорогах родины», «От Дона к Иордану», «Мой путь на родину», «Моя земля». Эти дедушкины друзья были героями бесчисленных историй моего детства. Все они — так объяснял мне дедушка — родились в далекой стране Украине, *нелегально* перешли границу и взошли в Страну много лет назад. Некоторые ехали на телегах *мужиков* — еще одно непонятное слово, — медленно пробираясь среди глубоких снегов и диких яблонь, вдоль скалистых берегов и соленых пустынных озер, одолевая лысые холмы и песчаные бури. Другие летели верхом на белых северных гусях, крылья которых были в ширину «как от конца нашего сеновала до птичника», летели и кричали от восторга над широкими полями Украины и высоко над Черным морем. Третьи произносили тайные слова, которые «вихрем переносили их» в Страну Израиля, все еще разгоряченных и с зажмуренными от страха глазами. И вдобавок ко всему был еще Шифрис.

«Когда мы уже собрались на вокзале в Макарове, и кондуктор свистнул в свой свисток, и все поднялись в вагон, Шифрис вдруг заявил, что он не поедет. Ты не доел свой помидор, Барух».

Я послушно открывал рот, и дедушка вкладывал в него кусок помидора, посыпанный грубой солью.

«Шифрис сказал нам: «Товарищи! В Страну Израиля нужно всходить только пешком!» И он расстался с нами на вокзале, закинул свой мешок на спину, помахал нам рукой и исчез в облаке паровозного пара. Наверно, и по сей день шагает себе где-то, прокладывая путь в Эрец-Исраэль, и когда-нибудь придет сюда, последним из пионеров»[13].

Дедушка рассказал мне о Шифрисе, чтобы на свете был хоть один человек, который будет ждать отставшего странника, готовый к его приходу. И я ждал Шифриса — даже после того, как все его былые товарищи давно махнули рукой, разуверились и поумирали один за другим, так и не дождавшись его появления. Я мечтал быть тем мальчиком, который побежит ему навстречу, когда он войдет в деревню. Каждая точка на гребне далекой голубой горы обретала очертания его приближающейся фигуры. Круги пепла, которые я встречал на краю поля, были следами его костров, на которых он кипятил себе воду. Шерстяные нити на колючках боярышника — из его обмоток. Чужие следы на пыльных грунтовых дорогах — от его ног.

Я просил дедушку показать мне путь Шифриса на карте, те границы, которые он пересек тайком, те реки, которые он переплыл. Но когда мне исполнилось четырнадцать лет, дедушка вдруг сказал: «Хватит с нас Шифриса».

«Он и вправду объявил, что пойдет пешком, — сказал дедушка. — Но скорее всего, уже на второй день устал, да так там и остался. А может, с ним что-то случилось по дороге — заболел, например, или был ранен, вступил в их партию, влюбился... Кто знает, Малыш, многое может пригвоздить человека к месту».

На одной из его записок я нашел написанное маленькими буковками: «Завязь, а не плод. Движение, а не продвижение».

Книги были прислонены к большому радиоприемнику «Филько», который подписчики «Поля» могли приобрести в рассрочку, удобными выплатами. Напротив стояли кушетка и два кресла, которые мой дядя Авраам и его жена Ривка перенесли в дедушкину времянку, когда купили для своего дома новую мебель. Эту комнату дедушка называл гостиной, но своих гостей он всегда принимал в кухне, у большого стола.

Пинес вошел. Я сразу распознал его голос — тот громкий голос, который учил меня природоведению и Танаху.

— Миркин, — сказал он, — этот тип снова кричал.

— Кого на этот раз? — спросил дедушка.

— Я трахнул внучку Либерзона, — сильно и с чувством провозгласил Пинес, но тут же испуганно прикрыл окно и добавил: — Не я, конечно, а тот, кто кричал.

— Замечательно, — сказал дедушка. — Этот парень — просто многостаночник. Хочешь чаю?

Я навострил уши, прислушиваясь к их разговору. Вот уже несколько раз меня ловили на том, что я подслушивал под открытыми окнами, притаившись среди фруктовых деревьев или за копной кормовой травы. Тогда я поднимался, силой сбрасывал ухватившие меня руки и уходил, не оборачиваясь и не говоря ни слова, выпрямившись во весь рост и жестко, упрямо расправив плечи. Потом эти люди приходили жаловаться дедушке, но он им никогда не верил.

Я услышал шарканье натруженных ног по деревянному полу, бульканье наливаемой воды, позвякивание ложечек о тонкое стекло, а потом — громкие глотки и причмокивания. Способность этих стариков спокойно держать в руках обжигающие жаром стаканы и, не моргнув глазом, глотать кипяток меня уже давно не удивляла.

— Какая наглость! — сказал Пинес. — Так омерзительно вопить. Осквернять рот, выкрикивать грязную ругань, спрятавшись среди деревьев.

— Он, наверно, думал, что это смешно, — сказал дедушка.

— Но мне-то что делать? — простонал старый воспитатель, для которого эта история была чем-то вроде личного поражения. — Как я буду смотреть в глаза деревне?

Он встал и начал беспокойно ходить по кухне. Я слышал, как он в отчаянии хрустит суставами пальцев.

— Парни всегда балуют, — сказал дедушка. — Стоит ли из-за этого убиваться?

В его голосе слышалась улыбка. Пинес вскипел:

— И объявляют об этом вот так, во всеуслышание? Во весь голос? Чтобы все знали?

— Послушай, Яков, — успокаивающе сказал дедушка. — Мы живем в маленькой деревне. Если кто-нибудь зайдет слишком далеко, сторожа в конце концов его поймают. И тогда деревенский Комитет обсудит это дело. Не стоит так огорчаться.

— Я учитель, — взволнованно сказал Пинес. — Я учитель, Миркин, я их воспитатель! Все будут обвинять меня.

В архиве Мешулама Циркина хранится знаменитая декларация Пинеса, провозглашенная им на заседании деревенского Комитета в 1923 году: «Биологическая способность рожать детей еще не гарантирует родителям способность их воспитывать».

— Никто не станет тебя обвинять из-за какого-то молодого жеребца, — решительно сказал дедушка. — Ты воспитал для деревни и всего Движения[14] замечательное поколение детей.

— Я гляжу на них, — растроганно сказал Пинес. — Они приходят в первую группу мягкие, как речная трава, как цветы, которые я должен вплести в общую ткань нашей жизни.

Пинес никогда не говорил «класс», он всегда говорил «группа». Я усмехнулся в темноте, потому что знал, что последует дальше. Пинес любил сравнивать воспитание с земледелием. Описывая свою работу, он прибегал к таким выражениям, как «целинная земля», «вьющаяся лоза», «капельное орошение». Ученики для него были «саженцы», каждая группа — «грядка».

— Миркин, — взволнованно сказал он, — пусть я не земледелец, как вы все, но я тоже сею и пожинаю. Дети — мой виноградник, мой сад и мое поле, и даже один такой... — Теперь он почти задыхался, отчаяние снова перехватило ему горло. — Один такой... дичок вонючий... Он, видите ли, «трахнул»! «Член ослиный, а похоть, как у жеребца»[15].

Подобно всем ученикам старого Пинеса, я привык к его частым цитатам из Танаха, но таких выражений еще не слышал от него ни разу и от неожиданности даже присел в кровати, но тут же застыл. Половицы скрипнули под тяжестью моего тела, и старики на миг замолчали. В те дни, пятнадцати лет от роду, я уже весил сто десять килограммов и способен был, схватив рослого бычка за рога, пригнуть его голову к земле. Мой рост и сила вызывали удивление всей деревни, и кое-кто в шутку говорил, что дедушка, наверно, поит меня молозивом, тем первым коровьим молоком, которое придает новорожденным телятам силу и укрепляет их иммунитет.

— Не говори так громко! — сказал дедушка. — Малыш может проснуться.

Так он называл меня до самой своей смерти — «Малыш». «Мой Малыш». Даже когда все мое тело уже покрылось черным волосом, плечи стали широкими и мясистыми и голос изменился. Помню, когда у нас начали ломаться голоса, Ури, мой двоюродный брат, хохотал не переставая, выкрикивая, что я единственный в деревне мальчик, который перешел с баритона на бас.

Пинес процедил несколько слов по-русски, на который все отцы-основатели переходили, когда бормотали что-то про себя гневным и приглушенным шепотом, и сразу за этим я услышал, как чпокнула жестяная крышка — это дедушка открыл отверткой банку давленых маслин. Теперь он поставит на стол полное блюдце, и как только Пинес, с его неистребимой любовью ко всему горькому, кислому и соленому, набьет ими полный рот, его настроение мгновенно изменится к лучшему.

— Помнишь, Миркин, когда мы только прибыли в Страну, этакие изнеженные еврейские юнцы из Макарова, и ели первые наши маслины в ресторане в Яффо, те черные оливки, помнишь, мимо нас прошла симпатичная молоденькая блондинка в голубой косынке и помахала нам рукой?

Дедушка не ответил. Когда он слышал слова вроде «помнишь?» — он всегда умолкал. К тому же я знал, что сейчас он вообще не станет говорить, потому что во рту у него лежит маслина, которую он медленно-медленно высасывает, прихлебывая чай. «Или еда, или воспоминания, — сказал он мне однажды. — Нельзя слишком долго пережевывать и то и другое».

Такой у него был обычай — держать во рту надрезанную черную маслину, запивать ее чаем и время от времени откусывать от спрятанного в пальцах маленького кубика рафинада, наслаждаясь мягкой смесью сладкого и горького: «Чай и маслины, Россия и Эрец-Исраэль».

— Хорошие маслины, — сказал Пинес, немного успокоившись. — Очень хорошие. Как мало удовольствий осталось в нашей жизни, Миркин, как мало удовольствий и как мало такого, что приводит нас в волнение. «Восемьдесят лет мне, и различу ли еще хорошее от худого. Узнает ли раб твой вкус в том, что буду есть, и в том, что буду пить? И буду ли в состоянии слышать голос певцов и певиц?»[16]

— А мне показалось, что ты был в волнении, когда сюда вошел, — заметил дедушка.

— Из-за этого наглеца! — выплюнул Пинес. Я услышал, как маслина, вылетев из его рта, ударилась о стол и отскочила в раковину. Потом они замолчали, и я знал, что сейчас дедушкины вставные зубы выдавливают очередную маслину, которая истекает в его рот горьким и нежным соком. — А что с Эфраимом? — внезапно спросил Пинес. — Ты слышал что-нибудь о нем?

— Ни слова, — ответил дедушка холодно, как я и ожидал. — Ничего.

— Только ты и Барух, а?

— Я и Малыш.

Только мы с дедушкой.

Вдвоем. С того самого дня, как он принес меня на руках из дома моих родителей, и до того самого дня, когда я принес его на руках из нашего дома и похоронил в нашем саду.

Только он и я.

2

Тоска по деду затянула мои глаза влажным туманом. Я поднялся с большого кожаного кресла и пошел бродить по комнатам дома. Того большого дома, который я купил, когда вырос, похоронил в нашем саду дедушку и его друзей, разбогател и покинул деревню. Те слова старого Пинеса: «Только ты и Барух» — все плыли и плыли в моем мозгу и не хотели убраться на прежнее место. За окном слышался шум волн, и, выйдя на подстриженную лужайку перед домом, я растянулся на прибрежной траве.

Этот дом, вместе со всем, что в нем находилось, я купил у какого-то банкира, который сбежал из Страны. Понятия не имею, почему он так торопился. Я никогда до этого не встречал людей подобного сорта и никогда не заглядывал в банк. Деньги, уплаченные родственниками людей, которых я хоронил, я держал в коровнике, в мешках из-под удобрений, рядом с подстилкой, на которой спал старый Зайцер. Для старого Зайцера спать вместе с коровами было делом принципа.

«В Седжере[1] я тоже спал вместе с рогатым скотом», — говаривал он.

Огромные уши Зайцера высоко торчали по обе стороны старой русской фуражки. Он умел ими шевелить и порой, под настроение, уступал просьбам детей и показывал этот свой трюк. Принципы у него были нерушимые, и его жизненная программа так легко подминала под себя реальность, как будто та была мягким клеверным стеблем. «Зайцер, — писал дедушка, — это единственная рабочая партия, никогда не знавшая расколов, потому что она всегда состояла только из него одного».

Бускила, управляющий моего «Кладбища пионеров», привез меня в новый дом в том самом грузовичке, в котором мы привозили из аэропорта или из домов престарелых гробы с покойниками, а также памятники, изготовленные по нашему заказу старыми каменщиками Галилеи. Это был просторный дом, окруженный живым душистым забором дикого лавра. Бускила со вкусом оглядел усадьбу, прежде чем нажать на кнопку электрических ворот. Когда я сообщил ему, что пионеры поумирали все до единого и весь наш участок набит их памятниками до отказа, а поэтому я хотел бы прикрыть свое дело и покинуть деревню, Бускила сейчас же отправился на поиски и нашел мне новое место для жилья. Он сам занимался покупкой, сам торговался с посредниками и довел адвокатов до белого каления своей язвительной любезностью.

Стоя рядом с ним перед большими воротами, я вдруг осознал, что никогда раньше не жил в настоящем доме. Всю свою жизнь я прожил вместе с дедушкой в старом деревянном домишке, из тех, которые в большинстве хозяйств мошава давно уже были превращены в сараи или порублены на дрова.

Я приехал в своем обычном синем рабочем комбинезоне. Бускила был в светлом льняном костюме, с мешком денег в руках. Банкир уже спешил к нам навстречу, этакий юркий, проворный толстячок. Дряблые мускулы толкали его по отполированным плиткам пола.

— Ага! — воскликнул он. — Вот и похоронная команда!

Бускила не пошевельнул бровью. За годы высоко принципиальной борьбы с руководством мошава и Рабочего движения он убедился, что наше кладбище ненавидят абсолютно все, кроме тех, кто на нем похоронен. Он развязал мешок, вывалил на ковер запыленные банкноты, и над кучей бумажек тут же поднялся удушливый запах серы и аммиака. Потом он подошел к закашлявшемуся банкиру, с размаху хлопнул его по спине и дружелюбно пожал ему руку.

— Бускила Мордехай, управляющий, — представился он. — Все в долларах, как и было договорено. Прошу сосчитать.

Бускила — моя правая рука. Он старше меня на поколение и хороший мой друг. Низкорослый, редковолосый, худощавый, язвительный и всегда приятно пахнущий зеленым мылом.

Банкир стал пересчитывать банкноты, а Бускила тем временем повел меня по просторам дома, с его дорогим хрусталем, коллекцией серебряных кубков и толстыми коврами, в которых утопали ноги. Рисунки и портреты удивленно и гневно смотрели на меня со стен. Бускила заглянул в гардеробную, где висели десятки костюмов, и оценивающими пальцами знатока пощупал ткани.

— Что ты думаешь делать со всем этим барахлом? — спросил он. — Они на тебя не налезут.

Я сказал, что он может взять себе все, что пожелает. Он завел патефон, и громкий вопль оперной певицы разорвал белую пустоту. Банкир в гневе бросился к нам.

— Может, вы отложите свой праздник до моего отъезда?

— Чем быстрее сосчитаешь, тем быстрее уедешь, — улыбнулся ему Бускила. — Тебе же лучше. — Он положил руку на жирную талию банкира, повернул его танцевальным шагом и осторожно подтолкнул к вороху банкнот.

Вскоре прибыли адвокаты и привезли бумаги на подпись. Банкир взял свои чемоданы и заторопился на выход, а Бускила, в руках которого уже сверкала рюмка, вышел на веранду и произнес ему вслед напутственное благословение из Торы[2].

Вернувшись в комнату, он заметил выражение моего лица.

— Может, я поеду? — сказал он.

— Оставайся, — сказал я. — Переночуешь здесь, позавтракаем вместе, и тогда поедешь.

Впервые в жизни я спал в постели, где у меня ноги не болтались снаружи. Тело мое не привыкло к незнакомой податливости матраца, к черному прикосновению пахнущего духами и вырождением шелка, к сохраненным тканью воспоминаниям о шикарных женщинах, которые сминали эти мягкие простыни складками своих наслаждений. Но стены, с детства воздвигнутые во мне Пинесом и дедом, были тут как тут и оставались неприступны. Жесткие мозоли моих ступней кромсали невесомую ткань, и запахи кожи и дерева, сверкание хрома и хрусталя не приставали к моему телу.

С четверть часа оставалось до восхода солнца, когда я наконец заснул, и то лишь на несколько минут. Дедушкин распорядок все еще был выжжен во мне, точно часы, вытатуированные на коже. Он всегда просыпался первым, оставлял мне завтрак на столе, грубо и быстро расталкивал меня и уходил на работу. «Груши лучше всего захватить, пока они не совсем проснулись», — объяснял он мне.

Бускила еще спал. Я сдвинул широкую стеклянную дверь и вышел наружу. Лужайка перед домом была слишком душистой — вся забита какими-то неизвестными мне пышными декоративными цветами. Пинес учил нас опознавать одни лишь дикие цветы да сельскохозяйственные растения.

«Георгины и фрезии — это для буржуев, — говорил он. — Наши декоративные растения — это кассия и нарцисс. А культурные — виноград и клевер».

«Этот твой Бербанк, — дразнил он дедушку, — всю свою жизнь возился с хризантемами».

Прямо передо мной было море, которое я тоже видел впервые в жизни. Оно всегда пряталось за голубой горой, но даже об этом я знал только из рассказов. На волнах этого моря прибыли в Страну дедушка и мой отец. И это море швыряло брызги в лицо моего пропавшего дяди Эфраима, когда он плыл на поля сражений. Полчаса спустя Бускила присоединился ко мне на берегу. Он был закутан в халат и нес в руках поднос с поджаренными кусками булки и высокими стаканами сока.

Мы сидели на краю лужайки. Вглядевшись в кусты, я сразу разглядел паутину паучка-летуна. На ней еще сверкали капли росы. Улыбка расплылась по лицу Бускилы, когда он увидел, что я осторожно пополз к кусту, чтобы разглядеть самого паучка. Крохотный летун прятался в маленькой палатке из обрывков склеенных паутинными нитями сухих листьев, скрывшись от глаз в ожидании добычи.

Этого паучка Пинес впервые показал мне когда-то в дедушкином саду. В начале каждого лета он часто брал меня в свою «Школу природы», чтобы вместе искать пауков и насекомых. Его старая рука метнулась с неожиданной быстротой и схватила муху, дремавшую на одном из листьев. Он бросил ее в паутину. «Обрати внимание, Барух», — сказал он. Паучок торопливо спустился по радиальной нити, замотал муху в белый саван смерти, немного покачал крошечную мумию в своих волосатых ногах, потом прикоснулся к ней легким ядовитым поцелуем и быстро потащил в свое укрытие. Я поднялся на ноги и вернулся к Бускиле.

— Ну что, теперь ты доволен?! — насмешливо спросил он. — Дом в порядке? Я позаботился, чтобы у тебя в саду были всякие жучки-паучки.

Когда мне исполнилось пять лет, дедушка и Пинес взяли меня с собой в миндальную рощу Элиезера Либерзона. Дедушка подошел к одному из деревьев, слегка копнул у корня и показал мне проеденную насквозь кору. Потом провел пальцами по стволу, осторожно подавил, нашел то, что искал, вынул свой прививочный нож и вырезал в коре дерева точный квадрат. Открывшаяся моему взгляду личинка была сантиметров десять в длину, бледно-желтоватая, с широкой, темной и жесткой головкой. Когда на нее упали солнечные лучи, она стала дико извиваться, выражая свое возмущение.

— Капнодис, — сказал дедушка. — Враг миндаля, абрикосов и слив — всего, что с косточкой.

— «Делают дела свои во мраке»[3], — процитировал Пинес.

Кончиком лезвия дедушка выковырял личинку из ее норы и сбросил на землю. Я почувствовал омерзение и тошноту.

— Мы привели тебя сюда, — сказал Пинес, — потому что в саду твоего дедушки ты не найдешь таких личинок. Мамаша-капнодис никогда не нападает на здоровое, ухоженное дерево. Она обязательно выберет самую слабую овцу в стаде и туда отложит свои яички. Завидев сильное и крепкое дерево с шумно бурлящими соками, она тут же отвращается от него и ищет другое дерево — высохшее, удрученное и отчаявшееся. В него сеет она свои семена сомнения, и личинки ее буравят и крошат смятенную душу.

Дедушка отвернулся, чтобы скрыть улыбку, а Пинес схватил меня за руку и не дал раздавить личинку.

— Оставь, — сказал он. — Сойки избавят ее от страданий. «Если кто застанет вора подкапывающего, и ударит его, так что он умрет, то кровь не вменится ему»[4].

Мы шли домой, и дедушка держал меня за одну руку, а Пинес за другую. Два Якова. Яков Миркин и Яков Пинес.

Во время другой экскурсии Пинес показал мне самого жучка, мамашу-капнодис, которая вышла прогуляться на древесной ветке.

— Она маскируется под сгнившую, почерневшую миндалину, — прошептал он.

Когда я протянул к ней руку, она втянула ножки и камнем свалилась на землю. Учитель нагнулся, поднял ее и положил в маленькую банку с хлороформом.

— Она такая твердая, — объяснил он, — что только молотком можно вбить в нее булавку.

Старики выпили по дюжине чашек чаю, съели полкило маслин, и в три часа утра Пинес заявил, что намерен вернуться домой, и если поймает распутника, то «горек будет его конец».

Он открыл дверь, на мгновение застыл, вглядываясь в темноту, потом повернулся и сказал дедушке, что боится, потому что вспомнил о гиене.

— Гиена давно умерла, Яков, — сказал дедушка. — Кто лучше тебя знает, что она умерла. Можешь быть спокоен.

— Каждое поколение выращивает новых врагов, — мрачно сказал Пинес и вышел.

В теплой чаще ночи шел он «по тонкой корочке, на которой образовалось все живое», брел к себе домой, размышляя, я уверен, обо всех тех опасных и коварных врагах, которые неустанно рождались и кишели повсюду, всплывая из тьмы его кошмаров, точно пузыри из глубин мутного и бесформенного прошлого. Он чуял беззвучно поджидавшего во мраке мангуста и видел криво усмехающуюся морду дикой кошки, неслышно ступавшей шелковистыми лапами по тропе убийств и разбоя. Мыши-полевки подтачивали труд пахаря в пшеничных полях, а под клетчатым полотнищем пашен, садов и жнивья ярилось самое страшное из легендарных чудищ: Великое Болото, которое отцы-основатели заточили под землю, — ярилось, и пучилось, и выжидало первых признаков сомненья. Подняв глаза, он видел далеко на западе багровое зарево большого города, притаившегося за голубой горой. Зарево опасных соблазнов — экслуатации и коррупции, легких заработков, дешевых плотских утех и непристойных подмигиваний.

Еще несколько минут дедушка убирал в кухне, потом потушил свет и вошел в спальню. Перед тем как лечь, он подошел ко мне, и я поспешно прикрыл глаза, чтобы показаться спящим.

— Мой Малыш! — шепнул он, и его усы щекотно скользнули по моим губам и щеке.

Пятнадцати лет от роду был я тогда, сто с лишним килограммов могучих мускулов и черных, жестких волос. Но дедушка не забывал каждую ночь укрывать меня одеялом. Так он укрыл меня в ту первую ночь, когда принес в свой дом, и так же сделал и сейчас. Потом подошел к своей кровати и достал пижаму из постельного ящика. Я подглядывал, как он раздевался. Годы не изуродовали его ни коричневыми пятнами старости, ни вялостью мышц. Даже когда я хоронил его ночью в нашем саду и снял с него новую пижаму, которую он попросил перед смертью, его тело продолжало белеть той же таинственной белизной, которой было окутано всю его жизнь. Все его друзья были бронзовыми от загара, раскаленные годы труда и слепящего света покрыли их трещинами и рубцами. Но дедушка всегда расхаживал в своем саду в широкополой соломенной шляпе, руки его были защищены от солнечных уколов длинными рукавами, и лицо оставалось бледным, как простыня.

Он открыл окно и со вздохом опустился на кровать.

3

Мешулам Циркин встряхивал головой в конце каждой фразы, и грива его светлых, с проседью, волос взвивалась при этом красивым шлейфом. Его щеки были изрезаны горькими морщинами. Я с детства не любил этого бездельника, жившего на другом конце деревни. Он вечно похлопывал меня по плечу, приговаривал: «Почему это в таком большом теле так мало ума?» — и всякий раз визгливо смеялся.

Мешулам был сыном Циркина по прозвищу Мандолина, который вместе с дедушкой, бабушкой Фейгой и Элиезером Либерзоном когда-то основали «Трудовую бригаду имени Фейги Левин». Мандолина был образцовым земледельцем и прекрасным музыкантом, и сегодня он похоронен на моем кладбище, рядом со всеми другими.

Песя Циркина, мамаша Мешулама, была важной партийной деятельницей и редко сидела дома. Мешулам кормился у сердобольных соседок, сам стирал себе и отцу белье, но все равно преклонялся перед матерью и гордился ее вкладом в дело Движения. Он видел ее лишь раз-два в месяц, когда она привозила в деревню свои огромные груди и важных гостей. Это всегда были «товарищи из Центрального комитета». Мы, дети, тоже успевали их увидеть. Ури, мой двоюродный брат, первым замечал серый «кайзер», припаркованный возле дома Циркиных, и возвещал, что «эти, из города, снова приехали понюхать навоз и сфотографироваться в обнимку с телятами и редиской».

В мире, где мать была периодически возникавшим видением, Мешулам с детства искал себе место под солнцем. Он не блуждал в лабиринтах фантазий, в которых зачастую пропадают другие подростки, и, поскольку был при этом одарен острой памятью и жаждой знаний, а старики первопроходцы соткали вокруг него сеть, отличную от той, которую они сплели вокруг меня, он отдался делу изучения, собирания и документирования прошлого. Мешулам с восторгом листал старые бумаги, разбирал чужую переписку и копался в таких ветхих документах, что они распадались от одного прикосновения. Это его утешало.

Уже подростком он ухитрился подобрать и выставить несколько экспонатов, рядом с каждым из которых прикрепил листки с собственноручно сделанными пояснениями: «Мотыга Либерзона», «Молочный бидон 1924 года», «Первый плуг — изделие кузницы братьев Гольдман» и, конечно, «Первая мандолина моего отца». Едва повзрослев, он вытащил из старой отцовской времянки ржавые лемехи культиватора и пустые банки из-под жидкости для опыления, починил крышу, заполнил две маленькие комнаты остатками кухонной посуды и рассыпающейся мебелью и назвал все это «Музеем первопроходцев». Он рылся в чужих дворах и домах, собирал изъеденные временем сита для муки, стиральные доски и позеленевшие медные кастрюли, а однажды нашел даже старые «болотные сани».

«Нужно, чтобы люди знали, чту здесь было во времена пионеров, — заявил он. — Они должны знать, что во времена пионеров, до того, как здесь проложили дорогу, повозки проваливались в болотную жижу, и поэтому молоко на ферму приходилось везти на санях».

Главный предмет его гордости составляло огромное чучело Хагит, гибридной бейрутско-гольштейнской коровы Элиезера Либерзона, которая когда-то была рекордсменкой Страны по надою и жирности молока. Когда Хагит состарилась и Даниэль, сын Элиезера Либерзона, решил продать ее на фабрику по производству костного клея, Мешулам поднял страшный крик и потребовал немедленно созвать заседание деревенского Комитета, заявляя, что мы поступим неуважительно по отношению к «нашему преданному товарищу Хагит», если превратим ее в колбасу и желатин.

«Хагит, — утверждал Мешулам, — это не только сельскохозяйственный феномен — это также та самая корова, которая на своем личном примере убедила руководство ишува[1], что в условиях Страны не следует делать ставку на чисто гольштейнскую породу крупного рогатого скота».

Комитет постановил выдать Даниэлю компенсацию за передачу дряхлой коровы Мешуламу и даже выразил готовность участвовать в расходах на ее дальнейшее содержание. В тот же день Мешулам угостил «преданного товарища» солидной порцией крысиного яда и с помощью ветеринара превратил ее в чучело.

Долгие годы Хагит стояла на веранде дома Циркиных, нафаршированная зловонными бальзамирующими веществами. Изо рта у нее свисали стебли люцерны, а из прославленного вымени капал формалин. Мешулам регулярно чистил ее шкуру, на которой крысиный яд оставил огромные пролысины, чистил ее задумчивые стеклянные глаза и латал дыры в ее коже, потому что воробьи выдергивали из этих дыр клочки ваты и солому для своих гнезд.

Это чучело вызывало отвращение всей деревни, но больше всех оно мучило старого Зайцера, который был очень привязан к Хагит при ее жизни и всегда считал щедрость ее сосков «символом еврейского национального возрождения». Иногда он даже уходил тайком с нашего двора, чтобы снова посмотреть на нее. Но всякий раз, как он оказывался лицом к лицу с этим громадным чучелом, в нем, по его рассказам, пробуждалась какая-то «гремучая смесь желания и ужаса».

«Бедная корова, — бормотал он про себя. — Мешулам Циркин набил в нее больше травы, чем она получила от Элиезера Либерзона за все годы своей долгой жизни».

Мой непочтительный кузен Ури, не признававший ничего святого и на все в деревне смотревший с высоты полета птиц-пересмешников, утверждал, что фарширование Хагит не имело никакой связи с любовью Мешулама к коллекционированию и истории мошава.

«Просто ее вымя напоминало ему вымя его матери, вот и все», — говорил Ури. И я смотрел на него, как смотрю по сей день, — с завистью и обожанием.

В нашу деревню заглядывает множество гостей. Автобусы с туристами, со школьниками — все они приезжают сюда, чтобы собственными глазами увидеть цветущее хозяйство, созданное отцами-основателями. Они взволнованно и медленно проезжают по деревенским улицам, восторгаясь каждой курицей и каждым грушевым деревом, жадно вдыхая запахи земли, молока и навоза. Свой торжественный объезд они всегда заканчивают на участке Миркина — на моем «Кладбище пионеров».

Мешулам давно добивался от Комитета, чтобы ни одному автобусу с посетителями не разрешалось заезжать в деревню и на кладбище, если гости заранее не обяжутся посетить также «Музей первопроходцев» и глянуть на чучело Хагит с золотой медалью, выданной ей когда-то британским Верховным комиссаром[2] и болтающейся сейчас на ее широкой, набитой соломой груди.

Мое «Кладбище пионеров» кололо глаза всей деревне и ее руководству. Но Мешулам Циркин ненавидел его особенно страстно. Автобусы, въезжавшие на стоянку у кладбища, дети с разинутыми ртами, туристы, зачарованно шагавшие по его дорожкам среди свежевымытых памятников и розовых кустов, шепотом читая медные буквы легендарных имен и сопровождая их глотками холодного сока, который продавал у ворот младший брат Бускилы, — все это приводило его в лютое бешенство.

Мешулам Циркин ненавидел мое кладбище, потому что я наотрез отказался похоронить его мать, старую грудастую активистку Песю, рядом с его отцом, Циркиным-Мандолиной. Я хоронил на своем кладбище только дедушкиных товарищей, людей из Второй алии. Песя Циркина была из Третьей[3].

«Мне очень жаль, — сказал я Мешуламу, когда он стал размахивать передо мной очередным «Профсоюзным ежегодником» со статьей, превозносившей свершения его матери в деле развития взаимного кредитования в системе кооперативов Рабочего движения. — Мне очень жаль, но твоя мать не из Второй алии».

«Покойница не соответствует приемным требованиям нашего кладбища», — спокойно объяснил Бускила.

Мешулам пригрозил, что обратится в «инстанции». Я напомнил ему, что он уже обращался туда с аналогичным требованием, когда старый Либерзон составлял «Альбом пионеров» и не согласился поместить там фотографию Песи, причем по той же причине.

«И кроме того, — сказал Бускила, — твой отец не хотел видеть ее рядом с собой даже при жизни».

Но больше всего Мешулама злили те свинцовые гробы, которые я привозил из аэропорта. Он знал, что каждый прибывающий из Америки гроб прибавляет в мои старые мешки из-под удобрений еще несколько десятков тысяч долларов.

— По какому праву ты хоронишь у себя этих предателей, а не мою маму? — крикнул он.

— Каждый, кто прибыл в Страну со Второй алией, может купить себе здесь могилу, — ответил я.

— Ты хочешь сказать, что любой старый пердун, который прибыл сюда из России, помотыжил тут две недели, плюнул на все и смылся в Америку, может быть похоронен здесь в качестве пионера? Нет, вы только посмотрите на это! — воскликнул он, указывая на один из памятников. — Роза Мункина, эта старая греховодница!

Роза Мункина, которая знала дедушку еще в Макарове, была моей первой покойницей.

— Рассказать тебе про Розу Мункину?! — насмешливо спросил Мешулам. Наш разговор происходил вскоре после того, как вся деревня взвыла, когда я установил рядом с могилой дедушки ее памятник из розового камня. — Она приехала с Украины, проработала ровно неделю на миндальных плантациях в Реховоте и поняла, что эта работа — не для ее нежных ручек. Тогда она начала забрасывать весь мир истерическими письмами, умоляя вытащить ее отсюда. У нее был брат, тот еще бандит, который эмигрировал в Америку и стал пионером на свой лад — первым еврейским гангстером в городе Бруклине. Этот братец, конечно же, прислал ей билет. — И в знак презрения Мешулам поставил ногу на розовый мрамор плиты. — Во время Первой мировой войны, когда твои дедушка и бабушка, и мой отец, и Элиезер Либерзон умирали от голода, а Зайцер был насильно мобилизован в турецкую армию, Роза Мункина купила в Бронксе свой четвертый магазин корсетов. В тот год, когда «Трудовая бригада имени Фейги Левин» вышла на поселение, Розе Мункиной было откровение, она вернулась к вере отцов, вышла замуж за раввина Шнеура из Балтимора и стала публиковать за свой счет антисионистские объявления. Во время Второй мировой войны, когда твой несчастный дядя Эфраим был ранен в рядах британских десантников, Роза Мункина овдовела, сняла себе роскошные апартаменты в отеле в Майами и стала оттуда заправлять игорным бизнесом своего покойного братца. В архивах ФБР она по сей день проходит под кличкой Красной Розы. А сегодня, — вдруг с ненавистью заорал он, — сегодня она лежит здесь, на твоем кладбище! В нашей Долине! В земле Израиля! Пионерка! Строительница сионизма! Наша Мать-Основательница!

— Благословен Судия праведный, — прочувствованно подытожил Бускила. Он подошел к памятнику, осторожно снял с мрамора ногу Мешулама, достал из кармана фланелевую тряпочку и старательно протер букву «а» в имени «Роза».

— А ты заткнись, Бускила! — побелел Мешулам. — Такое говно, как ваш брат-марокканец[4], должно вскакивать навытяжку, когда речь идет об отцах-основателях.

— Между прочим, покойница уплатила сто тысяч долларов, — сообщил Бускила, который не обращал внимания на такие мелкие уколы.

— Деньги мафии! — издевательски фыркнул Мешулам.

— Чего ты хочешь, Мешулам? — спросил я. — Она приехала со Второй алией.

— А Шуламит! — взвизгнул он. — Шуламит тоже прибыла со Второй алией?!

— Ты поосторожней! — разозлился я. — Шуламит — это наше семейное.

К тому времени, когда прибыло письмо Розы Мункиной из Америки, мой дедушка и Шуламит — его старая любовь, приехавшая из России через полвека после него,

его «крымская шлюха», как ее неизменно называла Фаня Либерзон, — были единственными похороненными в нашем саду. Бускила, в те времена деревенский письмоносец, галопом примчался на своем почтовом осле Зисе и еще издали закричал:

— Аэрограмма! Аэрограмма! Письмо из Америки!

Я был занят поливкой тех знаменитых бербанковских роз, которые цветут в течение всего года. Я посадил их вокруг могил дедушки и Шуламит.

Лютер Бербанк тоже покинул свой дом из-за безнадежной любви. Дедушка без конца рассказывал мне о бербанковских плодовых деревьях, о кактусах без иголок и о картофеле со светлой кожурой, но отрывок о любви Бербанка он прочитал не мне, а моим двоюродным братьям Ури и Иоси, близнецам моего дяди Авраама, и я возревновал их к нему и чуть не заплакал.

Я громко хлопнул дверью, вышел наружу и услышал через окно, как дедушка продолжает читать, словно начисто игнорируя мои страдания: «В те дни я со всем юношеским жаром влюбился в красивую девушку, которая, однако, оказалась менее пылкой, чем я. Небольшого разногласия между двумя упрямствами, к тому же усиленного сказанными в горячности словами, оказалось достаточно, чтобы убедить меня, что сердце мое разбито. Кажется, я многим говорил, что именно это было причиной, побудившей меня пуститься в далекие скитания, которые в конце концов привели меня на Запад».

— Не кричи, — укоризненно сказал я Бускиле. — Здесь нельзя кричать.

Он вручил мне конверт и остался стоять рядом.

Бускила появился в деревне в начале пятидесятых годов, когда дедушка был еще жив и я еще был «его Малышом». Он вошел в деревенский магазин и стал около кассы, за которой сидел Шломо Левин. Бускила был в старых желтых полуботинках, в смешном синем берете на голове. Он поглядывал на кассу и с большим вкусом прихлебывал из бутылки с грейпфрутовым соком. Левин выписал на листке цены всего, что купила ожидавшая расчета мошавница, и начал складывать, бормоча под нос цифру за цифрой.

— Два пятьдесят четыре, — произнес Бускила из-за его плеча раньше, чем карандаш Левина успел спуститься по нескольким первым цифрам.

Злоключения Шломо Левина в Стране Израиля наделили его острой чувствительностью к замечаниям посторонних. Больше всего он не любил, когда его контролировали. Он обернулся, устремил на незваного гостя разгневанный взгляд и тут же понял, что этот тип явился из лагеря новоприбывших иммигрантов, который власти недавно развернули на холме, что за эвкалиптовой рощей. Деревня встретила этих новичков сочувственно и свысока. Старожилы охотно делились с ними житейскими наставлениями, излишками со своего стола и недостающим инструментом, а вернувшись из лагеря, рассказывали друг другу, что эти недомерки в синих беретах целыми днями пьют, играют в карты и кости, «скучают по своим грязным пещерам и подтирают задницы камнями».

Теперь, столкнувшись с такой явной наглостью, Левин открыл было рот, но сдержался, не сказал ни слова и повернулся к очередной покупательнице.

— Один семнадцать, — произнес Бускила в тот момент, когда Левин закончил выписывать цены, но еще не успел даже провести черту под их колонкой.

Шломо Левин, который заведовал нашим деревенским магазином уже многие десятилетия, встал со своего места за кассой, снял фуражку и осведомился, с кем имеет честь.

— Бускила Мордехай, — сказал удивительный чужак, шумно всосал остатки сока и добавил, — новый иммигрант из Марокко. Ищу работу.

— Я и сам вижу, — сказал Шломо Левин. — Мне не нужно объяснять.

В Мекнесе[5], объяснил новичок, он преподавал арифметику и писал письма на трех языках для судов и правительственных учреждений. Теперь он ищет работу в бухгалтерии, в школе или в инкубаторе.

— Я всегда любил деньги, детей и цыплят, — дружелюбно объяснил он.

Левин был потрясен и рассказал о новом иммигранте Элиезеру Либерзону, который был тогда деревенским казначеем.

— Нахальный парень, но считать умеет, — снисходительно добавил он.

Просьба Бускилы была рассмотрена со всей благожелательностью, хотя его откровенная любовь к деньгам показалась большинству товарищей буржуазным пережитком. «Не говоря уже о берете, — сказал Ури. — Головные уборы без козырьков носят только люди без идеалов».

«Мы обсудили этот вопрос с учетом наших идейных принципов, а также надлежащего внимания к нуждам новых иммигрантов вообще и к способностям Бускилы в частности, — рассказывал мне позже Элиезер Либерзон. — И решили послать его на испытательный срок на переборку просохшего лука».

В течение двух лет Бускила приобщался к почве исторической родины, выполняя такие малоприятные земледельческие обязанности, как опрыскивание, прореживание, прополка и собирание плодов, а потом наш деревенский почтальон услышал гиену, хохотавшую в полях, и тронулся умом. Он купил черный карандаш и начал вымарывать строчки в письмах, которые уходили из деревни. Комитет уволил несчастного безумца, и Бускила унаследовал его место и осла. Он высадил вокруг почты кусты марокканской полыни, стал заваривать на ней чай, аромат которого сводил с ума всех прохожих, и завоевал сердца старожилов, собирая их письма прямо на дому и тем самым избавляя отправителей от необходимости самим тащиться на почту.

Я открыл конверт. С тех пор как Шуламит приехала из России, мы не получали писем из-за границы.

— Что там написано, Барух? — деликатно спросил Бускила.

— Это личное, — сказал я ему.

Бускил отошел на несколько шагов и оперся о памятник Шуламит. Он ждал, пока я попрошу его перевести мне загадочное письмо.

— Это старая женщина из Америки, — сказал он мне, глянув на исписанную страничку. — Ее зовут Роза Мункина. Она из города твоего дедушки, была здесь много лет назад, работала с ним в Ришон-ле-Ционе и Реховоте и преклонялась перед ним. Ей написали из Страны, что ты похоронил его дома, и она хочет, чтобы ты и ее, когда она умрет, похоронил здесь, возле него. — Он протянул мне конверт. — Здесь внутри есть что-то еще, — сказал он.

Внутри был чек на мое имя. На сумму в десять тысяч долларов.

— Это задаток, — сказал Бускила. — Женщина очень больна и скоро умрет. И тогда адвокат привезет ее вместе с остальными деньгами.

— А что мне делать с этой бумажкой? — озадаченно спросил я. — Это ведь не настоящие деньги.

— Тебе понадобится помощь, Барух, — медленно сказал Бускила. — Это большие деньги, это люди из-за границы, это английский, и это суды, и это ваш Комитет, и это налоги. Один ты не справишься.

За десять тысяч долларов, подумал я, можно посадить на могиле дедушки сказочные саженцы. Иудино дерево и белые олеандры. Я смогу проложить дорожку из красного гравия от могилы дедушки к могиле Шуламит. Я смогу найти моего пропавшего дядю Эфраима и вылечить кишечную болезнь старого Зайцера.

— Никому не рассказывай об этом, — сказал Бускила. — Никому. Даже твоему любимому брату Ури.

Вечером Бускила пришел в мою времянку, приволок черную пишущую машинку и написал для меня письмо по-английски. Роза Мункина прислала ответ, а по прошествии трех месяцев, посреди ночи, прибыла самолично — лежа в сверкающем глянцем гробу и в сопровождении адвоката в сверкающем глянцем костюме, с буйной копной волос и острым запахом афтершейва, подобный которому никогда не отравлял воздух нашей деревни. Пока я рыл яму, он стоял надо мной величественно и брезгливо.

— Посмотри на него, — шепнул мне Бускила. — Знаю я эту породу. Уверяю тебя, ему не впервой хоронить людей среди ночи.

Адвокат сидел в темноте на дедушкиной могиле, лениво чертил носком начищенного ботинка по кладбищенской пыли, грыз стебелек и с отвращением принюхивался к деревенским запахам, поднимавшимся в теплый ночной воздух от коровников и курятников.

Мы опустили Розу Мункину в землю Изреельской долины. Американец вынул из кармана листок бумаги и быстро пробормотал короткую поминальную молитву на невразумительном иврите. Потом велел мне залить бетоном квадрат под основание памятника и извлек из багажника своей громадной машины черный плоский чемоданчик. Бускила пересчитал банкноты наслюнявленным быстрым пальцем и выписал расписку.

Через несколько дней адвокат вернулся, привезя с собой вычурное надгробье из полированного розового мрамора. По сей день эта могила выпирает, как огромная конфетная коробка, из однообразия серых и белых памятников, вытесанных из местного камня.

Банкноты я спрятал в коровнике. Зайцер спал без задних ног, укрытый старым армейским одеялом, оставшимся в его владении еще с Первой мировой войны, и не услышал моей возни. Мы с Бускилой вернулись во времянку, уселись за обеденный стол дедушки и стали пить чай с маслинами и хлебом.

— Ты, наверно, хочешь поговорить обо всем этом с твоим дядей Авраамом и со своим учителем Пинесом. Так ты не говори с ними пока. Подожди немного, потом поговоришь, — посоветовал он мне.

Наутро Бускила оставил работу на почте и предстал передо мной.

— Я буду управлять твоим делом, а ты будешь платить мне по своему усмотрению, — сказал он.

Так началась дедушкина месть деревне. Месть, продуманная со всей той тщательностью и тем предвидением, которыми наделен всякий хороший садовод. Месть, наполнившая деньгами мои мешки и поразившая самые чувствительные нервные узлы коллективного сознания деревни.

«Они выгнали моего сына Эфраима, — твердил дедушка перед смертью мне и Пинесу, — и я тоже нанесу им удар в самом чувствительном для них месте — в земле». Но тогда я еще не понимал, что он задумал.

Комитет обсудил несколько возможностей заменить Бускилу на почте и в конце концов остановился на кандидатуре Зиса. Что ни говори, осел и так уже знал на память все адреса, а теперь, освободившись от тяжести почтальона, получил возможность развозить адресатам не только письма, но и посылки. Зис был внуком того знаменитого Качке, что вышел на землю вместе с отцами-основателями и таскал для них воду из нашего источника до тех пор, пока не издох от укуса змеи.

Через два года Зис был уволен. «Старики обнаружили, что он слизывал марки с конвертов», — сказал Ури, мой двоюродный брат-пересмешник.

Комитет обратился к Бускиле и попросил его вернуться на почту, но к этому времени Бускила уже напечатал себе визитные карточки, на которых по-английски и на иврите было написано: «Кладбище пионеров, Управляющий», и управлял «стадом из ста покойников», как с презрением говаривал старик Либерзон — до тех пор, пока не умерла Фаня, жена его, возлюбленная его, единственная его, и стала в этом стаде сто первой.

4

Хозяйство Миркиных было одним из самых удачливых в деревне. Так говорили, с удивлением и восторгом, когда фруктовые деревья дедушки взрывались буйным цветом и коровы дяди моего Авраама истекали потоками молока; и так говорили, со страхом и завистью, когда в том же коровнике остались лишь пыльные чешуйки насекомых да мешки, распухшие от денег, а сад пришел в запустение и был засеян могилами и костями.

Ровные ряды надгробий, красные и белые гравийные дорожки, затененные уголки для отдыха и уединения, зеленые скамейки, деревья и цветы, и в центре — белый памятник дедушки. Вся деревня сокрушалась, глядя, какая ужасная судьба постигла землю, предназначенную выращивать плоды и корма и превратившуюся в зловещее поле возмездия.

«Все очень просто, — говорю я себе, блуждая по огромным комнатам моего дома. — На самом деле все очень просто, и чего тут копаться, и подслушивать, и расследовать, и каких еще искать ответов?»

Ведь именно для этого дедушка вырастил меня. Сделал меня большим и сильным, как вол, верным и опасным, как сторожевой пес, одиноким и бесчувственным к насмешкам и пересудам. Теперь он лежит в могиле, в окружении мертвых товарищей, и посмеивается при виде взбаламученной деревни.

«Оставьте его, мальчик попросту напичкан легендами и фантазиями», — сказал Пинес, когда я объявил, что не намерен идти объясняться на заседание деревенского Комитета.

Я давно уже не был мальчиком. Я был здоровенным и весьма состоятельным парнем, которого тяготили его плоть и богатство, но Пинес всех своих учеников еще долго считал детьми, куда дольше общепринятого, и продолжал поглаживать их по голове, даже когда они уже были лысыми и седыми. «Подумайте, сколько воспоминаний было втиснуто в это огромное тело, пока оно не переполнилось и излило свою горечь на землю?» — сказал он обо мне. Если бы дедушка был жив, он, скорее всего, сказал бы пренебрежительно, что у старого Пинеса припасено много притч на всякий случай жизни, «но, к сожалению, он порой забывает, в чем состоит их мораль».

Сам я обычно говорил всем, кто требовал от меня оставить затею с кладбищем, что «так просил меня дедушка». Объясняться в Комитет я послал Бускилу и нанятого им адвоката. Люди они в деревне чужие, скользкие и черствые, палая листва воспоминаний не давит им на плечи, толстые подошвы ботинок отделяют их ступни от тонкой пыли дорог нашей Долины. Я представил себе некрашеные, скрипящие стулья в помещении Комитета, пальцы с обломанными ногтями, которые будут барабанить по столу, как подковы. Пусть эти двое сами почувствуют на себе мужественные стальные взгляды, пусть сами глядят на твердые пальцы, назидательно поднятые в воздух. Я всего-навсего «дедушкин Малыш», выполняющий его волю. Я свое сказал.

В Одессе дедушка и его брат Иосиф сели на «Эфратос» — маленький грязный кораблик, «полный *дурных людей*», который регулярно курсировал между Черным и Средиземным морями. Словно две стороны одной монеты,

Яков и Иосиф Миркины видели две разные половинки мира. «Мой брат был возбужден и взволнован, он расхаживал на корабельном носу и все время глядел вперед».

Иосиф пестовал мечты о сельскохозяйственных поселениях в Гилеаде[1], о белых ослятах[2] и еврейском труде. Дедушка думал о Шуламит, которая осталась позади, измолотив его плоть железными цепами лжи и ревности, и о Палестине, которая для него была всего лишь убежищем от греховной страсти, страной, слишком далекой, чтобы вспоминать прошлое, местом исцеления, где его раны могли бы зарубцеваться.

Он сидел на корме, смотрел на воду и мучительно выпарывал из своего обнаженного сердца нити воспоминаний, которые волочились за кораблем длинными плетями пены. «Погляди, жар нашего сердца распорот на нитки», — писал он многие годы спустя в одной из своих записок.

Все время плавания Яков и Иосиф Миркины ели только хлеб и прессованный инжир и блевали не переставая.

«Мы прибыли в Страну и отправились в Галилею[3], и тем же летом мы с братом уже сидели на берегу Киннерета»[4]. Его рука мерно ходит туда и назад, вкладывая в мой рот картофельное пюре, заправленное домашней простоквашей и подсоленным жареным луком. «В ту первую ночь мы охраняли поля, а с рассветом уселись смотреть, как восходит солнце Земли Израиля. Солнце взошло в половине пятого. В четверть шестого оно уже пылало смертным жаром, и Иосиф свесил голову и начал плакать. Не так он представлял себе Великое Возрождение Народа».

Теперь его руки занялись салатом. «Нас было трое друзей. Циркин-Мандолина, Элиезер Либерзон и я. Мой брат Иосиф заболел и отчаялся, уплыл в Америку и больше не вернулся».

Тело дедушки терзали ярость, слабость и жар, он метался между приступами лихорадки и судорогами гнева и тоски.

Иосиф преуспел в Калифорнии. «Когда мы еще ходили здесь по болотам, а зимой натягивали от холода мешки на голову и набивали в носки старые газеты, он уже продавал костюмы американским буржуям». Годы спустя, перед самой смертью бабушки Фейги, нашу деревню подсоединили к электрической сети, и Иосиф прислал ей из Америки деньги, чтобы она купила себе холодильник. Дедушка швырнул письмо в сточную канаву коровника и сказал жене, что «никогда не возьмет деньги у предателя-капиталиста». Иосиф отправился в Санта-Розу, на маленькую, боготворимую поклонниками ферму Лютера Бербанка, куда отовсюду слетались полчища алчущих гостей, насекомых и писем, и прислал оттуда дедушке надписанную фотографию великого селекционера. Я видел ее в ящике под дедушкиной кроватью. Бербанк был в соломенной шляпе и галстуке в крапинку, с мясистыми мочками ушей. «Но даже этот широкий жест не смягчил твоего деда».

Фаня Либерзон была лучшей бабушкиной подругой.

«Фейга, уже слабая и больная, задыхавшаяся от того, что ей не хватало воздуха и любви, пришла в наш дом вся в слезах, но и нам не удалось переубедить этого упрямца. И поэтому она до самой смерти продолжала таскать на себе в дом ледяные блоки», — рассказала мне Фаня после того, как я надоедал ей несколько часов кряду, повсюду сопровождая ее молящим взглядом.

«А твой дружочек Миркин, — добавила она, поворачиваясь к своему мужу, — был ее самым тяжелым куском льда». Страдания и смерть бабушки Фейги не давали ей покоя и по-прежнему приводили в бешеную ярость.

Ворчливый ответ Элиезера Либерзона я не сумел расслышать. Прижавшись к стене их дома, лицом к влажным щелям ставен, я видел только его движущиеся губы и ее прекрасную седую голову, лежащую у него на груди.

Дедушка не простил своего брата и никогда больше не встречался с ним. Лишь после его смерти я перевез кости Иосифа из Калифорнии в нашу Долину. Двое его сыновей из «Текстильной фабрики Миркин и Миркин» в Лос-Анджелесе прислали мне чек на девяносто тысяч долларов.

«Ваш отец был предатель-капиталист, — написал им Бускила на официальном бланке «Кладбища пионеров», — но мы все равно даем вам скидку в десять процентов, потому что он был членом семьи».

Покойники прибывали в отмытых от полевой грязи грузовичках, на стальных платформах, что волоклись за тракторами, в брюхах самолетов, в деревянных ящиках и в свинцовых гробах.

Иногда им устраивали гигантские похороны. Скопища людей, журналисты, потные ряды важных персон и бизнесменов. Бускила приветствовал их ненавистными мне угодливыми виляниями. Они смотрели, как я рою могилу, прикрывались от летевших снизу комков земли и все требовали, чтобы Бускила поторопил своего работника.

Были и такие мертвецы, которые прибывали в одиночку, сопровождаемые только багажной квитанцией и запиской, содержавшей надпись, которую они хотели видеть на своем памятнике. Были и такие, у могилы которых стояли лишь плачущий сын и разгневанная дочь. Были и такие, что приезжали еще при жизни, из последних сил ползли по полям, чтобы быть похороненными на «Кладбище пионеров».

«С товарищами», — говорили они. «Возле Миркина», — просили. «В земле Долины».

Перед тем как их хоронить, я открывал гробы на складе возле конторы Бускилы и смотрел каждому в лицо. Я опасался, что меня попытаются перехитрить, протащив к нам незаконных покойников.

Мертвецы, которые прибывали из Америки, эти «предатели-капиталисты», были уже слегка подгнившими и, слущив с себя шелуху легкомысленного сибаритства, смотрели на меня остекленевшим взглядом, в котором застыло раскаяние, а из глаз у них сочилась мольба. Старые дедушкины товарищи из поселений Долины выглядели очень спокойными, словно прилегли отдохнуть под деревом в поле. Я знал многих из них, всех тех, кто навещал дедушку или Зайцера. Когда я был еще ребенком, они, бывало, приходили поговорить или посоветоваться, держа в руках изъеденные червями ветки, старое письмо или лист, пораженный тлей. Других я знал из рассказов. Из того, что слышал, и из того, что додумал и соткал в своем воображении.

Дедушка принес меня к себе домой, сверток в одеяле, когда мне было два года. Он смыл с меня грязь и копоть и выковырял осколки стекла и занозы из моей кожи. Он растил меня, кормил меня и учил меня всем секретам дерева и плода.

Он рассказывал мне истории. Непрестанно — когда я ел, когда мотыжил, когда обрезал дикие побеги на стволах граната, когда спал.

«У моего сына Эфраима был маленький теленок по имени Жан Вальжан. Эфраим вставал утром, брал Жана Вальжана на плечи и шел на прогулку, а в полдень возвращался. Так он делал каждый день. Я говорил ему: «Эфраим, так нельзя, теленок привыкнет и не захочет ходить ногами». Но Эфраим не слушался меня. Жан Вальжан рос и рос и стал огромным быком. Но Эфраим заупрямился — только на плечах... Такой вот он был, мой сын Эфраим».

«Где Эфраим?»

«Никто не знает, Малыш».

Я ни разу не видел слез в его глазах, но в уголках его рта всегда таилась едва приметная дрожь. Много раз, в пору цветения деревьев или в особо хорошие дни, он рассказывал мне, каким красивым был мой дядя Эфраим.

«Еще когда он был совсем маленьким, птицы слетались и подсматривали в окно, чтобы увидеть, как он просыпается».

— А теперь я расскажу тебе о твоей маме. Открой рот, Барух... Твоя мама была необыкновенная девушка. Однажды, когда она была еще маленькой, она сидела возле дома на тротуаре и чистила ботинки для всей семьи. Мои, бабушки Фейги, и дяди Авраама, и дяди Эфраима, который тогда еще был дома. И вдруг... открой рот, Малыш... вдруг она видит змею, большую гадюку, которая медленно-медленно ползет на тротуар. Приближается к ней.

— И тогда?

— И тогда... еще один кусочек... что случилось тогда?

— Что?

— Твоя мама убежала?

Я знал эту историю на память.

— Нет!

— Твоя мама заплакала?

— Нет!

— Твоя мама упала в обморок?

— Нет!

— Правильно, Малыш! А теперь проглоти то, что ты держишь во рту... Мама не упала в обморок. Что же она сделала? Что сделала твоя мама?

— Сидела и не двигалась.

— Да. А гадюка тем временем медленно-медленно вползла на тротуар, стала шипеть и свистеть... вот так: пссс... пссс... — и приблизилась к маминой разутой ноге... И тогда мама подняла большую сапожную щетку и...

— Ба-бах!

— Прямо по голове змеи.

— Где мама?

— Сейчас ты у дедушки.

— А змея?

— Змея умерла.

— А папа?

Дедушка встал и погладил меня по голове.

— Ты будешь высокий, как твоя мама, и сильный, как твой папа.

Он показывал мне рассыпающиеся от старости цветы, которые засушила моя мать, когда была ученицей Пинеса. Он рассказывал мне о большой реке, «в сто и больше раз шире нашего маленького вади», о «воришках-цыганах», о несчастных немцах-колонистах[5], которые жили здесь до нас, но все их дети «пожелтели и дрожали, как цыплята» и умерли в лихорадке.

Его пальцы, привыкшие обматывать привой волокном рафии, выдергивать сорняки и гладить созревшие плоды, осторожно развязывают тесемки маленького передничка на моей груди. Он приподымает меня. Его усы скачут по моей шее, когда он выдыхает там и щекочет меня своим дыханием.

«Мой Малыш».

«А откуда приехала бабушка Фейга?»

Бабушка Фейга тоже приехала из далекой страны. Она была много моложе моего дедушки, который тогда был уже умелым работником, не боялся никаких местных болезней и мог есть любую местную пищу, которую ставили перед ним. Он все еще много думал о Шуламит, которая досыта накормила его горечью, осталась в России и посылала ему оттуда письма. Раз в полгода к нам прибывали голубые конверты — когда с турецкой почтой, когда с северным ветром, а когда и просто в подклювных мешках пеликанов, которые приземлялись в Стране на своем пути в «жаркие страны».

5

Дедушка встретил бабушку уже в Стране, когда вместе с Элиезером Либерзоном и Циркиным-Мандолиной пришел на заработки в Зихрон-Яков[1].

Пока эта буйная троица собиралась ужинать, горланя украинские песни, «чтобы позлить паразитов, живущих на деньги Барона[2]», Фейга Левин и брат ее Шломо сидели в сторонке, прислушиваясь к своим пустым желудкам, которые угрожали им голодным бунтом. Молодые Левины вместе прибыли в Яффо, арабские матросы высадили их на грязной пристани в Яффо, и оттуда они отправились кочевать по Стране, понукаемые зноем, голодом и дизентерией. Их изнеженный вид отпугивал работодателей. Шломо Левин снял очки, чтобы наниматели не подумали, будто имеют дело с «интеллигентом», но когда он наконец заполучил работу на одном из виноградников, то из-за близорукости не сумел отличить трехглазковую лозу от четырехглазковой и потому испортил целый ряд виноградных кустов, за что был немедленно изгнан из рая.

Они питались теми крохами, что уделяли им из своих горшков жалостливые люди: чечевицей в едком кунжутовом масле, египетскими луковицами, порчеными апельсинами, коричневыми полосками *камардина*.

«Камардин» был сахаром бедняков. Тонкие пласты растертой и высушенной мякоти абрикосов. Я катал это слово на языке, ощущая клейкий, сладковатый вкус его слогов. Шломо Левин рассказывал мне, как он ненавидел камардин.

«Зато это было дешево, — сказал он. — А у нас, у меня и у твоей бабушки, несчастной моей сестрички, совсем не было денег».

«Бедняки нуждаются в чем-нибудь сладком, потому что его вкус ближе всего к утешению», — объяснил он мне и снова наполнился гневом, припомнив, как деревенские парни украли весь шоколад, который был в его магазине, «хотя вполне могли просто купить его, тоже мне герои!».

В Реховоте Фейге удалось получить временную работу швеи, и однажды, когда она сидела на пустом ящике из-под апельсинов и латала чужую одежду, возле нее остановились несколько всадников. Худая и прямая женщина посмотрела на нее с высоты седла с барским недовольством.

— Почему ты не работаешь на земле? — сердито упрекнула она.

Фейга бросила иголки и нитки, расплакалась и убежала. Шломо кинулся за ней.

— Знаешь, кто это? — спросил он ее. — Это сама Рахель Янаит![3]

Десять лет спустя бабушка купила в соседней черкесской деревне нашу первую курицу. Она дала ей имя Рахель Янаит и с большим удовольствием попрекала ее за то, что та несла мелкие яички.

Голодные боли свили себе гнездо в сосудах Фейги. Она чувствовала, как они ворочаются в ее сердце и как оно гонит их по всем ее жилам. В тот день они с братом чистили бочки в одном из винных погребов Зихрона, и бродильные пары врывались в ее пустой желудок с такой силой, что она чуть не потеряла сознание. Когда трое парней кончили свои песни и вытащили из сумок лепешки, маслины, крутые яйца, головки сыра и украденную на складе бутылку бренди, ее глаза затянуло влажным туманом. Они потерли руки и приступили к еде, и тогда Циркин-Мандолина почувствовал взгляд девушки, прикованный к крошкам на его губах.

Циркин умел различать голод в глазах людей. Он повел в ее сторону своей мандолиной, приглашая Фейгу в их компанию.

«Она выглядела, как запуганная птичка. Я улыбнулся ей одними глазами, как улыбаются детям».

Фейга отпустила братнин рукав и присоединилась к молодым людям.

«Она ела от их ломтя и пила из их чаши», — сказал Пинес на могиле бабушки.

Шломо Левину не понравилась эта шумная троица, она пугала его. «Они ели, как арабские грузчики, и пели, как русские хулиганы, — рассказывал он мне много позже в конторе своего магазина. — В то время как мы все разрывались меж тысячью идеологических направлений, у этих троих не было никаких идейных колебаний и душевных мук».

Он не поднимал глаз. Мы сидели в конторе деревенского магазина, и лучи солнца сверкали на бесчисленных пылинках, танцевавших возле окна. Левин разрезал ногтем большого пальца копирку для книжки квитанций кооператива. Я был еще мальчишкой и не все понимал, но не перебивал его своими вопросами. Подобно цветам пустыни в гербариях Пинеса, Левин раскрывался лишь раз в несколько лет, и ему нельзя было мешать.

«Она сразу же потянулась к ним, — прошептал он, и его синие пальцы мелко задрожали. — Как глупая бабочка к пламени своей смерти».

Левин был потрясен, увидев, как они грязными пальцами отламывают маленькие кусочки лепешки и сыра и кладут их в пересохший рот его сестры. Он хотел удержать ее подальше от этой компании, но Либерзон, Миркин и Циркин-Мандолина, прикончив свою бутылку, тем же вечером, по широте душевной, надумали основать «Трудовую бригаду имени Фейги Левин», — «чтобы развеселить твою бабушку, которая выглядела очень грустной». Они сочинили устав, разработали бюджет и сформулировали идейную платформу.

«Историки не приняли эту бригаду всерьез, — объяснял мне потом Мешулам Циркин. — Наверно, их смущало ее название. Серьезные ученые, они попросту боялись назвать научный труд словами «Трудовая бригада имени Фейги». — Он усмехнулся. — Зато среди пионеров она сразу стала легендой. Это была первая настоящая коммуна, единственная, где к женщине относились как к равноправной. Конечно, их устав был узкогрупповым, но в нем было несколько важных организационных новшеств».

В нашем домике, под дедушкиной кроватью, стоял большой деревянный ящик. Я закрыл ставни и открыл крышку. Под вышитой женской блузой, русской фуражкой и марлевым накомарником были спрятаны бумаги. Среди них была и та фотография.

Бабушка улыбалась мне. У нее были две черные косы и маленькие ладони. Она выглядела так, будто сейчас выпрыгнет из рамки. Я повернулся и увидел, что дедушка стоит за моей спиной и его бледное лицо сурово. Он присел рядом со мной, один за другим отлепил мои пальцы от фотографии, вернул ее на место и поднял конверт с другим снимком.

«Это Рылов, наш прославленный Страж[4], — сказал он знакомым мне насмешливым тоном. Дедушка не питал симпатий к людям из «а-Шомера»[5]. — Под этой арабской накидкой у него спрятаны сразу два маузера и французская полевая пушка в придачу. За ним — наша прославленная бездельница Роза Мункина, а те двое, что лежат впереди, — это Пинес и Боденкин».

Он расхаживал по комнате.

«На этих старых фотографиях, — сказал он, — всегда кто-то стоит, кто-то сидит, и двое лежат впереди, сдвинув головы и опираясь на локоть. Один из тех, кто стоит, и один из тех, кто лежит, всегда в конце концов покидали страну. А один из сидящих всегда умирал молодым».

Он наклонился, вытащил из ящика старый листок бумаги и рассмеялся.

«Вот, — сказал он. — Устав "Трудовой бригады имени Фейги Левин"».

Он поднялся и начал торжественно зачитывать:

«Параграф первый. «Трудовая бригада имени Фейги Левин» будет держаться подальше от города и его дешевых соблазнов.

Параграф второй. Товарищ Фейга Левин будет варить. Товариш Циркин будет мыть посуду. Товарищ Миркин будет искать работу, а товарищ Либерзон будет стирать и говорить.

Параграф третий. Товарищи Циркин, Либерзон и Миркин не будут делать никаких попыток в отношении товарища Фейги Левин.

Параграф четвертый. Товарищ Фейга Левин не будет пытаться...»

Дверь распахнулась, и Мешулам Циркин ворвался в комнату, безумно тряся головой.

— Дай это мне! — крикнул он. — Дай это мне, Миркин, прошу тебя, эта бумага должна быть в моем архиве!

— Иди-ка лучше помоги своему отцу, Мешулам, он сегодня возит сено, — сказал дедушка. — И побыстрее, пока Барух не взялся за тебя.

«Что бы о нем ни думать, — сказал Мешулам Циркин после смерти дедушки, — но Миркин был одним из самых почитаемых людей во всем Движении. Чего удивляться, что все эти бездельники готовы уплатить кучу денег, лишь бы их похоронили рядом с ним. Неплохое завещание он тебе оставил».

Подписав бумагу, трое парней склонились перед Фейгой в церемонном поклоне и спросили, не соизволит ли дама тоже присоединиться. Когда она поставила на документе свою подпись, Либерзон спросил: «А как насчет твоего брата?» Но Шломо Левин печально ответил, что пока еще не решил, «с каким идейным направлением он намерен связать свою судьбу».

«Если тебе так трудно решить этот вопрос, — сказал дедушка, — значит, ты вполне созрел для того, чтобы отправиться на очередной сионистский конгресс и произнести там основополагающую речь по этому поводу».

«Ты всегда можешь присоединиться к местному отделению Партии Учетчиков Дырок от Бублика», — сказал Циркин-Мандолина. До самой своей смерти он прибегал к этому выражению, когда хотел выразить презрение и насмешку.

Шломо Левин с отвращением поднялся и пошел к рабочему общежитию, но на следующее утро понял, что ему грозит остаться в одиночестве и потащился вслед за «Трудовой бригадой» на юг, в виноградники Иудеи.

«Тогда еще не было больших дорог, не было автомобилей, у нас даже лошади не было, — рассказывал мне дедушка. — Всю дорогу мы шли пешком, а когда нужно было переходить болота, местные лягушки подсказывали нам, куда поставить ногу».

Левин тащился за ними несколько дней. Они казались ему трехглавым чудовищем. Циркин не переставал играть, и звуки его мандолины «чуть не продырявили мне череп». Миркин задерживал их на целые часы, созерцая медленный танец тычинок в цветках ююбы. Но хуже всех был Либерзон. По ночам он начинал низко и протяжно квакать и не умолкал до тех пор, пока на его теле не собирались жабы со всей округи. «Чтобы обменяться новостями», — доверительно объяснял он.

«Они просто неисправимые пустобрехи, — сказал Левин Фейге. — Они ничего не воспринимают всерьез. У них нет ничего святого».

Рассказывая мне о своей покойной сестре, он то и дело снимал очки и протирал повлажневшие толстые линзы.

«Наш отец велел мне следить за тобой». Эти свои слова он декламировал наизусть, потому что много раз в жизни произносил их и вслух, и в своем воображении. «Оставь их немедленно и идем со мной».

— Мне уже семнадцать лет, Шломо, — ответила Фейга, — и сейчас я нашла человека, с которым свяжу свою жизнь.

— Кого же? — спросил Левин, с тревогой глянув на трех одетых в лохмотья парней, которые с головокружительной быстротой обрабатывали мотыгами виноградные лозы.

— Я еще не решила, — ответила она, — но нам придется решить. Это будет один из них.

— Они просто валяют дурака. Они заставят тебя варить им, чинить их носки и стирать их белье.

— У нас есть устав, — сказала Фейга.

— Они превратят тебя в свою прислугу. Ты не первая девушка, которая взошла в Страну, чтобы пахать и сеять, а кончила в рабочей столовке.

— Но мне с ними весело, — сказала бабушка Фейга. — И они покажут мне нашу землю.

«И это правда, — выдавил Шломо Левин сквозь перехваченное горло. — Яков Миркин действительно показал ей нашу землю».

Сегодня, спустя многие годы после ее смерти, он уже простил дедушке прошлое, помогал ему по хозяйству и играл с ним в шашки. Но дважды в год, в день своего прибытия в Страну и в день смерти сестры, он приходил к ней на могилу «посидеть часок-другой и спокойно поненавидеть всех этих великих деятелей и деляг».

Он брел за ними в поселения Иудеи, на рабочие фермы, в долину Иордана и Явниеля. Дедушка рассказывал мне, как они танцевали и голодали, осушали болота, пахали, ломали камень в каменоломнях и странствовали по Галилее и Хурану[6].

— У нас тогда не было Бускилы и Зиса, чтобы доставлять нам почту. И знаешь, как мы получали письма из России?

— Как?

— У Либерзона были друзья среди пеликанов. Они нам приносили.

Я недоверчиво открыл рот, и дедушка сунул в него жесткую зубную щетку, покрытую едкой пастой, и начал энергично скрести мои десны.

— Ты видел, какой клюв у пеликана?

— Агтха... — хрипел я.

— Клюв с мешком. А теперь прополощи рот. Пеликан брал почту в этот мешок и по дороге в Африку останавливался у нас и приносил нам письма и приветы.

Пинес категорически опровергал историю с пеликанами. «Маршруты пеликанов не проходят ни через Изреельскую долину, ни через прибрежную низменность, — сказал он дедушке. — Зачем ты говоришь ребенку такие глупости?»

Но дедушка, Либерзон и Циркин не подчинялись законам природы Пинеса. Верхом на мотыгах проносились они над ядовито-зловонным дыханием болот, топорами пролагали себе путь сквозь джунгли удушливых камышей и пырея, и платье Фейги, точно легкое душистое облачко, укрывало их лица тончайшими вуалями преданности. Я видел их — белые пятна над пустынной землей, летят, как семена крестовника. А под ними, внизу, бежит маленький Шломо Левин и кричит сестре немедленно спуститься.

«Ни один из их не осмелился протянуть руку к твоей бабушке. Они лишь непрерывно забавляли ее своими проделками и без конца смешили своими глупыми шутками. А их сладкая кровь защищала ее от всяких малярий и депрессий», — рассказывал мне Пинес.

Они швыряли камни из пращи, как пастушата, пели по-русски водяным птицам, которые прилетали осенью из устья Дона, и мылись только раз в две недели. Каждую ночь они танцевали босиком, а когда вставал день, шли пешком от одного края Страны до другого. «Они могли работать целую неделю и за все это время съесть всего пять апельсинов», — рассказывал я своему двоюродному брату Ури.

Но на Иоси и Ури, близнецов дяди Авраама, эти рассказы не произвели особого впечатления.

«Это еще что, — сказал Ури. — Они забыли тебе рассказать, как Либерзон бегал в ее честь голым по воде Киннерета, и как Циркин ночь напролет наигрывал на своей мандолине на берегу Цемаха[7], так что на заре три гигантских мушта[8], точно завороженные телята, вышли из воды прямо к ногам бабушки, подпрыгивая на своих колючих плавниках, и как наш дедушка пускал по воде плоские голыши, от одного берега озера до другого».

Для пущей надежности я спросил Мешулама, что он думает о словах Ури, но тот сказал, что не знает никакого письменного источника, который подтверждал бы эти легенды.

Мешулам никогда не умел отличать главное от второстепенного. Пинес объяснил мне, что такое случается с людьми, чья профессия — помнить чужие воспоминания. Его организованный по полочкам мозг не понимал порядка предпочтительности. Хождение Элиезера Либерзона по водам было для него явлением того же порядка, что покупка сионистским руководством земель в долине Иордана. Но я собственными глазами видел старого Либерзона, который, фырча и отдуваясь, плыл ночью в деревенском бассейне, доказывая своей жене Фане, что его тело еще сохранило свою молодую силу. А у Циркина пенициллярия была самой высокой и сочной во всей деревне, потому что по ночам старик ходил по своему полю, сверкая в темноте белой головой, и наигрывал нежным зеленым росткам на мандолине. Но про дедушку я не верил. Потому что дедушка все эти долгие годы был влюблен в свою «крымскую шлюху» Шуламит, которая изменяла ему, обманывала его, «спала со всеми царскими офицерами» и все эти годы оставалась в большевистской России.

«Но ведь он женился на бабушке Фейге», — сказал мне Ури, и его длинные ресницы коровы-первородки затрепетали, как трепетали всегда, когда он говорил о женщинах и о любви.

Ури я любил уже тогда, в детстве. Мы сидели на большом клеверном поле в ожидании Авраама и Иоси, которые косили люцерну для коров верхом на лошадях, тащивших за собой дребезжащую сенокосилку. Дедушка и Зайцер жгли в саду сорняки.

— Это не имеет значения, — сказал я. Я знал, что он женился на ней, потому что так решило общее собрание членов «Трудовой бригады». — У дедушки есть подруга в России, и она когда-нибудь к нему приедет.

— Она не приедет, — ответил Ури. — Она уже старая и спит со старыми генералами Красной Армии.

Бабушка Фейга к тому времени давно умерла, а я, живший с дедушкой с двухлетнего возраста, видел, как он по ночам открывает свой ящик, в котором лежали голубые конверты, прибывшие из далекой страны — страны «бандита Мичурина», грязных *мужиков* и вероломной Шуламит. Потом он сидел и медленно, ничего не перечеркивая, писал ответы, которые не всегда отправлял. Однажды, когда он вышел утром в сад, я нашел на полу, среди урожая записок минувшей ночи, начатое им письмо.

Я не понял ни одной буквы. Они не были похожи на ивритские или на те, что на зеленом стекле нашего большого радиоприемника. Я тщательно перерисовал несколько слов на листок бумаги и взял с собой в школу.

На перемене я подошел к Пинесу, который пил чай с учителями.

— Яков, — спросил я, — ты знаешь эти буквы?

Пинес глянул, побледнел, побагровел, вывел меня за руку из учительской и порвал листок на мелкие кусочки.

— Ты поступил некрасиво, Барух. Никогда больше не копайся в бумагах твоего дедушки.

Это был единственный раз, когда я обманул дедушку. Больше я никогда не заглядывал в его бумаги, разве что после его смерти.

6

Я хорошо помню брата бабушки Фейги — вот он идет по деревенской улице, голова и очки блестят на солнце, плечи поникли, засохшие крошки камардина желтеют между зубов. В деревне к нему относились с легким пренебрежением, как, впрочем, и ко всем другим, кто не работал на земле. Но когда возникала нужда в честном третейском суде или в проверке чего-либо, касавшегося денег, всегда обращались к нему, потому что Шломо Левин был человек прямой, как линейка, и к тому же большой педант.

После полудня он сидит с женой, Рахелью-Йеменкой, под белой шелковицей, что растет у них во дворе, отламывает тонкими синеватыми пальцами маленькие кусочки сыра и лепешки и кладет ей в рот, а я подслушиваю их разговор в толще живого забора, съежившись насколько возможно.

— Ешь, — говорит он ей, держа наготове в пальцах очередной маленький бутерброд.

— Не нужно кормить меня, как маленькую, — возмущается Рахель, но смеется. — Я не ребенок, я уже старуха.

— Мой ребенок, моя маленькая сестричка, — доносится до меня вздох Левина.

Порой, когда старики вспоминают бабушку, мне удается услышать также фразу-другую о ее брате, и так, мало-помалу, я собираю и восстанавливаю его во всех деталях, как я поступаю со многими другими перед тем, как хороню их у себя. Например, за Рыловым, этим прославленным Стражем, я следил годами, и притом с опасностью для жизни — прежде всего из-за того, что у меня был застарелый конфликт с его внуком, как у моего отца — с его сыном, но главным образом потому, что большую часть времени старый Рылов проводил в своем коровнике, в колодце для стока коровьей мочи, — там он прятал оружие, и всякий, кто хотел туда забраться, рисковал получить пулю в лоб. Рылов смотрел на тебя своим знаменитым квадратным взглядом — два его собственных раскосых глаза и два зрачка ружейных стволов — и говорил: «Ни шагу дальше, если хочешь умереть в своей постели!»

С Рыловым я никогда в жизни не разговаривал, но у Левина могу выведывать и выспрашивать. Он симпатизирует мне и всегда смотрит на меня с печальным и насмешливым любопытством, словно недоумевает, как это в его семье мог появиться такой здоровенный «шейгец»[1], этакий Ахиман[2]. «Мне бы твою силу и наивность», — улыбается он мне.

Несколько недель Левин странствовал с «Трудовой бригадой», а потом решил отделиться. Не то чтобы дедушка, или Либерзон, или Циркин-Мандолина плохо относились к нему, но одного их взгляда, когда он начинал растирать натруженные запястья или ударял мотыгой под неверным углом, было достаточно, чтобы отравить его отчаянием и выдавить слезы на глазах. Он не понимал их шуток и не мог петь с ними вместе, потому что они каждый вечер придумывали новые песни.

Их отвратительные привычки — ковырять между пальцами ног во время еды, чистить зубы соломинкой и беседовать с мулами и ослами — подавляли его и вызывали в нем страх. Даже Фейга, так ему казалось, перестала его уважать.

«Наш отец послал меня охранять ее, а я превратился в жалкого поденщика, в старшего брата, от которого никакой пользы».

Веселая троица делилась с ними продуктами, старалась найти им работу в сельскохозяйственных поселениях и даже защитила однажды, когда возле Петах-Тиквы на них напали четверо погонщиков верблюдов и хотели вырвать их сумки.

«Хватай Фейгу и беги, да побереги мою мандолину!» — крикнул ему Циркин.

Шломо и бабушка спрятались за земляным гребнем и потрясенно следили оттуда за тем, как «эти три хулигана» борются с напавшими на них арабами и обращают их в бегство. Либерзон вернулся с рассеченной губой, энергично размахивая револьвером «вебли», и Фейга промыла ему рану и нежно поцеловала под ликующие крики его друзей.

Позже Левин упрекнул ее в чрезмерной вольности.

«Но я люблю их», — ответила она в темноте.

Всю ночь он лежал, не смыкая глаз, а утром торжественно и мрачно объявил, что намерен расстаться с ними.

«Нам тоже пришлось поначалу несладко, — сказал ему Циркин. — Через месяц ты почувствуешь себя лучше».

Но Левин решил, что должен идти своим путем, так или иначе.

Либерзон и дедушка купили ему билет до Иерусалима и сунули в карман несколько турецких монет. Фейга плакала, глядя, как ее брат садится в поезд.

Он сидел в качающемся вагоне, и на душе у него скребли кошки. Руки он сунул в карманы, чтобы хоть немного согреться. Колени свел вместе и наклонил чуть вбок, в типичном для него боязливом и трогательном наклоне, я уверен, потому что именно так он сидит и сегодня, за кассой своего магазина. На скамейках напротив него расположилась группа харедим[3] с женами. Они с отвращением поглядывали на молодого попутчика и говорили о своем цадике[4], который прибыл в Яффо, прямо из гавани взлетел на крутящейся черной шляпе и мигом перенесся в Иерусалим, к самой Стене плача. Рядом с Левином сидел сгорбленный торговец и всю дорогу шептал себе под нос какие-то числа, будто видел в них надежное заклинание, которое выведет его на твердую почву здравого рассудка.

Левин, который только что освободился от тягостного присутствия пеликанов-письмоносцев и лягушек-поводырей, понял, что земля Страны выдыхает пары безумия и все ее обитатели, от мала до велика, все ее племена и народы, им заражены.

Он смотрел на проносившиеся за окном пустынные пейзажи и грыз ломоть, который Фейга сунула ему на прощанье. Частички угля, вылетавшие из труб паровоза, кружились в воздухе и влетали через открытое окно, и ему казалось, что рот его полон горькой крупы. Безлюдность дороги печалила его. Серые долины, заросшие колючками пустоши, разрушенные террасы на склонах гор — все казалось жалким и неживым в сравнении с огромными зелеными просторами, запомнившимися ему на речных берегах детства.

Когда поезд обогнул последнюю гору и прибыл в Иерусалим, бабушкин брат взял свой сверток, поднялся к неподвижно застывшей мельнице, спустился оттуда к огромному бассейну, из загаженных вод которого пили столпившиеся вокруг животные, и вошел в ворота обнесенного стенами Старого города[5]. Он бродил по улицам, и их убожество и грязь пробуждали в нем страх и отвращение. Арабский мальчишка продал ему безвкусный, бурого цвета напиток, который еще больше омрачил его настроение. В сумерки он встретил двух новоприбывших, пошел следом за шлейфом русских слов, что клубился за ними, и так нашел себе пристанище на ночь. Но настроение его не улучшилось.

«Здешние евреи смотрят на нас злыми глазами, а арабы уже дважды избили меня, — писал он сестре. — Этот город, с его камнями и нищетой, станет моей могилой. Все вокруг — минувшая слава, потухшая зола. Камни — вот кто тут настоящие жители. Человек здесь жить не может».

Какое-то время он пытался овладеть ремеслом каменотеса. Арабские каменщики удивляли его своим профессиональным взглядом, который словно слущивал поверхность камня и проникал прямо в его природу. «Я помню то их слово — «месамсам»[6]. И с камнем они обращались легко, как будто это тесто». Но у самого Левина от этой работы пальцы распухали и продолжали дрожать еще долгие часы после того, как он выпускал из рук молоток. Он решил перебраться в Яффо, «город, где нет камней, — сказал он мне, — мягкий город».

Проездной билет был ему недоступен, и он примкнул к двум парням и девушке из Минска, которые шли в Яффо пешком. Как ни странно, это тяжелое двухдневное путешествие ему понравилось. Спутники вели его «в обход этих разбойников из Абу-Гоша»[7], по горной тропе, стиснутой колючими кустами, скалами и собачьим лаем.

Незнакомые ему черные птицы щебетали вокруг, запрокидывая вверх оранжевые клювы. Серые ящерицы, «хозяева пустошей», забавляли его, застывая на солнце в молитвенных позах. И парни, с которыми он шел, относились к нему по-дружески, помогали нести пожитки и давали добрые советы. Тот, что повыше, которого звали Хаим Маргулис, рекомендовал ему даже в жару перевязывать живот шерстяным поясом и рассказал, что собирается стать пчеловодом и «добывать мед из скал».

«Но пчелы — это не только мед, — задорно сказал Маргулис, — без пчел и земля никогда не расцветет. Без пчел не будет фруктов, не будет клевера и овощей, не будет ничего. На мух и ос этой страны нельзя положиться». На одном из привалов Маргулис показал ему, как он находит ульи диких пчел. И пояснил: «Так делают казаки». Он вытащил небольшую коробочку и подошел к цветущему кусту тимьяна, вокруг светлых цветов которого роились дикие пчелы.

«Сейчас она совсем опьянела», — прошептал он, указывая на пчелу, которая наслаждалась, погрузившись в один из цветков. Бесшумно накрыв ее своей коробочкой, он захлопнул крышку. Так он поймал еще несколько пчел.

«Они всегда возвращаются к своему улью», — объяснил он, освободил одну из пчел и побежал следом за нею, задрав голову и спотыкаясь на камнях. Левин поспешил за ним. Через несколько десятков метров пчела исчезла из виду, но Маргулис освободил другую и продолжал бежать.

Шестая пчела привела их к своему дому, который скрывался в треснувшем стволе рожкового дерева. Левин стоял на безопасном расстоянии, восхищаясь тем, как Маргулис, натерев руки и лицо лепестками росших в подлеске цветов, подошел прямо к улью и стал там, позволяя пчелам садиться и ползать по его открытой коже. Он вытащил из улья немного меду и, когда они вернулись к девушке из Минска, протянул ей руку, и та облизала его каплющие пальцы, как будто это было ей в привычку.

«Сладкий Маргулис», — смеялась она. Ее звали Тоня, и она не сводила с него глаз.

Они видели верблюжьи караваны. «Турецкие поезда», — сказал Маргулис. Левин ощутил озноб удовольствия, бегущий по коже. Хаим Маргулис был первым человеком в Палестине, который над ним не смеялся, и Левин чувствовал, что в нем просыпается большая симпатия к этому веселому парню, пахнущему медом и цветами. Про себя, тайком, он уже решался называть его «Хаимке» и тешил себя надеждой, что Маргулис пригласит его объединиться с ним и с Тоней, его минской возлюбленной, до конца их дней.

Они вместе, мечталось ему, завоюют работу, землю и Тоню. Вместе завладеют древним наследием предков, говорил он себе, вместе вонзят в почву лопату и лемех. На мгновение будущее распахнуло над Левином шатер греющей душу надежды, и ощущение это было таким внезапным, что затылок его расслабился и размяк от силы счастья. Но по прибытии в Яффо Маргулис подхватил Тоню под руку и вместе со вторым парнем они исчезли «за гостиницей "Парк"», помахав ему на прощанье. Левин смотрел вслед удаляющимся спинам, и им овладевала печаль. Несколько часов он сидел на скамейке в саду перед гостиницей, глядя на башню немецкой церкви и на окружавшие ее багровые опунции, пока из гостиницы не вышел швейцар и не прогнал его прочь. Ночь он провел в песках к северу от Яффо. Холодные ящерицы ползали по его животу, и шакалы обнюхивали его ноги. Всю ночь он не сомкнул глаз и на утро пошел в Тель-Авив искать работу на стройке.

«Девушки здесь, — писал он сестре, которая копала тогда оросительные канавы в апельсиновых рощах в Хедере, — девушки здесь грубы и черствы и не обращают внимания на таких, как я. У меня нет ни песен, чтобы им спеть, ни меда, чтобы смягчить их сердца. Ищут они сильных парней, которые работают и поют, а я, слабый и удрученный, им не нравлюсь. Тоскую я по ладони чистой и мягкой, по запаху льняного платья, по чашке кофе с маленькими булочками на белой скатерти, раскинутой на зеленом берегу нашей реки».

Левин рыл ямы и толкал по песку деревянные тачки, пока у него не сдала поясница.

«Несчастные мои руки, на них вздулись и тут же полопались пузыри. Кожа слезла, и кровь текла из ран. После рабочего дня наступала бессонная ночь. Боли в спине и пояснице и тревожные мысли. Хватит ли мне сил? Выдержат ли мое тело и воля это испытание? Пуще всего хочется мне вернуться домой или уехать в Америку», — писал он Фейге, которая в ту пору пела и дробила щебень в окрестностях Тверии.

Левин показал мне ответное письмо бабушки. «Здесь со мной работают и другие девушки, и они варят и стирают для мужчин, как ты и боялся в тревоге своей за свою маленькую сестричку. Но как счастлива я! Работница я, а не прислуга. Циркин, Миркин и Либерзон — я называю их «семья», а они называют меня «товарищ Фейга» и коротко кланяются мне, как офицеры, — все они подставляют плечо, помогая по хозяйству. Циркин под настроение сварит так, что просто диву даешься. Дай ему капусту, лимон, чеснок и сахар, и он соорудит тебе бесподобные щи. Из тыквы, муки и двух яиц он приготовил нам еду на целую неделю. Вчера была очередь Миркина стирать. Можешь ли ты себе представить — взрослый парень стирает белье твоей сестры в одном баке с бельем двух других парней?»

Читая эти строки, Левин ощутил отвращение и зависть и поторопился запечатлеть эти чувства в своем блокноте.

«Помнишь ли ты ту песню, что я любила петь дома? Вчера я научила ей остальных девушек. Циркин подыгрывал нам, и мы пели всю ночь, а потом взошло солнце и начался новый рабочий день».

Левин сунул за ухо карандаш для копирок, встал, вышел из-за конторского стола и начал медленно танцевать. Он осторожно кружил вокруг своих мучительных воспоминаний и пел тонким голосом:

Буду пахать я и сеять с друзьями,
Только бы быть мне в Эрец-Исраэль.
Просто оденусь, буду зваться еврейкой,
Только бы быть мне в Эрец-Исраэль.
Буду грызть корку, но не унижусь,
Только бы быть мне в Эрец-Исраэль.

И тут же вернулся за стол и упал в кресло. «Эрец-Исраэль... — сказал он. — Здесь нельзя бросить камень, чтобы не попасть в святое место или в безумца».

Он видел вокруг себя первые дома Тель-Авива[8], еврейских рабочих, арабских возчиков, новых горожан.

«Я вдруг понял, что никто из проходящих мимо меня людей не родился в этой стране. Одни упали с неба, а другие поднялись из земли», — сказал он мне.

Он осторожно отделил еще несколько листков от шелестящей пачки в ящике стола. Почерк бабушки был крупный и округлый, с симпатичным легким наклоном, неуверенный и боязливый.

«Я оправилась после болезни, — писала она брату, — и вечером мы пошли купаться в Киннерете. Ребята баловались голышом в воде, как дети, а я вошла, закутанная в простыню, и, когда была уже по шею в воде, бросила ее на берег. Потом они соревновались. Либерзон сказал, что пройдет по воде, как Иисус, и чуть не утонул, Миркин, настоящий артист, швырял камешки, которые скакали с волны на волну, а Циркин играл рыбам, чтобы обеспечить нам ужин. Но я уже три дня не ела ничего, кроме инжира».

Левин, который никогда не видел свою сестру голой, задрожал от гнева и стыда. Он читал письмо во время своего короткого обеденного перерыва. Мимо него шли по пыльной улице такие же парни, как он, в поношенной рабочей одежде, брели поблекшие и потные девушки, во взглядах которых читались нужда и болезни, и проходили господа в белых пиджаках и шикарных туфлях, никогда не тонувших в песке. Один из них задержал на нем взгляд, который Левину не понравился, и он встал с мергелевой глыбы, на которой сидел, и вернулся к работе.

«Все послеобеденное время я думал только об одном — как пойду вечером к сикомору, что на холме, сяду там в темноте и смогу подумать».

Но вечером, когда он с трудом взобрался на песчаный холм, дотащился до сикомора и уже собирался упасть под ним, чтобы отдышаться, он увидел парня и девушку, которые «валялись там, как свиньи». Их взгляд вынудил впавшего в отчаяние Левина повернуться и уйти на берег.

Наутро он отправился в банк в Яффо и спросил там работу. Ему повезло. У него был очень красивый почерк, некоторые познания в счетоводстве и приятная, вызывающая доверие улыбка. Его приняли кандидатом в помощники одного из служащих, и уже через год он стал кассиром, носил белый пиджак и соломенную шляпу, его руки залечились и опять стали мягкими и гладкими. Он расхаживал по берегу моря в легких туфлях, слышал по ночам пение еврейских парней и девушек и шепот, доносившийся с песчаного холма, чуял запах горького чая, прихлебываемого из жестянок, и сердце его трепетало.

Но в этот момент, когда удача как раз начала поворачивать к нему свое лицо, вспыхнула, так я понял из его рассказов, одна из войн. Турецкие власти выгнали бабушкиного брата, вместе со всеми остальными жителями, из города.

«Во время войны, — сказал дедушка, — мы раздобыли себе фальшивую *васику*».

Я записал слово «васика». Я никогда не спрашивал о смысле непонятных слов, потому что объяснения мешают рассказу и запутывают его нити. «Васика», «кулаки», «экспроприация», «оттоманизация» — все эти слова я помню по сей день лишь потому, что не знаю, что они означают. Так же как Левин по сей день не знает, что значит слово «месамсам».

«Мы ели одни только маслины да луковицы и чуть не умерли с голоду», — рассказывал мне дедушка.

Каждую осень он собирал и засаливал бочку маслин, и я сидел возле него на бетонной дорожке и смотрел, как он очищает чесночные дольки, и нарезает лимон, и ополаскивает стебли укропа. Приятный запах, белый вперемежку с зеленым, шел от его рук. Рукояткой ножа он легко постукивал по зубчикам чеснока, и чистая белая плоть обнажалась из шелухи одним осторожным нежным движением. Он учил меня заполнять бочку водой и добавлять раствор соли.

«Пойди принеси из курятника свежее яйцо, Малыш, и я покажу тебе что-то интересное».

Он клал яйцо в подсоленную воду, и, когда оно всплывало на половину, больше не поднимаясь и не погружаясь, подвешенное на невидимой нити веры и уверенности, мы знали, что соляной раствор готов для консервирования. Это парящее яйцо казалось мне чудом. Таким же, как привитые фруктовые деревья, которые росли в нашем дворе, как хождение Элиезера Либерзона по водам.

Все время войны Левин провел в лагере беженцев в Петах-Тикве. Эти дни нужды и лишений стерлись из его памяти, а может, он просто не хотел о них говорить. Он помнил только одну ночь — когда стаи саранчи опустились на петах-тиквенские поля и грызли не переставая.

Их копошенье было еле слышным, непрестанным и жутким.

«А наутро, когда мы встали, все ветки на деревьях были белые и мертвые, и коры на них не осталось совсем». Нескончаемый шелест крыльев и режущий скрип жующих жвал вливался в его мозг, точно мучительно сыплющийся поток тяжелого, мелкого гравия.

Когда послышались пушки англичан, приближавшихся с юга[9], Левин снова отправился в Тель-Авив. Он медленно шел по красноватым песчаным дорогам, которые постепенно желтели по мере приближения к морю. В городе торговцы снимали доски, которыми они заколотили окна своих магазинов. Австралийские солдаты, расхаживавшие по улицам, улыбались им и вселяли в их сердца чувство надежды и безопасности.

Левин не вернулся в банк. Теперь он работал в магазине письменных принадлежностей. Он овладел секретом починки вечных ручек, разбирал со священным трепетом ручки Бреннера, Зискинда и Эттингера[10], промывал их детали в растворе из чернильных орешков, которые срывал с сикоморов, полировал стальные перья и чинил насосы. «Сейчас в твоих руках судьба всего еврейского поселенчества», — с улыбкой сказал ему хозяин, увидев, что он чинит «Вотерман» Артура Руппина[11], и Левин почувствовал себя счастливым. Хозяин симпатизировал ему, знакомил с дочерьми своих приятелей. Но Левин тосковал по запаху соломы, и дыма, и запыленных ног, ему хотелось укрываться звездами и высокой травой, лежать на сеновале или на песчаном холме.

Он уговорил своего работодателя послать его продавать их товары в ближайших поселениях и стал раз в неделю отправляться верхом на осле в Петах-Тикву, Ришон-ле-Цион, Реховот и Гадеру.

«Мне нравились эти поездки». Его легкие свыклись с пылью, и размеренный шаг осла радовал тело. Дорога шла между благоухающими стенами лимонных и апельсиновых деревьев и живых изгородей из колючих кустов акации, которые посверкивали маленькими огненными шариками, вела мимо железной решетки ворот сельскохозяйственной школы «Микве Исраэль» и сворачивала оттуда к виноградникам Ришон-ле-Циона. Левин плыл над землей и воображал себе, будто плывет сквозь море цветов, которое непрерывно расступается перед ним. Вокруг поднимались звуки песен работавшей на полях молодежи. Завидев группу, присевшую перекусить, Левин робко останавливал своего осла и стоял поодаль, глядя на них, пока его не просили присоединиться. Он со вкусом ел бракованные апельсины, ел хлеб, обмакивая его в оставшийся на сковороде жир, который по-прежнему вызывал у него изжогу, и добавлял к их трапезе свою долю — восточные сладкие булочки, которые покупал в Яффо специально для этой цели.

— И камардин тоже? — спросил я.

Левин улыбнулся, удивленно и печально.

— Нет, — сказал он, — к тому времени у меня уже было немного денег.

«Сладкий Левин», — назвала его однажды какая-то миловидная девушка, светловолосая, с облупленным носом, и, смеясь, поцеловала в щеку, когда он вдруг набрался смелости и положил в клювик ее рта кусочек печенья, липкий от сахара.

«Мое сердце чуть не остановилось». По ночам он мечтал о ней и о том крестьянском доме, который построит для нее и для их детей. Там будут цветущие грядки овощей, домовитые курицы, корова и много физической работы. «Я и сегодня читаю сельскохозяйственные журналы, как женщины разглядывают кулинарные книги, — сказал он мне с горьким смешком. — Всякий раз, как я отправлялся в дорогу, я высматривал голубое пятно ее платка среди деревьев и виноградных кустов». Через месяц, когда он осмелился и спросил о ней, ему сказали, что она умерла от сыпного тифа, и в его душу снова вступило глубокое отчаяние.

«Даже имя ее я узнал только после ее смерти», — писал он сестре, которая в ту пору уже умела править парой быков и пахать.

«Первая моя борозда в земле Израиля, — писала она. — Вначале я не могла как следует давить на рукоятку плуга и одновременно держать вожжи. Либерзону приходилось вести быков в поводу. Но сейчас я провожу борозду прямую, как стрела».

Она тоже заболела малярией, «но их сладкая кровь лечит меня», — писала она брату.

В своих седельных сумках Левин возил ручки и чернильницы, писчую бумагу, вечные перья, торговые бланки и карандаши. Его дважды ограбили и избили, но он преуспел в делах и стал компаньоном в магазине.

В тот год были выкуплены земли Изреельской долины. «Трудовая бригада имени Фейги Левин» решила, что «товарищ Миркин и товарищ Левин должны заключить брачный союз». Вместе с пчеловодом Хаимом Маргулисом, его минской подругой Тоней, которой позже предстояло влюбиться в прославленного стража Рылова, Яковом Пинесом, которому предстояло стать учителем, и Леей, его беременной женой, которой в тот же год предстояло умереть, они стали первой группой, которая вышла в Долину на разведку, чтобы «высмотреть землю»[12]. Так они пришли сюда и стали отцами-основателями нашей деревни.

«У нас был тогда осел по имени Качке. Днем он возил воду из источника, а ночью, когда все спали, надевал мантию из хвостов, начищал свои очки и копыта и, широко распахнув уши, летел прямиком в Лондон.

Английский король только что сел завтракать, и вдруг нá тебе — является к нему Качке и стучит подковой в дверь дворца. Король тут же пригласил его войти, предложил ему яйцо в бокале и кусок хлеба — очень белого и мягкого. Качке стал рассказывать ему о нашей деревне, и тогда король приказал своим слугам отменить все свои другие встречи.

— Но в канцелярии ждет Борис, король Болгарии, Ваше Величество!

— Пусть ждет, — сказал английский король.

— А в саду ждет королева Бельгии!

— Подождет, — сказал английский король. — Сегодня у меня разговор с Качке, еврейским ослом из Страны Израиля».

7

«Наша бабушка Фейга, — сказал Ури, и глаза его затянуло мечтательной дымкой, — ходила по полю нарциссов, как украинская крестьянка, — в одном платье, без трусов. И забеременела от цветочной пыльцы. Из-за этого до сих пор, стоит только зацвести нарциссам у нашего источника, у моего отца сразу начинают течь слезы и появляется неудержимый чих».

Деревенский Комитет прикинул, посчитал и пришел к выводу, что бабушка родит на праздник Шавуот[1] «и принесет плод, лучше которого и быть ничего не может» — первенца нашей деревни.

«Циркин и Либерзон очень волновались из-за бабушкиной беременности», — рассказывал дедушка таким спокойным тоном, что не возбудил во мне ни малейших подозрений. Они то и дело отправлялись в опасные экспедиции, чтобы принести ей лимоны из Хамат-Гедер[2], каперсы из Самарии[3] и птенцов куропатки с горы Кармель[4]. Две преданные помощницы были присланы из поселений в Иорданской долине, чтобы ухаживать за ней в последние, самые тяжелые месяцы перед родами. Они читали ей специально отобранные романы «и теоретические труды мыслителей Движения».

«Как ни смешно, но с этим мифом первенца ничего нельзя поделать, — сказал мне Мешулам Циркин, который не мог простить своему отцу Мандолине и матери Песе, что родился в деревне вторым. — Все только и говорили что о пузе вашей бабушки Фейги».

Фейга шагала мимо палаток, по хлюпающим грязью деревенским тропкам, и лицо ее сияло. Голос ее стал таким глубоким и звучным, что очаровывал людей и животных.

«Даже Миркин, — сказал мне Пинес, — даже Яков Миркин, который привык любить ее только вместе с Элиезером Либерзоном и Циркиным-Мандолиной и продолжал думать о своей крымчанке и в тот день, когда Фейга возлегла с ним в шатре его, даже он смотрел на нее нежно и почтительно».

«Он растирал ей живот зеленым оливковым маслом», — добавил Ури свою красочную подробность.

Когде Фейге подоспело время рожать, ее поспешно усадили на телегу и повезли на станцию, что была в нескольких километрах от деревни. Но, едва выехав, они увидели издали поезд, который отделился от среза голубой горы и уже приближался к остановке.

История рождения моего дяди Авраама была одной из самых знаменитых в Долине. В пятидесятую годовщину основания деревни она была даже инсценирована одним тель-авивским режиссером, который специально для этого прибыл в деревню и потряс всех своими фиолетовыми штанами и шумными попытками уложить в постель как можно больше деревенских девиц.

Циркин-Мандолина и прославленный страж Рылов «вскочили на лошадей, помчались во весь опор, как двое казаков, как степной пожар», и догнали состав. Машинист пытался протестовать и даже замахнулся было на них лопатой, но Рылов запрыгнул на мчащийся паровоз прямо со спины своей лошади, ткнул в машиниста жестким пальцем и разгневанным взглядом и дернул за ручку тормоза.

«Мы не просто люди, мы — Комитет!» — сурово сообщил он машинисту и его закопченному помощнику, дрожавшим на угольной куче, куда их швырнула эта страшная фраза и неожиданная остановка состава.

«Давай поднимайся и шевелись, падаль, если хочешь умереть в собственной постели! — крикнул Рылов. — На всех парах!»

Поезд застонал и тронулся, оставляя за собой огромный шлейф искр, клубы дыма, двух оседланных лошадей без всадников и бабушку Фейгу со всеми ее сопровождающими, которые с криком бежали по рельсам вслед за составом. Бабушка опустилась на колени и приготовилась рожать прямо в поле.

Примерно через час родился мой дядя Авраам, первый ребенок дедушки и бабушки и первый ребенок деревни. «Он родился на нашем поле, на нашей земле, под нашим солнцем, точно в том месте, где стоит сегодня большой водяной распределитель Маргулиса».

В тот день цикады в поле заходились в непрерывном стрекоте. Ночью поселенцы сидели и пели, а утром появились Рылов и Циркин, которые бежали всю обратную дорогу. Рылов даже не подумал извиниться. Он выпил воды, перевел дух и потребовал немедленно собрать всех товарищей, чтобы решить, как назвать ребенка. Ему сказали, что мать уже выбрала имя, Авраам, по имени ее отца. Правда, Элиезер Либерзон пробормотал что-то по поводу «члена коллектива, которая позволяет себе непозволительные вольности», и даже написал в деревенской стенгазете, что «этот ребенок точно в такой же степени наш, что ее». Но и он вынужден был принять приговор.

Фаня Либерзон, которая была похищена из своего кибуца за несколько недель до этого, знала, что перед самым рождением первого ребенка мужчин навещает страх собственной смерти. Поэтому она выгнала дедушку из палатки. «Она сидела с Леей, моей несчастной супругой, и они вместе шили для маленького Авраама пеленки и плели для него колыбель из свежих камышей, срезанных у источника».

Неделю спустя из города, что за голубой горой, был привезен моэль[5]. Жители деревни оделись в белое, подстригли волосы и ногти и уселись полукругом, в несколько рядов, перед палаткой Миркина. Дедушка вынес своего сына, поднял его на вытянутых руках, и раздался крик ликования. «Твой дядя Авраам был нашим истинным первенцем. Он родился раньше, чем на наших деревьях завязались первые плоды. По сей день в праздник Шавуот мы поднимаем перед всем коллективом детей, родившихся в минувшем году, — в память того праздника, когда родился наш первенец Авраам».

Люди были ошеломлены красотой и белизной лица новорожденного, который походил на огромный нарцисс, выглядывающий из пеленок, и улыбался собравшимся «таким сверкающим ртом, что можно было поклясться, что этот рот уже полон зубов». Авраам родился без тех двух глубоких морщин, которые бороздят его лоб сегодня, и лицо его выглядело тогда приятным, свежим и гладким, как кожица большого яблока.

«Мы тут же встали в круг, — продолжал Пинес. — Одна рука на плече, другая на талии, ноги сами собой пошли в пляс. В эту минуту все чувствовали, что на деревню снизошла благодать и родился тот, кто понесет наш факел дальше в великой эстафете поколений. И не умрет наше дело, когда отцы его сойдут в могилы».

Пинес мягко улыбался, и весь его вид говорил о том, как он наслаждается воспоминанием. «Этот ребенок связал нас вечными узами», — сказал он, и слова округлились в его губах, как плоды старой дикой сливы на участке Маргулиса — такие же маленькие, сладкие и сочные.

«Его передавали из рук в руки и давали каждому члену коллектива, мужчине и женщине, немного подержать его на руках. В этот коротенький миг, полный трепета и блаженства, мы ощущали обещание, даруемое сладостью его тельца, и могли даже вдохнуть его младенческий молочный запах. Один за другим, словно передавая друг другу священную реликвию, мы держали его, и один за другим благословляли, кто — во весь голос, а кто — в глубине бьющегося сердца. У каждого из нас была в нем своя доля и свой надел».

«При случае я покажу тебе официальный протокол обрезания, — обещал мне Мешулам. — Либерзон пожелал младенцу проложить первую борозду в целинном Негеве, Рылов потребовал, чтобы он освободил Гилеад и Башан[6], а мой отец сказал, что научит его играть на мандолине. Они представляли себе, как он будет сеять и пахать, привозить затерянных евреев из-за Уральских гор и из Аравийской пустыни и выращивать жароустойчивые сорта кормовой травы. И что из всего этого вышло? Твой дядя Авраам».

То был прекрасный час, и его радости и полноты людям хватило на многие недели трудностей и лишений. Все ходили тихие и благостные, кроме Шломо Левина, брата моей бабушки, который прибыл на праздник обрезания поездом из Тель-Авива. Он не решился приехать в своем городском белом пиджаке и потому надел серую фуражку с защитным козырьком и грубую рабочую блузу, которая расцветила его тело красными пятнами.

Левин шел пешком от железнодорожной станции, мимо садов, потрясенный и взволнованный сильным запахом земли, упруго крошившейся под его ногами. Фейга охватила его шею двумя тонкими и печальными руками, Тоня и Маргулис, которые помнили его по совместному походу из Иерусалима в Яффо, улыбнулись ему, как старые друзья. Но Левин чувствовал себя чужим и пришлым в толпе растроганных пионеров, которые обнимали и поили его. Он взял ребенка «неправильным образом», и тот укусил его в запястье острыми зубками.

Потом все отправились на поиски моэля, который тем временем гулял по деревне, нюхал землю и шептал про себя восторженные молитвы. Моэль взял Авраама в руку, одобрительно поцокал языком при виде добротного детородного органа и освободил его от крайней плоти. Воцарилась глубокая тишина. Даже Либерзон, который любил говорить, что эту церемонию правильней назвать языческой, почувствовал, что это неподходящий момент для религиозной дискуссии, и, когда над полями пронесся громкий плач первого сына, все пионеры как один тоже зарыдали без всякого стеснения.

8

Эфраим, мой исчезнувший дядя, оставался дедушкиным любимцем. Красавец был парень, быстрый и легкий, и дедушка не уставал рассказывать, как Эфраим носил на плечах своего теленка, как он ушел на войну и как исчез из деревни. Эфраим родился через год после Авраама, а Эстер, ставшая моей матерью, — еще через год. «Эти детишки, которые начали бегать по деревне и помогать отцам в их работе, наполняли наши сердца радостью и счастьем».

У Тони из Минска тоже родилась дочь, но не от Маргулиса, а от Рылова из стражей «а-Шомера». С первого дня в деревне она подпала под очарование мужских достоинств прославленного стража, мечтала умереть в его постели и пришла в безумный восторг, когда он попросил ее пронести для него в лифчике ружейные патроны, тайком от англичан. Рылов спустился с ней в тот большой тайник, который устроил в стене сточного колодца своего коровника. Керосиновая лампа отбрасывала их дрожащие тени, пока его пальцы нашаривали боеприпасы меж ее грудей. Однако, пересчитав патроны, он тут же помог ей одеться. Она чуть не лишилась дыхания, пока он стягивал и завязывал розовые шнурки на ее спине. Рылов улыбнулся неожиданно мечтательными глазами и признался Тоне, что по ночам грезит о Песе Циркиной и о том, как много патронов она могла бы для него пронести. «У нее есть все, что мне необходимо, — пояснил он. — Автомобиль, связи и громадный лифчик». Тоня ощутила обиду, но не впала в отчаяние.

Рылов нашел в ней союзницу, способную хранить тайну. По ночам она ходила с ним в вади на встречи с агентами, помогала ему прятать гранаты в тайниках и ликвидировать евреев, сотрудничавших с англичанами. Они обнимались на ящиках с гранатами, с головы до ног обсыпанные белым порошком взрывчатки, и, когда Рылов, с его скудным запасом метафор, однажды назвал ее «Шварцлозе», по марке своего любимого ружья, она уже не обиделась.

Она вышла за него тайком, в окружении стены людей «а-Шомера». Им приготовили в подарок татарское седло, благородную кобылу, по коже которой пробегала непрестанная дрожь, а также связанного и скулящего тивериадского раввина, который провел свадебную церемонию, хотя на глазах у него была черная повязка.

Через год Тоня родила дочь, так и не поняв, что забеременела, потому что Рылов отмахивался от ее утренних жалоб, заявляя, что тошнота и рвоты — обычные последствия длительной возни с гелигнитом[1].

Сладкий Маргулис, неизменно доброжелательный, неспособный мелко ревновать, помнить злое и лелеять мысли о мести, пришел в дом Рылова с большой банкой меда в левой руке и со своей новой подругой Ривой Бейлиной, которая опиралась на его правую руку. Рива была пионеркой из Рабочего батальона, и он встретил ее в поезде в Цемах. Тоня, еще измученная родами, посмотрела на своего бывшего возлюбленного и его подругу и почувствовала шероховатое прикосновение досады. На той же неделе она впервые поссорилась с мужем. Рылов, верный давним правилам конспирации, хотел сохранить в тайне даже рождение собственной дочери, и на этот раз Тоня обиделась по-настоящему, до ненависти и слез.

Даниэль, сын Фани и Элиезера Либерзонов, родился в один день с моей матерью Эстер. Он привязался к ней с той первой минуты, когда их впервые положили на земле на одном одеяле. Им обоим исполнилось тогда три недели.

Было так. Дедушка, бабушка, Либерзон и Фаня отправились в сад, взяв с собой новорожденных, и дедушка стал показывать всем, как следует подрезывать молодые грушевые деревья, чтобы они выросли в форме бокала. Садовые ножницы позвякивали в его руках, и он не переставал язвительно насмехаться над утверждениями советского селекционера Мичурина, будто признаки, приобретенные фруктовыми деревьями в ходе их жизни, передаются по наследству потомкам. Фейга, слабая и бледная после родов, легла на землю и положила голову на Фанино бедро, следя за тем, чтобы змея или оса не укусила и не ужалила детей. Даниэль поднял безволосую головку, поворочал ею во все стороны и с усилием повернулся к Эстер. Мальчику было всего три недели, и Фаня не поверила своим глазам. Она не могла представить, что ее младенец уже способен различить девочку и хочет лежать к ней лицом. Но бабушка Фейга сразу поняла, что случилось, и про себя подумала, что дедушка может насмехаться, но Мичурин все-таки прав.

В тот же вечер Даниэль впервые пополз, и, когда бабушка Фейга с маленькой Эстер собрались домой, все с удивлением наблюдали, как этот ребенок ползет за ними, точно маленькая упрямая ящерица, и при этом непрерывно вопит. Прошло несколько бессонных недель, прежде чем родители поняли, что он вопит не от голода и не от того, что у него режутся зубы, а от желания увидеть девочку Миркиных.

«Чепуха! — сказал мой двоюродный брат Ури. — Я тебе скажу, почему он орал на самом деле. Потому что это жутко больно, когда у тебя две недели подряд торчит сразу после обрезания».

Посреди ночи Фаня принесла в нашу палатку посиневшего, задыхающегося от воплей сына и попросила дедушку и бабушку извинить за беспокойство. Еще не научившись ходить, Даниэль уже научился взбираться, как обезьянка, на колыбельку своей возлюбленной. Там он охватывал Эстер руками и ногами, как голодная цикада обнимает сочную ветку, умолкал и немедленно засыпал.

Теперь он целые дни был под наблюдением бабушки. Когда Эстер забирали спать или купать, он разражался такими воплями, что их можно было услышать по ту сторону голубой горы. В семь месяцев он научился ходить и бегать, чтобы отныне сопровождать свою маленькую возлюбленную повсюду. А имя «Эстер» он стал выговаривать раньше, чем «мама» и «папа».

Бабушка Фейга любовно наблюдала за этими малышами. Она всегда верила, что у каждого человека где-то в мире есть пара, суженый или суженая, предназначенные ему на небесах.

«Просто кто-то делает так, что они рождаются на разных концах земли, — говорила она Фане. — И вся их жизнь проходит потом в слезах, а они не понимают почему. А вот моя дочь и твой сын случайно родились в одной деревне».

«Как Адам и Ева в раю», — сказал Яков Пинес, молодой тогда вдовец с разбитым сердцем, которого очень взволновала младенческая любовь Даниэля Либерзона и Эстер Миркиной. Он не мог дождаться, когда они наконец вырастут и придут к нему в первый класс.

«Рассказ о рае — это, на самом деле, рассказ о любви, а не о грехопадении, — заметил он однажды на очередной встрече деревенского Библейского клуба, самого регулярного и самого бурного в мошаве. — Подумать только, они были единственной в мире парой, один на один с Творцом и со всем сущим».

Элиезер Либерзон вскочил. «Меня не так волнует, что Адам был один на один с Творцом, — сказал он, — как то, что он был один на один с Евой».

Участники обсуждения переглянулись с понимающей улыбкой. Неприязнь Либерзона к Богу и его любовь к своей Фане славились на всю Долину. Пинес был на седьмом небе. Он всегда искал в Танахе только лишь человеческое содержание и конкретные сведения о природе Страны. Усердные исследователи и те деляги да проповедники, что выискивали в Библии политические инструкции и лицемерные нравоучения, были ему отвратительны.

«Сердце человека да земля нашей Страны, извечно томящиеся в страданиях, — вот единственное, что сохранилось неизменным с тех давних времен», — заключил он очередную беседу.

Любители Танаха вышли из учительской палатки, освещая себе дорогу керосиновыми лампами и с трудом вытаскивая ноги из топкой жижи. «Всякий рай имеет свою змею, — сказала бабушка своей подруге Фане. — И она всегда выскальзывает из травы, раньше или позже».

«А ее змея живет в России, — прошептала Фаня Либерзон. — И плод с Древа Познания прибывает сюда в запечатанном голубом конверте».

Фейга посмотрела на маленького Даниэля, который лежал на спине и сосал палец своей возлюбленной. Глаза его сияли от счастья. «Этот никогда в жизни не посмотрит на другую женщину», — сказала она.

Бабушка умерла, когда Даниэль и Эстер были еще детьми, и не увидела, как моя мать отвернулась от своего воздыхателя. А бабушкина любительская фотография, увеличенная копия той, из дедушкиного комода, с теми же черными девичьими косами и маленькими сжатыми кулачками, в той же белой вышитой льняной блузке, долгие годы стояла на полочке в Фаниной кухне. Ее взгляд на ней словно расходится по обе стороны объектива. Уже подростком я знал, что так смотрит женщина, которая «страдала от того, что ей не хватало любви».

«Моей подруге Фане» — было написано на портрете.

В те дни никакой деревни не было еще и в помине — лишь два ряда белых палаток, с трудом различимых сквозь ядовитую завесу болотных испарений и комариных крыльев, — но уже высились там и сям первые сараи, посреди улицы стояло большое корыто для животных, и повсюду бегали куры, поклевывая пыль.

Затем дедушка посадил, метрах в ста от своей палатки, несколько деревьев — гранат, оливу, смоковницу — и два ряда виноградных лоз породы «Жемчужина» и «Шасли». На стволы и лозы он прикрепил таблички с надписями из Танаха: «Расцвели ли гранатовые яблони», «Маслины будут у тебя во всех пределах твоих», «Кто стережет смоковницу, тот будет есть плоды ее» и «Виноградная лоза даст плод свой»[2].

Гранатовое дерево быстро состарилось. Загустевшие слезы желтой смолы облепили его гниющий ствол, и на нем лишь изредка завязывались одинокие и уродливые плоды. Вначале дедушка впрыскивал в него целебные растворы и поливал ядами против насекомых, но, когда ничего не помогло, Пинес сказал, что «это дерево источил червь сомнения, и судьба его решена». А первый дедушкин виноград съела филлоксера, и ему пришлось перевить его на калифорнийские дички, хотя Калифорния, страна его брата-предателя Иосифа и в то же время великого селекционера Бербанка, всегда пробуждала в нем смешанные чувства.

Зато его смоковница и олива еще и сегодня, в окружении серых надгробий, травянистых лужаек и декоративных деревьев, бурно плодоносят в полноте своей силы и предназначения. Смоковница, которой коснулись его волшебные руки, разрослась так буйно и дико, что с нее натекают огромные лужи клейкой и резко пахнущей камеди. А олива приносит красивые зеленоватые плоды, покрытые приятными желтыми точечками масла.

Дедушка был наделен особым даром выращивания деревьев. Садоводы всей Страны советовались с ним и посылали ему зараженные листья и яички бабочек-вредителей. Деревья, росшие в его саду, изумляли даже специалистов. Каждый год огромные стаи бульбулей и агрономов совершали паломничество в нашу деревню, чтобы посмотреть и попробовать «миркинские фрукты». Я и сам помню, как люди со всей деревни приходили к нам осенью — поглядеть, как дедушка собирает свои оливки.

«Иди, иди сюда, Малыш», — говорил он и учил меня охватывать ствол оливы руками, как делал это и сам. Он не бил, как другие, палкой по веткам, а обнимал дерево, прижимался к нему лицом и начинал мягко раскачиваться вместе со стволом. Поначалу вроде все оставалось, как было, но по прошествии нескольких минут я вдруг чувствовал, что могучее дерево со вздохом отзывается на мои объятья и под восторженные стоны окружающих начинает осыпать мою голову и плечи тихим дождем своих плодов, и эти легкие барабанные постукивания зрелых маслин помнятся моей коже по сию пору.

Свою аллею казуарин дедушка посадил, когда родился его первенец Авраам. «Разочаровавший первенец, несбывшаяся надежда», — сказал об Аврааме родившийся годом позже Мешулам Циркин, торопясь придумать законченное объяснение тому, что в честь рождения первого сына дедушка высадил в своей аллее только бесплодные деревья.

Когда у бабушки Фейги родился второй ребенок — дядя Эфраим, дедушка был так счастлив, что привил на дичок померанца черенки сразу четырех разных деревьев — грейпфрута, лимона, апельсина и мандарина. «Дерево четырех видов»[3] — назвал он его, а когда увидел, что это поразительное цитрусовое принесло множество различных по виду и вкусу плодов, стал продолжать свои эксперименты и вскоре наполнил деревню безумными гибридами, которые к тому же стали со временем осеменять друг друга. Теперь у нас мускатный виноград гнил за недоступностью на высоких верхушках кипарисов, а иракские финики желтели в кронах слив. Созерцание этого безудержного торжества мичуринизма повергло дедушку в совершенный ужас, но деревья упрямо продолжали свое.

Еще через год бабушка родила Эстер, мою мать, и больше уже не рожала. Ее тело перестало плодоносить и начало тайком готовиться к смерти. Подумать только, размышляю я про себя, все эти события произошли каких-нибудь несколько десятилетий назад, а уже завернуты в саван из древней ткани времен, забальзамированы в черной смоле загадки, будто вышли прямиком из тех пинесовских уроков Танаха, где пальма Деборы и тамариск Авраама[4] все так же пышно цвели над ручьями библейских рассказов. Рассказов о скитании, о земле и шатре. Легенд о колодце, о дубе и бесплодном чреве[5].

Бабушка еще успела пожить немного в той времянке, которая была построена на месте ее палатки, — той самой, где позже жили мы с дедом. Она до блеска скоблила деревянный пол и оставила в нем едва приметные углубления — смутную память о ее коленях. Одно из окон было уже застеклено, и бабушка сшила для него светлые занавески из старой ткани. Возле смоковницы она построила земляную печь, которая до сих пор хранит добрые запахи хлеба и печеной тыквы. Две дамасских коровы-полукровки стояли, привязанные под навесом, и маленький Авраам пас их по вечерам перед домом. Несколько разноцветных кур, купленных у черкесов, что за холмами, и присоединившихся к Рахель Янаит, клевали во дворе. Вылупившихся цыплят переносили в ящик, где горела керосиновая лампа, чтобы согреть их крохотные тельца, и это их запах подвиг старую дикую кошку перенести свое логово с отрогов голубой горы к источнику, что на нашем поле.

«Варили в печах перед домом, собирали паслен для кур, ходили босиком и носили воду в жестянках, — сказал Иоси, близнец Ури. — Ну, настоящее арабское село».

На том месте, где сегодня располагается «Кладбище пионеров», дедушка разбил большой сад. Между рядами он прорыл оросительные канавки, но, чтобы не мучить деревья в жару, поливал их только ночами. Когда его одолевала усталость, он швырял шланг в начало канавки и ложился поспать в ее конце. Вода медленно наполняла углубление, а когда она подступала к его ногам и будила, он вставал, перекладывал шланг в следующую канавку и засыпал снова. Эта его привычка вызывала множество толков в деревне. «Он делает все, только бы не спать дома», — возмущенно шептала Фаня Либерзону. А были и такие, которые говорили, что если в одну несчастную ночь Миркин, упаси Бог, не проснется, то вода зальет весь его сад, и тогда в деревню вернется болото.

Дедушка не обращал внимания на все эти разговоры. Каждое утро он возвращался домой, дрожа от холода и счастья, запахи влажной земли поднимались от его кожи, и под его руками сад уже на второй год принес большие красивые плоды.

В тот год к нам пришел с визитом Зайцер из кибуца в Иорданской долине. Это был старый дедушкин товарищ. Он никогда никому не жаловался вслух, но нетрудно было понять, что жизнь в коммуне ему не подходит. Дедушка предложил ему остаться у нас. Зайцер согласился, но выставил условие, что их старая дружба не повлечет за собой никаких поблажек. Он считал себя обычным простым работягой и таким хотел остаться. Он был так скромен, что наотрез отказался жить в нашем доме.

«Почему он спит в коровнике? — допытывался я у дедушки. — Почему старый Зайцер живет с коровами, а не с нами?»

«Потому что старый Зайцер упрям, как осел, — улыбался дедушка. — Так он привык, и так он хочет».

Зайцер был вегетерианцем и лишь изредка соглашался взять из рук бабушки, которая очень его любила, кусок пирога, но потом всегда страдал от угрызений совести и несварения желудка.

Он оставался у нас вплоть до своей ужасной кончины. Его удивительная способность вести на пахоте прямую, как линейка, борозду вызывала всеобщее восхищение. Он брался за самые тяжелые работы и только по субботам уходил в поля на долгие одинокие прогулки — понюхать полевые цветы и поразмышлять о жизни.

«Возьми меня с собой, — просил я и бежал босиком за ним следом. — Возьми меня с собой, Зайцер!» Я знал, что годы назад, когда бабушка умерла, Зайцер взял на себя заботу о моем дяде Аврааме, нянчил его и носил на спине, «как мешок с мукой», на эти свои прогулки в полях. Но со мной и с моими двоюродными братьями он уже не играл, потому что к тому времени постарел и тело его было измучено изнурительным самоанализом. И теперь он носил на спине одни только воспоминания и жизненные уроки.

«Не приставай к нему, Барух, — говорил мне дедушка. — Это его выходной день. У каждого есть право и потребность время от времени побыть одному».

Широкое тело Зайцера медленно исчезало по мере того, как он удалялся. Сначала его заслоняли деревья сада, потом оно появлялось снова, словно муха на фоне далекого желтого жнивья, и, наконец, окончательно скрывалось за отдаленным срезом горы.

«Это были трудные и прекрасные времена, — рассказывал мне Пинес у себя на кухне. — Мы ходили босиком и в лохмотьях, как гаваониты[6], но сердца наши рвались из груди».

Летом они вместе молотили пшеницу. Восемнадцать мужчин крутили барабан и орали друг на друга, как сумасшедшие, когда барабан застревал. Женщины приносили на гумно коржики и домашнее вино, и по ночам огромные скирды неудержимо влекли к себе змей, влюбленных и любителей хорового пения.

«Сломанные соломинки в волосах, — мечтательно сказал Ури. — Вот самое прекрасное украшение женщины».

«Каждая редиска, раскрасневшаяся на грядках, каждый новорожденный ребенок и теленок были обетованием и надеждой. Процент жирности молока поднялся до четырех, и первые триста шестьдесят яиц были заложены в новый керосиновый инкубатор», — рассказывал Пинес на уроках истории. Рылов начал надолго исчезать, и все были уверены, что он уходит добывать оружие и шпионить в Сирии, пока не выяснилось, что он усовершенствовал тайник в огромном сточном колодце возле его коровника и теперь прячется там, готовясь к самому худшему, и выходит наружу только затем, чтобы глотнуть свежего воздуха.

«Трудовая бригада имени Фейги Левин» уже не существовала, как будто исчезла в далеких облаках. «Трудно назвать это расколом, — сказал всезнающий Мешулам. — Скорее, расформирование, а может, и просто распад, кто его знает? А сами они молчат. Я думаю, это случилось после рождения Авраама».

«Однако корни наверняка уходили намного глубже, — тут же высказал он вслух свое предположение. — Скорее всего, во что-то такое, что эти четверо ото всех скрывали».

Циркин-Мандолина приходил к нам каждую субботу — навестить дедушку и посидеть с ним часок за столом с маслинами и селедкой. Иногда он приводил с собой маленького Мешулама, чтобы тот поиграл с Авраамом. Циркин и его сын выглядели грязными и запущенными. Мешулам, сверкая размазанными по щекам, засохшими соплями, удивленно рассматривал стеклянные тарелки на нашем столе, а Мандолина глядел на бабушку Фейгу странным взглядом, значение которого мне стало ясно лишь годы спустя, когда, замерев в своей кровати, я прислушивался к одному из самых резких разговоров этих двух стариков. Даже кипяток и маслины не могли скрыть их взаимное раздражение.

— Мы доверили ее тебе, — угрюмо проворчал Циркин.

— Я не хочу говорить об этом, — раздраженно ответил дедушка.

— А я хочу! — произнес Циркин.

Тишина. Маслины. Негромко разгрызаемый кубик рафинада.

— Если вы оба так ее любили, к чему было затевать этот дурацкий жребий? — взорвался дедушка.

— Никто не заставлял тебя участвовать в нем, — выдохнул Циркин.

— Я не только вас обвиняю, — уже тише сказал дедушка.

— Мы хотели вылечить тебя, — негромко сказал Циркин. — Мы хотели вылечить тебя от твоей Шуламит.

— Фейга Левин! — произнес дедушка с насмешливой торжественностью. — Фейга Левин, с ее молчаливой преданностью, с ее неделимой любовью. Жертва нашего греха. Наша молчаливая овечка.

Либерзон тоже заходил иногда. Но с тех пор, как женился, заходил все реже и реже. Он чувствовал отношение дедушки, а кроме того, «пользовался каждой свободной минутой, чтобы целоваться со своей Фаней».

Все ощущали, что Яков Миркин испытывает некую неприязнь к прежним друзьям, но дедушка был человеком сдержанным и сам никого не задевал. Он лишь вежливо, но упрямо отказывался рассиживаться с ними, перебирать воспоминания о «Трудовой бригаде» и говорить о своей жизни с женой.

«Однажды, когда тебе было года четыре, приехали какие-то люди с радио, чтобы сделать о них передачу. Но твой дедушка отказался участвовать».

«“Трудовая бригада имени Фейги Левин“ — это сугубо личное дело, — отодвинул он поднесенный к его рту микрофон. — Если Либерзону и Циркину хочется рассказывать, как они танцевали и превращали пустыню в цветущий сад, пусть себе рассказывают».

Только раз в год, в годовщину выхода на поселение, «Трудовая бригада» снова воссоединялась. Люди со всей Долины приходили пешком по полям, сползались к деревне, точно черные точки по жнивью, и садились полукружьем на землю. Трое мужчин и женщина поднимались на сцену, сооруженную из кип соломы, и становились перед собравшимися. Тишина опускалась над всеми, как большое полотнище. Циркин играл на мандолине. Либерзон и Миркин пели вместе с ним на сцене, а Фейга барабанила по большой кастрюле и смеялась, слабая и больная.

То были ее последние дни. Фаня Либерзон была ее лучшей подругой, и ей она изливала свое сердце.

«Каждые полгода они прилетают снова, эти уродливые птицы с голубыми конвертами».

«Каждые полгода приходило письмо, — жаловалась Фаня Либерзону, растирая его спину. — И каждые полгода она снова умирала, бедняжка».

Сквозь запотевшее стекло я видел ее движущиеся руки. Пятна старости уже появились на них, но нежность и ненависть были по-прежнему молодыми.

Либерзон что-то хмыкнул.

— Эта ваша игра в «Трудовую бригаду» кончилась плохо, — сказала она.

— Но она все равно должна была выйти замуж за кого-то из нас, это было записано в уставе, — уклончиво пробормотал Либерзон.

— Почему не за тебя?

— Я не удостоился, — улыбнулся старик, повернулся к жене и прижал ее тело к себе. — А что стало бы с тобой, если б это оказался я? Так бы ты и торчала поныне в кибуцном винограднике? А может, это Миркин выкрал бы тебя из твоего кибуца?

— Только Миркина мне не хватало!

«Наша бабушка три года подряд вынашивала детей, доила коров, таскала блоки льда, варила, шила, убирала и любила дедушку до последнего вздоха», — сказал мне Ури, мой двоюродный брат, в неожиданном приступе сентиментальности.

«Дедушка не виноват», — ответил я.

«Ни одного плохого слова не даст сказать о своем замечательном дедушке! — проскрипела тетя Ривка, жена Авраама. — Неудивительно, что он такой вырос. Он же всю жизнь провел со свихнувшимися стариками, которые забивали ему голову разными глупостями. Этот его дедушка был ему вместо матери, Пинес-нудник вместо друга, а со своим сенильным Зайцером он мог часами разговаривать во дворе, хотя тот ему в жизни двух слов не ответил! У него даже подружки настоящей никогда не было. И не будет! — Она повернулась ко мне всем своим приземистым, сырым и тяжелым телом. — Лучше бы тебя отдали в сиротский дом!» — выкрикнула она.

В свои семнадцать лет я был вечно раздраженным и хмурым. Одиночество, и твердеющая плоть моего взрослеющего тела, и извилистые пути моей мысли, которая не соглашалась оставить не распутанной ни одну извилину детства, — все это наполняло меня отвращением, втискивалось острыми песчинками в тело и настаивалось темной яростью в душе. Шуламит приехала тогда в Страну, и дедушка покинул меня и ушел жить с ней в дом престарелых. Каждый второй день я ходил пешком навестить его там и приносил ему молоко в жестяном кувшине.

Потом я возвращался домой, размахивая пустым бидоном, и, по своему обычаю, прежде всего заходил к Пинесу. Старый учитель вытаскивал в сад маленький стол. В кустах своего сада Пинес разводил паучков-летунов для наблюдений, и десятки этих летающих малюток прятались там в своих лиственных домиках, готовые ринуться на добычу, попавшую в их сети. Пинес был стар, но все еще способен схватить муху на лету и, не раздавив ей тельце, вбросить ее в паутину.

— Все эти годы твой дедушка продолжал любить эту Шуламит, которая сейчас приехала к нему в Страну. А я все эти годы помню свою умершую Лею. Мы были из другого теста. Терпение целого народа, терпение двух тысячелетий, прорвалось в наших сердцах и взбурлило нашу кровь. — Он вздохнул. — Иногда я завидую вам. У нас тоже были романы, и мы танцевали без рубах в винограднике, парни и девушки, и любились на соломе, но кто из нас решился бы крикнуть: «Я трахнул дочку такого-то, или внучку такого-то, или жену такого-то»?! «Кто пустил дикого осла на свободу и кто разрешил узы онагру?»[7]

— Он все еще кричит?

— Каждые несколько месяцев, мерзавец! А я потом неделю не сплю. В первый раз мне хотелось поймать, задушить, уничтожить этого негодяя. А сейчас мне хочется только узнать, кто он. Только глянуть ему в глаза и понять.

Я отпил глоток чая и взял в рот маслину. Пинес растроганно похлопал меня по голове.

— Совсем как дедушка, да? Это хорошо, что ты ему подражаешь. Яков Миркин был человек незаурядный. Он выделялся даже в нашем мошаве. Он не выступал на конгрессах, и не хлопотал за чьи-нибудь интересы в кулуарах, и не скакал на лошади с черной куфией на голове и с патронташем на груди, но все перед ним преклонялись. Когда Миркин прикасался к фруктовому дереву, все понимали смысл его действий и их идею. Большая честь выпала тебе, что тебя вырастил такой человек. Как он сейчас?

— Живет с ней там. И часами стоит на веранде.

— Стоит — и что делает?

— Смотрит. Ждет.

— Все еще ждет?

— Эфраима, я думаю. Жана Вальжана. А может, и Шифриса.

9

Мне по сей день не удалось перехоронить бабушку на моем кладбище. Я предлагал Комитету кучу денег. Я взвешивал возможность взломать ее гроб и похитить останки. Даже Пинес, непримиримый враг моего «Кладбища пионеров», и тот обратился в Комитет с соответствующей просьбой и опубликовал свой «Голос читателя» в нашем деревенском листке.

Фаня Либерзон была в ярости. Вечером она ворвалась через зеленую калитку в сад учителя и сунула свою очаровательную старую голову в светящееся пятно его окна.

«Оставьте ее наконец в покое!» — крикнула она и, не дожидаясь ответа, бросилась обратно.

Я последовал за ней, из тени в тень, так тихо, как только мог.

«Миркин убил ее, а теперь его внук, этот могильщик, позорит ее память. Чего он добивается? Чтобы его дед наконец успокоился, имея по одну сторону свою жену, а по другую — свою крымскую шлюху?»

Я пригнулся под стеной дома Либерзонов, стараясь втиснуть в нее свое большое тело, насколько оно позволяло. Продолжения их разговора я не расслышал. Поднялся ветер, а губы Фани были прижаты к морщинистой шее Либерзона.

Аврааму было пять лет в день смерти бабушки, и он еще помнит свою мать, ее похороны, ее пальцы на своем запястье. Завесы сиротства все еще колышутся над его лицом, обвевая страшные морщины на лбу, но он никогда не заговаривает о ней.

«Авраам, первый наш сын, а теперь первый наш сирота», — сказал Пинес над ее открытой могилой.

Гигантские кипарисы деревенского кладбища были тогда тщедушными подростками. Всего десять надгробий было под ними. Шестеро уставших телом или павших духом пионеров, старая мать пчеловода Маргулиса, прибывшая из России с ульем прославленных кавказских пчел и умершая от избытка счастья через три дня после приезда, двое крохотных детишек, не вынесшие холода в палатках, и тайная дочь Тони и Рылова, в годовалом возрасте выползшая из времянки во двор и раздавленная коровьими копытами. «И эта тоже не умерла в своей постели, бедняжка», — сказал Пинес с редкой для него жестокостью.

«Тогда-то я понял, что на самом деле мы основали два поселения. Деревню — и кладбище. И оба они будут расти и расти», — добавил он.

Стадо овец паслось неподалеку. Звяканье колокольчиков, разноцветные пятна шерсти, посвист пастухов передвигались все ближе к скорбной группке людей над могилой. Маленькими, отчетливыми и резкими выглядели они в застывшем, крошащемся воздухе. Из деревни доносились печальные вопли Даниэля Либерзона. Оставленный дома, он кружил повсюду в поисках Эстер, пока не упал на сеновале. Шломо Левин всхлипывал над ямой, вырытой для его сестры.

Циркин и Либерзон стояли рядом с дедушкой, положив руки на его плечи, то ли касаясь их, то ли укрывая. «Трудовая бригада имени Фейги» стояла молча. Был холодный весенний день, и стаи пеликанов с пронзительным криком скользили над деревней, низко проносясь над землей на своем пути на север. Фаня стояла в стороне от мужа и его друзей, плача и проклиная. «Расскажите этой суке, что Фейга умерла», — шепнула она, запрокинув лицо к небу.

Я представлял себе, как Шломо Левин получает телеграмму, посланную дедушкой, роняет вечную ручку и падает без чувств на пол своего магазина.

«Нет, — сказал он мне, когда я спросил, так ли это было. — Я просто смотрел на слова, на бумагу и думал: «Хулиганы. Хулиганы. Хулиганы». Так я думал. «Хулиганы». Снова и снова».

Он сидел в кресле, представляя себе, как отцовский пояс опускается на его тело. «У меня в руках была авторучка, которую я чинил, и ее сломанный насос капал чернилами на мои брюки». Но Левин даже не заметил этого. Он закрыл магазин, отправил письмо родителям в Россию и сел в хайфский поезд. На нашей станции его увидел Рылов, который направлялся в деревню в телеге, нагруженной мешками с цементом, в которых были спрятаны разобранные на части охотничьи ружья.

— Я тебя откуда-то знаю, — подозрительно сказал Рылов.

— Я шурин Миркина, — сказал Левин.

— Залазь.

«Как это случилось?» — спросил Левин. Он сидел возле Рылова, ощущая своим испуганным телом прикосновение могучего жилистого бедра и металлической выпуклости. Но Рылов сказал лишь: «Она болела». Его грубые мощные руки, низкий мускулистый лоб, за которым плелись планы создания военизированных еврейских поселений за Иорданом, и непонятные разговоры с двумя лошадьми, тащившими телегу, напомнили Левину первые дни пребывания в Стране. Рылову понадобился целый час молчаливых тяжелых раздумий, чтобы приоткрыть еще одну тайну. «Она была не в порядке, — сообщил он Левину. — Транжирила боеприпасы. За последний месяц дважды выбегала во двор и стреляла по пролетавшим птицам».

Ненависть Левина к Циркину, Миркину и Либерзону и его давний страх перед ними сменились жалостью, когда он увидел дедушку, который нес Эфраима на левой и Эстер на правой руке, и маленького Авраама, ухватившегося за ногу отца. Левин обнял шурина и безудержно зарыдал, оплакивая свою маленькую умершую сестричку и собственную бесцельную жизнь. В деревне помнили его по празднику обрезания Авраама, и Хаим Маргулис погладил его по спине.

«В моем улье новая царица, — шепнул он. — Ее зовут Рива».

Левин не ответил.

«Приходи ко мне после похорон, отведаешь цветочной пыльцы, — сказал Маргулис. — Это сладкая мука весны. Она подкрепляет силы».

Но после похорон Левин подошел к дедушке.

«Яков, — сказал он, осмелев. — Я останусь с тобой на шив'у»[1].

Он остался, убирал, варил, купал Авраама и менял пеленки Эфраиму и Эстер. Выпалывая вьюнки, которые расползлись по Фейгиной овощной грядке, он впервые со времени прибытия в Страну почувствовал, что приносит пользу и что солнце больше не сжигает его заживо. Черная земля Долины въелась в его руки, и запах резеды и дикого укропа, которые он выдирал из помидорных рядков, наполнял его счастьем. Фаня Либерзон, которая тоже помогала деду, смотрела на него с уважением.

«Это особенный человек, — говорила она мужу. — Я знаю, вы его терпеть не могли, ты и твои друзья, но это человек необыкновенный».

По окончании траурной недели Левин вернулся в свой магазин, но не к своим клиентам. «Я сидел, и думал, и решал свою жизнь». Снова приехав в деревню на шлошим[2], он попросил Комитет принять его в качестве наемного работника. Он знал счетоводство, имел опыт торговли, и деревенские с радостью удовлетворили его просьбу.

Левин продал свою долю в магазине, получил времянку и участок земли в деревне и начал работать в нашем кооперативе, продолжая помогать дедушке.

«Как только у него выпадала свободная минута, он шел к Миркину, купал детей, готовил им ужин, приносил маленькие гостинцы».

Он пытался заняться крестьянским трудом и тут впервые столкнулся с Зайцером. Они не понравились друг другу с первой же минуты. Зайцер не оказывал Левину активного сопротивления, но решительно не хотел помогать ему в работе «и вообще смотрел сквозь меня, будто я воздух».

Левин был слабого здоровья и, когда попытался тем же летом поработать на молотьбе, наглотался там половы и долгие годы после этого постоянно кашлял. Поэтому его использовали только на дворовых работах. «Они поручали ему женские дела», — сказал мой двоюродный брат Иоси, когда мы разговорились с ним о нашей семье. Левин задавал корм курам, собирал яйца, вытряхивал и складывал пустые мешки из-под фуража и отмывал молочные бидоны. Он варил необыкновенное *варенье* из дедушкиных фруктов и постепенно завоевал его расположение. Его чутье, которое за годы страха и пережитых невзгод обострилось, как у кролика, подсказывало ему, что отношение дедушки к былым друзьям изменилось, и он радовался всякий раз, когда видел, что Миркин предпочитает спокойное общество своего шурина сведению прежних счетов, к которому его побуждало присутствие Циркина-Мандолины и Элиезера Либерзона.

«Твой дедушка мучился раскаянием после смерти жены и поэтому оценил доброту и деликатность шурина и начал симпатизировать ему. Тогда уже все было не так, как в те прежние, первые дни. Мы уже осели на землю, каждый имел свой участок, мы поняли, что такое дом, что такое семья, меньше танцевали, меньше пели, меньше ненавидели».

Зимние вечера муж и брат коротали за шашками. Зайцер стоял за дедушкой и подсказывал ему на ухо ходы. «Но он зря старался, — рассказывал дедушка. — Я все равно всегда проигрывал. И это очень помогало Левину чувствовать себя дома».

Дедушка учил его, как прививать черенки, как направлять рост дерева с помощью правильной подрезки и как расковыривать кору зараженного ствола, чтобы извлечь самого страшного из вредителей, тигровую моль, которая извела немало яблочных садов в Долине. Но деревьям не нравилось прикосновение рук Левина. Когда он впервые надрезал кору Санта-Розы, дерево вздрогнуло и одним движением сбросило с себя всю листву.

«Его нужно женить», — сказали деревенские и стали мысленно перебирать своих вдов и оставшихся незамужними женщин.

Но Левин удивил всю деревню. Тайком списавшись со сватами, он в один прекрасный день съездил в Тверию в телеге парикмахера, который разъезжал по селам Долины, и привез оттуда Рахель — йеменскую девушку намного моложе его годами. У нее было несчетное количество браслетов, несметное множество зубов и сотни родственников, которые прибыли на свадьбу на ослах и на время праздника разбили шатры на деревенских полях. Она говорила с непонятным акцентом и ходила неслышными шагами. Но больше всего удивило людей, когда они увидели, как она жарит на раскаленном жестяном листе огромных хрустящих кузнечиков и потом их съедает. Левин не сводил с нее глаз и радостно, от всего сердца, благодарил судьбу, которая улыбнулась ему впервые со времени его прибытия в Страну Израиля.

«Рахель, — говорил он, — мстит за меня саранче, чьи крылья скрыли тогда голубизну неба».

После смерти Левина Рахель пришла ко мне и сказала: «Я знаю, что он очень хотел, чтобы ты похоронил его на своем кладбище. Хоть он и не был вполне пионером, но он тоже прибыл со Второй алией. Так сделай это, пусть даже я не смогу лежать с ним рядом».

Эфраиму, моему исчезнувшему дяде, было пять лет, когда Левин женился на Рахели. Ее спокойное смуглое лицо, звенящие браслеты и беззвучная походка очаровали его. Весь свадебный вечер он прижимался к ногам своей новой тети и не хотел отпускать ее домой, чем вызвал всеобщий смех. Когда он немного подрос, Рахель научила его печь питы на раскаленной жести, молиться Богу и ступать тихо, как кошка по песку. Эта его способность была причиной жуткого испуга многих людей в деревне и преждевременной смерти многих итальянских и немецких солдат на войне.

Эфраим и его бык Жан Вальжан из породы шароле исчезли из дома, когда я был двухлетним ребенком. Даже не помня дядю, я по-прежнему завидую его бесшумной походке. Мое огромное и тяжелое тело всегда производило большой шум, и люди не раз ловили меня, когда я прятался, пригнувшись и подслушивая, у них под окнами. Тогда я поднимался и неторопливо, молча, уходил прочь, ощущая плечами, как в меня вонзаются вилы разгневанных взглядов. Никто ни разу не обидел меня. Я был сирота, «миркинский сирота», дедушкин мальчик.

«Вдохни глубоко-глубоко, подними высоко колено, выдохни все и поставь ступню совершенно плоско», — сказала Рахель Эфраиму. Они ступали рядом по сухому весеннему чертополоху, громче которого под ногами ничего не шуршит. В восемь лет дядя мог уже совершенно беззвучно пройти по кукурузному полю и так же бесшумно подкрасться по колючему терновнику. Но он к тому же начал произносить буквы на глубокий гортанный йеменский манер, и Пинесу пришлось приложить немало усилий, чтобы вырвать эти звуки из его горла.

Моя мать Эстер в те дни была еще маленькой. Фаня Либерзон и Шломо Левин помогали дедушке растить ее. Зайцер развлекал ее, подражая крикам зверей и птиц, Пинес читал ей по-русски «Фи-ли-пок» Льва Толстого, а Циркин играл ей на мандолине колыбельные песни.

Даже Рылов, и тот пытался развлекать ее, громко щелкая своим знаменитым бичом, который издавал резко взрывавшиеся в воздухе звуки. Он управлял этим бичом так умело и быстро, что мог сбивать яблоки с ветки, молниеносно отсекая их короткие хвостики его вибрирующим концом.

«Ты мне распугаешь все деревья, отправляйся назад в свою яму!» — кричал на него дедушка, но все же позволял ему развлекать свою дочь.

Эстер и Даниэль росли. Теперь уже и девочка замечала любовь, струившуюся из его глаз. Окутанная сиянием этих глаз, залитая потоком его ласк и поцелуев, она не отпускала его руку. Дедушка, Либерзон и Фаня с умилением смотрели на этих двух детей, которые проводили вместе целые дни, бегая по полям и гоняясь за цыплятами во дворе.

«На ком ты женишься?» — спрашивали Даниэля, и он подходил к Эстер, обнимал ее за талию и клал голову ей на плечо.

Либерзон уже начал было говорить о помолвке и шутить по поводу выкупа за невесту, но тут дедушка вдруг налился глухим, деревянным гневом и нашел себе нежданную союзницу в Фане.

«Вы, как обычно, все решаете за других заранее», — сказала она.

Осенью, когда все выходили пахать и сеять, детей брали с собой в поле. Авраам запрягал осла в телегу, и на нее укладывали плуги, семена, еду и воду для людей и животных. В обеденный перерыв домой не возвращались. Мошавники с нескольких соседних полей собирались под одной телегой поесть в общей компании. Эстер и Даниэль подолгу играли в тени телеги или лежали, обнявшись, на вывороченных комьях земли, а когда они немного подросли, им уже разрешалось сидеть на ящиках с семенами. Мама была быстрее и бесстрашнее Даниэля и не раз втягивала его в опасные проделки. Однажды их вытащили полумертвыми, с позеленевшими и слипшимися от водорослей и слюны волосами, из поильного корыта для коров, куда они свалились, заигравшись. В другой раз они исчезли на полдня, и их нашли ревущими от страха на вершине построенной в тот год водонапорной башни.

«Одна лишь беда была с твоей матерью — она признавала только мясо». Когда ей было полгода, бабушка Фейга дала ей пососать вареную куриную косточку, потому что у Эстер резались зубы. Девочка быстро вошла во вкус и отказалась от всякой другой пищи.

Так получилось, что бабушка Фейга оставила на свете маленькую сиротку, которая не признавала ни фруктов, ни сыра, ни яиц. Только мясо. Три раза в день.

Как-то раз, когда ей было два с половиной года, Левин забыл возле раковины тарелку с сырым молотым мясом, смешанным с петрушкой. «Твоя мама пожирала его ложками, а когда мясо кончилось, от злости разбила тарелку, и все рассуждения медсестры Сони о кровожадности, необходимости витаминов и жизненной важности минералов пошли насмарку, потому что эта девочка выросла высокой и красивой. Она росла, как помидор, который поливали кровью. С великолепной кожей, громким смехом и прекрасным характером».

10

Еще до того, как он выгнал Тоню из своего дома, Маргулис уже знал, что с ней что-то неладно. Голос и запах его минской девушки изменились, кожа стала шероховатой, фразы — обрывистыми. По ночам она исчезала, а когда оставалась дома, уже не говорила во сне.

Маргулис был человек добрый и покладистый. Он не стал допытываться, копаться и выслеживать. Но, найдя в своем бочонке с воском вонючую связку динамитных шашек, тихо попросил ее уйти.

«Это мои пальцы, а это его», — печально сказал он.

Какое-то время он жил одиноко и уныло, занимаясь придумыванием пчеловодческих новинок. Он был единственным в Стране пчеловодом, который пас своих пчел в поле, обучая их садиться лишь на определенные цветы. Так ему удавалось создавать меды с необычными новыми вкусами и опылять только нужные ему растения. Он научился этому приему по русскому учебнику пчеловодства, который написал некто Клименко, большой поклонник Мичурина. Ему нравился метод Клименко, но не нравилась та теория, которая за этим методом стояла. Русские коммунисты утверждали, что обучение пчел может передаваться по наследству — точно так же, как воспитанные в людях революционные убеждения или же приобретенные благодаря прививке свойства плодовых деревьев. И будто именно поэтому можно вывести новую породу пчел, которые будут посещать только определенные цветы.

«Красные, разумеется», — с издевкой сказал дедушка.

«Но ведь они не правы! — воскликнул Маргулис. — Как может передаваться по наследству воспитание рабочих пчел? Ведь единственный, кто размножается в улье, — это царица-матка, а она никогда не вылетает в поля и ничему не обучается».

Дедушка был счастлив, когда Маргулис объяснил ему, что каждое поколение рабочих пчел должно учиться заново. На полях Долины Мичурин потерпел свое окончательное поражение.

«И что вообще этому Ленину до пчел?! — воскликнул дедушка. — С каких это пор коммунисты восторгаются образом жизни монархий с их царицами?!»

Они сидели на земле, их смех поднимался сквозь листву молодых груш и радовал пчел, одурело шевелившихся в чашечках цветов.

«Коммунистов так увлекли рабочие пчелы, эти стахановцы улья, что они предпочли на минутку забыть, что пролетариат призван совершить революцию и свергнуть всех царей и цариц», — предположил Маргулис.

«В один прекрасный день, — рассказывал дедушка, — Хаим Маргулис вывел свой летающий пролетариат к железной дороге, чтобы показать им дикую орхидею и пурпурный клевер, которые цвели на склонах насыпи».

Мимо них медленно прополз поезд, и Маргулис увидел в окне профиль Ривы Бейлиной. Он помчался за ней, как сумасшедший, и на ходу впрыгнул в вагон, окруженный огромным роем пчел. Пассажиры в ужасе бросились бежать, потому что у него в руках был глиняный улей, и, пока он добрался до Ривы, скамейка, на которой она сидела, уже освободилась.

«Не бойся, — сказал он ей. — Они не жалят».

Рива Бейлина была из очень богатой киевской семьи. Ее родители торговали зерном и владели сахарными заводами. Они были против ее алии и проводили дочь в Палестину с тяжелым сердцем. Ее дорогие наряды вызывали удивление всех товарищей. Сейчас она с опаской посмотрела на Маргулиса с его заляпанными грязью сапогами. Но Маргулис сунул в улей обнаженную и опытную руку, выпрямил палец, покрытый медом, и протянул его к ней. Она была ошеломлена, но голубая наивность его взгляда ее успокоила. Немного поколебавшись, она взяла Маргулиса за запястье и облизала его палец. Ее глаза засветились, и на губах появилась улыбка. Никогда еще в жизни ей не доводилось пробовать что-либо, похожее на палец Маргулиса, или на мед диких цветов Долины. Веселый и сладкий Маргулис выпрыгнул из вагона и вернулся к своим ульям, но вскоре стал ездить в поезде дважды в неделю, чтобы встречать свою новую любовь.

Каждую субботу Маргулис приносил дедушке таинственную банку, в которой он составлял специальную еду для первого сына деревни. Вся деревня терпеливо и с надеждой следила за Авраамом. Сведения о росте и весе ребенка, его первые слова и забавные высказывания регулярно публиковались в деревенском листке. Все встречные гладили и тискали его. Ему приносили свежие овощи и молоко от лучших коров, а деревенские женщины шили ему все новые костюмчики. Но дедушка наотрез отказывался признавать своего первенца общим достоянием.

«Это началось еще при жизни Фейги. В десять вечера заявлялись соседи, которые приводили своих гостей посмотреть на первого сына деревни, и требовали, чтобы Миркин его разбудил».

Мешулам прочел мне «оригинал документа», в котором говорилось о Заккае Эккермане, первом сыне соседнего кибуца. «Первенца считали общественным достоянием, как если бы он принадлежал всем кибуцникам сразу. Кто угодно мог разбудить его и привести в столовую, даже ночью. Зимними ночами кибуцники не раз подолгу сидели за столами, восхищаясь своим ребенком».

«Оставьте мальчика в покое», — кричал дедушка на людей, которые пытались подкрасться к его палатке, чтобы посмотреть на Авраама. Они поднимали край полотнища и даже заползали внутрь, чтобы убедиться, что первенец действительно светится в темноте, как рассказывали в деревне.

Наконец дедушка пришел в неистовство. «Кончились прежние денечки! — решительно объявил он, взял ребенка, вооружился дубинкой и сеткой от комаров, крикнул: — Это не ваш ребенок!» — и отправился спать в заросли у источника. Никто не осмелился последовать за ним туда. В этом месте жили когда-то немецкие колонисты. Все они умерли от лихорадки, и тонкий предсмертный плач их светловолосых детей все еще гнездился там, заставляя трепетать стебли камыша и девясила. Так кончились приставания мошавников, потому что всякий, кто сообразил подняться в ту ночь на вершину сторожевой вышки и посмотреть на юг, смог и сам увидеть золотистое сияние, которое помигивало меж темными пятнами кустов дикой малины, словно там, у источника, собрался огромный рой светлячков. А несколько лет спустя бабушка умерла, и больше уже никто вообще не осмеливался тревожить сироту. Аллергия Авраама к нарциссам и болотным цветам осталась его единственным воспоминанием о той давней ночи.

Тем не менее Авраам продолжал вызывать постоянную тревогу и озабоченность в сердцах жителей деревни. Заккай Эккерман, первенец кибуца, что располагался по ту сторону вади, уже вырастил на своей грядке огурцы длиной в сорок пять сантиметров каждый, а плоды мушмулы[1], которую он посадил, были размером с яблоко «Гранд Александр»[2]. Авишай, первый сын деревни Кфар, уже выступил на одной из конференций Движения с «потрясающей речью», в которой с абсолютной точностью предсказал будущий раскол в Рабочем батальоне, «хотя ему было всего три с половиною года». Первенец поселения Бейт-Элиягу в возрасте шести лет занялся изучением эпидемии кокцидиоза среди цыплят, был включен в исследовательскую группу профессора Адлера, ранее разработавшего вакцину против эпидемии выкидышей у голландских коров Страны в 20-е годы, и получил премию из рук британского Верховного комиссара, а также грамоту на пергаменте от руководства Движения. И только Авраам Миркин опаздывал в развитии, держал всю деревню в напряжении, а проще говоря — разочаровывал всех.

«Мы бы успокоились, если бы речь шла об обыкновенном мальчике, но всем было очевидно, что в твоем дяде было что-то особенное».

Авраам мог одним взглядом успокоить любое разъярившееся животное. В сезон гнуса его порой вызывали в поля, когда мул или его хозяин впадали с безумие от непрерывно звенящего зуда. У него были и другие странности, которые поддерживали надежды деревни, — например, уже с пятилетнего возраста привычка расхаживать по ночам и искать неизвестно что, переворачивая груды жестянок, перетряхивая кипы старых мешков, раздвигая занавески, вглядываясь в спящих телят и пугая пернатых в их птичниках.

Некоторые объясняли это его сиротством. «Он ищет свою мать, бедняжку Фейгу», — говорили они.

«И неудивительно», — сказала Фаня много лет спустя. Лежа в объятиях мужа, окруженная его постоянной любовью, она не могла себе представить, что кто-то может стоять под ее окном и подслушивать.

«И неудивительно, — сказала она о моем дяде Авраме. — Ребенок родился в доме, где не было любви».

II

Песя Циркина — кто же иной, в самом деле? — привезла в деревню заморских благотворителей, и в результате ее грубая матросская ручища тоже коснулась нашей семейной истории.

Дедушка ни разу не произнес о ней дурного слова, но я умел распознавать самую неприметную дрожь в любой бороздке и морщинке на его лице. Она вызывала у него отвращение — как, впрочем, и у самого Циркина-Мандолины.

Мандолина встретил ее на какой-то конференции Движения, где она произносила прочувствованный доклад о светлых перспективах касс трудовой взаимопомощи, и ее могучие груди горячо колыхались в такт пророческим профсоюзным мечтам. Циркин, который никогда до этого не интересовался финансовыми сторонами халуцианства, ощутил бешеное желание. Отсюда до уловления красотки в его звонкие струнные сети оставалось уже всего ничего. Когда Песя забеременела, они поженились, но она сразу же поняла, что деревенская жизнь не дает того возбуждения и тех радостей, к которым она так привыкла в коридорах Движения, — ни высокого ощущения призванности, ни удовольствий служебных командировок, ни сверкающего блеска речей и туфель партийных вождей, докладчиков и казначеев.

Поначалу ей даже нравилось выходить во двор, звать: «Ципоньки, цип», печь собственный хлеб, выращивать кольраби, помидоры «Чудо рынка» и египетский лук для семейных нужд. Но вскоре она обнаружила, что по горло утопает в рыхлой, тяжелой земле и едком птичьем помете. Когда Мешуламу было два года, она съездила в Тель-Авив и через несколько дней после возвращения оттуда приняла предложение «товарищей из Центра» и вернулась к прежней работе.

Песя Циркина быстро поднялась по служебной лестнице, стала распоряжаться финансами и должностями, и через несколько месяцев Циркин понял, что то чувство неловкости, которое охватывало его всякий раз, когда жена приезжала с визитом, — не что иное, как заурядная ненависть. Из очередной командировки в Лондон она вернулась, окутанная непривычным запахом духов, от которого вся живность в соседских дворах стала чихать и пошатываться. Она вошла в дом, поцеловала маленького Мешулама, который сидел на полу и играл с цыплятами, и с незнакомым выражением лица схватила мужа за руку и потащила в спальню. Циркин, самые тончайшие струны убеждений которого были оскорблены этими запахами и замашками, высвободился из страстных объятий жены, бросился к ее чемодану и обнаружил там еще один флакон тех же духов, туфли на тонких каблуках и черное платье. Немедленно произведенный им телесный обыск выявил также наличие на жене кружевной комбинации.

— Ты купила этот дрек[1] на деньги Движения! — сказал он, весь дрожа от негодования.

— С чего ты взял?! — расхохоталась Песя и широко раскинула руки для нового объятья. — Просто мы с Эттингером в перерыве между заседаниями зашли в казино.

Вид ее выбритых подмышек наполнил Циркина страхом и отвращением. Он швырнул черное платье и туфли в ту бочку, где обычно сжигал павших кур и трупы отравленных мышей, и облил их духами, чтобы лучше горело. В ту же субботу он перенес свою постель под сень большой шелковицы у себя во дворе и больше никогда не спал с женой, которая покрыла позором Движение, семью и деревню. Вся деревня знала, что Мандолина переселяется во двор всякий раз, когда его жена прибывает в конце недели с очередным визитом, потому что он завел привычку наигрывать там допоздна на своей мандолине, а его праздничная субботняя одежда была теперь заляпана черными и фиолетовыми пятнами спелой шелковицы, которая падала на него по ночам. Время от времени оттуда доносился также дикий испуганный вопль, потому что спавший во дворе Мандолина стал одной из первых жертв неслышных прогулок Эфраима, который беззвучно подкрадывался по ночам к его постели и совал ему в ноздри соломинку.

Сорок лет спустя Песя была удостоена «Премии Рабочего движения». Упрямое отшельничество мужа стало причиной того, что «вся жизнь товарища Циркиной была посвящена общественным делам и народу», как говорилось в грамоте, которая висит сегодня на стене

«Музея первопроходцев». По той же причине Мешулам остался их единственным ребенком.

Группа, которую она привезла в этот раз, состояла из филантропов, которые пожертвовали деньги на покупку у арабов земли для мошава и сейчас хотели своими глазами увидеть цветущую пустыню. Три лимузина «форд», в которых они приехали, были первыми американскими машинами в нашей деревне.

Долгие часы эти богачи из-за океана расхаживали по деревенским дворам, улыбались и без конца фотографировали. «Их одежда издавала отвратительный запах самодовольного благополучия, их гладкая кожа скрывала мрачные тайны капитала, но что мы могли поделать? Они давали нам деньги».

Одного из них сопровождала молодая обворожительная женщина. «Такой красавицы в деревне еще не видели. Белизна чистейшего сапфира. Высокая и прелестная, а когда смеялась, ее серые глаза сужались до размеров маслины, и в уголках рта крылась живая смешливость».

Гостям показали новый холодильник на нашей молочной ферме, мошавника Авигдора Якоби, который в одиночку запряг племенного быка в телегу, чтобы привезти им свежие овощи со своего участка, мошавника Якова Миркина, который при них привил к дичкам привезенные ими виноградные лозы, и мошавника Рылова, который продемонстрировал правила дыхания при стрельбе по цели из трех положений — лежа, с колена и стоя.

И тогда Песя встала и потребовала, чтобы гостям показали также первого сына мошава.

Дедушка воспротивился. «Мальчик — это не экспонат», — сказал он.

Песя с улыбкой подошла к нему, покачивая могучими грудями, чтобы удвоить убедительность своих слов.

«Здесь тебе не лондонское казино, — сказал дедушка, который отлично знал, чем объясняются шелковичные пятна на субботних рубашках Мандолины. — Отстань от ребенка».

Но в эту минуту Авраам вернулся с полей, вися, «как мешок муки», на спине старого Зайцера. Дедушка собрался было тут же увести его домой, но взгляд первенца, который внимательно разглядывал гостей, пригвоздил его к месту.

Американские благодетели пришли в восторге при виде этого серьезного сиротки, кожа которого сияла так, что они сразу ощутили всю важность поддерживаемого ими сионистского дела. Он улыбнулся им, а затем, безо всякой просьбы с их стороны, стал на колени, выкопал в земле маленькую лунку, положил туда кукурузное зерно и присыпал. «Это простое действие, символически выразившее весь смысл нашей жизни, очень всех взволновало». Двое благотворителей тут же предложили забрать мальчика в Америку, чтобы воспитать его в самой лучшей школе и вернуть в Страну Израиля взрослым, образованным и во всех отношениях совершенным. Но тут в дело вмешался Пинес, деликатно разъяснивший гостям, что первый сын черпает свою жизненную силу только из постоянного контакта с почвой Страны, «и, если его оторвут от нее, вся его сила исчезнет, и он станет самым обыкновенным человеком». Тогда гости попросили, чтобы мальчик сказал им несколько слов о возвращении народа на родную землю, его связи с ней и обо всем, что из этого вытекает.

В это время вернулась та веселая красивая девушка и, почувствовав на себе взгляд первого сына, протянула руку и рассеянно погладила мальчика по голове. Аврам оцепенел, потом медленно поднялся с земли и отряхнул колени и руки от пыли.

Чувство надвигающейся беды сгустилось в воздухе. Чуткие натуры поняли, что сейчас произойдет что-то ужасное.

Первенец перевел дерзкий взгляд на прелестную девушку и обратился к ней:

Когда тяжелая пыль упадет с потолка
И на тебя обрушится воспоминание о моем теле,
Что ты скажешь своей душе
Из пламени этого пожара?
В твоем теле завяжется теплый и плотный цветок.
Твой любовник, опутанный поводьями собственных слов,
Замолчит в безысходности.
Что ты скажешь во сне, когда его рука
Ляжет тебе на кожу, как мягкая ладонь кредитора?
Эфемерность любви, что взошла над твоей головой,
Не захочет увянуть.
И тогда ты познаешь безмолвный ветер на восходе дня

И упрямство песчинок.
Да, наши спины подставлены под удары плетей,
И память твоя пленена, как добыча.
О, камыши тоски! — поднимаясь из глубин, из цепких глубин,
Они обвивают головы наши.

Так сказал Авраам нашим гостям, вызвав этим немалый переполох. Девушка, во всех частях совершенного тела которой тотчас вспыхнул сильнейший жар, потребовала по-английски, чтобы ей объяснили, что он сказал. Корреспондент рабочей газеты «Давар», сопровождавший американских благодетелей в их поездке по Стране, лихорадочно записывал в блокноте. Мешулам Циркин показал мне сообщение, которое этот корреспондент позже опубликовал в своей газете. Сообщение гласило: «Первенец деревни Авраам Миркин произнес благодарственные, но невразумительные стихи, глубоко чуждые национальным задачам и современному положению нашего народа».

Мошавники были в ужасе. Фаня Либерзон спрятала голову на шее мужа тем движением, которое сохранится у нее еще многие годы, и сказала, что жажда любви переселилась из истерзанного тела несчастной Фейги в зародыш в ее чреве, и вот теперь она свела с ума ее ребенка.

«Вот плоды ваших трудов, — гневно прошептала она. — Не кровь это была и не сладость, а отрава. Яд, которому не дано свернуться. И не вздумай сейчас отделываться от меня своими шуточками».

Пинес, которому было нестерпимо жалко Авраама и его отца, пытался объяснить, что мальчик продемонстрировал «замечательное ассоциативное использование известных стихов из книги Ионы», но Рылов грубо приказал ему заткнуться, если он хочет умереть в своей постели.

Только Авраам не обращал внимания на всю эту суматоху. Он продолжал смотреть на прелестную девушку, и та вдруг задрожала, потому что взгляд его, проникнув насквозь, пронзил ее плоть. Резкий запах грубого вожделения, природа и смысл которого внятны любому крестьянину, прорвался сквозь завесу ее духов, и все стоявшие услышали глухой рев голландского быка, который колотился о доски своего загона. Прелестная гостья смущенно рассмеялась, притопнула ногой, а затем подошла к Аврааму, закручивая воздух талией и бедрами, вытащила из кошелька блестящую монету и помахала ею перед его глазами.

«Деньги она ему дала! — сказал дедушка Пинесу во время одной из их ночных бесед. — Деньги! Эта Песя приучила их спасать Страну и душу деньгами».

Чужая девушка положила монету в карман Авраамовой рубашки, словно это был амулет против наговора, отступила на шаг и с опаской посмотрела на мальчика.

Лицо первого сына тотчас потемнело, и две страшные борозды прорезали его лоб от переносицы до волос, как от удара мотыги.

12

Я лежал на примятых нарциссах, лицом к высокому небу. Стаи перелетных аистов парили надо мной далекими кругами, точно маленькие водяные насекомые на глади тихого прозрачного озера. На трубе дедушкиного дома на Украине тоже жила пара аистов. «Я знал, что они каждый год навещают Страну Израиля, — рассказывал дедушка, — и возвращаются, наполнив животы лягушками Ханаана»[1]. Не внуки ли тех его аистов летают сейчас надо мною?

Каждую весну и осень дедушка выходил из времянки, высматривал, прикрыв глаза ладонью, аистов и пеликанов, и душа его наполнялась печалью пшеничных полей, широких рек, заснеженных равнин и березовых рощ. «Вот он я — живу в окружении кустов малины, — писал он себе, — в стране саранчи и шакала, смоковницы и оливы».

Я думал о Шифрисе. Жив ли он еще? Сумел ли отыскать тропу, которую его товарищи давно одели в цемент и бетон? Где он сейчас? Может, его убили пограничники, и тело его погребено под песком и снегом? Или же давно осыпался пеплом от разрядов электрической проволоки? Знает ли он, что уже высушены болота и расцвела пустыня? Что дедушка перешел в дом престарелых и живет там с Шуламит?

Шифрис придет, и я отдам ему дедушкину постель. Он будет солить маслины, курить по ночам в кухне, сажать оливу и смоковницу, виноград и гранат. Худой, изможденный старик, на голове поношенный *картуз*, в руке палка из миндальной ветки, а в ранце за спиной — кусок заплесневевшего хлеба, фляжка, маслины, сыр, и Танах, и пара апельсинов. Идет и тихо напевает или дудит себе в дудочку, которую вырезал по дороге из тростника. Идет не спеша по горам и пустыням, вдоль скалистых берегов, потрескались иссохшие губы, порвались башмаки.

«Надо было бы оставить Шифрису одно маленькое болотце, чтобы ему было что осушать, — сказал мой двоюродный брат Ури. — И высадить немного чертополоха, чтобы ему было что полоть. И приготовить ему старушку первопроходицу с седыми косичками, чтобы она скакала на нем всю ночь на сеновале». Его глаза сверкали. Этот мальчик охотился за всем, что возбуждало, издевался над воспоминаниями и из всех историй предпочитал любовные.

Точно крохотная точка, отделится Шифрис от среза голубой горы, начнет становиться все ближе и больше, пока не встанет перед дедушкиной времянкой и не скажет: «Иди, Малыш. Иди, скажи Миркину, что я пришел». Усталый и измученный трудами дорог, упадет на дедушкину кровать и попросит одной только воды. Каким легким он будет, каким высохшим и худым, когда я буду нести его на руках через поля Долины, чтобы показать дедушке!

Туда, к источнику, иду я полежать в зарослях. Назад я пойду через поля нашей семьи, те поля, где когда-то паслись у болота дикие буйволы, цвели зеленые камыши и личинки анофелеса плодились и размножались в заклятых болотных водах. Позже все это было высушено и распахано. Дедушка сажал там свои деревья, Авраам пас своих коров, а я занял весь этот участок своими клумбами, цветами и мертвецами.

«Миркинские детишки», в отличие от циркинского сына, помогали своему отцу во всех его полевых работах. Они были замечательные трудяги. У Авраама обнаружились большие способности к уходу за скотом. Уже в двенадцать лет он надумал ввести искусственное осеменение коров, но ветеринар сказал, что в Стране еще нет подходящей спермы, и тогда Авраам, намного раньше всех ученых, стал мучительно искать научное решение вопроса.

«Сперму можно заморозить! — объявил он как-то прямо посреди обеда, и борозды на его лбу собрались в сосредоточенном усилии. — Заморозить и доставить в коровник, вместо того чтобы тащить корову к быку. Можно привезти сперму от самых лучших племенных быков из-за границы. Это сэкономит много времени и труда».

Однако со времени той встречи с «американской красоткой» окружающие относились к идеям Авраама настороженно. Он рос замкнутым и погруженным в себя подростком. Иногда он исчезал на целый день, а потом выяснялось, что он ходил на могилу матери, чтобы рассказать ей обо всех своих придумках.

Эфраим, который однажды прокрался за ним туда, подслушал, как он говорит с надгробьем.

«Мы устроили в птичнике пол из прутьев, и теперь весь помет стекает вниз, а птичий помет — это лучшее в мире удобрение».

«Расскажи ей еще про мороженое, которое ты собираешься сделать из бычьих яичек», — крикнул из-за его спины младший брат.

Авраам вскочил и кинулся на него. Эфраим, быстрый и легкий, бросился наутек. Бесшумный, точно тихая сипуха, несся он над полями, и его босые ноги поднимали маленькие взрывы оранжевой пыли. Авраам бежал за ним и плакал всю дорогу, все пять километров до деревни, время от времени нагибаясь, чтобы схватить комок земли или камень и швырнуть в брата.

По вечерам дедушка рассказывал детям истории из своего детства. Например, о своем брате, предателе-капиталисте Иосифе, которого в трехлетнем возрасте украли цыгане.

«Царская полиция нашла его в мешке на харьковском вокзале. Цыгане хотели сделать из него акробата и вора. Он пробыл у них всего-навсего четыре дня, но потом его пришлось снова учить говорить. Он забыл все слова, которые знал, ходил на четвереньках и воровал из карманов».

Еще он рассказывал, как в десятилетнем возрасте построил теплицу для мирта. «В Суккот я продавал этот мирт всем хасидам[2], и никто никогда не находил в нем изъяна. Это была первая теплица в Макарове, и отец очень мною гордился».

«Расскажи о маме», — просил Авраам, и дедушка рассказывал им, как Фейга открыла, что можно сажать на куриные яйца индюка, у которого грудь и живот так велики, что могут разом покрыть пятьдесят яичек.

Оказалось, однако, что всякий раз, как индюк вставал на ноги, он давил яйца своим весом. Тогда бабушка взяла и напоила его вином, и теперь этот пьяный индюк, со своими обвислыми, раскрасневшимися, как огонь, щеками, сидел на яйцах, разомлев и улыбаясь, и даже не думал двигаться с места.

«Все женщины в деревне переняли у бабушки этот индюшачий метод, — смеялся дедушка, — хотя Либерзон и написал в деревенском листке, что “позорно устраивать в еврейском птичнике пьяный кабак”».

Я с завистью думал о тех далеких днях. Они виделись мне, как розовая мечта. Но Иоси сказал, что то были тяжелые и ужасные времена.

«Ты только подумай — трое сирот и один вдовец, к тому же понятия не имевший, как вести хозяйство, — сказал он. — Все вокруг покупали новые плуги, а наш дедушка обнимался с оливами. Зимой у них не было денег на сапоги, коров они доили вручную, а рабочий скот делили с соседями, что вызывало вечные споры. Это сегодня у нас есть электрические инкубаторы и скоро будет искусственное осеменение даже в индюшатнике».

Иоси гордился новым осеменителем для индюшек, который он соорудил у себя во дворе. Это было темное, непроницаемое для света помещение, покрытое полосами толя, и молодые индюшки ожидали там, пока не поступит стоящий заказ на индюшачьи яйца. Они бродили во мраке, выискивая пищу, и темнота начисто избавляла их от любых сексуальных помыслов и надежд. Как только поступало соответствующее сообщение от Национального совета птицеводства, мы быстро выводили их на встречу с самцами. Индюшки выходили из темноты с опаской, медленно ковыляя на дряблых ногах, в их мучительно мигающих глазах виднелись линзы водянистых перегородок, тут же распадавшиеся в солнечных лучах. Пяти минут на солнце им хватало, чтобы впасть в течку. Они усаживались в пыль, тряся крыльями, и начинали манить к себе самцов высокими крикливыми голосами и красными цветами, которые вспыхивали под развернутыми веерами их хвостов.

«Хотелки бестолковые», — говорил Иоси. Индюшки падали посреди двора, оттопыривали зады и в приступе страсти отказывались подняться и вернуться в свое помещение. Иоси и Авраам силой заталкивали их внутрь и покрывали им спины брезентовыми седлами, потому что тяжеленные самцы, пытаясь взобраться на них, могли разорвать их тело своими когтями.

«Ты только посмотри на них, — сказал Ури. — Вот что значит влюбиться. Все их темные страхи улетучились мигом».

Самцы дрались возле нетерпеливо ждущих индюшек, толкали и пинали друг друга, а когда одному из них удавалось выполнить, наконец, свои обязанности, самка с горделивой томностью поднималась, кокетливо отряхивала крылья и возвращалась к подружкам, издавая многозначительное бормотанье.

«Рассказывает всем, что стоило ждать», – весело сказал Ури.

«Два месяца в темноте, и все для того, чтобы тебя разочек трахнул какой-то тупой индюк», — презрительно сказал Иоси.

Но я все думал о тех троих сиротах под распростертыми дедушкиными крылами, и об их поздних зимних ужинах — картошка в мундире и крутые яйца, которые подавались на стол с селедкой, политой оливковым маслом и спрыснутой лимонным соком, с кружочками лука и светлыми ломтиками редьки. И о моей погибшей матери думал я, о ее длинных косах и длинных ногах, сгоревших в пламени, и о моем исчезнувшем дяде Эфраиме. По сей день я порой оборачиваюсь внезапным рывком — не стоит ли он за моей спиной, улыбаясь при виде моего испуга, и могучий Жан Вальжан, светлый бык-шароле, по-прежнему лежит на его плечах?

«Никто не понимал, как моему сыну Эфраиму удается поднять этого быка на плечи», — рассказывал дедушка и улыбался.

Никто не понимал, и примет тоже никто не разгадал. Даже Пинес не сумел увидеть, как зреет зло и набирает силу беда. «Сирота, который рос у дедушки, — это бочка, битком набитая его рассказами», — сказал он обо мне. Я и сам уже не различаю, что я слышал, а что пережил. Был ли то Авраам — тот, кто бегал на могилу своей матери, или это я бегал на могилу моей? Был ли то Эфраим — тот, кто ушел из дома, или это был я, покинувший деревню?

Большие надгробья белеют на «Кладбище пионеров». «Памятники над могилами мечты», — называл их Пинес. По ночам я брожу по большому дому банкира, и бык воспоминаний непомерной тяжестью лежит на моих плечах.

13

«Твоя мама была большая озорница, но с добрым сердцем, этакий несостоявшийся мальчишка, оживший Том Сойер».

Но ее любви к мясу Пинес понять не мог.

«Она хорошо училась. Декламировала на память стихи Черниховского[1] и Лермонтова. И вдруг, прямо посреди урока, могла вынуть из своей матерчатой сумки кусок мяса и вцепиться в него зубами».

Не только учитель — вся деревня следила за вторым поколением взглядом, полным жадной надежды. Крепкие и быстрые, как дикари, они работали наравне со своими родителями. Но воздух Страны не сжигал их легкие, и тела их впитывали солнце, как меловые скалы.

«Миркинские сироты выполняли все работы по хозяйству». С зарей Авраам будил брата и сестру, чтобы они еще до школы успели помочь ему на дойке. Ранним вечером они кончали жать люцерну, грузили ее на телегу и возвращались домой. Вилы воткнуты в покачивающуюся груду зелени, мама и Эфраим ожесточенно дерутся наверху, Авраам, который уже тогда, по сути, сам управлял всем хозяйством, молча держит вожжи. Глубокие гневные борозды ящерицами ползут по его лбу, пока не исчезают, скрывшись в густых волосах.

Гибкие и подвижные, мама и ее брат извивались на люцерне, схватившись в обнимку, и орали от восторга и злости. За время пути они успевали несколько раз свалиться с телеги, но продолжали драться в пыли, на обочине. Их отец наблюдал за ними сквозь ветки сада.

«Эта девчонка куда опасней для кур, чем та дикая кошка, что живет в зарослях у источника, — сказал дедушка Зайцеру. — Если она и дальше будет поедать такое количество мяса, у нас скоро не останется ни одной курицы».

Мама принялась лазить по крышам и деревьям, чтобы наловить себе скворцов. Она заставляла Даниэля Либерзона сопровождать ее в охотничьих вылазках, и охваченный любовью мальчишка тащился за ней по полям, с обожанием глядя, как она извлекает птиц из своих ловушек. Перелетные перепела перестали садиться в наших полях, зайцы больше не заглядывали в наши огороды, и телята застывали от ужаса, когда она гладила их шеи.

Однажды она забралась вместе с Эфраимом на крышу деревенского склада для фуража, чтобы подстеречь голубей. Одна из досок проломилась под ее ногами. Она соскользнула вниз, но сумела ухватиться за водосточный желоб и повисла на руках на высоте шести метров над бетонной площадкой. Эфраим пытался втащить ее обратно, но не сумел.

«Держись крепко! — крикнул он. — Я побегу за Даниэлем!»

Он исчез, а мама стиснула зубы и еще крепче ухватилась за желоб кончиками пальцев. И тут внизу появился Биньямин Шницер, молодой работник Рылова из немецких евреев, «йеке[2]-недотепа», как его называли в деревне.

«Биньямин!» — позвала девочка сквозь стиснутые зубы.

Биньямин поднял глаза и тут же смущенно их опустил, «потому что твоя мама была в широком, пузырем, платье и вдобавок дрыгала ногами», — рассказывал Ури со сверкающими глазами. Биньямин уже не раз становился жертвой проказ деревенской детворы и решил, что ему и на этот раз приготовили какую-то ловушку.

«Не отворачивайся, Биньямин, — сказала мама. — Все в порядке, можешь смотреть».

Он стоял прямо под ней и, когда снова поднял глаза, ощутил, как у него перехватывает горло от красоты ее ног, которые бились, точно теплые, живые языки в колоколе ее платья.

«Твой отец, Биньямин Шницер, приехал в Страну в тридцатые годы, вместе с группой молодых еврейских ребят из Мюнхена. Его послали в нашу деревню набраться сельскохозяйственного опыта и распределили в хозяйство Рылова».

Он был невысокий, светловолосый и очень сильный. Я смотрю на его фотографию в книге об истории нашей деревни, в разделе «Наши павшие». Отец, в синих рабочих штанах с острыми, отутюженными складками, в белой субботней майке, стоит подле своей времянки, на участке Рылова, под той пальмой, о которой Ури как-то сказал, что ее плоды, падая на землю, взрываются, как гранаты. Его лицо, с грубыми и одновременно детскими чертами, начинается сразу над покатыми плечами. Его глаза щурятся от солнца. Его руки похожи на мои — очень толстые и бесформенные: рука, запястье и ладонь переходят друг в друга, образуя один сплошной брус. Грудь широкая, выпуклая, как бочонок.

«Ты будешь высокий, как мать, и сильный, как отец», — всегда говорили мне, и, когда я вырос, все радовались, убедившись, что некоторые пророчества все-таки сбываются.

Биньямин расставил руки.

«Пусти свои руки!» — сказал он. Его иврит был еще слаб.

Мама не решалась.

«Schnell, schnell, — сказал Биньямин. — Я готовый ловить».

Наши деревенские на глаз определяют точный вес теленка, по цвету луны предсказывают, куда подует завтрашний ветер, и по вкусу лука говорят, сколько азота в почве. Мама увидела спокойные глаза и широкие плечи молодого работника, разом отпустила руки и полетела вниз. Широкое платье взметнулось, закрыв ей лицо, а желудок взлетел к горлу. Глаза ее были плотно сжаты, и она почувствовала, будто качается в его могучих руках.

Биньямин крякнул под силой удара. Мама была девушка рослая и не такая уж воздушная, и он вынужден был упасть на колени и принять ее вес на грудь и на бедра. Ее перепуганное тело ударилось о его грудную клетку, обнажившийся живот часто задышал от страха рядом с его щекой. Так близко, что даже я, сквозь все это время и все слова, могу почувствовать тепло ее плоти.

«Теперь можешь меня отпустить, — сказала она и улыбнулась. Дыхание уже вернулось к ней, глаза открылись, но испуганные ногти все еще вонзались в его руки и плечи. — Ты большой молодец».

Мой отец смутился. Он никогда не был так близко к девичьему телу.

«Большое спасибо, Биньямин», — засмеялась она и, выскользнув из его рук, стала разглаживать платье, но в этот момент появились Эфраим и Даниэль, неся в руках высокую садовую лестницу.

«Эй, ты, йеке недоделанный, ты что это делаешь?!» — в ярости крикнул Эфраим. Пятнадцати лет от роду, худой и легкий, он готов был броситься на здоровенного рыловского работника. Даниэль стоял потерянно и беспомощно, потрясенный и изжелта-бледный от ревности. Губы его дрожали.

«Он спас меня, — сказала Эстер. — Этот рыловский йеке-недотепа меня спас».

И опять мой отец услышал ее смех. И сладкий ветер скользнул по его лицу, когда мама, Эфраим и Даниэль Либерзон пробежали мимо и скрылись за углом.

Моему отцу было шестнадцать лет, когда он приехал в нашу деревню и был распределен в хозяйство Рылова.

«Он прибыл из Германии накануне великой войны, — написано в истории деревни в разделе «Наши павшие». — Вся его семья погибла в газовых печах, а он нашел свою смерть в нашей стране. Мы помним его старательность, вежливость и образованность. Мы помним, как он каждый вечер ходил на молочную ферму, насвистывая по пути целые симфонии, и улыбался каждому прохожему, хотя нес на коромысле четыре тяжелых бидона с молоком».

«Рыловский недотепа» таскал бидоны на себе, потому что не смог договориться с рыловскими лошаками. Четыре бидона, по тридцать пять килограммов в каждом, висели на железных цепях, прикрепленных к оглобле, которую он клал себе на плечи.

Рыловские лошаки прибыли в деревню во время Первой мировой войны, вместе с британской армией, и решили здесь остаться.

«Если не считать их надоедливой привычки выпрашивать пива у каждого встречного, это были две замечательные рабочие скотины», — рассказывал Мешулам. В коробке с надписью «Мелочи нашей жизни» у него хранился пожелтевший протокол заседания деревенского Комитета, на котором Рылов испрашивал специальный бюджет для покупки пива своим лошакам. Мешулам регулярно зачитывал этот протокол на деревенских праздниках.

«Товарищ Рылов говорит: Все лошаки едят ячмень, а для моих лошаков пиво то же самое, что жидкий ячмень.

Товарищ Либерзон замечает: По-моему, товарищ Рылов слишком умничает.

Товарищ Рылов говорит: А почему товарищ Миркин поит свою индюшатину вином?

Товарищ Циркин возражает: Никто никогда не поил куриц вином. Это все миркинские сказки.

Товарищ Рылов говорит: После легкой выпивки мои лошаки вкалывают, как лошади.

Товарищ Либерзон вносит предложение: Я предлагаю отклонить просьбу товарища Рылова. Недопустимо внедрять алкогольные напитки в круговорот нашей творческой и трудовой жизни.

Товарищ Рылов говорит: Между прочим, ваша «Трудовая бригада имени Фейги Левин» тоже вылакала не так уж мало водки.

Товарищ Либерзон отвечает: Мы благодарим товарища Рылова за сравнение, но хотим заметить, что в «Трудовой бригаде» не было ни одного четвероногого осла, только двуногие.

Товарищ Рылов говорит: Тогда я сам буду варить для них пиво.

Товарищ Циркин возражает: Мы не для того взошли в Эрец-Исраэль, чтобы поить скотину шампанским».

Слушатели смеялись и аплодировали, но все знали, что Рылов высадил у себя два ряда хмеля и его лошаки каждый день вспахивали вдвое больше, чем любая другая пара тягловых животных. В деревне и поныне вспоминают гигантские пенистые лужи, которые оставались за ними в поле на бороздах. Даже Зайцер, большой спец по ослам и ячменю, был «возмущен таким баловством».

Долгие годы, проведенные в армии, а затем в деревне, ожесточили сердца рыловских лошаков. Сообразив, что перед ними парень простой и наивный, они принялись потешаться над ним, не давая запрячь себя для поездок. Они нарочно запутывали вожжи, гадили на оглобли и непрерывно забавляли друг друга, состязаясь, кто из них громче рыгнет или пукнет. Но отец был добросовестный парень, и даже если его тяжеловесная беспомощность порой смешила жителей деревни, его старательность и пунктуальность вызывали у них уважение. По сей день у нас вспоминают, как он однажды оставил Рылова в сточной канаве. Дебора, рыловская вспыльчивая молочная корова, ударила хозяина копытом по голове, и тот без сознания свалился в канаву. А мой отец, торопясь на молочную ферму, куда он всегда старался приходить точно вовремя, не стал его поднимать.

«Но я обязательно накрыл на него мешок, чтобы он не сделался совсем больной», — извинялся он потом перед рыловской Тоней.

В Германии он учился в техническом училище и уже через месяц после появления в деревне спроектировал и построил в хозяйстве Рылова автоматическую поилку для телят, которая вызвала восхищение всей Долины. Он чистил коровник жесткой щеткой и раствором пиретрума и поставил там громкоговоритель, подведя к нему провода из своей времянки.

«Даже рыловская Тоня и та признала, что Малер хорошо влияет на удой ее коров», — рассказывал мне Авраам в одной их тех редких бесед, которыми он меня удостаивал.

«Как-то раз я шел по дорожке, и вдруг звуки Бетховена, словно волшебными канатами, притянули меня к времянке твоего отца. Я подошел и заглянул в окно. Он лежал на кровати, золотые кудри на лбу, как копна соломы, и слушал музыку. У него был патефон, который ему прислали родители из Германии. Успели послать до того, как Гитлер их сжег».

Пинес постучал и вошел. Биньямин поднялся, клацнул каблуками и поклонился. В тот день в жизни отца произошли три события. Он был переименован из Биньямина Шницера в Биньямина Шенгара, получил первый частный урок иврита и одолжил Пинесу две пластинки.

«Твой отец учился старательно и увлеченно. И хотя он так и не стал свободно говорить на иврите, но абсолютно правильно означал огласовку»[3].

В деревне была тогда веселая группа молодых ребят, которые называли себя «Бандой». Все это были дети второго поколения, недавно достигшие совершеннолетия.

«Деревенские прощали им все их проделки, потому что это были новые евреи, дети нашей земли, свободные, распрямившиеся, с бронзовой кожей, — рассказывал Пинес. — По ночам они воровали сладости и кофе из магазина и оружие у англичан на соседнем аэродроме. Рылов иногда вооружал их бичами и посылал в поля прогонять арабский скот, который вытаптывал нашу молодую пшеницу. Каждый год, на Шавуот, когда поднимали к небу новорожденных детишек и первые плоды, ребята из «Банды» устраивали представление — проносились перед всеми галопом, стоя на лошадиных спинах, словно украинские казаки».

Когда они украли весь шоколад в деревенском магазине, Шломо Левин пришел к Пинесу и потребовал разговора с глазу на глаз.

— Они сделали это мне назло, эти воришки, — сказал он. — Они презирают меня, потому что я не ковыряюсь в земле, как их родители.

— Они сделали это, потому что им хотелось шоколада. Потребность в сладком свойственна почти всем животным.

— Они никогда бы не украли у кого-нибудь из деревенских, — сказал Левин. — Если у них нет денег на шоколад, пусть едят камардин.

— Только на прошлой неделе они стащили две банки меда со склада у Маргулиса, — сказал Пинес.

— Точно так же ко мне относились в самом начале, когда я только приехал в Страну, — продолжал Левин, оглохнув от гнева. — Вы никогда не замечали и не ценили тех, кто занят обычным, неприметным трудом. Вы были поглощены своим великим спектаклем Освобождения и Возрождения. Каждая борозда была для вас «Возвращением к Почве», каждая курица несла не просто яйца, а «Первые Яйца После Двухтысячелетнего Рассеяния», и простая картошка, которую мы ели в России, стала у вас называться «земляными яблоками», во имя Слияния с Природой. Вы фотографируетесь с ружьями и мотыгами, вы разговариваете с жабами и ослами, вы наряжаетесь, как арабы, и воображаете, будто способны летать по воздуху.

— Но это позволило нам выжить, — сказал Пинес.

Левин поднялся, бледнея от ненависти.

— Между прочим, я тоже выжил, — сказал он. — Я мог бы уехать из Страны, но я не уехал. Я мог стать богатым торговцем в городе, но я пришел сюда. Ты воспитал их в духе презрения к таким, как я, и не повторяй мне, пожалуйста, свой вечный припев — ах, они мои грядки, ах, они мои саженцы, — ты ведь и сам не работаешь на земле. Мы с тобой оба служим на общественной должности. Мы оба воображали, будто служим идее, а превратились в прислугу у *кулаков*. Вот они кто на самом деле, твои новые евреи, с этой их землей, и с их «семью плодами»[4], и с их коровами! А Гордон[5] и Бреннер, между прочим, писали вечными ручками, которые чинил им я.

Пинес пришел в ярость.

— К нам не приходят из одолжения, — сказал он громче обычного. — И у нас не дают медаль за отказ от магазина в городе. Ты пришел сюда, потому что тебе эта земля была нужна не меньше, чем всем нам. Ее прикосновение, ее запах, ее обетование. Она нужна тебе больше, чем ты ей.

Но после того, как Левин вышел, оскорбленно грохнув дверью, Пинес позвал ребят из «Банды» и задал им жестокую взбучку.

«Наша жизнь не сводится к сладостям. Кому нужны бисквиты и пирожные, тот может отправляться в город».

«Банда» ушла от него пристыженная и приговорила себя к перевоспитанию на трудовых работах, выразившихся в постройке большого ящика с песком для деревенского детского сада — этот ящик и поныне служит нашим малышам.

Мой дядя Эфраим был одним из членов «Банды». Худощавый и красивый, стремительный и точный, как мангуст, он был главарем и заводилой всех их затей и проказ. Как-то раз они выбрали себе в жертву Биньямина. Их давно смешили его медленные, неуклюжие движения, а Эфраим ненавидел его и боялся с того самого дня, когда он спас мою мать.

В одну из суббот, когда Биньямин лежал, отдыхая, в своей времянке, они протолкнули к нему в окно маленькую гадюку и стали ждать, как развернутся события. Когда отец услышал шелест змеиных чешуек, он закричал от ужаса и выбежал наружу, под их ликующие крики. Он остановился напротив них, прищурив глаза от света вечернего солнца и от ярости, которая охватила его, когда он понял, что над ним смеются. Потом он молча подошел к Эфраиму, которому тогда было уже почти семнадцать, схватил его за широкий кожаный пояс и одним рывком поднял в воздух.

«Твой дядя Эфраим извивался, кричал и смеялся одновременно, но твой отец понес его во двор, держа одной левой рукой, и там швырнул — как тот был, в субботней одежде, — прямиком в коровье корыто».

«Банда» встретила поступок Биньямина восторженной овацией. Все они тут же втиснулись в его времянку, и Эфраим ударил своей ороговевшей пяткой по затылку свернувшейся под стулом змеи. Потом они посадили Биньямина за стол и один за другим пытались пережать его руку. Когда он одолел их всех, они немедленно приняли его в свои ряды.

Он встречался с ними каждую пятницу, в конце недели, — улыбчивый, застенчивый, медлительный и косноязычный. Они быстро научились использовать его технические способности. Время от времени они забирались в машину Песи Циркиной — она ездила тогда в простом сером «виллисе», полученном от «Машбира»[6], — и Биньямин заводил для них автомобиль без ключа, будучи уверен, что машина нужна им для перевозки оружия и важных военных сведений. Но по дороге они почему-то всегда сворачивали в кинотеатр в Хайфе.

Эфраим привязался к нему больше всех других и совершенно забыл ту свою давнюю неприязнь, которую ощутил, увидев запыхавшуюся и смеющуюся сестру в его объятиях. Несколько раз в неделю он приходил к нему во времянку послушать музыку, и мало-помалу они породнились душой. Как-то раз он увидел в сундуке у

Биньямина немецкую одежду, которая показалась ему ужасно смешной. Он тут же напялил на себя кожаные тирольские брюки и темный фланелевый пиджак и побежал позабавить друзей. Потом он увидел на самом дне сундука длинное муслиновое платье.

«Что это?» — спросил он и провел рукой по мягкой ткани. Во всей деревне не было ни одного предмета, ощущение от которого могло бы сравниться по гладкости с этой нежной, тонкой тканью — ни бархатные носы жеребят, ни лепестки цветущих яблонь. Он вдруг подумал о своей матери, и на глазах его выступили слезы.

«Это для свадьбы, — ответил Биньямин. — От моей мамы для моей свадьбы».

Он открыл кошелек и достал из него фотографию. «Папа, мама, Ханна, Сарра, — называл он, указывая пальцем. — Мама дала мне платье».

Мать Биньямина, светловолосая высокая женщина, сидела на стуле, ее дочери, обе в одинаковых платьях, стояли рядом. Отец, невысокий и худой, коротко стриженный, с солдатскими усами, стоял позади.

Эфраим, оставшийся без матери, и Биньямин, которому предстояло вскоре потерять всю семью, стали задушевными друзьями.

«Их голоса все еще звучат в моих ушах. Голоса двух моих учеников. Быстрый говорок Эфраима, басовитое, в нос, косноязычие Биньямина. Голос твоего пропавшего дяди. Голос твоего погибшего отца».

14

Однажды, поздней зимою, рыловская Тоня тайком прокралась на пасеку Хаима Маргулиса. После гибели маленькой дочери под копытами коровы Тоня родила сына, которого назвали Дани. Из-за молчаливости отца ребенок заговорил только в пятилетнем возрасте, и ненависть Тони к мужу росла, как поднимающаяся стена. Большую часть времени Рылов проводил в огромном тайнике, в сточном колодце коровника, где у него были собраны невообразимые запасы оружия. Запах перебродившей коровьей мочи и динамита шел от него даже после того, как он долго скребся наждачной бумагой, и Тоня затосковала по сладким медовым пальцам.

Она спряталась среди японских слив «сацума» на участке Якоби и издалека подглядывала за любимым. В своей громоздкой защитной одежде он казался ей симпатичным медведем. Готовясь к выпасу своих крылатых коров, Маргулис перетаскивал ульи с одного места на другое, подсчитывал даты цветения и обдумывал будущие смеси ароматов. Низко пригнувшись, Тоня проскользнула за его спиной к рабочему сараю и вошла туда следом за пчеловодом. Он все еще оставался в тяжелой маске из сетки и ткани и потому не заметил ее.

Маргулис снял с полки улей, открыл его и стал внимательно проверять соты. Тоня видела его сосредоточенное и счастливое лицо. Он вытащил одну из восковых пластинок, окруженную взволнованно гудящим шаровым облаком рабочих пчел, стряхнул их обнаженной рукой, и лицо его засветилось. Дрожащими руками он положил на стол двух пчел, сцепившихся друг с другом в схватке, и разделил их с помощью двух спичек. Пчелы тут же снова набросились друг на друга, и он снова разделил их спичками. Так продолжалось, пока они не обессилели. Тогда он переложил их в специальную банку, в которой их разделяла стеклянная перегородка, повернулся, чтобы снять и положить на место маску, и попал в жаркие объятия Тони, которая стояла за его спиной.

— Тоня! — в ужасе прошептал Маргулис. — Ты сошла с ума? Среди бела дня? Твой муж меня пристрелит. — Он решительно оттолкнул ее от себя, усадил на стул и стал угощать медом.

— Почему ложечкой, Хаим? Почему не как раньше? — капризно замурлыкала Тоня.

— Ты только что видела мой самый большой секрет, — словно не расслышав, улыбнулся Маргулис. — Примирение двух пчелиных цариц.

Тоня попыталась было вернуть его внимание к их собственному примирению, но Маргулис посмотрел на нее невинным голубым взглядом и увлеченно продолжал.

— В каждом улье есть только одна царица, — объяснял он, будто читая лекцию. — Это непреложный закон. Она определяет, сколько пчел будет в улье. Но перед началом весеннего цветения мне нужно как можно больше рабочих пчел.

— Ты говоришь, как заправский капиталист, — улыбнулась Тоня сквозь слезы.

Но Маргулис словно бы не расслышал ее шутку и не заметил ее муку.

— Я жду, когда появляются новые царицы, — продолжал он, — и, когда они набрасываются друг на друга, я их разделяю спичкой или щепочкой, медленно-медленно, очень терпеливо, пока они не устанут от драки и согласятся жить рядом и откладывать яйца в одном улье. Таким способом я получаю вдвое больше рабочих пчел, а значит — вдвое больше меда. Ты предпочла его, Тоня, так что сейчас тебе остается есть то, что ты сама себе наварила.

— Но при чем тут это, Хаим? — прошептала она, мягко выговаривая его имя, потому что думала о его медовых пальцах. — Зачем ты рассказываешь мне об этих пчелах?

Но Маргулис уже вернулся к своим дерущимся царицам и с бесконечным терпением принялся разделять очередную пару пчелиных маток, схватившихся не на жизнь, а на смерть, медленно успокаивая их тихими словами, и Тоня вышла из времянки, снова проскользнула через сад Якоби и побрела под небом цвета расплющенной серой жести, слыша одни лишь свои сдавленные всхлипывания да чавканье собственных сапог, которые то погружались в грязную жижу, то высвобождались из нее с тошнотворным чмокающим звуком.

Полускрытая густыми рядами кормовой капусты и первым цветением фруктовых деревьев, она пересекла участки ближайших соседей и тут увидела Эфраима и Биньямина, которые кружились в медленном вальсе среди валенсийских апельсинов. Вернувшись домой, она рассказал об этом мужу.

Рылов поспешил к дедушке. Его встревожили не возможные «отношения» между двумя парнями, а факт внедрения буржуазных танцев в ткань нашей трудовой и творческой жизни. Однако слух просочился, и в деревне начали поговаривать.

— Он просто учил меня танцевать, — оправдывался Эфраим, стоя перед семейным столом. — Я читаю ему стихи Пушкина и учу запрягать этих сдуревших рыловских лошаков, а он в обмен учит меня слушать музыку.

— Это не тот парень, который поймал Эстер, когда она упала с крыши? — спросил дедушка.

— Я не упала, — сказала мама. — Я спрыгнула ему в руки.

— Привел бы ты при случае своего Ионатана[1] к нам домой, чтобы мы могли с ним познакомиться, — предложил дедушка.

Ривка Пекер, дочь деревенского шорника, которая тогда только начала гулять с Авраамом, насмешливо выпятила толстые губы, а сам Авраам обозвал Эфраима и Биньямина «Штраусом» и «Матильдой», за что был немедленно награжден мокрой селедкой, сунутой ему за шиворот под рубашку.

«Я пригласил его к нам на ужин в канун субботы, — объявил Эфраим назавтра. — Он ест все, что подают».

Авраам начал чихать уже за несколько минут до прихода Биньямина, и все заулыбались, поняв, что «йеке» несет букет нарциссов.

Моей маме было тогда восемнадцать лет. Она с детства готовила для всей осиротевшей семьи. Теперь она с любопытством рассматривала рыловского «недотепу», который умело управлялся с ножом и вилкой, но почему-то выронил собранные в вади цветы прямо на белые носки, которые она надела специально к его приходу. Ее тело помнило силу его рук и теплое дыхание его рта на оголившемся животе. С того дня, как она упала с крыши в его объятья, они сталкивались много раз, но он всегда опускал глаза при встрече. От воспоминания о звонком раскачивании ее ног в колоколе платья у него мгновенно пересыхало во рту, и он боялся, что не сможет выдавить из перехваченного горла даже простое «Привет».

Биньямин знал, конечно, что Эстер — девушка Даниэля Либерзона, самого лучшего волейболиста в Долине, который постоянно сопровождал ее на танцах и был сыном того самого Элиезера Либерзона, что каждый месяц собирал всех молодых спортсменов деревни, чтобы обрушить на них очередную лекцию о великих целях и задачах Рабочего движения.

Он ел, низко наклонив голову и уставившись в тарелку, и глотал суп совершенно бесшумно. Казалось, он все время что-то обсуждает сам с собою, потому что сразу же после ужина он встал, как будто вдруг твердо решил, что такой случай может больше не представиться, и попросил у дедушки разрешения «погулять с Эстер».

«Об этом спрашивают у девушки», — сказал дедушка. Он посмотрел на Биньямина и на свою дочь. Увидев новую пару, он всякий раз задавался вопросом, когда и почему их любовь даст непременную трещину.

Они вышли в поле, а Эфраим бесшумно шел за ними, словно на привязи, и видел, что они долго идут в полном молчании. Наконец Биньямин поднял глаза к небу и сказал низким, изменившимся голосом: «Много звезд».

«Море, — согласилась мама и положила руки ему на плечи. Она была намного выше ростом. — Скажи, Биньямин, — она заглянула в его глаза, — правда, что у вас колбасу любят больше, чем мясо?»

«И в следующий четверг она попросила Эфраима пробраться на британский аэродром и стащить из кантины сосиски, потому что Биньямин опять придет к нам ужинать, — а сейчас и ты кончай свой ужин, Малыш, и ничего не оставляй в тарелке».

Дедушка вздохнул. «Вот так началась любовь твоих родителей», — сказал он. Любовь босоногой девушки, «миркинской дикой козы», с ее длинными косами и длинными ногами, в карих глазах которой сверкали зеленые и желтые искры, и вежливого, неуклюжего, косноязычного молодого паренька из Баварии, чья золотоволосая голова едва достигала плеч любимой девушки. Вид тяжело шагающего Биньямина и прыгающей вокруг него Эстер забавлял всю деревню. Были, однако, и разговоры о том, что эти двое «не подходят» друг другу — как «в смысле физическом», так и вообще, в смысле отношений «дочери Миркина» с «каким-то немецким парнем, который не впитал высокие идеалы Движения прямо с материнским молоком».

У деревенских были и более практические соображения. Давно имея дело с коровами, они знали, что у любви есть также наследственная сторона, и перспектива скрестить дочь Миркина с сыном Либерзона возбуждала их воображение и надежды.

Даниэль с детства привык, что его отец и мать непрерывно обнимаются, не сводят глаз друг с друга и после обеда всегда торопятся выйти из-за стола, чтобы укрыться на полчасика для послеполуденных отдохновений, страстность которых никому в доме не давала заснуть и так пугала всю дворовую живность, что даже куры у них неслись реже обычного. И он то ли не хотел, то ли не мог опознать первые приметы угасания маминой любви.

«С ним случилось самое страшное, что может произойти с мужчиной, — сказал однажды Ури, когда мы разговаривали о моей матери. — Он потерял понимание и уверенность, а с ними — и всю свою привлекательность».

Даниэль был обречен пройти страдальческий путь всех отвергнутых влюбленных. Это было похоже на ампутацию. Когда он потерянно и печально шел к нашему дому, его провожали сочувственные взгляды. Поначалу он еще плакал и умолял, но потом окончательно умолк и только ночи напролет лежал в высокой траве напротив миркинской времянки да высматривал сквозь стебли, не мелькнет ли в освещенном окне любимый силуэт. Через несколько недель дедушка заметил, что трава по ту сторону улицы в одном месте растет особенно густо, как будто под протекающим краном. Ночью он пошел посмотреть, что это течет, и обнаружил там несчастного Даниэля, истекавшего беззвучными слезами.

«“Так ты ее никогда не вернешь”, — сказал я ему».

В конце концов Либерзон и Циркин решили сходить к старому другу Миркину и поговорить с ним с глазу на глаз. Однако, не успев еще выйти из дому, они столкнулись с неожиданным препятствием. Фаня Либерзон встала в дверях, загородила собою дорогу и напомнила им, что «Трудовая бригада имени Фейги» уже имеет на своем счету одно неразумное вмешательство в сердечные дела.

«Я вам не дам повторить историю с Фейгой, — решительно сказала Фаня. — Дайте ребятам померяться силами и предоставьте девочке выбрать самой. Мы не арабы и не какие-нибудь ортодоксы пейсатые, у которых родители решают, за кого выйти их дочери. И прошли уже те ваши времена, когда девушки выходили замуж согласно уставу и сердца разбивались по решению общего собрания».

Либерзон пришел в ярость. Рыловский недотепа не представлялся ему достойным конкурентом собственного сына.

«Разбазаривают на таких иммигрантские сертификаты...»[2], — бормотал он, бережно извлекая жену из дверного проема и удерживая ее в руках, пока Циркин с опаской выбирался наружу. Но когда они заявились к Миркину, их встретили те же слова:

«Мне очень нравится твой сын, — миролюбиво сказал дедушка Либерзону. — Но я не вижу никаких изъянов и в Биньямине. Он прилежный, работящий и честный парень, на него можно положиться, и мне сдается, что и девочка его любит».

Либерзон и Циркин попытались напомнить ему, что Даниэль любит Эстер с того времени, как ему исполнилось три недели, но тут дедушка вышел из себя и заявил, что не верит во все эти глупости. «В отличие от многого другого, что мы здесь наворотили, — писал он на одном из своих клочков, — любовь не имеет ничего общего с межевыми кольями, с разделом владений и с прокладкой пограничных борозд».

15

Задолго до рождения Даниэля и покупки Хагит, в ту пору, когда Элиезер Либерзон был еще холостяком, у него была долговязая и тощая дамасская корова с очень длинной шеей и длинными рогами. Отношения, сложившиеся между хозяином и его животным, веселили всю деревню. Корова Либерзона не торопилась давать молоко, зато ела вдвое больше других коров, и ненависть Либерзона к этой прожорливой скотине выходила далеко за рамки обычного в крестьянских дворах. Он не называл ее иначе чем «изверг рода рогатого». Корова, под грубыми ребрами которой скрывалось нежное и обидчивое сердце, чувствовала это отношение хозяина и отвечала ему той же монетой.

Однажды, когда Либерзон вернулся с поля в свою убогую времянку, он увидел, что его корова развалилась в комнате и «жует простыню, заедая ее статьей великого Борохова»[1]. На полу валялись остатки разбитого в щепки стола — единственного предмета мебели, который он себе приобрел и на котором и ел, и писал, и читал. Осознав всю силу хозяйского гнева, корова поняла, что на сей раз она пересекла тонкую границу между мольбой о внимании и насильственным домогательством оного. Она ужасно испугалась и бросилась бежать.

«И сбежала — вместе со стеной моей времянки», — жаловался друзьям Либерзон. Наутро он обмотал длинную шею своей коровы веревкой и повел продавать в соседний кибуц, через вади. Там он встретил нового заведующего кибуцным коровником, который за несколько дней до того вернулся с курсов усовершенствования в голландском городе Утрехте, исполненный глубокого почтения к тамошним прославленным породам скота, и тотчас напугал этого заведующего до смерти, подробно расписав ему жуткие трудности акклиматизации северных коров в жаркой Стране Израиля.

— Они слишком избалованы, эти голландки, — объяснил ему Либерзон, — и очень легко становятся жертвами паразитов и депрессии.

— Я не могу взять на себя ответственность, — сказал заведующий коровником. — Это вопрос для общего собрания.

— Нет проблем! — небрежно сказал Либерзон. Общие собрания были в его руках, что глина в руке Творца.

— Эти голландки нуждаются в примеси местной крови, — решительно заявил он, выступая в переполненной столовой кибуца. — Они внесут в ваше стадо молоконосность, а моя великолепная корова обеспечит им выносливость. — Кибуцники слушали его как зачарованные. — И таким манером мы вместе создадим новую, еврейскую корову! — воскликнул он под конец.

«Ну и что теперь будет? — спросил Циркин, когда Либерзон вернулся из кибуца веселый и довольный и пришел к нему домой отведать каши из диких бобов. — Теперь тебе придется заняться земледелием, и всякий раз, когда тебе нужно будет отправляться в поле, твоя живность и птицы будут оставаться без всякого присмотра. Так нельзя. Негоже оставлять двор без хозяина. Тебе нужна жена».

До этого разговора Либерзон был убежденным холостяком. Теперь Циркин предложил ему свою Песю, заявив, что готов дать еще двух коров в придачу. Однако Либерзон любезно отказался. «Потому что в сумме это составило бы три коровы, — заметил Ури, когда мы с ним выслушали эту историю, — а это уже многовато для одного холостяка».

Поскольку больше в деревне свободных девушек не было, Циркин с Либерзоном решили, что за неимением выхода придется возродить древнюю и славную традицию умыкания невесты из виноградника.

Они снова направились в кибуц. Близилась осень, и руководитель кибуцных работ послал нескольких девушек собрать остатки винограда, а заодно подобрать и те виноградины, которые высохли и превратились в изюм. Либерзон и Циркин вооружились мандолиной, коробкой со всякими вкусностями и тарелками для еды и спрятались в винограднике, ожидая появления молоденьких сборщиц.

Мне пришлось очень долго приставать к Фане, прежде чем она рассказала мне о том, как развивались события дальше. Ее восхитительная снежно-белая голова покачивалась в такт воспоминаниям.

«Я услышала, что кто-то играет на краю виноградника, и пошла посмотреть. За последними кустами сидели двое парней. Один, которого я раньше никогда не видела, играл на мандолине, а второй был тот самый симпатичный молодой человек, который за несколько дней до этого обманом продал кибуцу свою корову. Он резал овощи для салата и пригласил меня присоединиться к их трапезе».

«Ты бы лучше шел отсюда, да побыстрее, — сказала Фаня Либерзону. — Наши говорят, что если они тебя поймают, то привяжут к рогам твоей коровы».

Либерзон пренебрежительно усмехнулся. Он заправил салат, накроил буханку и нарезал сыр, и, пока они с Фаней ели, Циркин кружил вокруг них, «как тот петух», повязав на шею красный цыганский платок и наигрывая «сладкие душещипательные мелодии». А потом Либерзон рассказал Фане о своей жизни, о своем хозяйстве, о «Трудовой бригаде имени Фейги» и о своих мучениях со зловредной коровой.

Фаня была на седьмом небе. В те дни «Трудовая бригада» уже исчезла за плотной завесой тайны и преклонения, и среди женщин Долины ходили легенды о Фейге Левин — первой женщине-пионерке, которая работала наравне с мужчинами и которую любили сразу трое парней, носившие ее на руках, спасавшие от болезней своей сладкой кровью и стиравшие ее белье.

Либерзон скромно признался, что он знаком с Фейгой Левин и не только варил для нее и принимал участие в стирке ее белья, но однажды был даже перевязан ее собственными руками и поглажен ее собственными пальчиками. Он показал Фане маленький рубец на нижней губе и сообщил ей, что именно сюда его поцеловала знаменитая Фейга. Увидев, что лицо Фани, как ему и хотелось, приняло задумчиво-мечтательное выражение, он тут же подал скрытный знак Циркину и затянул всем известную песню пионеров: «Буду пахать я и сеять с друзьями, только бы быть мне в Эрец-Исраэль...» Циркин подхватил, не переставая наигрывать на своей мандолине, и Фаня, не устояв перед соблазном, стала подпевать им обоим своим тонким, приятным голоском.

Сердце Либерзона подпрыгнуло от радости, но тут он допустил роковую ошибку, сообщив Фане, что в дни своей юности на Украине принадлежал к одному из знаменитых хасидских дворов[2]. Выдумка эта всегда безотказно действовала на деревенских девушек в поселениях Иудеи, но Фаня на дух не переносила все, что было хоть как-то связано с религией, молитвами и заклинаниями, и, когда Либерзон начал струить ей в уши имена великих раввинов и чудотворцев, ее милое лицо исказила недовольная гримаса.

Либерзон, однако, не растерялся. Парни из «Трудовой бригады» умели, как парящие соколы, на полном лету поворачивать назад, не теряя при этом ни высоты, ни скорости полета. «А вообще-то, по правде говоря, я потомок пражского Голема»[3], — быстро нашелся он и заслужил одобрительный смех Фани.

Связь между смехом и любовью не составляла для него тайны. Он знал, что смех воспламеняет, возбуждает и размягчает женскую плоть, и немедля нанес удар в ту же точку, с жестокой насмешкой отозвавшись о кибуцных коммунах, что больших, что малых, и об их принципе равенства вообще.

«Фанечка, сердце мое, — сказал он доверительно, — я тут случайно заглянул в ваш коммунарский общий душ и своими глазами убедился, что люди никак не рождаются равными».

Фаня залилась румянцем, снова засмеялась и даже закачалась всем телом от удовольствия. Сама того не замечая, она положила руку ему на колено. «Рассмеши меня еще», — попросила она.

Теперь уже Либерзон был уверен, что красавица кибуцница станет его суженой и что с ней ему предстоят долгие годы любовных ухаживаний и испытаний. Он взял ее за руку и тут же на месте сделал ей предложение.

И она прямо из виноградника пошла с ним в нашу деревню.

«Красивая история, и Элиезер Либерзон гений в таких делах, но на самом деле все было не так, — горячо возразил мой двоюродный брат Ури. — В виноградник отправился только Циркин. Он играл там среди кустов, и Фаня почувствовала, что должна пойти следом за этими звуками, потому что есть вещи, перед которыми ни одна женщина не может устоять. Циркин уходил все дальше и дальше от виноградника, потом соскользнул по склону холма, а Фаня продолжала идти и идти за ним. Так он довел ее до большого дуба, а за дубом она вдруг увидела Либерзона с мандолиной в руках. А Циркин потихоньку спрятался на дереве. Только после свадьбы она узнала, что Либерзон вообще не умеет играть на мандолине».

«Как раз в тот год, — со знанием дела сказал Мешулам, — Бен-Гурион заявил, что мошавники — не такие хорошие сионисты, как члены коммун и кибуцев, а Табенкин[4] сказал, что коммуну и кибуц покидают одни только корыстолюбцы. Не нужно быть большим гением, чтобы понять связь между этими словами. Понятно, что авантюра моего отца и Элиезера Либерзона никак не помогла сближению двух главных видов нашего поселенчества».

Похищение Фани породило длительную вражду между нашей деревней и соседним кибуцем. Все наши совместные оросительные проекты были немедленно аннулированы. Отмечались случаи швыряния камней и рукоприкладства возле разделявшего нас вади. В юмористическом выпуске нашей деревенской газеты Фаню сравнили с Еленой Прекрасной, и некоторые люди заговорили даже, что великое дело возрождения земель Долины нельзя приносить в жертву плотскому вожделению отдельных индивидов. Но все это не могло изменить того факта, что Элиезер и Фаня Либерзоны оказались самой счастливой и любящей парой, которую когда-либо видели эти земли. Либерзон и после свадьбы не перестал ухаживать за своей женой, непрестанно смешил и удивлял ее, и ее смех и удивленные, восторженные возгласы то и дело оглашали всю деревню. В те дни люди еще жили в палатках, личную жизнь отделяло от общественной одно лишь брезентовое полотнище, и все доподлинно знали, что происходит в каждой семье, — для этого не нужно было тайком пробираться к чужому дому и подслушивать под его окном.

— Прежде всего, постарайся ее рассмешить, — сказал Либерзон своему сыну. — Женщины любят, когда их смешат. Перед смехом они не могут устоять.

— Смех, — сказал Мандолина, — это как трубный звук для стен Иерихона, как волшебное заклинание для пещеры с сокровищами или как первый дождь для высохшей земли.

— Хорошо сказано, — одобрил Либерзон, удивленно поглядев на своего друга.

Но к этому времени Даниэль был уже весьма далек от всякой возможности кого бы то ни было рассмешить — чувство юмора было первой из рухнувших опор его любви.

— Цветы, стихи, музыка, — наставительно перечислил Циркин.

— Хватит, Циркин, — сказал Либерзон и повернулся к сыну. — Что она любит? — спросил он.

— Мясо, — стыдливо прошептал Даниэль.

Либерзон и Мандолина встали на кулинарную вахту. В те дни повсюду царила нужда и недостача, и тем не менее Даниэль каждую ночь прокрадывался к дедушкиному дому с тарелками, накрытыми салфеткой. Запах жареных цыплят, запеченных бараньих ребрышек и говяжьего жаркого вызывал обильное отделение слюны у раздраженных соседей, которые злобно ворчали по поводу такого безумного расточительства, и властно привлекал к деревне кошек и шакалов со всей Долины. Эстер жадно поедала все, хохотала, обнимала Даниэля — и не переставала по ночам гулять с Биньямином.

Мой отец сделал для своей возлюбленной огромный гамак, подвесив старую пружинную кровать на железных цепях к двум казуаринам за времянкой, и теперь их падающие иголки застревали в волосах Эстер. Тихое насвистывание Биньямина, их сдавленный смех и ее глубокие вздохи, когда он обнимал ее своими руками кузнеца, хорошо слышны были внутри времянки.

Тоня Рылова, которую отказ Маргулиса сделал рьяной блюстительницей общественной морали, гневно сообщила дедушке, что его дочь и «этот новичок из Германии» ходят по деревенской улице, держась за руки у всех на глазах, а по ночам деревенские дети приходят к нему в сад подсматривать за ними.

В тот год дедушкин сад цвел, как никогда. Дедушка попросил Хаима Маргулиса поставить между деревьями несколько пчелиных ульев, и мед, собранный в саду, был почти красного цвета и такой сладкий, что обжигал рот. Большую часть дня дедушка проводил со своими деревьями, чьи даты цветения и запахи были точно рассчитаны от месяца шват до месяца нисан[5], и домой возвращался шатаясь, опьянев от пыльцы и благоуханий. Авраам в ту пору уже взял на себя всю заботу о коровах, и дедушка мог теперь днями и ночами пропадать в своем приватном раю, вокруг которого он посадил тесный ряд кипарисов, чтобы они защитили его, когда подрастут, от зимних ветров, которые переваливались через голубую гору.

Первым взорвался белым цветеньем миндаль. Сладкий аромат его цветов наполнил воздух, тесня запахи ливня и грязи. Затем вспыхнула буйная розовость персиков. Их бутоны были темного, глубокого цвета, а раскрывшиеся цветки с тонкими высокими тычинками — много светлее. Рядом с миндалем засияло нежное цветенье абрикосов, запах которых напоминал запах женщины. Потом к ним присоединились сливы, чьи маленькие цветки покрыли ветки густой бархатной белизной. Сразу после праздника Пурим[6] расцвели яблони. Они были красновато-белыми, а их упоительный запах был таким же сочным, как и их плоды. На Песах[7] настала очередь айвы, из которой Рахель и Шломо Левины делали варенье и повидло, и груш, с их белыми венчиками и фиолетовыми воронками, источающими винные пары. А когда земля совсем прогрелась и солнце окончательно завладело садом, наливая соком завязи на деревьях, дедушкины цитрусовые завершили годичный круг цветенья, накрыв сад и всю деревню тяжелой пеленой своих ароматов.

В этом саду, где порхали капустницы и голубянки, гремело радостное и дружное жужжанье пчел, а птицы с жуками в обмороке падали с ветвей на землю, я похоронил дедушку и его друзей. Но в те былые дни Эстер посадила там левкои, которые раскрывались по ночам, и туда она приводила Биньямина, и там она лежала с ним на влажных коврах опавших лепестков. Под утро она тихо пробиралась во времянку, держа сандалии в руках, но сильный, знакомый запах земли, груш и левкоев, испарявшийся с ее разгоряченной кожи, всегда будил ее отца.

«Он не помнил себя от счастья. Запах дочери — точно запах поля, благословенного Создателем».

«Какая красивая история! — сказала Фаня Либерзон. Ее волосы, так я себе представляю, были разбросаны по груди мужа, и бедро ее и тогда лежало поперек его живота. — Как мне ни жалко нашего бедного Даниэля, я рада, что во дворе Миркина появился наконец влюбленный до одурения мужчина».

И действительно, двор Миркиных впервые наполнился любовью. Они то и дело разыгрывали, дико крича, свою первую встречу. Эстер взбиралась по соломе на крышу сеновала и хваталась руками за центральную балку, а Биньямин становился внизу, глядя на нее, пока она дрыгала ногами.

«Не отпущу, пока не скажешь “Шнель, шнель!”», — кричала она.

Авраам чистил коровник, уставившись в пол. У него темнело в глазах, и борозды на его лбу пульсировали от напряжения.

Однажды ночью, вернувшись с прогулки по полям, я снял ботинки, тихонько подошел к окну Ривки и Авраама и услышал, что тетя говорит о моей матери.

«Я помню, как сегодня, — скрипел ее шершавый, как ящерица, голос. — Висит себе там на балке, под крышей сеновала. Ты не поднимал глаз, но поверь мне — на ней даже трусов не было».

«Я думаю, моя мама просто ей завидовала, — сказал Ури. — Отец никогда вот так не подсматривал ей под юбку и ни разу не фальшивил в ее честь так много оперных арий».

16

В ту пору в соседней деревне случилось большое несчастье. Один из крестьян наложил на себя руки, и никто не знал почему. «Тайна его смерти похоронена вместе с ним», — сообщал деревенский листок. Его тело, засыпанное мертвыми почками и сломанными крыльями бабочек, нашли в дедушкином саду. Череп был расколот, и средний палец ноги лежал на ржавом спусковом крючке старого ружья. Тело пролежало там несколько дней, потому что сильные запахи цветущего сада забивали вонь гниющей плоти, но потом дедушка заметил рой зеленых мух, и это пробудило в нем подозрения, потому что запах цветов обычно их отталкивал.

После самоубийцы остались вдова и единственный сын лет восьми, а ружье, которое уже больше никуда не годилось, Рылов вычеркнул из инвентарного списка оружия, имевшегося в Долине. Мальчику сказали, что отец отправился в дальнюю поездку, а когда вернется, привезет ему подарки. Но дети в школе рассказали ему о том, что слышали дома, когда родители и их друзья сидели вечером на кухне после рабочего дня и шептались за чашками чая. Потрясение сделало мальчика лунатиком, он начал бродить по ночам во сне и возвращался домой на заре, с израненными и исколотыми ногами.

«Я слышу, как папа зовет меня», — говорил он.

Пинес бушевал. Дети соседней деревни тоже учились у него. Каждое утро они приезжали в нашу школу на телеге, запряженной парой лошадей, в мокрых ботинках, исхлестанных влажной травой обочин. «Как можно врать детям?! — кричал он в учительской. — Как можно осквернять эти чистые цветы?!»

Сам он тотчас распознал в случившемся почерк гиены, но уже начинался весенний месяц нисан, и никто не внимал его предостережениям. Люди и животные только и мечтали поваляться на траве да погреться на солнце и на теплой земле. Коровники и крольчатники наполнились голодным визгом телят и крольчат. Молодых первотелок охватило знаменитое весеннее помешательство, и они, как безумные, носились по полю, колотя хвостами по воздуху. Глубокая зимняя грязь подсыхала, и земля, прежде топкая и липкая, теперь мягко пружинила в ответ на прикосновение ноги. Возле источника слышались пофукиванья диких котят, которые играли и катались в зарослях, тренируясь в своем убийственном ремесле на подушках из трав и цветов. Пчелы Хаима Маргулиса мягко гудели среди цветов, хлопотливо перетаскивая свой сладкий груз, а щурки, только что вернувшиеся из теплых стран в свои жилища, производили опустошения в пчелиных трудовых рядах. На крыше коровника топтались голуби-самцы, мелко постукивая коготками, и их белые зобы разлагали солнечный свет, как сверкающие выпуклые линзы. В небе летели огромные стаи пеликанов. Они гребли крыльями на север, в страну волка, злака и березы, и, снижая свой полет над домом Либерзона, что-то насмешливо кричали Фане. В источнике вдвое прибыло воды, и нарциссы, оставшиеся после зимы, распространяли такой сильный запах, что у Авраама снова начались приступы чиханья и слез.

Пинес, встревоженный и испуганный, повел детей на прогулку в поле, чтобы показать им наши цветы.

«Месяц нисан — это месяц Рабочего движения, — объявил он своим ученикам, но глаза его рыскали из стороны в сторону, высматривая хищного врага. — В память о нашем выходе из рабства на свободу природа поднимает свои красные флаги — анемон, мак, лютик, горицвет, горные тюльпаны и бессмертники, эту “кровь Маккавеев”».

«И тут, когда я стоял с ними в поле и слушал, как они смеются, зеленая стена молодой кукурузы вдруг расступилась, точно занавес, раздвинутый в стороны плечами гиены».

Весной из зимних убежищ выползали царицы осиного племени. Замерзшие и слабые, они искали, где бы основать новые гнезда. Каждая из них за считанные недели производила на свет целые батальоны молодых разбойников-шершней. Летом их стремительные черно-белые туловища проносились в воздухе с грозным, как вой пилы, жужжаньем и хищно набрасывались на виноградные грозди, молочные бидоны и плодовые деревья, свирепо жалили людей и животных, уничтожали пчелиные ульи, пугали деревню. Деревенский Комитет платил детям по нескольку мелких монет за каждого убитого шершня, и каждую весну Пинес выводил своих учеников в поля и дворы отлавливать цариц, прежде чем они создадут новое поколение «грабителей-мидианитов»[1].

«С тяжелым сердцем призываю я вас убивать осиных маток, — поучал нас Пинес. — Не в наших обычаях убивать живые существа. Но полевая мышь, арабский шершень, корневая тля и гадюка — враги они нам вовеки».

В том году гадюки появились раньше обычного. Развернув на неярком солнце упругие кольца своих толстых тел, они терпеливо ждали босой ноги, полевой мыши, неосторожного копыта. Поутру люди обнаруживали их мягкие мертвые тела, свисающие с проволочных сеток птичников, потому что широкие гадючьи головы застревали в ячейках сетки, когда они пытались протиснуться внутрь, чтобы стащить яйца или цыплят. Биньямин, который смертельно боялся змей, теперь никогда не выходил в поле без длинной мотыги на плече и всегда надевал высокие ботинки.

«Моя дочь посмеивалась над ним. Она нарочно прыгала босиком по клеверу, а он кричал, чтобы она немедленно прекратила».

— Такой сильный парень, — говорила Эстер, — и такой трус.

Они сидели в поле и смотрели на британский аэродром.

— Я скраду самолет полететь к моему старому дому, — задумчиво произнес Биньямин.

— Когда моя мама была еще жива, — посвятила его Эстер в семейную тайну, — у нас была маленькая ослица. По ночам она распахивала свои большие уши, как крылья, и летала в Стамбул, чтобы встретиться с турецким султаном.

Она лежала на спине, и Биньямин посмотрел на нее с сомнением. Потом он с опаской посмотрел на жирную траву, стащил с себя рубашку и ботинки и с наслаждением растянулся рядом с нею. Минуты через две Эстер хлопнула его по животу и показала на большую гадюку толщиной с человеческую руку. Гадюка медленно ползла к ним. Эстер почувствовала, что тело Биньмина напряглось и пот проступил из всех его пор.

— Не двигайся, — сказала она.– Если уж я тебя не съела, то эта тоже не съест.

Но змея приближалась, вынюхивая дорогу раздвоенным жалом. Эстер прижала Биньямина рукой, чтобы он не шевельнулся. Когда змея оказалась совсем близко к ее босой ноге, она подняла с травы тяжелый рабочий башмак и с размаху хлестнула ее по голове. Змея подпрыгнула и стала бешено метаться. Она била по ней снова и снова, пока не расплющила ее голову в лепешку.

— Какой ты глупый, — сказала она Биньямину. — Какой ты глупый и толстый. Убить змею — это плевое дело. Эфраим однажды убил гадюку обувной щеткой.

Далеко в поле они видели Пинеса с детьми, которые стояли возле участка, засеянного кукурузой, вдали от деревенских домов. Но гиену, по плечи скрытую густой кукурузой, они отсюда увидеть не могли.

Пинес знал, что гиена не бросится на детей, потому что она нападает редко, да и то, как правило, на одинокую, слабую и беззащитную жертву.

«Но я ее узнал. — Он тяжело дышал. — И во мне проснулась жажда убийства. Мне хотелось наброситься на нее, убить ее, задушить. И гиена тоже узнала меня. Она тут же отступила в зеленую чащу и исчезла, как будто ее и не было вовсе. Мои малыши даже не заметили ее».

Он собрал детей вокруг себя, хлопая руками, как наседка крыльями, и вернулся с ними в деревню. Встревоженный и озабоченный, он поспешил поделиться своими опасениями с секретарем деревенского Комитета.

«Я думаю, кто-то оставил падаль на своем участке, вот гиена и пришла на запах», — сказал секретарь, которому опасения Пинеса напомнили «дурацкие арабские россказни о джиннах». Он был убежден, что это никак не могла быть та самая гиена, которая нападала и кусала людей в первые дни алии. Пинес вышел от него злой и еще более встревоженный.

Он немедля поговорил с учителем, жившим в соседней деревне, и потребовал расставить капканы и установить дежурства, но никто больше не видел эту гиену и даже следов ее не замечал.

«Точно так же, как годы спустя никто не слышал те непотребные ночные крики с водокачки», — сердито сказал он мне.

Каждую ночь сирота-лунатик исчезал в поисках отца. Не просыпаясь, развязывал веревки, которыми его привязывали к кровати, и уходил в ночную темноту. Несколько раз люди бросались за ним вдогонку, но он исчезал прямо у них на глазах, словно распадался на хлопья мрака. Однажды сторожа увидели маленький силуэт, который соткался вдруг из ночных теней и с закрытыми, спящими глазами пересек загон, где бесновался племенной жеребец, великолепный, но злобный скакун, который уже отличился тем, что забил копытами теленка и одного из работников. Жеребец не причинил ребенку вреда, но прижался к ограде загона и неожиданно заплакал, как покинутый щенок.

«На седьмую ночь гиена вернулась и стала снова кричать в полях. Маленький светловолосый мальчик, решив, что это зовет его мертвый отец, поддался соблазну, выбрался из материнской постели и вышел, не открывая глаз, в одной белой ночной рубашке».

Три дня спустя его маленькое тело с разбитым затылком было найдено в русле пересохшего ручья, под высокой пальмой. Старый Зайцер, отправившийся на одну из своих задумчивых прогулок, обнаружил мертвого ребенка под знакомым, проклятым зеленым покрывалом трупных мух. Он тотчас бросился созывать отцов-основателей по всей Долине.

Пинес, который никогда не принадлежал к числу «проворных и храбрых»[2], стоял перед открытой могилой возле маленького гробика и от нашего общего имени клялся отомстить гиене.

«Она неспроста нападает на самых маленьких и слабых из нас, — разъяснял он скорбящим. — Гиена — это сомнение и отчаяние, это отрава неверия и утрата ясности зрения, и мы должны крепить свои руки и сердца и продолжать сажать, и строить, и сеять, и поливать, и тогда «сеявшие со слезами будут пожинать с радостию» и “с плачем несущий семена возвратится с радостию, неся снопы свои”»[3].

Паника охватила Долину. Разбитый затылок и разорванная грудная клетка маленького сиротки вселили ужас во все людские сердца. Дети больше не выходили по ночам закрывать поливалки, их не посылали проверить, закрыты ли ворота коровника. Но весна продолжала свое наступление.

«Прошло немного времени, и воспоминание о погибшем мальчике осело еще одной болью на дно человеческой памяти. Как и жертвы малярии и погибшие на дорогах, как и самоубийцы и сбившиеся с правильного пути, он тоже стал просто именем в книгах наших деревень, фотографией в черной рамке на стенах учительских комнат. Я смотрел в это маленькое личико и проклинал в глубине души».

Под жарким весенним солнцем земля высохла и потрескалась, стебли злаков пожелтели, и молотилка «Маршалл» снова появилась на полях. Благословенным был тот год, «как будто земля хотела от нас искупительной жертвы». Биньямин приходил помогать нам, когда кончал свою работу у Рылова, и моя мать носила ему еду в поле, не переставала насмехаться над его белой кожей, которая покрывалась пузырями на солнце, пугала его сзади змеиным шипеньем, подставляла ему ножку среди снопов и боролась с ним в удушающей пыли половы, которая выбеливала их лица и одежду.

В доме Миркина готовились к двойной свадьбе — Биньямина с Эстер и Авраама с Ривкой. Никто не догадывался, какие хитроумные засады готовит нам время и какие зловонные клубни вызревают в тайниках его комковатых глубин. Смерть моих родителей, исчезновение Эфраима и Жана Вальжана, ужасный конец Зайцера, «Кладбище пионеров» — все это не проступало даже крохотной тучкой на горизонте. Пинес и Циркин сочинили небольшое и смешное представление с музыкой, посвященное истории сеновала со времен Боаза и Рут[4] и до наших дней. Соседки вызвались приготовить угощение, а

Комитет проследил, чтобы столы были расставлены в нужном порядке и покрыты чистыми скатертями.

Две хупы[5] были поставлены возле фигового дерева и оливы в «миркинском саду». Со всей Страны собрались дедушкины и бабушкины друзья. Они весело обнимались и громко топали ногами, вминая податливую землю. Их пальцы были давно уже скрючены от мотыги и коровьих сосков, многие облысели, и все они вынимали очки из карманов белоснежных рубах, когда хотели прочесть приглашение.

«Плечи — плечи, которые держат на себе целый народ, — уже слегка согнулись, — сказал Элиезер Либерзон, — но огонь — огонь в глазах — все еще горит». Вожди Движения явились тоже. «Когда «Трудовая бригада имени Фейги» в один день женит сына и выдает замуж дочь, даже бездельники, которые вместо работы ездили на конгрессы, понимали, что им лучше появиться на этом празднике».

Первые сыновья со всей Страны тоже пришли на свадьбу Миркиных. Они стояли отдельной группой, и это было волнующее зрелище. Среди них были командиры и учителя, секретари кибуцев и мошавов, изобретатели новых сельскохозяйственных машин и мыслители, «и у всех был одинаковый чистый взгляд и гордо выпрямленная спина», — как сказал Пинес.

Серьезный, пытливый, молчаливый и сдержанный, в синих штанах и белой рубахе, стоял мой дядя под балдахином своей хупы. Все смотрели на него и вспоминали слова Либерзона: «Он, как косточка маслины, которая может годами лежать в своей кожице, пока не прорвется и прорастет». Гости двойной свадьбы смотрели на Авраама, выискивая следы того обетования, что еще не свершилось. Ривка, дочь шорника Танхума Пекера, стояла рядом с ним. Облако зависти к свадебному платью Эстер омрачало ее лицо. Ее отец, принявший внутрь почтенную емкость, расхаживал среди собравшихся, сверкая скрипучими, резко пахнущими сапогами, и с тоской вспоминал разнузданные оргии российских кавалерийских офицеров и тех молодых поварих и служанок, с которыми он развлекался в кладовках и чуланах, на грудах копченых окороков и бутылок в соломенной оплетке. Его колени были полусогнуты, как у кавалериста, Пекер цокал губами армейским лошадям, которых только он один здесь и помнил, и лицо его багровело от гордости и тоски.

Под вторым балдахином стояла смеющаяся Эстер. Она то и дело кружилась на месте, и тогда ее баварское свадебное платье взметалось вверх, как блюдо, наполненное белой пеной. Далеко оттуда, в эвкалиптовой роще, меж влажными высокими стволами, ползал Даниэль Либерзон, не помня себя от боли. Горло его уже пересохло от рыданий, из него вырывались только хрипы. За неделю до этого он получил от Комитета задание вспахать участок в несколько тысяч дунамов[6]. Циркин и Либерзон решили использовать этот случай для невиданной последней атаки. По их указаниям Даниэль пропахал на сжатом поле имя своей возлюбленной. Буквы имени «Эстер», размером километр на километр, прочерченные сочным цветом коричневой борозды, резко выступали на соломенно-желтом фоне стерни. Но люди, стоящие на земле, не имеют достаточной высоты зрения, и потому они не могли различить отчаянные борозды любви Даниэля. Никто не обратил на них внимания, кроме разве что нескольких британских пилотов, которым довелось пролетать над этим полем, «но эти не знали иврита».

«А отец?»

«Биньямин всем улыбался, но молчал, потому что его отец и мать не удостоились побывать на свадьбе своего сына».

«А когда церемония и представление закончились, было расчищено место для свадебного танца двух пар, и тогда Циркин ударил по струнам, и твой отец и мой сын Эфраим в обнимку вступили в круг и протанцевали вальс. Тоня Рылова чуть не лопнула, а вся деревня валялась на земле от смеха».

«А потом?»

«Началась следующая война, Малыш, и Эфраим ушел».

17

Дедушка чуял, что беда близка, и привел Эфраима в сад, надеясь увлечь его своими новыми замыслами. «Смотри, вот груши и яблоки, — объяснял он ему, как много лет спустя объяснял и мне. — Они вырастают чаще всего на специальных веточках. Вот эти короткие отростки дают плоды год за годом, и их нельзя ни за что срезать. А рядом с ними, — показывал он, — поднимаются ветки, высокие и прямые, которые растут очень быстро, но дают редкие, считанные плоды. Специалисты полагают, что эти бесплодные ветви лучше отсекать. Но их можно сохранить, только отвести от ствола наружу, а затем изогнуть и привязать конец тонким шпагатом к основанию, так что они станут похожи на натянутый лук». В деревне все изумлялись, сколько плодов приносят потом такие привязанные ветви. «Он придумал это еще в свои первые годы в Стране, — с восхищением рассказывал мне Пинес. — Он открыл, что можно обуздать и запрячь в работу не только лошадей и людей, но также плодовые деревья».

Несколько лет спустя, когда в деревню пожаловал объездной инструктор по садоводству и стал взволнованно учить мошавников сгибанию ветвей по «американскому методу Колдуэлла», ему сказали, что у нас этот метод применяют давным-давно, разве что не называют его разными напыщенными именами. Более того, по методу Миркина согнутым ветвям время от времени дают ненадолго распрямиться, и эта доброжелательная поблажка еще больше увеличивает их плодоносность.

Но Эфраима не интересовали плодовые деревья. Он был так напряжен, что трепет то и дело пробегал по его телу, как дрожь по коже породистой лошади. Каждый вечер он приходил во времянку Биньямина и Эстер, где висела большая карта, и они старательно передвигали по ней флажки и булавки.

Из деревни один за другим исчезали мобилизованные мужчины. Первыми ушли деревенские кузнецы, братья Гольдманы. С самого основания деревни они подковывали наших рабочих лошадей и так закаляли наконечники кирок и острия лемехов, что те никогда не ломались. «Как Иахин и Воаз[1], стояли они над огнем: багровое пламя отсвечивает на груди, "левая рука протянута к тискам, правая к молоту труженика"»[2].

«Как-то раз мы с Зайцером зашли в кузницу, — рассказывал дедушка, — а братьев-кузнецов там уже не было. Угли в печи остыли и подернулись пеплом, меха молчали, даже дыма не было — и только два громадных молота все еще летали в воздухе над наковальней».

Потом ушел Даниэль Либерзон, и после войны остался в Европе с отрядами мстителей[3]. Он писал Эстер сухие, яростные письма и никогда не упоминал в них моего отца. Но ненависть к нему и желание уничтожить всех на свете золотоволосых блондинов так и сквозили ледяным ветром меж его строк и деяний.

Биньямин сидел теперь по ночам с Рыловым и новыми, незнакомыми людьми, которые стали появляться в деревне, выдавая себя то за специалистов по удобрениям, то за торговцев птицей. Они готовили тайные склады оружия и дистанционные взрыватели, собирали минометы из оросительных труб и согласовывали звуки своих тайных ночных перекличек, «которые доводили до безумия сов и сверчков Долины».

В воздухе сгущалась тревога. Война была далеко, но по ночам и в тихие осенние послеполуденные часы люди вдруг замолкали и оборачивались на север или в сторону запада, будто им виделось или слышалось что-то издалека. «Кровь наших далеких братьев взывала из страшной дали».

Эфраим снова и снова упрашивал дедушку, чтобы тот разрешил ему записаться в армию, но дедушка даже слышать об этом не хотел.

«Парень в твоем возрасте может и дома сделать для общего дела все, что он должен сделать. Туда ты не отправишься».

«Мой прекрасный отрок, пастухом в чужих полях», — написал он на клочке бумаги, вырванном из тетрадки.

Эфраим работал с отцом в саду, но лицо его оставалось замкнутым и напряженным. Точно одержимый, он молча сгибал и подвязывал ветки. Пинес, который по одному лишь виду и поведению животных без труда распознавал близость их очередного кочеванья, снова и снова предупреждал дедушку о нависшей угрозе.

— Я не могу посадить его на цепь, — сказал дедушка.

— Не своди с него глаз, — упрашивал Пинес.

— А разве нас кому-нибудь удалось остановить? — спросил дедушка. — Разве твой отец обрадовался, когда ты поднялся, ушел из дому и уехал в Эрец-Исраэль?

За ужином он смотрел на сына, который жадно хрустел овощным салатом, разглядывал его тонкие и сильные запястья, присматривался к зеленым глазам, уставившимся в пустоту, и понимал, что его мальчик уже расправил крылья.

После еды Эфраим вдруг поднялся и сказал, что хочет сходить в поле — проверить оросительные вентили.

— Счастливо, сынок, — сказал дедушка.

— Я скоро вернусь, — откликнулся Эфраим и исчез.

Неделю спустя его тяжелый велосипед «Геркулес» нашли прикрепленным к забору британского армейского лагеря в Сарафанде. Сам он уже стоял в это время на палубе военного корабля, который направлялся в Шотландию. Эфраим не перегибался через борт, но белые нити пены и мелкие брызги соли все равно ударяли ему в лицо. Его бесшумные ноги уже были обуты в грубые армейские ботинки, но как бы громко ни топал он по трясущейся железной палубе, его шаги заглушались шипеньем разрезаемой судном воды.

По ночам я слышу, как шумит и пенится море, что стелется за окнами моей белой темницы, и думаю о всех тех звуках, которые не прерываются никогда. Тех, которые не слышны, если в них не вслушаться. Ветер, гудящий в кронах казуарин, далекое постукиванье поливалок, болтливое бульканье источника, мерное чавканье коров, потрескивание досок пола. Пинес объяснил мне секрет бесшумной походки Эфраима. «Он вовсе не ходил беззвучно — просто он умел ступать так, что звуки его шагов сливались с постоянным шумом природы».

«Он был одним из немногих палестинских евреев, которые служили в рядах британских коммандос», — сказал мне Мешулам, когда Эфраим уже стал воспоминанием, в которое многие предпочитали не верить, чтобы не нести в душе его тяжесть. Он полез в ящик из-под апельсинов с надписью «Наши сыновья на войне» и достал оттуда пожелтевшие бумаги и конверты.

«Всего в британскую армию записались пятьдесят три человека, из них двое пожилых, тридцать восемь парней из второго поколения и тринадцать девушек. А также четыре парня и две девушки из семей общественных служащих. Шестнадцать из них не вернулись. У меня здесь хранятся письма некоторых солдат к своим родным, но нет ни одного письма Эфраима, потому что твоя семья упорно отказывается передать их в «Музей первопроходцев»...»

Когда Мешулам говорил «твоя семья», он подразумевал только меня одного. Дедушка уже умер, Иоси был в армии, Ури работал на тракторах своего дяди в Галилее, перетаскивал кучи земли и укреплял песчаные откосы. Авраам и Ривка готовились отбыть на Карибские острова, руководить большой фермой, и все наше хозяйство оставалось на мне, прибавляясь и разрастаясь вокруг дедушкиного надгробья.

«Я не хочу быть похороненным вместе с ними, — наказывал он мне снова и снова. — Они выгнали Эфраима из деревни. Похорони меня на моей земле».

Какой наглостью нужно обладать, чтобы после этого всего просить у меня письма Эфраима для своего идиотского музея, подумал я.

«Я отомщу им в их самом больном месте. — В последние годы жизни дедушка повторял эту фразу, как грозное заклинание. — В их земле».

В моих руках его месть обрела желанную форму. Тело старого заклинателя деревьев отравило деревенскую землю и вывернуло наизнанку мечту отцов-основателей. Могилы на участке Якова Миркина горели в теле деревни, как разверстые гнойники насмешки и укора. Пауки плели свои густые воронки на новейших доильных автоматах Авраама. По бетонным стенам коровника расползались уродливые шрамы мхов и лишайников, стирая с них последние воспоминания об удоях и приплоде. Осы-строительницы возвели в щелях сеновала огромные гнезда из глины и обрывков бумаги.

Запустение царило повсюду, но деньги текли не переставая. В опустевшем коровнике росла куча мешков с банкнотами, и мое могильное поле расцветало все новыми надгробьями. Точно гигантский клин, вколоченный в землю, мое «Кладбище пионеров» остановило привычное течение времени, взорвало все правила и обычаи, разрушило кругооборот природы и бросило вызов сезонам года.

Через два месяца от Эфраима начали приходить первые вести. Он писал короткие, неинтересные открытки. Иногда я перечитываю их. Маневры по высадке с амфибий под огнем противника. Тренировочные подъемы по скалам. Тот парень из Новой Зеландии, что «с большим интересом расспрашивал о наших породах дойных коров», утонул при форсировании реки в лагере Ахнакари под городом по имени Инвернесс. Я катаю во рту эти странные звуки, пробую на вкус чужую жизнь. Маршброски с полной выкладкой, курс саперного дела в Обане. Он прислал фотографию, сделанную во время увольнения в город. В шотландской юбке («килт», — написал он), смешная шапочка из леопардовой шкуры, мохнатый жезл в руке. Он благодарил Рахель за то, что она научила его бесшумной походке.

«Коммандос Его Величества понятия не имеют об искусстве ходить тихо, — писал он. — Они шагают шумно, как дикобразы в наших камышах».

Его застукали, извещал он, когда он с ножом в руке крался за одним из королевских оленей в заповеднике Ван-Крипсдейл. Ему вкатали неделю гауптвахты и оштрафовали на сорок фунтов стерлингов. Потом его наградили Знаком Отличия за рейд в Дьеппе — там он в рукопашной схватке уничтожил немецкий артиллерийский расчет, который причинял большие потери отряду коммандос лорда Ловета. Его письма я читаю себе вслух, потому что именно так, на слух, я привык узнавать историю нашей семьи. «Дьепп, — произношу я, — Дьепп, Крипсдейл, Ловет», — и непривычные слова заставляют воздух идти непривычными путями в полостях моего рта и горла.

Время шло. Солнце, поднимаясь каждое утро, первым делом освещало окопы солдат в России, лицо Шуламит в Крыму, будило Шифриса где-то на его нескончаемом пути, затем заливало своим блеском нашу Долину, могилу бабушки Фейги, соломенную шляпу дедушки, гневные борозды на лбу Авраама, мою мать и отца, и только тогда поднималось над Эфраимом в его западных краях. Так оно вставало и заходило, а когда прошел еще месяц, дедушка получил сообщение, что его сын ранен в бою за гряду Эль-Гитар в Тунисе.

После этого от него не было писем целых шесть месяцев кряду. Дедушка сходил с ума от тревоги. Однажды ночью они с Зайцером прошли через деревенские поля и взобрались на голубую гору, откуда можно был увидеть море.

Точно могучая стена, высилась эта гора между нами и городом, морем, соблазном и суетой. Каждый год глаза всей деревни обращались к ней, изучая облака, что стекали меж ее ребристыми уступами, набухая и насыщаясь влагой перед великим странствием над нашими полями. «Облака рождаются от горы», — рассказывал мне дедушка, когда я был маленьким. Мы шли с ним по полю в ожидании дождя, и я, как дедушка, тоже складывал руку козырьком над глазами. Он крошил землю в пальцах и то и дело переводил взгляд на гору.

«Как-то раз, когда случилась сильная засуха, мы отправились на гору поглядеть, что стряслось с облаками. Мы пошли туда всей бригадой — Циркин, Либерзон, бабушка Фейга и я. Весь день мы ползли по скалам и колючкам, пока не добрались до вершины, и всю ночь бродили и искали Пещеру Дождя, пока не услышали, как облака ворочаются там внутри, ворчат и громыхают. У входа в пещеру лежал большой камень, и облака не могли выйти. Мы начали отваливать этот камень. *Ать-два, ать-два,* изо всей силы. Мы тянули снаружи, а облака толкали камень изнутри, пока он не отвалился, и все облака разом вырвались из пещеры. А Циркин, тот даже ухитрился запрыгнуть на одно облако и спустился вместе с дождем прямо к своему дому».

Они долго стояли там, глядя на море, но потом Зайцер закашлялся, потому что почуял далекий запах дыма и взрывов, а дедушка стиснул голову руками, потому что увидел далекое зарево над полями сражений и услышал вопли, которые неслись по воде, точно плоские камешки, подпрыгивая на волнах.

Рано утром, когда они вернулись домой, в деревню вкатился английский автомобиль. Дети помчались к Рылову предупредить его, что приехал майор Стоувс и нужно немедленно замаскировать вход в сточный колодец. Майор Стоувс, высокий, прихрамывающий англичанин, тоже был ранен в Северной Африке и переброшен оттуда, вместе со своим мундиром и черной палкой, к нам, в Палестину. Он вышел из автомобиля, проковылял к задней дверце, открыл ее и отдал честь. Эфраим вернулся домой.

В мягких желтых ботинках разведчиков пустыни, украшенный нашивкой с крылатым кинжалом, знаками отличия и лентами сержанта английской армии, с пожизненной пенсией от правительства Его Величества в кармане, Эфраим вышел из машины и улыбнулся окружившим его людям.

Жуткий крик, вызванный его видом, деревня помнила еще долгие годы. Рты распахнулись, словно захлебнувшись в рвотной судороге ужаса и отвращения. Все, кто поспешил сюда с зеленеющих полей, из цветущих садов, из коровников и птичников, все стояли сейчас перед ним и вопили. Жена ветеринара, с которой Эфраим перед уходом в армию переспал несколько раз, выла целых полторы минуты «без передышки». Дети, которых он учил бросать нож и запускать воздушного змея, кричали тонкими испуганными голосами. Яков Пинес выскочил из здания школы и тяжело побежал навстречу своему ученику, но, приблизившись к нему, вдруг остановился, точно налетел на невидимую стену, закрыл глаза и заревел, как бык на бойне. Коровы, телята, кони и куры подняли испуганную разноголосицу.

Фосфорная мина итальянской армии, «армии макаронщиков», как называл ее Ури, превратила красивое лицо моего дяди в горелое месиво кожи и мяса, которое отливало «...ну, как бы мне описать тебе этот ужас, Малыш? — как раздавленный ногою гранат, всеми оттенками красного, фиолетового и желтого. Хорошо, что ты не помнишь его».

Один глаз моего дяди был вырван из глазницы, нос сместился, губы исчезли, глубокий, извилистый, багровый разрез тянулся по диагонали через все лицо, от лба до горла, исчезая за воротником рубашки, рваная сожженная кожа свисала с лицевых костей. Сквозь эту изувеченную плоть сверкал одинокий зеленый глаз — свидетельство героических усилий врачей вернуть ему человеческое подобие.

Эфраим, красота которого привлекала любопытствующих со всей Долины и заставляла потрясенных птиц спускаться с небес к нашей деревне, превратился в чудовище, на которое никто не осмеливался поднять глаза. От страха люди прижались друг к другу, «вся деревня стояла и кричала».

Жуткая улыбка медленно сползла с его лица. Он повернулся, будто хотел вернуться в машину и снова исчезнуть, и майор Стоувс, негромко выругавшись, уже приоткрыл было заднюю дверцу. Но тут толпа расступилась, потому что Биньямин пропахал себе дорогу плечом, точно твердым лемехом плуга. Он прорезал толпу, добрался до шурина, посмотрел на него, не моргнув глазом, а потом обнял своими сильными руками и поцеловал в то перемолотое, сверкающее мясо, которое когда-то было его щекой.

Иврит моего отца к тому времени сильно улучшился. «Слава Богу, ты вернулся, Эфраим», — сказал он и повел его домой сквозь молчание, затопившее улицу.

На ужин Эфраим попросил «домашний овощной салат» и даже объяснил Эстер, как его приготовить. Голос его был слабый и скрипучий, потому что взрыв задел также голосовые связки.

«Сначала нарежь лук и слегка посоли его, потом помидоры и тоже слегка посоли. Зеленые перцы и огурцы — в самом конце. Перемешай хорошенько, добавь немного черного перца, лимона и масла, снова перемешай и дай ему чуть подышать».

Два года подряд, сказал Эфраим, он мечтал об этом салате, который «не умеют готовить нигде в мире».

Он сунул полную ложку салата куда-то себе в лицо, где должен был находиться рот, и глубоко вздохнул от наслаждения, а когда эта жуткая маска стала складываться и передвигаться в жевательных движениях — каждый кусок плоти отдельно, как тысячи раздавленных зерен граната, — Авраам взорвался громкими рыданиями и выскочил из-за стола. Но Биньямин сказал: «Он забыл закрыть поливалку на люцерне», — и спокойно продолжал беседовать с Эфраимом о войне, о немецких автоматах, о генерале по имени Роммель, о тренировках коммандос и о британских знаках отличия.

«Я не мог вымолвить ни слова, — рассказывал мне дедушка. — Они изуродовали моего красивого мальчика, а перед сном он сказал мне: «Спокойной ночи, отец» — и тут же отвернулся, чтобы мне не пришлось обнимать или целовать его».

«Каждый недоцелованный поцелуй возвращается, чтобы впиться в сердце», — прочел я написанное на одном из клочков.

Всю ночь Эфраим ходил по двору, и его неслышные шаги никому не давали уснуть. Наутро пришел Биньямин, сел с ним за стол, и они вместе начертили план на большом листе бумаги. Потом Биньямин попросил помощи у Зайцера. Они втроем отправились с телегой через поля, к британской военной базе, где их уже ждали хромой майор Стоувс, два худых и молчаливых шотландских офицера из коммандос, которые обняли Эфраима, и кладовщик-индус, который быстро и часто задышал, увидев знаки отличия на его груди. Назад следом за ними ехал военный грузовик, нагруженный опалубкой, песком, мешками с цементом и щебнем. Двое шотландцев, Биньямин и Эфраим сняли рубашки и начали копать во дворе, возле коровника, яму под фундамент. На этом фундаменте они построили кирпичный домик. Его дверь и окна были обращены не к дому, а к полям и коровнику.

Биньямин протянул к домику воду и электричество, построил великолепную печь для нагрева комнаты и воды для мытья и укрепил на окнах коричневые деревянные ставни, которые прижимались к стенам медными гномиками. Позже время окислило медь, и мутные полосы зеленых слез вечно стекали с них на штукатурку.

«Это та пристройка, которая потом стала складом для моих инструментов и лекарств для растений».

Эфраим вошел в свою комнату и заперся там.

«Я кружил возле стен, от которых шел свежий и сырой запах штукатурки и побелки, и ждал, когда мой сын выйдет оттуда. Твоя мама ставила еду у двери и умоляла своего брата показаться. Но Эфраим не выходил».

Пинес пришел, постучался в дверь и сказал, что хочет повидаться со своим учеником.

«Ты тоже кричал, когда увидел меня», — проскрипел Эфраим из комнаты и не вышел.

«Я всего лишь человек, — сказал я ему. — Никто не знал, что ты так ужасно ранен. Открой, Эфраим. Открой старому учителю, который хочет попросить у тебя прощения».

Но Эфраим не открыл.

Дедушка и Пинес рассказывали мне о Эфраиме десятки раз, словно просили моего прощения.

Биньямин приходил к нему каждый вечер. Несколько недель спустя он сказал, что Эфраиму стоило бы выходить по ночам — немного поработать в коровнике.

«Коровы тоже шарахаются от меня», — ответил дядя.

Но Биньямин сказал, что если Эфраим не заставит себя работать, то он снова схватит его одной рукой за пояс и вытащит наружу.

«Только ночью», — сказал Эфраим, выходя из комнаты.

«Каждый вечер в половине десятого я видел полоску света из открывающейся двери и тень от ног моего сына, которые направлялись в коровник. Он чистил навоз, мыл бидоны и раскладывал по кормушкам смесь для утренней дойки».

Дедушка лежал, точно парализованный, на кровати в своей времянке и прислушивался к дребезжанью тачки с навозом, поднимающейся по наклонным железным рельсам, к скрежету лопаты в навозной канаве и к тихому мычанию коров, которые толпились в загоне, украдкой посматривая на его сына и грустно перешептываясь. Он прислушивался, и сердце его «разрывалось на кусочки».

На четвертую ночь Яков Миркин поднялся с кровати и направился к коровнику. Он встал в темноте у стены и позвал сына.

«Не входи, отец, — прошептал Эфраим скрипучим голосом. — Не входи в коровник».

«Я вхожу», — ответил Яков Миркин и шагнул внутрь.

Эфраим едва успел накрыть голову пустым мешком и тут же почувствовал руку отца на своем плече. Яков Миркин целовал грубую джутовую ткань, и кусочки коровьего корма крошились на его зубах и таяли в его рту, смешиваясь со слюной и слезами. Потом он осторожно снял мешок с головы сына. Из своего угла в коровнике старый Зайцер видел их обоих, но притворялся, будто спит.

«На следующий день я пошел к Маргулису, попросил у него старую маску пасечника и принес ее сыну, чтобы он мог выйти и ходить среди людей».

Красота Эфраима стала забытой тенью, неясным, вылинявшим наброском, который всплывал лишь перед закрытыми глазами тех немногих, кто хотел припомнить. Жизнь людей стала тяжелее, потому что не было больше этого прекрасного лица, на которое можно было время от времени поглядеть.

«В жизни деревни, — объяснял мне Пинес, — в жизни, подчиненной законам земли и погоды, подвластной наследственным капризам животных и выученным правилам людей, лицо Эфраима сияло, как снежная прохлада в жаркий день жатвы, как отдых для усталого, как озеро в пустыне». Только теперь мошавники начали понимать, чего их лишили, и их отчуждение от него становилось все непримиримей и глубже.

Раз в неделю дядя гладил свои армейские брюки и пешком отправлялся через поля на британский аэродром, чтобы потолковать с майором Стоувсом и двумя молчаливыми шотландцами и выпить пива с английскими и индусскими артиллеристами, которые базировались там. Иногда он шел напрямую через поля и, только пройдя апельсиновые рощи, позволял себе снять маску — к великому удивлению пчел, которые с любопытством его сопровождали. А иногда командир базы посылал за ним машину.

— Твой сын слишком много времени проводит с англичанами, — сказал Рылов.

— Деревня отвернулась от Эфраима. Но англичане умеют уважать своих героев, — резко ответил дедушка.

— Эти индусы привыкли у себя дома ко всяким чудовищам, — сказала Ривка.

В той самой кантине, откуда он раньше воровал мясные консервы, Эфраим пил теперь пиво, ел сосиски и покупал вафли для коров. Дядя Авраам негромко жаловался, что от вафель у коров появляются глисты, но Эфраим стал коровьим любимцем. Вся деревня обсуждала его дружбу с англичанами. Пересуды подогревались и тем, что Эфраим наотрез отказался участвовать в отряде обороны деревни. Все его друзья из «Банды» служили в Пальмахе[4], но Эфраим даже им не хотел преподать уроки подрывной техники, снайперской стрельбы, ориентировки на местности и любого другого военного ремесла, которому его научили в армии.

«Много о себе воображает!» — ворчал Рылов, который знал, что Эфраим был хорошо знаком со всеми приемами и методами «малой войны».

«Не хочу пугать бедняг», — сказал Эфраим.

В тот день, когда закончилась та война, и Ури, Иоси и я уже шевелились в животах наших матерей, к нам во двор въехала британская военная машина. В ней сидели майор Стоувс, двое сухопарых шотландцев, на этот раз в гражданской одежде, и рыжий сержант со знаками различия коммандос и с золотистыми завитками волос на руках. В их движениях сквозила бесшумная сноровка людей ночи. Они скатили с «лендровера» ящик, в котором позвякивали пивные бутылки и жестяные коробки сигарет «Плейерс», втащили его в комнату Эфраима и просидели у него целую ночь. Рылов доложил деревенскому Комитету, что ему почти ничего не удалось расслышать, поскольку коммандос общались в основном своими условными перемигиваниями и вдохами-выдохами, но, когда они вышли оттуда, пьяные в доску, сержант на прощанье проорал: «А корову ты получишь месяца через два...»

18

Подобно дедушке, я тоже пью чай, черпая отраду для души из горькой маслины, что у меня во рту, и высасывая силу из сахарного кубика, что спрятан у меня между пальцев. Подобно ему, я подолгу стою, уставившись вдаль, высматривая, не возвращаются ли Эфраим и его Жан Вальжан, не идет ли Шифрис. С крыши своего большого дома я озираю просторы моря и вижу прыгающие по волнам белые лодки, расчески, сунутые за резинки плавок на ляжках худощавых, подтянутых мужчин, и мускулистых женщин, что, припав на одно колено, направляют паруса своих досок далекими бедрами, меж тем как их коротко стриженные, в полоску, волосы топорщатся на ветру.

Как-то раз прибой швырнул одну из этих женщин на прибрежные скалы, и я положил бинокль, поспешил к ней, взвалил на плечо, подхватил под мышку ее доску с парусом и вытащил их на песок. Там я ее и оставил. Потом, с крыши дома, я видел, как она встает, озирается и удивленно всматривается в капли своей крови и линию моих следов, впечатанных в мокрый песок.

Так стоял мой дедушка на крыше сеновала, так он стоял на веранде дома престарелых. Стоял и смотрел на Долину. Ждал возвращения Эфраима.

Дом престарелых, находившийся примерно в семнадцати километрах от нашей деревни, располагался на невысоком пригорке, возвышаясь над всей округой. Раз в два дня я отправлялся туда, шел полями, срезая для скорости дорогу, и яростно глотал все эти семнадцать километров за каких-нибудь три часа, чтобы принести дедушке бидон свежего молока из нашего коровника.

«Погоди минутку, Барух, — говорил дядя Авраам. — Я дам тебе молоко от хорошей коровы». В ожидании молока я разносил по углам коровника тяжелые мешки с комбикормом, поднимал и грузил наполненные бидоны и заталкивал испуганных телят в приготовленные для отправки стойла.

Мои двоюродные братья усердно трудились рядом. Иоси, такой же угрюмый, как его отец, сноровистый и быстрый, со своим красным соколом на плече или бредущем вперевалку за хозяином, как верная собака, и Ури, который в последнее время стал исчезать по ночам и с трудом просыпался на рассвете.

«Завел себе какую-то хотелку, да?» — ворчал Аврам, дружелюбно похлопывая сына по затылку.

Ури, по словам дедушки, был похож на Эфраима, только более нежный и мечтательный. Он походил на него линиями худого, жилистого тела, впалыми щеками и красотой, которая захватывает дыхание. Дедушка, бывало, смотрел на внука, словно бы мысленно поворачивал его перед собой, как если бы то был пропавший Эфраим, застывший в янтарной капле. «Дети. Ниточка жемчужин. Длинные ожерелья семени», — писал он в записке, которую я нашел после его ухода в дом престарелых.

Перед выходом из дома я обматывал алюминиевый бидон мокрой джутовой тканью, чтобы молоко не скисло от жары. По дороге я снова смачивал ее, когда проходил мимо поливалок.

Я выходил, когда воздух был еще ледяным и ломким и капли росы свисали с листьев. Море белых облаков лежало в ущельях, и гора проглядывала сквозь них, словно огромный голубой остров. Восходящее солнце, то самое солнце Страны Израиля, которое в четверть шестого утра уже хотело изжарить живьем дедушку и его брата, сдергивало с полей пеленки тумана, скатывая их в толстое белое покрывало, кипевшее и таявшее от жары. Долина мало-помалу сбрасывала с себя мягкие ночные одежды. Постепенно прогревалась и земля, и мои мокрые ступни высыхали. Я всегда ходил босиком, повесив сандалии на шею, разминая ногами теплую дорожную пыль. Это сладостное прикосновение горячей земли, которую колеса телег и тяжелые копыта животных перемололи в серую муку, я помню и сейчас. Иногда я выхожу на берег возле моего дома, чтобы походить босиком по песку, но его острые твердые зерна совсем не похожи на мягкий порошок тех дорог моей юности, которыми я шел к дедушке, в дом престарелых.

Кузнечики прыгали по кустам живой изгороди, что тянулась вдоль дороги, и соколы парами кувыркались в воздухе, сопровождая высокими трелями свои любовные игры. А над кустами терновника испуганным желтым облачком носилась стайка щеглов, и из их толстых, коротких клювиков вырывались удивленные отрывистые попискивания.

«Птиц отличают по клюву. У щегла он толстый и маленький, приспособленный для разгрызания семечек, а у сокола — изогнутый и острый, приспособленный для разрывания мяса».

Однажды утром Пинес повел нас на опушку эвкалиптовой рощи, где валялся труп дохлой коровы. Накануне вечером ее притащили туда трактором — брюхо вздуто, и рога вспарывают землю. «Ослиным погребением будет он погребен: вытащат его и бросят далеко за ворота Иерусалима»[1], — печально процитировал Пинес и велел нам наблюдать и не разговаривать. Несколько грифов собрались вокруг трупа. Их лысые головы, дерзкий взгляд и морщинистые шеи были мне знакомы и вызывали симпатию. Своими клювами, приспособленными для разрывания, они рвали коровий живот, то и дело погружая в него белые безволосые шеи. «Их не зря называют пожирателями падали. У них самих повыпадали все волосы», — объяснил Пинес и предостерег нас ни в коем случае не путать грифа с орлом-могильником, как это делают невежды.

Пинес рассказал нам о клювах зябликов, которых исследовал Дарвин на Галапагосских островах, — «маленькая изолированная колония птиц, которых эволюция наградила великим разнообразием клювов, приспособленных для самых разных видов пищи». Благодаря этому зяблики разделились на несколько групп, приноровились к новым источникам пищи и тем самым обеспечили себе выживание. Отчалив от этого примера, учитель выплыл на просторы далеко идущих аналогий и поучений, перейдя от клювов дарвиновских зябликов к преимуществам многоотраслевого сельского хозяйства. Сад и хлев, птица и овощи. «Держись этого, но не отнимай руки и от того»[2].

Временами мои шаги спугивали самку жаворонка с лежки, и она прыгала передо мной и каталась по стерне, притворяясь крикливой хромоножкой, пачкая себе грудь в пыли, лишь бы отвлечь меня от гнезда и укрытых там яиц. Зеленые ящерицы быстро пробегали по пыли, оставляя в ней маленькие иероглифические узоры. Куропатка взлетала, громко хлопая крыльями, мангуст внезапно перебегал дорогу, змеино извиваясь длинным, злобным телом. Были там и настоящие змеи.

«Хотя черная змея и пожирает цыплят и куриные яйца, она все равно друг земледельцу, потому что уничтожает полевых мышей. Увидев ее, сойди с дороги и дай ей уйти».

Крестьяне, засветло выезжавшие на поля, уже знали меня по походке и молочному бидону, улыбались, приветствовали и порой даже предлагали немного подвезти на своих телегах. Пахотные земли соседнего кибуца я пересекал с особой осторожностью. Как-то раз из-за деревьев вышел кибуцник, примерно того же возраста, что Авраам, с маленькой корзинкой в руках. Мои мышцы на мгновенье напряглись. Уже многие десятилетия прошли с тех пор, как Либерзон умыкнул Фаню из кибуцного виноградника, а наша вражда с соседями никак не прекращалась. Новые поколения даже не знали, что послужило ее началом. Поток времени и плотины памяти, идейные разногласия и смены сезонов давно окрасили любовь и шутки Либерзона в мутные цвета глубокого раскола. Неприязнь между кибуцем и нашим мошавом продолжала расти, цепляясь за шпалеры вражды и выпуская во все стороны новые усики. Время от времени вспыхивали свары из-за распределения фондов, летели камни, на разгневанных лицах расцветали синяки, и громкие оскорбительные крики неслись в обе стороны над вади.

Но этот человек был один и подошел ко мне нерешительно, опустив глаза, словно высматривал мои раздвоенные копыта.

«Ты идешь в дом престарелых? Ты внук Якова Миркина? Мой отец много рассказывал о нем. — Он протянул мне сумку мягким стеснительным движением. — Возьми, пожалуйста. Передай это Зееву Аккерману, комната номер пять. Он друг твоего деда».

Все они были друзьями моего деда. Всех их я похоронил возле него. Если память мне не изменяет, Зеев Аккерман лежит в шестом ряду, могила номер семнадцать.

В сумке был пирог и потрясающие по размеру плоды японского шесека[3] величиной с апельсин. «Это с нашего дерева. Если хочешь, можешь по дороге съесть один — но только один».

В половине девятого я уже входил в дом престарелых, предварительно вытерев ноги о траву и надев сандалии.

«Миркинский внук пришел, — говорили отчаявшиеся от одиночества старики, всегда сидевшие при входе в ожидании посетителей. — Принес молоко своему деду. Хороший парень».

Они умиленно разглядывали меня. Некоторые были похожи на дедушку, как будто их отлили по одной форме, другие прибыли из города. Эти были серые, прозрачные, как та слинявшая кожа ящериц, которую я собирал в полях, слабые и запуганные, как Шломо Левин. Годы плохого питания, «идеологическая незрелость и отдаленность от природы» наложили на них свою печать.

Поначалу дом престарелых предназначался только для наших стариков — из кибуца и мошава. Они пришли туда, провели общее собрание, швырнули бусы и спицы в физиономии трудотерапевтов, а затем вышли в свой декоративный сад. Тяжелыми дрожащими руками вырвали все до единого кусты желтых роз и голубого жасмина и посеяли на их месте грядки свеклы, перцев, капусты и зеленого лука. А под конец с победными песнями осушили бассейн с золотыми рыбками и отвели его воду в канаву для поливки овощных грядок.

«Не хватало лишь парочки самоубийц, — сказал дедушка, — чтобы достойно завершить картину».

«Они еще не знали тогда, как с нами обращаться. Их удивляло, что легендарные пионеры стали стариками, — рассказывал мне Либерзон через несколько лет после того, как его Фаня умерла, а сам он, слепой и раздражительный, тоже был перевезен в дом престарелых. — Жизнь разменяла наши титанические мечты и свершения на жалкие гроши ревматизма, катаракт и атеросклероза, и они просто не могли этому поверить».

Я вошел в столовую, где дедушка уже ждал моего прихода. Все завистливо смотрели на него. Он радостно погладил мои жесткие вихры.

«Добрый день, Шуламит», — сказал я сидевшей рядом с ним женщине.

Шуламит, дедушкина крымская подруга, большая, сутуловатая, болезненного вида седая женщина в очках, приветливо улыбнулась мне в ответ.

Я опустил глаза.

Однажды, придя в дом престарелых, я не застал дедушку в столовой. Я пошел через лужайку посмотреть в окно его комнаты и увидел Шуламит, лежавшую на кровати. Ее задранное платье открывало дряблый живот. Дедушка стоял на коленях на ковре, и его лысая голова клевала ее тело между ногами, а она что-то говорила теми влажными, воркующими буквами, которые Пинес не захотел мне перевести. Я оставил молоко возле их двери, и дедушка отыскал меня потом на лужайке. Тинистый запах болота веял от его усов, когда он поцеловал меня в щеку.

Теперь я поставил бидон на стол, открыл крышку и налил дедушке кружку молока. «Прямо от коровы», — с гордостью сказал я, обводя взглядом всех присутствующих. Нянечка Шошана вытерла красные руки о передник и захлопала в ладоши.

«Замечательно, Миркин. Попей, Миркин. Правда, здорово, Миркин? Молоко очень полезно».

«Она думает, что все, кому за шестьдесят пять, больны Альцгеймером», — проворчал дедушка и выпил молоко до конца. Четыре кружки одну за другой. Шуламит молоко не любила.

Потом мы с дедушкой выходили из столовой, провожаемые завистливыми взглядами, и немного гуляли или сидели на веранде. Я по второму и третьему разу рассказывал ему о семье, о том, что слышно в саду и дома, что нового произошло в деревне.

— Как там Пинес?

— Снова слышал того многостаночника, который кричит по ночам.

— Кого он трахнул на этот раз?

— Каждый раз какую-нибудь другую.

— А Циркин?

— Циркин повздорил с Мешуламом. Он просил, чтобы Мешулам сжег колючки на их участке, а тот занят сейчас ремонтом сноповязалки.

— Этой развалюхи?

Дряхлую сноповязалку «Клейтон», с треснувшими оглоблями и сломанными крыльями, похожую издали на гигантский скелет растерзанной птицы, Мешулам нашел возле загона для быков. Я встал и, подражая ему, произнес напыщенно и важно: «Историю не сдают в утиль».

Дедушка засмеялся: «Этот Мешулам даже из своего отца сделает чучело, с мандолиной в руке».

Когда дедушка перешел в дом престарелых, Мешулам заявился ко мне и потребовал, чтобы я отдал ему для «Музея первопроходцев» все дедушкины бумаги, письма и личные вещи.

— Воспоминания Якова Миркина могут пролить свет на политическую ситуацию в Стране в начале Первой мировой войны, — объявил он мне.

— Он не писал воспоминаний, — сказал я.

— Письма и записки тоже имеют историческую ценность, — важно произнес Мешулам.

— Дедушка еще жив, и я охраняю его вещи.

Дедушка очень смеялся, когда я рассказал ему, как схватил Мешулама за воротник и пояс и выбросил наружу через окно.

«Этот Мешулам еще наделает бед, — сказал он и велел мне возвращаться домой. — И не забудь там поливать сад и помогать в коровнике. Не жди, пока Авраам тебя попросит».

Он долго стоял на веранде и провожал меня взглядом, пока я не исчезал за изгибом дороги. Один раз я нарочно прождал там полчаса, потом вернулся, пригнувшись, и посмотрел на веранду. Дедушка все еще стоял там. Согнутый годами труда. Высматривающий с тоской. Ждущий воздаяния. Сына своего Эфраима — чтобы вернулся. Сада своего — чтоб расцвел. Шифриса, последнего пионера, — чтобы пешком, по песку и снегу, проложил себе дорогу в Страну Израиля.

19

«У меня есть его фотография», — сообщил мне Мешулам. Он иногда подлизывался ко мне, когда мы гуляли между могилами, и всячески пытался понравиться.

Он вынул ее из кармана рубашки. Как все фотографии тех лет, она была обрезана зубчатой линией. Эфраим выглядел, как заправский пасечник. Из-под маски не видно было лица. Молодой и тонкий парень в широких брюках хаки и парусиновых туфлях. Ни красоты, ни уродства — одно только спокойствие было запечатлено на этом снимке. Столько лет прошло, а оно все еще ощущалось.

«Я отдам тебе ее в обмен на устав “Трудовой бригады“», — предложил Мешулам.

Я оттолкнул его. «Вали отсюда сам, пока я тебя не выбросил».

Я никогда не любил Мешулама. Когда я был ребенком, он часто приходил к дедушке, чтобы выпытывать у него подробности о первых годах в Стране.

— Скажи мне, Миркин, ты встречал Фрумкина на Киннерете?

— Ну?

— В той насосной, что возле Иордана?

— И там тоже.

— И ты слышал, как он говорил, что нужно бастовать, пока Берман не уйдет?

— Не делай из мухи слона, Мешулам. Берман не дал им лошадь и повозку, чтобы навестить больного товарища в Тверии, и, когда этот товарищ умер, они рассвирепели. Он их замучил до смерти. Как все чиновники в Кфар-Урия и во всех прочих крупных хозяйствах.

— Беркин писал в «Молодом рабочем», что в Кфар-Урия было четыре управляющих и что он обнаружил там финансовые нарушения.

— Ну?

— Вот, слушай, что он написал. — Мешулам прикрыл глаза и начал цитировать: — «В Кфар-Урия четыре управляющих одновременно, и чем они занимаются? Один, главный управляющий, живет в Петах-Тикве и приезжает с визитами верхом на осле, а из трех остальных один следит за посевами зерновых, а другой — за древесными насаждениями». — Мешулам открыл глаза. — Что ты на это скажещь?

— Извини, Мешулам, у меня много работы. — Дедушка досадливо пожал плечами и повернулся, чтобы уйти. Мешулам побежал за ним во двор.

— Ты не понимаешь, Миркин! Он говорит «четыре управляющих», а потом перечисляет — один в Петах-Тикве, один по зерновым и один на посадках. Да? А где же четвертый? Куда девался четвертый? А Билицкий говорит, что их было трое. Мне нужен человек, который сказал бы, кто из них прав.

— И это все, что тебя волнует? Сколько управляющих было в Кфар-Урия?! Почему бы тебе не спросить у Зайцера?

— Ты же знаешь, Зайцер со мной не разговаривает.

Как-то раз десятилетний Мешулам целый день таскался по пятам Зайцера и приставал к нему с вопросами, пока в конце концов не получил тяжелый удар по заднице. Он с ревом побежал к отцу, и тот сказал ему, что если он не прекратит свои глупости, то получит еще и от него.

Другие отцы-основатели тоже терпеть не могли Мешулама.

«Пошел вон отсюда! — в отчаянии кричал Либерзон. — Как я могу помнить, сколько денег требовал Ханкин у Абрамсона, чтобы выкупить земли Эйн-Шейха?!»

Промучившись шесть часов в обществе Мешулама, Либерзон в конце концов выронил из рук тяжелый мешок с кормом для коров и устало уселся на него. Восьмидесятилетние люди не любят слишком подробных расспросов, которые выставляют напоказ их дырявую память.

— Ты не должен помнить, — настаивал Мешулам. — Просто скажи.

— Двенадцать франков за дунам.

— Вот видишь, Либерзон, когда ты хочешь, ты помнишь, — сказал Мешулам. — Но тут возникает проблема, потому что Абрамсон в своем письме к Темкину по окончании войны ясно пишет, что уплатил пятнадцать франков за дунам. Куда же делись остальные деньги?

Мое терпение тоже лопнуло.

«Что ты ко мне пристал? — спросил я, швыряя фотографию на землю. — Кто мне докажет, что это вообще Эфраим?»

Корова была подарком друзей Эфраима по британской армии, которые после войны рассеялись по всему миру. Это была беременная первотелка весьма родовитой и ценной породы шароле. Основные деньги на ее приобретение пожертвовал сержант из подразделения Эфраима, вернувшийся в алмазные копи своей семьи в Родезии. Двое секретных агентов-шотландцев передали деньги бывшему макизару, который теперь занимался ремонтом гоночных мотоциклов в Дижоне, а тот купил корову у старой крестьянки в провинции Шароле и передал в руки шотландцев. Из Дижона они перевели ее по горным перевалам в один из портовых городов Средиземноморья, а потом британский флот перевез ее в Страну Израиля на сером миноносце, который выслеживал корабли, везущие нелегальных еврейских репатриантов в Палестину.

Эфраим надел свою форму и ордена и отправился в порт.

«Он вернулся на армейском грузовике «бедфорд» вместе с тем хромым офицером, майором Стоувсом. Корова, все еще зеленая от долгого плавания, стояла в решетчатом ящике».

Вся деревня вышла на дорогу, чтобы посмотреть на нее. Она была первым представителем своей породы в Стране Израиля. Вместе с ней, в плоской шкатулке орехового дерева, выстланной зеленым войлоком, прибыли ее документы — в рамочке и с печатью французского министерства сельского хозяйства.

«Мы первый раз видели такую корову. Низкая, широкозадая, битком набитая чувством собственного достоинства и генами такой чистоты, которая людям и не снилась. Я посмотрел на нее и впервые понял слова Ирмиягу, который назвал Египет «красавицей телицей»[1].

Наша «Кроткая», — сказал Пинес, — та замечательная первотелка Якоби, которая в тот год получила третье место на сельскохозяйственной выставке в Хайфе, выглядела рядом с ней, как сморщенный винный бурдюк гаваонитов.

«Она издавала нежный запах говядины, и моя дочь Эстер посмотрела на нее таким голодным взглядом, что все рассмеялись».

Полтора месяца спустя корова Эфраима принесла великолепного теленка породы шароле. «Ничего подобного в наших местах никогда не видывали». Роды принимали наш ветеринар и британский районный специалист, который отвечал за собак и лошадей окружной полиции.

«Она вела себя совершенно героически», — сказали они, сняв резиновые перчатки и отмыв руки от крови и кала. Породистая корова родила в укромном угле коровника, не издав ни единого стона, — не то что наши коровы смешанной породы, которые во время родов мычали так, будто их ведут на убой, призывая всех своих товарок подойти и присмотреться.

Эфраим с волнением глянул на новорожденного теленка, впервые вставшего на свои четыре ноги, и пришел в неистовый восторг. Толстая шея и квадратный лоб теленка, его массивные ноги и мягкие завитушки светлых волос — все вызывало в нем умиление. Он стал на колени, положил руку на тяжелый затылок теленка и снял с лица сетчатую маску, а теленок протянул к нему шершавый язык, лизнул обожженное мясо его щек и попытался сосать его изувеченные ухо и нос. Он еще спотыкался, когда пытался идти. Его мать стояла в стороне и сердито храпела, зарывая копытом послед.

«Это было началом их необыкновенной дружбы», — рассказывал мне Авраам, который был большим знатоком рогатого скота.

«Эфраим обнял теленка, — сказал Пинес, — и вдруг, поддавшись внезапному и смущенному желанию, поднял его на руки, как кормилица несет младенца, вышел с ним во двор и пошел в поле».

«И так он шел, твой дядя Эфраим, неся на плечах эти сладчайшие сорок килограммов и про себя уже решив, что назовет своего маленького француза Жан Вальжан». Дедушка развязал передник на моей шее, поднял меня со стула, посадил на плечи и начал кружиться и прыгать по комнате. Теленок шароле положил свою теплую курчавую голову в углубление хозяйской шеи и тихо сопел. Дедушка поскреб пальцами мой затылок, и со двора донеслось громкое мычание обезумевшей коровы, которая ищет своего теленка. Эфраим радостно и весело прыгал и кружил по полю, пока в воздухе не повеяло вечерней прохладой, и тогда он вернул Жана Вальжана его матери, чтобы она его покормила.

О чудном теленке толковали во всей деревне. Через два дня британский ветеринар вернулся, чтобы снова осмотреть его и продизенфицировать пуповину. Вместе с нашим ветеринаром он проинструктировал Эфраима, как выращивать теленка.

Каждый день Эфраим гулял с Жаном Вальжаном во дворе или в саду и каждую ночь возвращался к нему, когда кончал чистить коровник, чтобы проверить, жив ли он и здоров, суха ли и достаточно толста его соломенная подстилка и не сожрал ли его лютый зверь. Потом он ложился сам, его единственный глаз сверкал в темноте, а сердце было переполнено счастьем. Биньямин подсмеивался над ним и называл «Минотавром», но Эфраим не обижался и говорил, что только этот маленький симпатичный теленок никогда не видел его до ранения и поэтому принимает его таким, как он есть.

Когда Жану Вальжану исполнился месяц, дядя положил его на плечи и впервые со своего возвращения вышел на деревенскую улицу.

«Я иду показать ему деревню», — объявил он своим скрипучим голосом.

Его встретили удивленные взгляды, но Эфраим лишь проскрипел из-под маски, что показывает своему теленку место, где ему предстоит расти. «Нашу деревню». Люди шли за ним, смущенно улыбаясь, гладили Жана Вальжана и трогали его очаровательные ноги. Кое-кто улыбнулся Эфраиму и поздоровался с ним, и в его сердце проснулась надежда. Теперь его отношения с деревней пойдут на поправку, решил он, и, когда Хаим Маргулис пришел к нему и попросил помочь в деликатном деле уничтожения Булгакова, Эфраим охотно согласился.

Булгаковым назывался любимый толстый кот Ривы Маргулис, который одичал и превратился в самого страшного убийцу в нашей округе.

«Кот Маргулисов был единственным хищником, который убивал из удовольствия, а не от голода, — сказал Пинес, посвятив памяти Булгакова один из своих уроков природоведения. — Это результат дурного влияния людей».

Он объяснил нам, что это был одичавший убийца, «которому чужда была лесная мораль».

То был очаровательный, серебристый, длинноволосый персидский кот, который в один прекрасный день выпрыгнул из автобуса, приходившего в деревню раз в сутки. Прямо с остановки он направился к дому Маргулиса, как будто жил там всю свою жизнь. Великолепный кот вошел в дом, потерся о ноги Ривы Маргулис, и они оба зажмурились от удовольствия. Рива Маргулис никогда в жизни не видела такого красивого животного. Булгаков мягким прыжком взлетел на стол, лизнул молоко и с улыбкой обозрел ряды баночек, стоявших на подоконнике. Даже годы спустя Рива готова была поклясться, что слышала собственными ушами, как он вслух прочел все этикетки: «Мед из люцерны», «Мед из рощи», «Мед из помелло».

Гость постучал полированным когтем по банке с надписью «Мед из кормовых трав», требуя открыть ее для пробы, и, когда он кончил чистить усы и свернулся на Ривиных коленях, она мечтательно вспомнила о том ящике с приданым, что послали ей родители из Киева, — о толстых коврах, которые были конфискованы у нее Комитетом и обменены на голландских коров и ручные пулеметы, и о лиможском фарфоре и штойбенских бокалах, которые были перебиты в пшеничном поле, где их осколки до сих пор сверкали каждую осень, когда лемеха переворачивали землю.

Персидский кот вошел в дом Маргулиса ровно через двадцать лет после того, как был разбит последний из этих бокалов. «Единственный кот в Долине, который не хотел пить молоко с пенкой». Рива была уверена, что его тоже прислали ее родители. Она назвала его «Булгаков» по имени молодого русского любителя кошек, с которым она когда-то познакомилась в Доме писателей в Киеве.

«Можешь вымазать на меня целый улей меда, — сказала она мужу, — но этот кот будет принадлежать мне. А не всей деревне. Он не будет пахать и не будет таскать телеги, и его не будут доить».

Она повязала ему на шею пурпурную ленту, насыпала ему в деревянный ящик тонкий белый песок, а в обед великолепное животное уже ело вместе со всеми остальными членами семьи.

Назавтра Рива взяла его с собой в магазин.

«Ты делаешь большую ошибку, Рива, — сказала ей Фаня Либерзон, различив отвращение на лице кота при виде жалкого ассортимента на магазинных полках. — Этот кот не создан для такой деревни. Кто-то здесь будет страдать — или он, или мы».

Но Рива ласкала Булгакова и чувствовала, как его мягкая шерсть возвращает гладкость ее загрубевшим ладоням и превращает пыльный сеновал ее мужа в украинскую усадьбу, увитую золотым плющом.

Маргулис не возражал. «Пусть только держится подальше от ульев и не притрагивается к моим итальянкам».

Рива была совершенно помешана на чистоте, и Булгаков был единственным из членов семьи Маргулис, которому было разрешено входить даже в закрытые комнаты и лежать на зачехленной мебели. И как только кот закутывался в покрывало на диване, все пылинки тотчас оседали и исчезали, в воздухе распространялся тонкий запах лесных ягод в сметане и слышались шаркающие шаги служанок в коридоре. Он не приближался к ульям, ни разу не пошел на сеновал охотиться за мышами, не лазил по деревьям и, когда на него набросилась одна из собак Рылова, не убежал, а поднял свою большую лапу, поднес к глазам, как будто изучая, и один за другим выбросил острые когти, точно череду стремительных молний.

Так он прожил три года, а потом, однажды ночью, гуляя по деревенским садам с брезгливым барским выражением на лице, случайно забрел в кусты, что росли у источника, и встретил там диких кошек, филинов и мангустов. Никто не знает, что там произошло, но с тех пор его образ жизни резко изменился. Прежде всего, он перестал мяукать и начал выть хрипло и громко, как уличные коты; затем утратил все свои церемонные манеры и стал нетерпеливым, резким и злобным. Все заметили, что он изменился, но никто и представить себе не мог, чем это кончится. Как обычно у нас в деревне, никто не давал себе труда расшифровать явные знаки. А ведь уже были у нас собаки, которые выли с шакалами, дети земледельцев, которые сбежали в города, беглые телята, которые пытались присоединиться к водяным буйволам. «А вершиной всего была почтовая голубка Рылова, которая вздумала вдруг переселиться к диким скальным голубям на их горные утесы и выдала им все наши военные тайны», — сказал Ури. Но никто не предполагал, что то же самое произойдет с Булгаковым.

Его великолепная длинная шерсть укоротилась до вздыбленной, злой щетины, на ушах торчали теперь пучки черной шерсти, как у дикого каракала, и в конце концов он насовсем ушел из дома и переселился в поля, оставив изумленного Маргулиса и потрясенную Риву.

Рива ходила его искать, разбрасывала по полю куски жареной печенки, расставляла там и сям его любимые блюда из сметаны, выкладывала кучки чистого песка — и все впустую. Иногда она видела, как он проносится, словно тень, меж деревьями сада. Однажды она бросилась за ним, умоляя вернуться, но Булгаков обернулся к ней, угрожающе встопорщил усы и зашипел. Удушливый запах желудочного сока и гнилого мяса вырвался из его глотки. Она вернулась домой в слезах и всю ночь чистила ручки дверей наждачным порошком и лимонным соком.

Страсть к убийству ради убийства побуждала Булгакова оставлять в деревенских курятниках сотни окровавленных трупиков с порванной глоткой. Как все вернувшиеся к вере отцов неофиты, он с ярым усердием соблюдал заповеди своей новой жизни. Куры, обычно поднимавшие безумный гам при малейшей опасности, так боялись Булгакова, что тотчас немели, когда его очаровательная клыкастая морда появлялась за сеткой курятника. Он уничтожал целые выводки анконских цыплят, причем своим бывшим хозяевам причинил больше вреда, чем всем остальным, — как будто сознательно мстил им за что-то. Его пытались загнать в западню или в засаду, но это ни разу не удавалось. Пригласили даже друзского охотника из горного села, но дьявольский кот прыгнул ему на затылок, в клочья порвал на нем рубашку и шапку, и тот вернулся домой весь бледный, шепча молитвы.

Маргулис в отчаянии решил обратиться к Рылову, и тот позвал на помощь двух своих старых соратников по «а-Шомеру» из Галилеи. Но на кота не произвели впечатления их потертые арабские бурнусы, кавалерийские сапоги, маузеры и тайные пароли, брошенные ему в морду. Он был увертлив и хитер, знал человеческие обычаи, игнорировал отравленное мясо, избегал ловушек и двигался тихо, как облако.

«Я уверен, что какая-нибудь курочка сама со страху открывает ему дверцу курятника», — сказал Маргулис дедушке и Эфраиму.

Эфраим одолжил у англичан ружье и один патрон, и когда зашло солнце, занял боевую позицию среди снопов на сеновале Маргулиса. В своем воображении я вижу его единственный глаз, который глядит сквозь ячейки сетки и пучки соломы. Когда Булгаков появился, Эфраим неслышно вышел из своего укрытия и бесшумно зашел коту в тыл, криво усмехаясь под маской.

Маргулис и дедушка прятались на складе. «Мы смотрели в окно и видели хищника и охотника, которые следовали друг за другом, как две беззвучные тени». Три зеленые точки — две внизу, одна повыше — горели во мраке. Перед самым входом в инкубатор Эфраим крикнул: «Руки вверх!»

Булгаков застыл. «Не от страха, а от удивления», — пояснил дедушка. Пучки шерсти на его ушах поднялись торчком, и он повернулся, чтобы посмотреть, кто это сумел его перехитрить. Эфраим сдернул свою маску, и кот разинул рот от ужаса. В этот разинутый рот Эфраим и послал свою единственную свинцовую пулю, медный носик которой он загодя распилил. Надсеченная пуля взорвалась в черепе Булгакова и превратил его мозг в кучу мельчайших кусочков, которые судорожно дергались и извивались на полу и на стенах под напором зла и жестокости, заключавшихся в них.

«Теперь мы с тобой похожи», — сказал Эфраим, глядя на искромсанный труп, который продолжал дрожать, истекая клейкими ядами. Сказал и вернулся в свою комнату.

20

Иногда ко мне заглядывают гости из деревни. Голодный солдат по дороге домой, казначей или другой администратор, оказавшийся по делам в одном из прибрежных городов. С удивлением бродят они по огромному дому, выходят на берег посмотреть на море и на купальщиц. Кто помоложе стеснительно просит одолжить плавки, которых у меня нет, а пожилые отворачиваются от простора и переводят взгляд на живую изгородь или опускают его к земле, потому что их душа ищет покоя привычных ей ограничений и рамок.

Сам я давно уже перестал замечать море. Шум его я не слышу, разве только изредка, когда намеренно вслушиваюсь в него. Вид мерно катящихся волн тоже давно перестал меня гипнотизировать. С такого близкого расстояния море утрачивает растворенную в нем грозность. Мягкое и ленивое, оно едва шевелится, нежась на солнце, и даже в зимние дни, когда становится свинцовым и хмурым и дождь покрывает его мелкими фурункулами, оно кажется веселым. Я не плаваю в нем, и оно меня не пугает.

«Что слышно?» — спрашивают они.

«Все в порядке».

Я стараюсь быть гостеприимным — по своему разумению, понятно. Легенды о моем богатстве — впрочем, вполне оправданные — распространились широко и быстро, и они, возможно, ждут, что я угощу их первосортным мясом и бараньими ребрышками, но я все еще хожу в той же старой одежде и продолжаю есть то же, что ел в деревне. Только молозиво я перестал пить, потому что достаточно вырос и окреп и уже выполнил все желания дедушки. На одном краю лужайки, что перед домом, я смешал семь кубов тяжелой земли из нашей деревни с песчаной землей побережья. Бускила привез мне эту землю в кузове черного пикапа, и сейчас я выращиваю там несколько кустов помидоров, зеленый лук, огурцы и перцы. Мои наседки, которые раньше бегали по всему двору, теперь несут яйца в загончике, потому что соседские дети бросали в них камни, и я боялся, что в один злосчастный день выйду и двину кого-нибудь из них со слишком печальными последствиями.

«Очень красиво», — говорят гости, переходя из комнаты в комнату с той же осторожностью, с которой ступали когда-то среди памятников моего кладбища. Ходят молча, подавленно, в неловком, смущенном изумлении, высматривая тайны и разгадки.

Я принимаю их на кухне. Готовлю салат, крутые яйца. Разминаю пюре с простоквашей и жареным луком, нарезаю селедку.

«Что нового в деревне?»

Они рассказывают мне о Рахели Левин, над которой не властны годы, о жене Якоби, секретаря Комитета, которая организовала в деревне драматический кружок, о спорах по поводу взаимных банковских гарантий, о сыне Маргулиса, который сбросил с себя ярмо кооперативной торговли и открыл на дороге у въезда в деревню частный киоск для продажи своего меда, чем вызвал бурную перепалку на общем собрании членов мошава.

«Это все во многом из-за тебя», — сказал мне Узи, внук Рылова, который неожиданно появился у меня за несколько месяцев до того, как погиб на одной из войн, — заявился как ни в чем не бывало, как будто забыл, что когда-то прыгал на моей спине и дергал меня за уши, и как будто это не его отец Дани обзывал Эфраима всякими бранными словами. Я не виню его в беспамятстве. Сейчас я понимаю, что есть люди, которые помнят хуже, чем я, и это меня уже не удивляет. Ведь я-то, подобно Мешуламу, всю жизнь только и делал, что упражнялся на беговых дорожках чужих воспоминаний.

— Во многом из-за тебя, — настаивал Узи. — Ты поломал что-то такое, что было принципиальным для нашей жизни.

— Так хотел дедушка, — ответил я устало.

Узи оскалился в раздражающе-хитроватой ухмылке.

— Старому приятелю ты бы мог сказать правду, — сказал он. — Брось строить из себя дурачка. Все давным-давно знают, что ты намного умнее, чем мы о тебе думали и чем ты сам кажешься на вид.

Однажды, открыв дверь, я увидел перед собой Даниэля Либерзона.

— Я случайно проходил здесь и решил зайти, — сказал он сердито.

— Добро пожаловать, — пригласил я его.

Даниэль был первым гостем, который не обогнул китайский ковер в гостиной. Он прошагал по нему в своих рабочих ботинках, направился прямиком в кухню, открыл холодильник и заглянул внутрь.

— У тебя что, нет холодной воды?

Чувствуя себя почти виноватым, я показал ему маленькую нишу в дверце холодильника, которая выбрасывала кубики льда.

— Какой прогресс! — улыбнулся он. — А твоя бабушка оплакивала у нас в доме холодильник своего американского дядюшки.

Даже сейчас мне легко было представить его ползущим в пеленках к колыбели моей матери. Его лицо все еще выражало любовь и абсолютную преданность, и зуд убийства по-прежнему гнездился в кончиках его пальцев.

Он выглянул в окно и глубоко вздохнул.

— Воздух здесь совсем другой, — сказал он. — Пошли, Барух, погуляем на берегу!

Даниэль шагал медленно, и расстояния между его следами были такими точными, словно кто-то отмерил их сантиметром. Я помахал издали Давиду — старику, который сдавал в аренду шезлонги.

— Так что ты делаешь целый день? — спросил Даниэль.

— Ничего особенного.

— Я иногда навещаю ваш дом — в годовщину смерти отца, в годовщину смерти матери. Ури работает хорошо. Надежный хозяин. Серьезный. Он очень изменился, твой двоюродный брат. Изменился к лучшему.

Даниэль не похож на своих родителей. Голова Элиезера Либерзона оставалась кучерявой до самой его смерти. Даниэль был уже почти лыс, крепче своего отца, спокойнее его.

— А иногда я поднимаюсь на холм, на могилу твоей матери.

Если ему хочется говорить об этом, пусть говорит, подумал я. Не мне ему мешать. Я тоже привязан и пригвожден, как он. Железное кольцо земли и воспоминаний навеки вдето в наши носы.

— Сегодня я уже не злюсь, — продолжал он. — Я пришел к общему выводу, что влюбился в нее в надлежащем возрасте и эта любовь кончилась тоже в надлежащем возрасте.

За нами послышалось громкое тарахтенье. Парень и девушка на синем мотоцикле ехали вдоль берега, по самой кромке, мелькая молниями золотистых тел и зубчатыми узорами шин, и разбрызгивали во все стороны воду и мокрый песок.

— По сей день, даже после того, как я женился на другой женщине и родил с ней детей, я встречаю людей, которые смотрят на меня, а в глазах у них — Эстер.

Жену Даниэля я знаю только издалека. Невысокая, крепкая женщина, немного похожая на ослицу и такая же работящая. Он привез ее испуганной и взволнованной девушкой из мошава новых репатриантов, где когда-то работал инструктором, и у нас в деревне она заслужила снисходительную оценку: «Хоть и румынка, но вполне в порядке».

— Они все еще помнят меня и Эстер, когда мы были детьми. Мешулам говорит, что наша любовь была для деревни как шанс, как пророчество, вышедшее прямиком из пинесовских уроков Танаха. Сын Либерзона с дочерью Миркина. Если бы не моя мать и не твой дед, оно бы и осуществилось.

— Как там Мешулам?

Он отмахнулся.

— Ты бы мог быть моим сыном, — прошептал он. — И уж конечно, ты бы выглядел и вел себя иначе.

— Или меня бы не было вообще.

— Это была детская любовь, — сказал Даниэль. — В восемь лет, когда все мальчики ненавидят девочек, Пинес посадил нас вместе в школьном хоре, и вот тогда я влюбился в нее.

«Каждое событие, произошедшее в этой Долине, имеет больше версий, чем участников», — сказал мне как-то Мешулам.

— Когда мы были в третьем классе, она потащила меня на гору. «Там водятся куропатки, — сказала она. — Я хочу наловить куропаток и нарвать цветов, чтобы потом засушить». Мы ходили с ней целый день, а перед заходом солнца она сказала: «Давай останемся здесь на ночь, среди скал». Она ничего не боялась, но уже тогда умела дать мне почувствовать, будто ждет, что я буду ее защищать. Ты представляешь себе — девятилетняя девочка...

Всю ночь мы лежали среди скал, и она сказала, что никогда не выйдет за меня замуж, потому что я слишком серьезный, слишком влюбчивый, слишком зависимый. В девять лет! Это все из-за мяса, которое она ела в таких количествах. Она выглядела, как девочка, а рассуждала, как женщина.

— И что дальше?

— Утром нас нашел Зайцер. Деревня всю ночь была на ногах. Рылов привел с холмов пастухов-бедуинов и всадников из Тель-Адашим[1], но Зайцер всегда находил пропавших детей, вот он и нас доставил домой.

— Нет, с вами, что было дальше с вами?

— С нами? — Его голос поднялся до крика. Два рыболова, что каждый вечер приходили на берег, обернулись и посмотрели на нас. — Ты спрашиваешь, что было дальше с нами? Ты что, хочешь надо мной посмеяться? Ты не знаешь, что было дальше?

Я промолчал. Сравнение версий всегда вызывало у меня разочарование.

— Она предпочла твоего отца, который был таким здоровенным, сделанным из одного куска, тупым животным, что сумел внушить ей замечательное ощущение мужского безразличия.

— Он спас ей жизнь! — взорвался я. — Когда вы с Эфраимом побежали искать лестницу, он поймал ее руками, не дав ей упасть!

— О Боже! — взвыл Даниэль. — Это то, что тебе рассказали? Что он ее спас?

Я молчал.

— Они были очень интересной парой, твои отец и мать. В деревне рассказывают всякие глупости — будто я ухаживал за ней, принося ей горшки с жареным мясом, будто на ее свадьбе я спрятался в эвкалиптовой роще и выл там, как бык, а потом пропахал ее имя буквами километр на километр...

— А разве нет?

— Послушай, — сказал Даниэль, резко повернувшись ко мне, — ты что, всерьез полагаешь, что в самый разгар пахоты, за считанные дни до посева, у человека есть время выпахивать километровые буквы по всему полю? В каком мире ты живешь, черт возьми, в каком мире?! Ты что, не знаешь, что происходит в деревне? В государстве? Какие трудности переживает Рабочее движение? Что молодые уходят из деревень и все по уши в долгу? Что люди продают дойных коров и выкорчевывают сады? Ты что, не знаешь, что люди гибнут на войнах? Или, может, ты думаешь, что памятники павшим — это очередная окаменелость, которую Пинес выковырял из земли?!

Мы шли молча. Дыхание Даниэля постепенно успокаивалось, и его щеки перестали дрожать.

— Кто действительно мне помог, так это твой дед, — сказал он наконец. — Я вырвал ее из своего сердца после той ночи, когда он услышал, как я вою, словно идиот, под вашими окнами. Он вышел ко мне на своих кривых кавалерийских ногах и сказал: «Так ты ее никогда не вернешь». И я, сын Элиезера Либерзона, Даниэль-спортсмен, танцор, влюбленный дурак, поднялся с земли и подумал — черт возьми, а ведь я действительно не знаю никакого иного способа ее вернуть...

Мы снова замолчали.

— Я вырвал ее из души, как вырывают сорную траву, дикую акацию и пырей. Я не оставил в земле ни единого междоузлия, ни единого корешка, и сжег все дотла. Она не стоила даже самой крохотной любвишки.

— Я не очень-то разбираюсь в этих делах... — пробормотал я.

— Та ночь на горе, — сказал Даниэль, — это единственное, что я храню в своем сердце. Мы были детьми, мне сейчас трудно в это поверить, но мы были всего-навсего малышами. Дикие кошки подходили к нам той ночью, шакалы обнюхивали наши ступни. Она говорила всю ночь, а я со страха гладил ее, целовал в шею, слушал ее своим ртом.

Голосовые связки в горле матери трепетали, заставляя дрожать воздух. В свои девять лет Даниэль не мог понять, что отныне и далее вся его жизнь покатится под откос, по страшному склону прозрения.

— Что ты сказал?

— Ничего, — ответил я. — Просто так.

— Я не собирался тебе рассказывать, — сказал он. — Я зашел случайно. Я знаю, что ребенком ты был очень привязан к моим родителям. Они тоже очень тебя любили. До определенного момента, конечно. И поверь мне, я не собирался рассказывать тебе все это.

— Ты не так уж много рассказал. Основную часть я уже знал.

— Так и будешь стоять на своем, да? — Он с любопытством посмотрел на меня. — Когда ты был мальчиком, я наблюдал за тобой. Ты, конечно, этого не замечал. Как-то раз я пошел с вашим классом на экскурсию, Пинес просил меня сопровождать вас, и я не спускал с тебя глаз. Только бы с тобой ничего не случилось, иначе потом я буду виноват во всем. Ты был странный мальчик, очень привязанный к Пинесу. Таскал его банки с формалином и сачки и даже шевелил губами, когда он говорил.

— Пинес был мне вторым дедушкой, — сказал я.

— На их свадьбе и после все смотрели на меня с сожалением, как будто я нуждался в помощи. Мы ведь люди с принципами. Товарищу нужно помочь в беде. Даже если он молод и глуп. А моя мать, эта бабочка из виноградника, эта богиня любви, смеялась надо мной.

Понимаешь, — добавил он, помолчав, — все это произошло потому, что твоя несчастная бабушка Фейга была для моей матери, как тот дибук[2]. Только поэтому.

«Все эти любовные истории в нашей деревне, и застарелые счеты между домами, и ненависть между семьями — как сообщающиеся сосуды, — заметил он, когда мы вернулись ко мне. — Нажимаешь с одной стороны, и вся грязь и дерьмо вылазят с другой, а в конце все выравнивается, уравновешивается, успокаивается. Я уплатил за то, что твой дедушка продолжал любить свою крымчанку. Мешулам убил Хагит, потому что Песе Циркин было тяжело работать в поле и по хозяйству, а твоя бабушка, несчастная Фейга Миркина, — эта уплатила за все. Я еще помню ее. Хоть я был ребенком, когда она умерла, но я ее помню. Мои родители никогда в жизни не ссорились — только из-за нее».

«До того, как я пришла в ваш мошав, я видела твою бабушку всего несколько раз, — рассказывала мне в детстве Фаня Либерзон. — И всегда издали. Первый раз это было возле Мигдала[3]. Она шла со своими по горе, и среди наших ребят как будто электричество пробежало. Они зашептались и стали показывать пальцами. Фейга была одета как все еврейские рабочие в Галилее — белая рубашка и красные арабские ботинки. Прямо чувствовалось, как эти трое к ней привязаны».

Фаня улыбнулась. «Я никогда не пахала, и не сеяла, и не работала на каменоломне. У нас в кибуце все были большие идеалисты и без конца твердили о равенстве и взаимопомощи, но девушек почему-то всегда посылали на кухню. Накануне вечером у меня пригорела чечевичная каша, и тот позор и обиду, что они на меня вылили, я никогда не забуду. Они устроили мне настоящую демонстрацию — стучали тарелками по столу, передавали их из рук в руки и швыряли на пол. Я всю ночь проплакала. Фейга Левин славилась среди женщин во всех кибуцах и мошавах».

Поселившись в мошаве, Фаня попросила Либерзона представить ее Фейге. «Я подошла к ней, стесняясь, и посмотрела в глаза». Она заметила, что бабушкин взгляд рассеян и устремлен куда-то мимо. Он как будто огибал ее с обеих сторон. Не веря собственной смелости, Фаня подняла руки и прижала их к Фейгиным вискам. «Виски у нее всегда были холодные и влажные. Как будто замороженные».

Взгляд бабушки обрел фокус, и две женщины стали закадычными подругами. В последующие годы бабушка родила троих детей, одного за другим. Фаня родила одного мертвого ребенка, а за ним Даниэля, своего единственного сына.

«Тебе нужно было выйти замуж за всех троих — или не выходить ни за одного», — говорила Фаня. Она знала, что Яков Миркин очень тепло относится к жене, но не любит ее.

«После десяти лет совместной жизни они уже были как три брата и сестра», — обычно замечала Фаня, когда люди высказывали свои предположения о «Трудовой бригаде». Она не простила мужу и двум его друзьям, ярость горела в ней со дня смерти бабушки и не утихала ни на одно мгновение.

«Я видела, как она сидела и плакала на большом базальтовом камне на берегу Киннерета. Был вечер, и они трое расчесывали ей волосы. Эту картину я никогда не забуду», — рассказывала Фаня Рахели Левин. Две старухи сидели в благоухающем саду Рахели, и ароматы его эфирных масел окутывали и меня, прятавшегося в кустах живой изгороди.

Даниэль улыбнулся. «Все знали, что ты прячешься и подслушиваешь, — сказал он. — Мне это не мешало».

Мы сидели на крыше моего дома. «Это мой наблюдательный пункт», — сказал я ему, накрывая на стол.

«Я еще помню твоего дедушку молодым мужчиной, твою бабушку, Эфраима, когда он был мальчишкой».

— Твой дедушка был самый умный человек, которого я знал, — сказал Даниэль на следующее утро. — Умный и злой. — Он был в хорошем настроении. Он подошел к моим грядкам в углу лужайки, сорвал один перец с куста и съел его с наслаждением. — Замечательный перец, — сказал он. — У нас уже никто не выращивает овощи, только Рахель Левин. Теперь мы покупаем овощи в магазине, как горожане. Такой у них и вкус.

— Мне всегда было интересно — почему они все, со всего мира, захотели вдруг, чтобы их похоронили рядом с ним, — сказал я.

— Это, наверно, дело моды, но он, безусловно, был человеком, которого все почитали. Даже мой отец всегда чувствовал себя рядом с ним маленьким и виноватым. А Циркин — тот вообще...

Знаешь, — добавил он, — когда я был ребенком и много времени, как тебе известно, проводил у вас дома, к нему приезжали со всей страны спрашивать о фруктовых деревьях. Потому что по всей стране знали, что он умеет лечить гуммоз в апельсиновых рощах.

Может, они видели в нем пророка? — сказал он, подумав. — Миркин под пальмой. Пророк Миркин — с зелеными пальцами и с нимбом тоски вокруг головы.

21

Так завязалась большая любовь между Эфраимом и Жаном Вальжаном, и по прошествии нескольких недель, во время которых теленок прибавлял по килограмму и больше в день, его прогулки на плечах хозяина стали рутиной. Несмотря на изрядную тяжесть, Эфраим чувствовал себя легким и счастливым, как будто этот теленок был костью от его кости и плотью от его плоти. «Толстая француженка», как ее называли в деревне, уже привыкла, что ее сын благополучно возвращается с этих прогулок, и отдавала его Эфраиму со спокойным сердцем. Теленку это тоже понравилось, и теперь по утрам он уже поджидал хозяина во дворе, прыгал ему навстречу, кокетливо и нежно толкал его в бока своим твердым лбом, резвясь, как младенец, который просит, чтобы его поскорее взяли на руки. К этому времени, по моим расчетам, его вес уже достиг ста пятидесяти килограммов. Эфраим по-прежнему с легкостью таскал теленка на плечах, но постепенно эта странная привычка восстановила против него многих в деревне. Укоризненный ропот слышался, понятное дело, и среди животных, и некоторые мошавники опасались, что поведение Эфраима вызовет подъем вольномыслия в их коровниках. Разумеется, не было недостатка также в шутниках и завистниках, которые ядовито прохаживались насчет дружбы Эфраима с животным. «Кто знает, не потребуют ли вскоре наши коровы и ослы, чтобы их тоже носили на закорках, как Жана Вальжана?» — написал какой-то аноним в деревенском листке. Злые языки толковали также о «наших деревенских «Отверженных» — французском теленке Жане Вальжане и его хозяине Квазимодо». Когда эти прозвища достигли нашего дома, дедушка побелел, как смерть, и с тех пор навсегда остался бледным. Эстер и Биньямин надеялись, что весеннее солнце вернет его лицу прежний цвет, но дедушка продолжал оставаться белым, как молоко, до самого смертного часа, и под его выцветшей кожей уже плела мстительную паутину холодная и расчетливая ненависть. Когда Биньямин со всей своей неторопливостью и основательностью выяснил, что прозвище «Квазимодо» придумал для Эфраима рыловский сын Дани, он отыскал его, положил ему на плечо тяжелую руку и сказал: «Ты теперь берегись в своей кровати, потому что у меня ты капут, понял!»

Мой несчастный дядя, который любил Жана Вальжана и «надеялся, что с его помощью сможет вернуть себе расположение деревенских друзей», снова заякорил свою жизнь на необитаемом острове одиночества. Молчаливый и странный, шагал он со своим великолепным грузом на плечах, словно раздвигал грудью незримые преграды. Он перестал появляться на деревенских улицах, а уходил теперь в далекие просторы никем не возделываемых и не орошаемых полей. Крестьяне, завидев его, сходили с дороги, и только дети все бежали за ним, выпрашивая разрешения погладить Жана Вальжана.

Дедушка, вопреки своему обыкновению, обратился к старым товарищам и потребовал, чтобы они помогли ему вернуть сына в «круговорот общественной жизни», пусть даже с его изуродованным лицом, лишь бы он не превратился окончательно в безумца, таскающего животных на спине. Но у жителей деревни Эфраим по-прежнему вызывал страх — своим ужасным лицом, своей маской и тем, что носил на себе быка, выворачивая этим неизнанку установленный природой порядок.

«Наш замечательный, подробнейший устав не предусматривал, что кто-то из второго поколения будет изуродован на войне и станет носить на плечах теленка, — с горечью сказал дедушка. — Тем временем этот Жан Вальжан все рос и рос, а мой несчастный сын не переставал его носить».

Достигнув зрелости, Жан Вальжан представлял собой тысячу двести килограммов бесподобного говяжьего мяса. Чудовищная сила, скрытая в теле моего дяди, пробуждала в людях испуг и изумление. Но Жан Вальжан был единственным быком своей породы во всей Стране, и вскоре члены мошава стали один за другим стучаться к Эфраиму, чтобы он согласился случить своего породистого самца с их коровами-первотелками.

Поначалу Эфраим злился и отказывал. Но мне представляется, что где-то в глубине своего одиночества он понимал, что его покой все равно будет вот-вот нарушен все более восстающей мужской силой Жана Вальжана. Ведь и я, в глубине своего тела, порой ощущаю то же самое. Эфраим и сам уже давно оставался без женщины. Он мог думать, я полагаю, что так оно лучше, хотя, говоря по совести, я плохо разбираюсь в таких вещах. Но Жан Вальжан откровенно хотел самку, и было видно, что его мужская сила требует выхода, потому что порой его острый член выползал из своего чехла наружу и на ощупь тыкался в воздух, точно красная палка слепца.

Примерно в это же время к нам пришло письмо из Франции, из далекого округа Шароле. Сейчас оно хранится в нашей времянке, а тогда Бускила перевел мне его, покатываясь со смеха. Крестьянка, которая продала корову мотоциклисту из Дижона, интересовалась, «напрыгивает ли уже ее бычок на телок», и напоминала, что «каждая капля его *crème* ценится на вес золота». Английские и шотландские друзья Эфраима тоже сказали ему, что этот его бык — не просто знак и символ их военной дружбы, но также выражение их надежды увидеть, что их брат по оружию заново построил свою жизнь и достойно зарабатывает на свои нужды.

Деревенские и впрямь готовы были изрядно платить за «напрыгивания» могучего шароле. Но у дверей Эфраима стали собираться и скотоводы из соседних селений, у которых захватывало дух при виде Жана Вальжана и перспектив, таящихся в его громадном теле. Эфраим стал важной персоной. Каждое утро он вставал, расчесывал светлую шерсть своего быка, тщательно мыл его копыта и короткие рога, чтобы они блестели на солнце, хлопал его по мощному загривку и дружелюбно хрипел: «Вставай, скотина ты эдакая, пора на работу!»

Жан Вальжан закрывал глаза, слегка втягивал живот и расставлял плотные ноги, и Эфраим подлезал под него и поднимал на плечи. Руками он держал его мощные копыта, так что изуродованное лицо почти исчезало в буграх светлого, тяжело пыхтящего бычьего брюха. А на его груди, словно загадочный плод, покачивалась розовая мошонка с бычьими яйцами, которые кормили их обоих.

Могучие потомки этого французского быка населяли деревенские хлева еще многие годы после того, как исчезли и сам Жан Вальжан, и его хозяин. Даже сегодня, навещая деревню, я порой вижу то какого-нибудь непривычно светлого теленка, то первотелку с необычно широким лбом или молодого бычка с мощным курчавым затылком. *Crème* Жана Вальжана все еще клокочет в деревенских коровниках, выплескиваясь наружу белыми струями укоризненного напоминания, о котором люди не хотят говорить.

Деревенские дети бегали за дядей и его быком в надежде подсмотреть «представление», но Эфраим вел себя деликатно. «Приходя к первотелке, он первым делом требовал, чтобы все удалились». Потом опускал Жана Вальжана в углу коровника, проверял чистоту и сухость пола, чтобы бык не сломал себе ногу, поскользнувшись во время случки, а затем задергивал полотнище из мешковины от стены к стене, оставаясь наедине с коровой и Жаном Вальжаном. Люди, стоявшие снаружи, слышали нетерпеливое постукивание больших копыт и скрипучие подбадривания Эфраима, потом громкий стон коровы, когда на ее зад наваливалась огромная тяжесть, и тут же глубокое, частое дыхание быка, выталкивающего свое семя.

Эфраим отдергивал полотнище, высовывал покрытую маской голову, стыдливо говорил: «Мы кончили» — и смазывал влажный пах быка специальной дезинфицирующей мазью. Через несколько месяцев работы он собрал достаточно денег, чтобы построить Жану Вальжану небольшой, но шикарный хлев, а себе приобрести большой радиоприемник, патефон и несколько пластинок. На крыше своей комнаты он поставил большую антенну, на которую подозрительно косились все в деревне, и после обеда лежал часами на кровати, слушая пластинки Биньямина и звуки мехов шотландских волынок, да порой принимал у себя людей из британской разведки, за которыми зорко следил неутомимый Рылов.

Все эти годы Шломо Левин продолжал приходить к нам, чтобы поработать на нашем участке. Он всегда был плохим крестьянином, но его тяга к земле не угасла, а дедушка был ему благодарен, потому что помнил, как Шломо помогал ему в уходе за детьми и в работах по дому после смерти Фейги. Теперь Левин вспомнил, что он «был мальчику вместо матери», и, осудив «проделки Эфраима с быком», заявил, что нужно потребовать от него выполнять все обычные работы в хозяйстве, и это вернет парня обратно к нормальной жизни. Но дедушка резко ответил ему: «Все, что делает Эфраима счастливым, хорошо и в моих глазах».

Тем временем прервалась жизнь «толстой француженки». Мать Жана Вальжана так и не привыкла к особенностям Страны и умерла, отравившись клещевиной. После этого огромный сирота еще сильнее привязался к Эфраиму. Зайцер, который очень симпатизировал Жану Вальжану, как и всем, кто делает свое дело, и делает его хорошо, и даже жалел его за сиротство, как-то поймал Левина во дворе и коротко объявил ему на своем языке, что «и у животных есть своя доля в возрождении еврейского народа».

«Если он достаточно силен, чтобы таскать быка на спине, — ответил Левин, — пусть займется еще чем-нибудь полезным. Нехорошо, когда парень все время проводит один в комнате и зарабатывает на жизнь чужим развратом».

Но на самом деле ранение подкосило Эфраима. Сила просыпалась в нем только для Жана Вальжана. Другие грузы он не мог поднимать. Мой отец Биньямин, к примеру, спокойно приносил два мешка с кормом от тачки к коровнику, даже не запыхавшись, а Эфраим качался под одним таким мешком. Никто не мог понять, как ему удается поднять своего тяжеленного быка. Никто, кроме Пинеса, который в своей заметке в деревенском листке утверждал, что «случай Эфраима и Жана Вальжана не поддается биологическим или физическим объяснениям, потому что мы имеем здесь дело с психологическим феноменом — дружбы, готовности, большой надежды и душевного подъема».

«У каждого человека есть свой бык, которого он должен поднять, — писал Пинес. — И в каждом из нас сокрыты плоть, и семя, и громкий вопль, который гнездится в его сердце и ищет выхода».

22

Однажды ночью я подслушал, как Ривка говорила Аврааму: «Ты уверен, что эта корова сдохла от клещевины? А может, это твоя сестра зарезала ее на жаркое?»

Охваченный страхом, я бросился к Пинесу. Дом учителя был всегда открыт настежь, и его старое тело, распластанное на спине в детской доверчивости широко разбросанных рук и ног, излучало доброту и понимание, которые хранились в этом человеке для всех и каждого.

«Ривка всегда была плохой ученицей», — утешил он меня. И даже не упрекнул за то, что я ворвался в его дом и разбудил его. С тех пор как после смерти дедушки я произвел Пинеса в своего приемного деда, он стал относиться ко мне с необычайной терпеливостью.

«Не верь всем этим россказням, — добавил он и сказал строго: — Есть ведь и такие люди, которые говорят, будто Эфраима изгнали из деревни, потому что он передавал наши секреты англичанам. Он дружил с майором

Стоувсом, и кое-кому у нас — не буду называть их по имени — это не нравилось».

В те дни в деревне появился некий консультант по курам, который слишком много крутился возле рыловского двора. Через несколько дней его нашли в эвкалиптовой роще, с застывшим багряным цветком меж глазами, а к его груди была прикреплена булавкой страница, вырванная из Танаха.

«Все это чепуха, — продолжал Пинес. — Эфраим ушел из-за смерти твоих родителей. Он был очень привязан к ним. Биньямин был ему как брат и любил его всей душой».

Но были в мошаве и такие люди, которые полагали, что Эфраим исчез из-за той цирковой акробатки, которая выступала у нас в деревне вместе с человеком по имени Зейтуни, тогда как другие утверждали, что он просто потерял надежду «вернуться в коллектив и включиться в ткань общественной жизни».

«Сколько может человек наслаждаться обществом животного?» — гневно вопрошал дедушка, в душе которого участь Эфраима разожгла злобную ненависть к деревне.

«Не хорони меня на их кладбище, — наставлял он меня перед смертью снова и снова. — Эти лицемеры выгнали моего сына. Похорони меня на моей земле».

«Чего они от нас хотят? — сказала Ривка. — Всем было противно смотреть на его лицо. Урод, да к тому же еще ненормальный. Чего они от нас хотят?»

«Я знаю Эфраима. Он ушел, чтобы отомстить», — сказал майор Стоувс после того, как он и его люди целый день обыскивали хозяйство Рылова, так и не догадавшись, что его оружие спрятано в отстойной яме.

А сам Рылов не сказал ни слова.

«Он убил моего Булгакова», — сказала Рива Маргулис.

После смерти кота она окопалась в чулане, где хранила десятки химикатов для домашней чистки, бутылки с лизолом, коробки с детергентами и тысячи всевозможных тряпок и тряпочек, и не переставала напоминать всем, какую ужасную цену ей пришлось заплатить за «возвращение на историческую родину».

Все наши женщины денно и нощно, вооружась тряпками и щетками, сражались с пылью, которая поднималась за колесами телег. Но Рива Маргулис была поистине помешана на чистоте, а после смерти Булгакова, когда эта пыль, проникая сквозь окна, стала, как ей казалось, пачкать ее чистые, полные тоски воспоминания, она спятила совсем. К трем всегда запертым комнатам дома она добавила теперь также душевую, потому что обнаружила, что душ после мытья оставляет капли, которые, испаряясь, оставляют маленькие белые пятна на кафельных плитках. Она назвала эти пятнышки «кафельной проказой», и с этого момента семья Маргулис была осуждена мыться в корыте для коров.

Все видели, что она теряет разум, но Маргулис и его сыновья, вскормленные самым чистым и благоуханным веществом, какое только бывает в природе, были людьми снисходительными, с благодушным и спокойным характером. Жизнь с пчелами научила их уважать всякого труженика, и они не упрекали свою безумицу и покорно выполняли все ее требования. А в годовщину убийства кота Маргулис купил жене большой американский пылесос, чтобы умерить ее скорбь и заполнить содержанием ее скудную жизнь.

Рива открыла огромную картонную коробку, из которой шел сильный, знакомый запах забытой роскоши, и у нее перехватило дыхание от счастья. На один вечер она почти простила мужу, что он когда-то позвал Эфраима, чтобы убить Булгакова. Она включила пылесос, и все ее тело задрожало в такт сильному мотору, который энергично всасывал грязь, оставляя за собой очищенные от пыли полосы. Но по прошествии первой счастливой недели Рива открыла пылесос и обнаружила, что вся грязь в действительности скопилась у него в животе. С яростью и болью она поняла, что муж обманул ее. Пылесос вовсе не уничтожал грязь — он просто переносил нечистоту в другое место, скрытое от глаза. «Она открыла закон сохранения дерьма», — сказал Ури, когда эта история обошла всю деревню.

В то же утро Рива отдраила пылесос изнутри и поверху, завернула его расчлененные части в мягкие и чистые тряпки, заперла их в ванной, пришла на пасеку и стала вопить на своего мужа.

— Твоя машина просто заметает все под ковер, — визжала она. — Знаю я твои штучки. Ты всегда так делаешь.

Маргулис посмотрел на жену и понял, что даже чистая цветочная пыльца уже не сможет успокоить ее.

— Не подходи, — сказал он. — Тут пчелы, они могут на тебя напасть.

Сам он умел передвигаться между ульями, ни разу не всколыхнув воздух. Сейчас он смотрел на свою жену сквозь завесу разгневанно гудящих пчел, готовых защищать своего хозяина. Он впервые увидел толстые, дряблые наросты на ее ногах, натершиеся за те годы, что она мыла полы, стоя на коленях, ее пальцы, наполовину укоротившиеся от бесконечных протираний тряпками, смоченными в химикатах.

— Оставь меня, Рива, — сказал он. — Ты не в своем уме.

В тот же вечер он пошел к Тоне и подождал в темноте, пока не увидел, как Рылов спускается в свою отстойную яму с фонарем и ручным пулеметом в руках. Когда над ним закрылась маленькая крышка, замаскированная землей и соломой, Маргулис вошел в дом. Цветочный нектар капал с его рук, пачкая дверные ручки. Он протянул к ней два сладко выпрямленных пальца и сказал, что теперь он согласен.

Я совсем не помню Эфраима. Временами я силюсь выловить из памяти накрытую голову, склонившуюся над моей колыбелью, зеленый взгляд, процеженный сквозь дырочки марлевой маски. Ошеломительная картина — человек, несущий на своих плечах огромного быка, — тоже не сохранилась в моей памяти.

И родителей своих я не помню. Мне было два года, когда семью Миркиных постиг самый страшный из ее ударов. Мои отец и мать погибли, Эфраим и Жан Вальжан покинули дом. И тогда дедушка взял меня к себе.

В деревне говорили, в основном женщины, что старый вдовец не сможет «обеспечить ребенку надлежащий уход и воспитание», но дедушка не обращал внимания на эти разговоры. Ему уже довелось растить детей. К своей смеси маслин, утрат и сахара он прибавил теперь и меня.

Одиночество и тоска искажают в моей памяти черты его облика. Лишь иногда мне удается увидеть его целиком, как блеклый и точный эскиз, но обычно я вижу лишь отдельные детали, выступающие резко и ярко, как кусок зимнего поля, освещенный сквозь разрыв в облаках. Белая рука, лежащая рядом с чашкой чая, движение плеча, усы и щека, которые наклоняются ко мне, тонкие, искривленные трудом и годами черенки его ног.

Но некоторые события я помню отчетливо и ясно, уже с первого года жизни в его доме.

Одно такое событие — взвешивание. Дедушка педантично взвешивал меня каждый месяц. Я был еще ребенком, когда он начал добавлять к моей пище разные семена и пищу пчелиных маток, которую получал от Маргулиса. Каждое утро, одевая меня, он осторожно ощупывал мои плечи и бедра, как будто проверяя их размеры и упругость, и с удовольствием убеждался, как необычайно быстро я расту. Лишь по прошествии многих лет я понял, что он проверял, соответствую ли я его замыслам.

Церемония взвешивания была приятной, и я ее очень любил. Обычно младенцев взвешивали в амбулатории, а потом, когда они становились постарше, — у медсестры в деревенской школе. Меня дедушка взвешивал на складе комбикормов. Помню, как я, босиком, в одних лишь коротких полотняных штанишках, гордо вставал на холодную гладкую металлическую платформу громадных весов. Здоровенные грузчики, побросав свои тяжелые мешки, со смехом собирались вокруг меня, а дедушка, подогнав гирьки на рычаге, доставал помятый блокнот, удовлетворенно записывал в нем очередные цифры и одобрительно похлопывал меня по затылку, и я зажмуривал глаза, когда его шершавая ладонь касалась моей кожи.

Я помню, как дедушка дал мне деревянный молоток, и мы с ним разбивали маслины, чтобы уменьшить их горечь, а потом капля едкого сока брызнула мне в глаза и я побежал оттуда с криком: «Мама! Мама!»

Я помню, как он мыл меня по вечерам жесткой мочалкой и стиральным мылом, скреб мои локти и коленки и рассказывал мне о широкой реке, в которой он нырял когда-то, о больших гусях, о цапле, красивой, как женщина, — у нее белая грудь, которая мелькает, подмигивая, меж стеблями высокого камыша.

Я хорошо помню его завтраки. В три года он уже оставлял мне еду на столе, а сам выходил работать в сад. Когда я просыпался, меня ждал на столе привычный набор: два куска хлеба, с которых он срезал «твердое», как он называл корку, кусок моего любимого сыра, зеленый лук, разрезанный помидор, посыпанный грубой солью, крутое, еще теплое яйцо и чашка молока с добавкой колострума из коровника Авраама.

Я сидел за столом и медленно ел, наслаждаясь свежими вкусами и запахами, поднимавшимися над моей тарелкой и доносившимися из окна, и радостной самостоятельностью маленького человечка. Потом распахнул решетчатую дверь и вприпрыжку вышел во двор, навстречу чистому, прозрачному дневному свету, который струился снаружи. Я был в одной только легкой ночной рубашонке на голое тело. Вокруг не было никого. И я, ступая босиком по острым зернам базальта — мои ступни уже были жесткими и твердыми, — прошел прямо к гревшимся на солнце котятам.

Со всех сторон доносились слабые, отдаленные звуки деревенской жизни — неумолчный далекий водопад тарахтящих двигателей и постукивающих поливалок, глухие удары мотыг, шелест листвы и глубокие чавканья коров. Занавес, который колышется во мне еще и сегодня и пеленает мне уши. Я посмотрел по сторонам и увидел голубей, расхаживающих по крыше, наливающиеся желтизной подсолнухи и дедушку, который выскакивает из коровника и бежит, сжимая в правой руке острые вилы Эфраима, а левой поддерживая расстегнутые брюки. Он мочился за кучей мусора, когда вдруг увидел гиену, которая шла своим мерзким виляющим шагом — хвост подвернут под пах, из пасти течет от голода и вожделения, — направляясь прямиком к нам во двор.

«А ты сидел там, дразнил гревшихся на солнце котят и швырял в них пылью».

Когда гиена появилась в калитке, котята мигом попрятались за грудой бидонов, а наша сторожевая собака Маня, испуганно тявкнув, взлетела, как белка, на крышу коровника и легла там, дрожа от ужаса.

День был солнечный, и от того, что все вокруг было таким четким и ярким, он запечатлелся в моей памяти, как героическая сцена, залитая ослепительным светом. Гиена ощерила клыки в манящей ухмылке, повернула в мою сторону пересохший нос и стала приближаться ко мне, низко опустив трясущийся зад, который оставлял на земле пятна незнакомого запаха. Я не испугался — так мне рассказывали, — потому что с младенчества привык к животным, но она вдруг отпрянула сама, и на ее морде появилась насмешливая и злобная гримаса при виде бегущего к ней старика, сжимающего вилы и придерживающего падающие штаны. Бледное лицо дедушки, напряженное и сосредоточенное, казалось плывущим в пустоте горячего воздуха. Еще издали он замахнулся и швырнул вилы прямо в хищника, но промахнулся. Гиена, роняя гнилую, липкую пену ярости, попятилась к забору, не зная, к кому повернуться. Дедушка все продолжал бежать, негромко всхлипывая и постанывая на бегу, а потом прыгнул прямо на шею гиены и своими огромными руками стиснул ее косматую грудную клетку.

Гиена рычала и хрипела, била задними ногами и извивалась, и ее мокрые зубы пропороли дедушкино плечо. Рукава его серой хлопчатобумажной рубахи превратились в бахрому, но я и сейчас еще помню звук лопнувших ребер, раздавшийся в прозрачном воздухе. Дедушкины белые руки, привыкшие к тяжелой работе, к открыванию голубых конвертов, к прощальным взмахам и к прививке ветвей, продолжали раздавливать ее внутренности. Я даже не встал со своего места. Чувствуя себя в полной безопасности, а может — из простого любопытства, я спокойно наблюдал за их борьбой, пока дедушка наконец не поднялся с земли, цедя русские ругательства сквозь стиснутые зубы и держа в руках обвисшее полосатое туловище.

«Ах ты... ах ты... такая... ах ты...» — повторял он со стоном, пока не пришли соседи и буквально силой освободили гиену из его мертвой хватки. Тогда он обхватил меня, крикнул: «Никто у меня больше ничего не заберет, никто у меня больше ничего не заберет», — и унес меня на руках домой. Несколько минут он стоял молча, а потом, когда яд гиены начал проникать в его жилы, пробормотал вдруг древний стих из Танаха, запел какую-то унылую песню, странно зашатался и был тут же отвезен в амбулаторию.

Соседский сын поднял мертвую гиену на вилах, унес на мусорную кучу за коровником, там плеснул на нее керосин из желтой канистры и поджег. Зловонный дым, поднявшийся над трупом, висел над деревней несколько дней.

«Наши люди попросту лишены сознания исторической важности событий, — сказал мне Мешулам, когда я повзрослел. — Эту гиену надо было выставить в моем музее».

Это был героический поступок, говорили все в деревне, и небольшая заметка по этому поводу появилась даже в газете «Давар»[1], под заголовком «Пионер из Второй алии спас внука». Когда я чуть подрос и научился читать, я часто копался в дедушкином сундуке и перечитывал эту вырезку, пока не заучил ее на память.

«Яков Миркин, ветеран Второй алии, один из пионеров-поселенцев Изреельской долины, спас своего внука Баруха Шенгара от нападения гиены, проникшей на их участок. Миркин работал в коровнике, когда заметил опасного хищника, в прошлом уже нападавшего на нескольких жителей Долины, который приближался к его внуку, игравшему во дворе. Не колеблясь ни секунды, он с редкой смелостью бросился на гиену и задушил ее голыми руками. Миркин был укушен и доставлен в амбулаторию Больничной кассы Объединения профсоюзов трудящихся Страны Израиля, где получил серию уколов против бешенства. Ребенок, Барух Шенгар, трех лет, — сын наших трудовых товарищей Эстер и Биньямина Шенгаров, которые были убиты год назад арабскими погромщиками, бросившими гранату в их дом».

23

«Но ты же в это время пи́сал», — сказал я дедушке через несколько лет, когда подрос, изучил и знал всю эту историю в мельчайших деталях.

Мы гуляли в саду, и дедушка учил меня, как надсекать ветки неправильно росшей айвы, которая выпустила чересчур длинные, лишенные сучьев, отростки.

«Теперь скажи, Малыш, в каком месте ты хочешь вырастить ветку?»

Я опять посмотрел на него недоверчиво. Я еще не знал тогда, что насечка ветвей — самое обычное дело в садоводстве. Дедушка смерил взглядом голую ветку, выбрал набухшую почку на ее коре и сделал над ней лунообразную насечку. Когда дерево расцветет снова, каждая такая почка выпустит боковой отросток, и тогда дедушка подрежет дереву крону.

Уже в доме престарелых, после того, как он овдовел, и ослеп, и не видел ничего, кроме тени своей любви к Фане, Элиезер Либерзон рассказывал мне, как началась слава дедушки как садовода.

«Я так и вижу перед глазами его самого и этот его дикий апельсин, — мечтательно вздохнул он. — Это произвело огромное впечатление. Не так уж часто бывает, что маленький сионист-социалист из России учит уму-разуму богатых хозяев апельсиновых плантаций».

Я знал, что дедушка поссорился с владельцами апельсиновых рощ, потому что обнаружил, что некоторые из них продают свои ростки «безответственно» и сорт Шамути из-за этого уже потерял свое былое качество.

«И тут случилась эпидемия гуммоза и разом истребила целые плантации, — продолжал рассказывать Либерзон. — Стволы сгнили, листья пожелтели, деревья умерли, и никакие мази, никакие дезинфекции, медные окислы, известь — ничего не помогало. Они даже начали дезинфицировать свои мотыги, словно инструменты в больнице, — и тоже без толку».

Дедушка потребовал выделить ему больной участок для проб, и отчаявшиеся хозяева, которые, как правило, боялись иметь дело с молодыми поселенцами, на сей раз сдались и согласились. Они предоставили в его распоряжение пораженную плантацию, деньги и рабочих. Дедушка взял стойкие ростки дикого апельсина, которые никогда не поддавались гуммозу, и высадил рядом с каждым больным деревом. Когда эти саженцы пошли в рост, он снял ножом полоску коры с каждого стволика и такую же полоску гнилой коры, только поглубже, с больного дерева напротив. Потом прижал эти деревья друг к другу попарно, каждый больной ствол к дикому, связал так, чтобы голые участки соприкасались, и закутал эти места мешками, чтобы их защитить.

«Умирающие апельсиновые деревья выздоровели, как будто в их жилы влили свежую кровь», — сказал Либерзон.

«Наши пионеры подняли вокруг этой истории большой идеологический шум, — сказал Мешулам. — Это, мол, не просто садоводство или ботаника, это символ. Новая, здоровая кровь дикого апельсина одолела гниль, заразившую плантации старых поселений[1], — можешь себе представить, какой это был для них праздник! А ты что, не знал? Ну как же, об этом писали во всех газетах...»

«Газету не интересуют герои с расстегнутой ширинкой», — смеялся дедушка. Но я с детским упрямством предпочитал подлинную историю, которая состояла в том, что в тот момент, когда он увидел гиену, дедушка вовсе не работал во дворе, а справлял малую нужду в сточной канаве за коровником, и предпочитал я ее потому, что мгновенный переход от малой нужды к стремительному бегу требует совсем иной решимости и воли. Каждый знает, что любую работу легче прервать, чем перестать вдруг мочиться, если уж начал.

После этого случая я стал время от времени заходить после обеда в коровник. Дедушка посапывал в комнате или под деревьями в саду, Зайцер, устало привалившись к стене коровника, рассматривал старую газету, которую забыл Шломо Левин, коровы сонно мотали головами в своих стойлах, и даже измученные мухи — и те лениво дремали на пыльной куче мешков в углу или спали, свернувшись на кусочке сладкого рожка, обессиленные чрезмерной сладостью и усталостью. Я прятался за кучей навоза, расстегивал штаны и начинал мочиться, а потом внезапным, сильным и округлым нажимом заставлял себя прервать струйку мочи, хватал вилы и стремглав мчался во двор. После многочисленных тренировок я уже не ронял ни единой капли.

Дедушка вернулся из больницы, кряхтя от болезненных уколов. Прежде всего он приказал покинувшей свой пост Мане подойти к нему и сделал ей строжайший выговор. Оскорбленная и униженная, она поджала хвост, взяла в зубы свою миску и ушла с нашего двора навсегда. Либерзон, который был тогда деревенским казначеем и бывал иногда по делам в Тель-Авиве, утверждал, будто видел ее после этого возле кафетериев на приморской набережной, где она вовсю подлизывалась к англичанам. «Увидела меня и сразу спряталась — со стыда, наверно», — насмешливо сказал он.

Я притащил дедушке кресло. Я уже тогда, по рассказам, был маленьким силачом. Звезд с неба я не хватал, но считался «сильным, надежным и покладистым». Дедушка, кряхтя, опустился в кресло и стал рассказывать мне историю, из которой я запомнил лишь несколько непонятных слов — бациллы, антракс, гидрофобия и еще что-то невнятное о мальчике из украинской деревни, которого, кажется, укусил бешеный волк, и потом его привезли в Париж и там спасли от верной смерти.

«Вот, смотри, Малыш, — сказал дедушка, — Луи Пастер похож на Бербанка. Он тоже помогает тем, кто работает на земле».

Рива Маргулис и Тоня Рылова пришли навестить дедушку. Их лица выражали глубокую тревогу и озабоченность. Дедушка посмотрел на них с удивлением, потому что они никогда не показывались вместе. Они объяснили, что деревенский Комитет рекомендовал товарищу Миркину восстановить свои силы с помощью куриного бульона, и предложили для этого свою помощь. Но дедушка сказал «не нужно», а мне велел пойти и принести ему топор и крюк. Потом мы отправились ловить курицу.

В дальнем углу двора, возле обгоревшего тела гиены, сидел Пинес и измерял ее зубы и ширину черепа, записывая результаты в блокнот. Учитель пребывал в тихом волнении и, когда увидел дедушку и меня, поднялся и поспешил к нам. «Я уверен, что это она, — сказал он. — Не может быть никаких сомнений».

Затем Пинес принялся отрезать гиене голову. Он воткнул нож между шейными позвонками и несколькими умелыми движениями отделил толстую шею и плечевые сосуды от туловища. В конце недели сверкающий белизной череп гиены уже красовался в стеклянном шкафу в кабинете природоведения. Пинес, по своему обычаю, не стал растворять ткани в химикалиях, а зарыл голову гиены вместе с яичками люцилии[2]. Личинки, которые вылупились из них, за несколько дней очистили кости догола.

Боязливые куры, деловито суетившиеся возле сеновала, увидели меня и дедушку, вооруженных коротким топориком и длинным крюком, и сразу поняли, чем это грозит. Дедушка стал затачивать топорик — сначала на точильном камне, который вращался внутри таза с водой и разбрызгивал вокруг искры и клубы пара, а потом тонким напильником, которыми точили серпы и косы. Куры стали озабоченно перекрикиваться, разбежались по двору и шумно захлопали крыльями. Дедушка не принадлежал к поклонникам мяса, но всегда забивал кур для семейного стола, вылавливая их длинным крюком, который представлял собой попросту ржавый, загнутый на конце полутораметровый прут опалубки. Сейчас он быстро выбросил руку вперед, подцепил крюком ногу нашей пестрой несушки Шошаны, нагнулся, болезненно застонав при этом, потому что живот его все еще пылал от уколов, и схватил курицу руками за горло.

Коровы в ужасе закрыли глаза. Последовал рывок — стремительное движение, которое мне никогда не удавалось уловить и оттого страстно хотелось замедлить и разглядеть во всех деталях, — и дедушка уложил шею Шошаны на бетонную стенку кормушки коровника и опустил на ее горло заточенный топорик.

Искаженный страданием клюв широко распахнулся, голова с гребешком упала на черные резиновые сапоги, а ошеломленное тело, брошенное, не глядя, за спину, по знакомой, точной и плавной дуге, полетело во двор. Безголовая курица — летящий фонтан крови — падала на землю, билась в судорогах, а потом поднималась на ноги, чтобы исполнить свой смертный танец. Дедушка уже уходил. Ему не нравилась моя склонность сидеть, застыв с широко открытыми глазами, и смотреть на ее беспорядочные прыжки. «Это ты, видно, унаследовал от матери», — сказал он однажды.

Тем временем Шошана металась вперед и назад, лишь иногда отклоняясь чуть в бок, падала и снова вставала, из ее обрубленного горла толчками била кровь, впитываясь в землю, и все это — в ужасной, завораживающей тишине, потому что страдания ее души были уже отъединены от страданий ее тела.

Ее голова и горло с их голосовыми связками, болевым центром и складом памяти лежали, брошенные, в соломе рядом с кормушкой, и я всегда боялся, что курица отыщет свою голову, снова срастется с ней и побежит прочь. Для большей уверенности я исподтишка подкрадывался, хватал эту отрубленную голову и швырял ее кошкам.

Шаги Шошаны становились все более вялыми. Ее подруги, как ни в чем не бывало, уже собирали вокруг нее зерна. Маленький гребешок, что пылал в моих штанишках, тоже угасал. Когда она наконец бессильно упала на землю, я поднялся и подошел поближе — посмотреть, как она испускает дух. Еще несколько маленьких, коротких выбросов крови, мгновенная страшная судорога, а потом несколько розовых и черных пузырей, вспучившихся в белой, разорванной гортани, и странный легкий шорох, послышавшийся в ее глубине. Дедушка подошел, растоптал сапогом лужицу крови, чтобы она побыстрее впиталась в пыль, поднял Шошану и понес к тете Риве, чтобы та ощипала ее. Но на брызгах крови, разлетевшихся по двору во время ее танца, еще несколько часов копошились кучки зеленых мух. Потом и они исчезли.

Вечером пришла Фаня Либерзон, красивая, как всегда, сварила куриный бульон и, пока дедушка ел Шошану, читала ему приятным размеренным голосом устав нашей деревни.

«Нашей целью является создание коллектива земледельцев, которые живут трудом своих собственных рук, отказавшись от эксплуатации...»

«Наш путь сочетает в себе реальность с идеалами...»

«Образование будет общим и равным для детей всех членов коллектива...»

«Духовные и экономические потребности семей будут удовлетворяться через общественные учреждения...»

«Взаимопомощь», «самообеспечение», «статус женщины», «возвращение к земле» — возвышенные и утешающие слова все витали и витали в комнате дедушки, пока искаженные болью черты его лица вдруг размягчились в неожиданной снисходительности, скучливая гримаса изогнула уголки его рта, и он уснул, как младенец. Его лицо во сне было точно таким же, как тогда, после смерти, когда я поднял его мягкое, теплое и белое тело и похоронил на его участке, в том месте, где он всегда искал покоя.

24

После того как Шуламит пришла и увела дедушку в дом престарелых, я стал ходить к Пинесу, чтобы он рассказывал мне истории вместо него. Пинес жил возле водонапорной башни, в маленьком доме, который был окружен совершенно необычным декоративным садом, где росли исключительно цветы пустоши и подлеска. Он сажал там клубни темных цикламен и гигантских анемонов самых разных расцветок, выискивал на Кармеле горный люпин, на ручьях Арбеля выкапывал луковицы восточных гиацинтов, и большие ядовитые семена, прорастая, вспыхивали мазками яркого царственного пурпура. В заболоченных местах возле источника он собирал нарциссы и вероники, а лютики, которые цвели у него в саду, сверкали так, словно столяр Гидеон покрыл их лаком.

«Розы и хризантемы я мог бы выращивать и в галуте»[1], — говорил он.

«Орхидея — это замечательный дикий цветок, испорченный человеком», — строго сказал он мне, когда я пришел в восторг от рассказа шорника Пекера о том, как русский офицер послал его с букетом белых орхидей «уболтать генеральскую дочь-красотку».

«Даже Лютер Бербанк, который разводил и скрещивал розы и хризантемы, заявил, что никогда не притронется к орхидеям. Они — как те несчастные китайские девочки, которым в детстве туго обматывали ступни».

Всякий раз, открывая его зеленую калитку и вступая на каменные плитки, я снова становился «Барухом из четвертой группы», которого каждую неделю отправляли к старому учителю после того, как он побил очередного ученика.

«Иди, пусть Яков тебя успокоит. Может, ему удастся сделать из тебя человека».

Он был Первым Учителем. Он учил мою мать, дядю Эфраима и дядю Авраама, меня, Ури и Иоси. Он учил всех. Сдержанное волнение воцарялось в деревне, когда он приступал к показу букв алфавита новому набору малышей, и люди собирались возле школьной изгороди, чтобы услышать детский смех, доносившийся из окон класса. Пинес всегда начинал не с «алеф», а с «хет»[2]. Первым, что произносили дети в школе, было «ха-ха-

ха». «А сейчас, дети, открытое «хет». Смотрите — ха-ха-ха». Год или два он играл с ними, водил гулять и втирался к ним в доверие, а потом они вдруг понимали, что его седло уже на их спине, а поводья — во рту, и подчинялись ему с любовью и преданностью, которые сохранялись в их сердцах всю дальнейшую жизнь.

Из всех наемных служащих нашей деревни Пинес был единственным, кто пользовался всебщим уважением. Дети порой смеялись над ним, но, даже когда он ушел на пенсию, во всей деревне не было ребенка, который бы не робел в его присутствии. Он имел привычку входить без стука в класс, говорил смутившемуся учителю и зашумевшим ученикам: «Продолжайте, продолжайте», — садился сбоку и слушал, глядя на детей с любовью и грустью.

В деревню приходили новые учителя, но Пинес никогда не упрекал их в недостатке знаний или идеологической закалки.

«Это как бороться с ветряными мельницами, — говорил он. — "Как гоняются за куропаткою по горам"»[3].

Провинившегося ученика посылали к нему домой. Смутьян медленно приближался к туевой изгороди, открывал зеленую калитку, шел по дорожке из каменных плиток, попадал под струю воды из маленькой поливалки, тарахтевшей в высокой траве, и робко открывал дверь, которая никогда не знала ни крючков, ни запоров. Пинес клал ласковую руку на его вспотевший затылок и вел в маленькую кухню, напоить крепко заваренным чаем и потолковать не спеша — порой о методах осушения заболоченных полей, порой о притче о винограднике из книги пророка Ишаягу[4], а то и о двуполых растениях и о том, какими удивительными способами они избегают самоопыления. И еще долгое время после того, как вернется провинившийся в свой класс с печеньем или конфетой в руке, притихший и раскаявшийся, будет он вспоминать, как тепло принимал его старый учитель и каким сладким был у него чай.

В молодости Пинес погружал двадцать своих учеников — «Поднимайтесь поживее, дети, шевелите ногами, цветы жизни!» — на телегу, запряженную парой мулов, и вывозил их на весеннюю прогулку, которая продолжалась целых две недели.

Старый, вечно скептичный Зайцер как-то попросился в одну из последних таких поездок Пинеса. Он вернулся усталый и взволнованный, весь пахнущий дымом костров, растоптанными листьями и диким чесноком, рассказал, что было очень интересно, и заключил, что «сегодня уже нет таких учителей».

На горе Гильбоа[5] Пинес разучивал с учениками плач Давида[6], в Иорданской долине рассказывал им об истории Рабочего движения, в Эйн-Доре[7] читал им стихи Черниховского. Он показывал нам пахучие отметки оленей, семенные ловушки медовой орхидеи и липкие сети крестового паука, растянутые между кустами ладанника. Его маленькие посланцы собирали черепки древней посуды на курганах, яйца ящериц в полях, окаменелости в слоях известняка на холмах. Он сортировал все эти находки, составлял их каталог, раскладывал по коробкам и посылал профессорам в Иерусалим и Лондон. Ночами он выводил нас в поля, под усеянное звездами небо, чтобы дать послушать «пение жаб» и показать «небесные тела».

«Фейга умирала медленно, — рассказывал он, угощая меня чаем с коржиками. Потом с опасением посмотрел на меня, как будто сомневался, понял ли я. — Она была больна. Она перетрудилась. Не все могли вынести те условия. В те дни не всем было под силу выжить. А она еще и родила нескольких детей подряд. После Авраама — Эфраима, а на следующий год — твою мать Эстер. Организм не может так много напрягаться».

Я рассказал ему, как Циркин-Мандолина смотрел на фотографию бабушки.

— Они все трое ее любили, — вздохнул он. — Поклонялись ей и носили ее на руках. Но не так, как мужчина любит женщину.

— Фаня говорит, что они были как трое братьев и маленькая сестра.

— Скорее, как трое братьев и маленький брат, — задумчиво сказал Пинес. — Маленький брат, которого все обожают. Ты понимаешь, о чем я говорю?

— Понимаю, — ответил я.

Есть в строении моего грузного и плотного тела что-то такое, из-за чего людям кажется, что я немного туповат.

— Я знаю, как ты привязан к дедушке. Он действительно человек незаурядный. И я знаю, как тебе тяжело сейчас, без него. Но он любил другую женщину, и ждал ее, и воевал с ней всю свою жизнь. Сейчас ты уже и сам это знаешь.

— А почему тогда он женился на бабушке?

— Малыш, — улыбнулся Пинес, — это было решение «Трудовой бригады имени Фейги». Сегодня это выглядит как очередной их розыгрыш, но тогда — тогда даже такие вопросы решались голосованием. Когда я был в кибуце в Иорданской долине, мы решали на общем собрании, кому и когда разрешается забеременеть, и именно тогда я ушел из этой коммуны со своей Леей и двумя близнятками, которых она носила в животе. А в соседнем кибуце был большой спор, должны кибуцники говорить друг другу «доброе утро» и «добрый вечер» или это буржуазный пережиток.

Может быть, они боялись отдать ее кому-нибудь чужому. Или не продумали до конца. Да и она сама тоже не понимала тех отношений, которые у них сложились. Ведь они купались все вместе голышом в Киннерете. Этого никто не может понять, даже сами участники, даже наш большой специалист Мешулам Циркин. «Знаешь ли ты время, когда рождают дикие козы на скалах? Нисходил ли ты во глубину моря? Из чьего чрева выходит лед, и иней небесный, — кто рождает его?»[8] — Он перенес руку на мой затылок. — Странный ты парень, — сказал он. — Иоси у нас просто маленький *мужик*, Ури всем напоминает Эфраима, а ты — сын стариков, миркинский сирота. Пошли, Малыш, я тебя использую. Пошли, поможешь мне в саду».

Эфраим ушел с цирковой группой Зейтуни, неся на плечах Жана Вальжана. Это произошло по окончании семидневного траура по моим родителям. Арабская граната, брошенная в наш дом, покатилась под мою кровать с шипеньем и дымом. Треск разлетевшегося оконного стекла разбудил моего отца, но, прежде чем он почуял запах тлеющего фитиля, понял, что происходит, и зажег свет, прошли драгоценные секунды. «Рыловский йеке» сгреб меня одним движением, которое закутало меня в одеяло, швырнуло в воздух и выбросило, как сверток, через окно, а потом всем телом упал на мою мать, которая во сне обняла его руками и ногами и улыбнулась.

Люди услышали взрыв, находясь в Народном доме, где все собрались на общее собрание. Обсуждался вопрос о замене нескольких центральных поливальных труб, и страсти кипели. Все разом вырвались из дверей здания и бросились на звук удаляющегося громового раската, на треск пылающих стен и на запах паленого мяса.

Когда они добежали до рыловского двора, все уже затихло. Коровы перестали реветь и вернулись к своим кормушкам. Дым развеялся. Далеко оттуда, в Берлине, так я себе представляю, неутомимый мститель Даниэль Либерзон проснулся, разбуженный ночным кошмаром, и закричал так громко, что его было слышно издалека. «Домой!» — вопил он, как ребенок, загадил брюки, сосал палец и ползал, как ящерица, по своей постели. Друзья закутали его в чистую простыню и убаюкали, покачав кровать, а наутро пришли двое шотландцев, которые знали множество языков и тайных дорог, чтобы сопровождать его в долгом возвращении в Палестину.

Кожаные тирольские штаны, свадебное платье, письма Эфраима к Биньямину — все сгорело. «Только обиженный плач ребенка слышался в темноте. Мы посветили фонарями и нашли тебя. Ты ползал полуголый по траве и весь был покрыт большими мотыльками».

Мне было тогда два года.

«Мы вырастим его вместе с Ури и Иоси», — сказал Авраам.

Но дедушка закутал меня в одеяло и взял к себе во времянку. Всю ночь он снимал с моего тела сажу и обжигающую пыльцу сожженных мотыльковых крыльев и вытаскивал осколки стекла из моей кожи, а наутро одел меня, и мы вместе пошли, чтобы стоять возле гробов, которые уже были выставлены в Народном доме, покрытые национальными флагами и черной тканью.

Рылов стоял у гробов ошеломленный, терзаемый чувством поражения. «Во всяком случае, они умерли в своей постели», — было единственным утешением, которое ему удалось хрипло выдавить из своих мозгов. Дедушка слабо улыбнулся.

«Да, Рылов, ты прав, в своей постели», — сказал он и похлопал великого стража деревни по плечу, в том месте, где ремень винтовки пропахал зарубцевавшуюся уже борозду.

«Рылов — идиот! — сказал Ури. — Это у них семейное. Чего еще ожидать от человека, чей дедушка был единственным в Росии евреем, который насиловал казачек?!»

«Миркин хочет вырастить еще одного сироту», — говорили в деревне. Шломо и Рахель Левины пришли приготовить обед и снова предложили свою помощь. Но дедушка сказал: «Авраам будет вести хозяйство, а этого мальчика я выращу сам».

Жан Вальжан терся о кипарисовые деревья, ограждавшие деревенское кладбише, Эфраим и Авраам сгребали землю в могилы моих родителей. Руководители ишува и Рабочего движения произнесли положенные речи. Дедушка держал меня на руках, Циркин и Либерзон стояли, как два портрета, по обе стороны от него.

Потом люди разбрелись по кладбищу маленькими группками и, по обычаю, клали цветы и камешки на могильные плиты.

«Пошли, Барух, — сказал дедушка. — Шнель, шнель!»

«Ты засмеялся, потому что знал эти слова из родительского дома». — И дедушка поднял меня и посадил себе на плечи.

Деревня справилась с бедой. «Мы были сделаны из прочного материала». В деревне не нашлось бы дома, в котором не было своих мертвецов. Кто умер от лихорадки, кто от пули, тот от копыта взбесившегося мула, а этот — от собственной руки. «Кто по зову народа, а кто по велению идеи и Движения».

«Евреи проливают кровь и в галуте, — писал Либерзон о моих родителях в деревенском листке. — Но там нет смысла в их смерти, так же как нет смысла в их жизни. Здесь и у жизни, и у смерти есть смысл, потому что нам светят родина и свобода. Пусть скорбь удвоит нашу волю. Кто выбрал жизнь — жить, жить будет он!»[9]

25

Рука Случая, как убежденно завершил Пинес одну из наших бесед по теории эволюции, только Рука Случая снова привела Зейтуни в нашу деревню как раз после смерти моих родителей.

Подобно тем наглым, распутным возгласам, что время от времени раздавались с водонапорной башни, подобно повторяющимся визитам гиены, ежегодным прилетам русских пеликанов или возвращению Шуламит к дедушке — так суждено было этому жалкому акробату снова появиться в полях нашей деревни. Две высоких, тощих лошади тащили убогий фургон, покрытый брезентовым полотнищем. Прицепленная к нему, дребезжала сзади ржавая клетка со старым медведем. Запах жженого ракитника, мазей для грима, для обмана глаз и для ловкости рук поднимался над маленьким караваном.

Зейтуни был хасид из Тверии, потерявший семью и дом в одном из наводнений. Рахель Левин, которая знала Зейтуни еще там, рассказывала, что после несчастья он сбрил бороду, швырнул свою кипу и талит[1] в мутные коричневые потоки, смывшие всю его прежнюю жизнь, продал книги Торы, которые передавались в его семье из поколения в поколение, и начал странствовать со своей труппой между Дамаском и Иерусалимом, Хевроном и Бейрутом.

Так он добрался и до нашей Долины. Если бы не то наводнение, мы бы никогда не увидели его и Эфраим не ушел бы с ним из деревни. Но дедушка не верил в случаи и предзнаменования, равно как и в людей, влекомых навстречу судьбе, а только в отверженных и исчезнувших, и потому был уверен, что Эфраим ушел бы все равно и виною тому — наши деревенские, а не Зейтуни.

«Похорони меня на моей земле», — было написано в одной из записок. Он знал, что я разыскиваю его записки. Свою месть он планировал с ясной и расчетливой точностью, помечая уязвимые места и находя мягкие подбрюшья.

Поначалу Зейтуни зарабатывал на жизнь мелким воровством и примитивными чудесами, которые помнил со времен своего хасидского ученичества. Он продавал латунные амулеты бесплодным женщинам, лечил оспу с помощью гематрии[2], зажигал кучи сырых поленьев силой хитрых заклинаний и вызывал местный дождь произнесением Тайного Имени[3]. Эти деяния вызывали восторг во многих местах Страны, но у нас в Долине жалкие чудеса Зейтуни вызвали лишь раздражение и жалость. «Достаточно мы насмотрелись этих бредней в хасидских дворах на Украине», — провозгласил Элиезер Либерзон, и все отцы-основатели согласно покачали головами.

Во время своего предыдущего появления, в первый год после основания деревни, Зейтуни удостоился лишь самых скромных аплодисментов. По окончании представления к нему подошел веселый молодой парень по имени Циркин-Мандолина, род которого со стороны матери восходил к известной семье адморов[4], а со стороны отца — к большевистской верхушке, поднял мотыгу и вонзил ее в землю. Чем дальше углублялась мотыга, тем сильнее стонала земля, а когда ее острие коснулось загнанного под землю болота, прямо из-под ног Зейтуни вырвались острые края камышовых листьев в окружении страшной тучи комаров, и рассекли его нежную кожу. Из грязи выползали мускулистые пиявки, вцепляясь в его тощие икры, а бледные черви пытались стащить его к себе в глубины. Он стоял и выкрикивал все известные ему молитвы, пока наконец Рылов не заставил его пропеть нашу любимую песенку: «Я друг лягушки», а потом бросил ему конец своего бича и вытащил из ямы.

«Чародейство и фокусы — постыдное занятие, — заключил Пинес. — Нынче здесь, завтра там. Обман, бродяжничество и непроизводительный труд».

Всю ту неделю Эфраим провел на холме возле свежих могил моих родителей и был так тих, что даже Фейга, Эстер, Биньямин и другие мертвецы не почувствовали его присутствия. Жан Вальжан мирно щипал сочную траву меж могилами и сгребал своим большим языком лежавшие на памятниках цветы. Но Эфраим не укорял его. Сам он пил из кладбищенской поливалки, ел плоды большой ююбы, которая росла на соседнем холме, и жарил куропаток, которые так и не узнали, кто схватил их — дикая кошка, хорек или ястреб. По ночам он смотрел, как старый сыч, стоящий на кладбищенской ограде, кланяется ему, непрерывно падая ниц, и смотрит на него блюдечками своих сияющих глаз.

На седьмой день, когда мой дядя встал, чтобы идти домой, из тени эвкалиптовой рощи вышел караван Зейтуни, медленно пересек давний след британских зениток и остановился подле источника. Спустя недолгое время маленький огонь заплясал под железными горшками, и приятный запах похлебки и жаркого поднялся тонким дымком, который неторопливо поплыл в сторону Эфраима и вполз в его разорванные ноздри.

Бродячие циркачи ели, обмениваясь громкими возгласами, звуки которых разносились в прозрачном и чистом воздухе. Там был худой фокусник-ассириец в высокой шляпе, заодно исполнявший также обязанности медвежьего дрессировщика. Была арабская гадалка, чьи огромные ягодицы при ходьбе громко шлепали друг о друга, а лифчик позванивал монетами. И еще силач, который ломал ветки для костра двумя пальцами, большим и указательным. Зейтуни отбросил полотнище фургона и вытащил оттуда небольшой деревянный короб размером с ящик для фруктов. Из него, змеино извиваясь, вывернулась мягкая и гибкая резиновая девушка и поползла по земле, точно рогатая гадюка. У Эфраима было феноменально острое зрение. В переливах дрожащего над землей жаркого воздуха он разглядел ее серовато-коричневую поблескивающую кожу, ее бескостное тело, которое то свертывалось, то расплеталось, изгибаясь и скользя по земле, издавая мягкие скрипящие звуки.

Ури внес свои дополнения в эту историю, рассказав мне, что Эфраим уже видел однажды такую девушку. Это было во время войны, в портовом квартале Арзева, что в Алжире. Британские коммандос захватили там крепость Иностранного легиона, глядевшую на гавань. Они спустились по веревкам с крепостной крыши, соскользнули, как пауки, по ее стенам, заложили по гранате в каждое окно, а потом вышли очистить город от снайперов.

Кто-то открыл по ним огонь из одного из домов. Они ворвались внутрь, застрелили снайпера и обнаружили, что их окружает группа перепуганных девушек, одетых в прозрачные ткани и кашляющих от пыли, клубившейся из пулевых отверстий и простреленных коробочек с пудрой. Когда пороховой дым осел, проститутки решили, что это американцы, и стали выпрашивать у них жвачку. Капитан Стоувс, который командовал подразделением, где служил Эфраим, взял у одной из них губную помаду, вышел наружу, написал на двери «Вход воспрещен для всех чинов», получил пулю в левое колено и с трудом втащился обратно внутрь дома.

«Тяжелые шелковые вуали закрывали их лица, — восхищенно рассказывал Ури, — но их соски, выглядывавшие сквозь паутину платьев, уже оценили ширину солдатских плечей. Девушки налили крепкие духи на рану капитана Стоувса, перевязали его и уложили в глубокую мягкость дивана, чтобы он мог видеть и получать удовольствие. Были тут две высоченные сенегалки, племенные обычаи которых позволяли им совокупляться только стоя, и потому всякий, кто хотел их познать, обнаруживал в конце, что его голова ударяет о выпуклый алебастровый потолок. Была там одна венгерка, — возбужденно шептал Ури, — у которой полость рта была выложена бархатом, а в глубинах горла шевелились мясистые лепестки; и еще пастушка из Анатолии, у которой из подмышек, надушенных соком растертых бутонов молодых настурций, росли косы, украшенные разноцветными лентами, а волосы в низу живота свисали от пупка до колен, как густой вьющийся занавес, и она приглашала всех осторожно потянуть и убедиться, что это не парик. И еще молодая коммунистка из Кракова, еврейка с тонкими бровями, которая потребовала полной тишины и, сосредоточившись, начала говорить из влагалища. Но наш Эфраим не знал идиша и поэтому не понял ни слова», — ликующе воскликнул Ури. Всякий раз, когда он повторял эту историю, чудесные особенности алжирских проституток становились все разнообразнее.

Они приложили все усилия, чтобы развлечь ребят из коммандос, и Эфраим «за одну ночь узнал все, о чем жена нашего ветеринара и слыхом не слыхивала». Подкрашенная вода била веселыми фонтанами из всех биде заведения, и специально обученные галки оскверняли свои клювы ругательствами на всех известных им языках, чтобы поощрить парней и девиц. А потом одна из них станцевала танец «резиновой девушки», закончив тем, что похлопала себе ступнями собственных ног над головой. «Резиновая девушка Зейтуни, — объяснил Ури, — напомнила Эфраиму маленькие серебряные язычки на больших пальцах ног этой алжирской проститутки». После танца, под лиловым балдахином на втором этаже заведения, эти язычки нежно колотились прямо внутри его ушей.

Пинес увидел, что циркачи располагаются возле источника, и не знал, как ему поступить. Обычно в таких случаях принято было вызывать Рылова, но Пинес не вступал в разговоры с Рыловым ни под каким видом. В конце концов, он побежал рассказать Маргулису, Маргулис рассказал Тоне, а Тоня поспешила во двор и постучала в железную дверь тайника.

Отстойная яма разверзлась. Тоню встретил свет электрического фонарика и двойное дуло винтовки.

— Чего тебе? — потребовал объяснений ее супруг.

Тоня рассказала ему, что появился Зейтуни, и Рылов схватил свой бич, вспрыгнул на лошадь и галопом поскакал в поля.

Рылов, как и все отцы-основатели, знал Зейтуни и не любил его.

— Хочешь отведать? — спросил Зейтуни, увидев Рылова, и тут же вытащил половник и приподнял крышку кастрюли.

— Что ты здесь потерял, Зейтуни? — гневно спросил Рылов и поднял лошадь на дыбы.

— Мы перекусим, дадим представление и уйдем.

— Вы перекусите, не дадите представления и уйдете! — объявил Рылов и тут же добавил свою обычную угрозу насчет смерти в собственной постели и вне ее.

Зейтуни улыбнулся.

— Это наш заработок, — сказал он медоточивым голосом. — И мне все равно, где я умру.

— Это не просто люди, так говорит Комитет! — повторил свою угрозу Рылов.

Но Зейтуни был сделан не из того материала, что паровозные машинисты. Он не испугался и не вскипел, а начал спорить. Рылов подумал было позвать Циркина-Мандолину, чтобы тот снова разверз болото под ногами хозяина труппы. Но вопреки ходячему представлению Рылов не был экстремистом и потому «ограничился тем, что потянулся за кнутом, который он воткнул под седло».

Силач, который понял его намерения, уже собрался было вскочить с камня, на котором сидел, но тут появились, возбужденно переговариваясь, люди из деревни, потому что им хотелось немного развлечься после тяжелого траура, царившего у нас вот уже неделю. Пинес бежал следом, спотыкаясь о комья, и призывал их вернуться. Зейтуни подал своим людям знак подняться, а сам забрался на большую пальму и начал готовить представление.

«Но чем это вам мешало?» — спросил я Пинеса.

Пинес не забыл ни одного из уроков того дня, когда ушел Эфраим. «Рассуди сам, Барух, — сказал он мягко и терпеливо. — Кроме того факта, что мы только что похоронили твоих родителей, тут были затронуты также некоторые важные принципы. Людям, которые возвращаются к земле, чтобы пустить в ней корни после двух тысячелетий оторванности от почвы, незачем смотреть на еврея, идущего по канату в воздухе. Эта гадалка могла предсказать такое будущее, которое было бы несовместимо с нашим идеалом. И мы имели основания подозревать, что фокусник с его нездоровым подходом к реальности соблазнит нашу молодежь искать легкие, отдающие оппортунизмом, решения стоящих перед нею проблем и тем самым усилит сомнения, и без того гнездившиеся в некоторых душах».

Его голос опустился до русского шепота. «И уж конечно, мы не могли примириться с этой резиновой девушкой — этим ночным горшком, полным нечистот, пошлости и разврата. Мы ни на миг не сомневались, что своими бессчетными змеиными изгибами и изворачиваниями она отвратит сердца наших парней от производительного труда, ибо "потому что блудница — глубокая пропасть, и иноверка — тесный колодезь"»[5].

Мы сидели на деревянной скамейке возле могилы дедушки. В те дни я уже остался один на хозяйстве, а «Кладбище пионеров» расползлось до самых границ дедушкиного участка. Авраам и Ривка уехали на Карибские острова, Иоси остался на сверхсрочной службе и с отличием заканчивал один курс за другим, а Ури демобилизовался и продолжал работать на тракторах своего дяди в Галилее.

Деньги текли и текли в коровник, и добрый запах цветочных клумб и ухоженной, щедро подкормленной земли висел в воздухе. Немногочисленные посетители бродили среди надгробий, и под их ногами приятно хрустел гравий. То были родственники покойников, которые то и дело подходили ко мне, чтобы выразить восхищение крастотой и скромностью этого места, старшеклассники, которым задали написать прочувствованные сочинения о пионерах, дюжие инструкторши молодежных групп, тяжело прыгавшие из одного затененного уголка в другой и жадно вдыхавшие аромат этих пятен тени. На могиле Маргулиса, на своем постоянном месте, сидела Тоня Рылова — сама точно серебряная тень, окруженная поблескиванем пчелиных крыльев, вечно метавшихся над этой могилой. «Она и есть его настоящий памятник», — откликнулся Ури с неожиданным волнением, когда я написал ему о старой Тоне, которая сидит на могиле возлюбленного и непрерывно сосет и облизывает свой палец.

Бускила шел по дорожке с двумя молодыми американцами, сыновьями фабриканта косметики из Нью-Йорка по имени Эйб Цедеркин, бывшего члена «Иорданской коммуны», который послал их выбрать для него участок под могилу. Оба были чрезвычайно возбуждены.

— Чудесно! Замечательно! Великолепно! — твердили они.

Бускила скромно поблагодарил их за комплименты.

— Наш отец работал три недели в винном погребе Барона, но потом его мать заболела, и он был вынужден уехать из Страны, — объяснили они Бускиле.

— Все пионеры хорошие люди, все они заботятся о своих матерях, — радушно сказал Бускила. Он развернул план кладбища и показал американцам несколько возможных участков. — Цена соответствует расстоянию от Якова Миркина, да защитит нас праведность этого выдающегося человека, — объяснил он.

— Наш отец четыре дня работал с Миркиным в Петах-Тикве, — сказали они.

— Все евреи — товарищи, — ответил Бускила. — Все когда-то работали с Миркиным.

— Отец просил узнать, как поживает Циркин-Балалайка, — добавил старший сын.

— Мандолина, — поправил его Бускила. — Циркин-Мандолина. Пятый ряд, могила номер семь, вон там, под большой оливой. Он был близким другом Миркина.

— Наш отец тоже, — сказал американец.

— У нас нет скидок, — оборвал его Бускила. — Главное, что ваш отец, долгой ему жизни, принадлежал ко Второй алие.

— Разумеется.

— Сейчас вы уплатите аванс, чтобы сохранить за собой место. Остальное, не приведи Господь, при доставке. Прошу, это наш офис.

Пинес с интересом следил за процедурой продажи могил, а потом со стоном повернулся ко мне. Он был уже очень стар. Глаза его потускнели, челюсти и язык непрестанно двигались, как будто перемалывали бесконечную кашу. Он сильно растолстел.

«Старый и тяжелый», — говорил он о себе.

«В конце концов, Зейтуни сдался, — сказал он мне, — и согласился, что выступят только медведь и силач».

Представление было не очень шумное и вполне профессиональное, хотя и весьма разочаровывающее.

«Медведь действительно решал арифметические задачки. — Ури, по своему обыкновению, разукрашивал рассказ о Зейтуни дополнительными деталями. — Но это были простые задачки, под силу любому третьекласснику».

Силач пробудил некоторый интерес, пальцами заплетая толстые гвозди в косички и разбивая о лоб обожженные кирпичи. Деревенские смотрели на него с любопытством, как будто оценивали добротную рабочую скотину. Их вялый интерес несколько усилился, когда он начал напрягать и перекатывать свои мышцы, которые пробегали под его кожей, как большие крысы, от покатостей плеч и до двух младенческих ямок в основании спины. Но как раз в ту минуту, когда он со зверским рыком поднял свой «Груз Апполона» — пару больших паровозных колес, соединенных тяжелой осью, — и застыл под ним, побагровев и дрожа от усилия и восторга, Эфраим спустился от могил моих родителей, неся на плечах Жана Вальжана — тысячу триста килограммов рогов, копыт, *crème* и мяса — и легкой походкой подошел посмотреть на представление.

Люди заулыбались. Силач глянул, как безумный, на Эфраима и на быка, опасно закачался, уронил свой груз и сел прямо на землю. Зеленый глаз Эфраима смотрел сквозь отверстие маски, надетой у него на голове.

«Прекрасно! — выкрикнул Зейтуни и подбежал к Эфраиму. — Великолепно! И эта шляпа — тоже очень эффектно!»

Он тяжело дышал. «От жадности и от надежды уладить старые счеты», — сказал Пинес.

Эфраим отстранился, придерживая зевающего Жана Вальжана, и посмотрел на облезлого медведя, который прыгал сквозь горящий обруч и рычал от боли.

— Сколько ты хочешь за выступление? — спросил Зейтуни.

По толпе прошел недовольный ропот. Эфраим обернулся к односельчанам, поворачивая все свое тело вместе с могучим быком.

— Для этих я готов выступить задаром, — сказал он и сдернул с головы свою маску.

Все замерли.

— Привет, товарищи мошавники, — сказал Эфраим.

«Мы опустили глаза. От стыда и от ужаса».

Дядя снова повернулся к Зейтуни и его людям. Силач увидел лицо Эфраима, и его начало рвать железными болтами и обломками цемента. Голуби фокусника испуганно прикрыли круглые глазки. Гадалка поднялась с криком:

— Я вижу много огня и сильной боли!

— Заткнись, дура! — простонал Зейтуни.

— Ну как, Зейтуни, тебе нравится мое выступление? — спросил Эфраим.

— Мне все равно, — сказал Зейтуни. — Человек смотрит в глаза, а Зейтуни смотрит в сердце. Ты заработаешь у меня хорошие деньги.

— Мне не нужны деньги, — ответил Эфраим.

Почти неприметным движением века Зейтуни подмигнул резиновой девушке, и та змеей скользнула к ногам Эфраима, сомкнула пятки у себя на затылке и закачалась на спине, как перевернутая на спину черепаха. Потом высвободила одну ногу и обвила ею свое тело. Ее плоский живот подрагивал. Одну щеку она положила себе на лобок, который в этом положении выпятился отчетливо и резко.

Пинес смущенно покашлял. «Там ведь есть что-то вроде жировой подушечки под кожей, — терпеливо объяснил он. — И вся эта девушка была воплощением самых запретных наслаждений, о которых тело мечтает лишь тайком, — сказал он. — Ужасное, отвратительное зрелище. Мусорная кошка, гиена».

Со времени возвращения в деревню Эфраим не имел женщины. Злые языки твердили, что он получает удовлетворение, глядя на случки Жана Вальжана. Юношей, как рассказывали, он иногда развлекался с женой ветеринара, грубой, сладострастной женщиной, которая с удовольствием смотрела, как ее муж кастрирует жеребцов и телят. Сейчас живот его сжался от жара соблазна и ненависти. Влажные воспоминания скользнули по его чреслам складками лилового балдахина. Он перевел свой единственный глаз с резиновой девушки на ее хозяина.

«Я приду вечером поговорить с тобой, — сказал он ему. — Ждите меня здесь».

Он подвигал Жана Вальжана, чтобы удобнее было его держать, повернулся и пошел через поле размеренным и бесшумным шагом, словно летя над землей в своих мягких пустынных ботинках.

«Сзади и издалека эти двое выглядели, как гигантский гриб-боровик на очень маленькой ножке», — сказал Пинес.

Он тяжело поднялся со скамейки, снял очки, запотевшие несмотря на жару, и стал протирать их о полу своей синей рубахи бесконечными кругами.

— Кто это там, Барух? Это не Боденкин?

— Он самый, — сказал я.

Ицхак Боденкин, один из первых поселенцев Иорданской долины, почти глухой, с бессильным, искривленным, как прошлогодняя травинка, ртом, медленно выпалывал грядку цинний возле ворот.

— Что он здесь делает?

— Пришел неделю назад, — объяснил Бускила. — Сбежал из кибуцного изолятора. Пришел пешком, полумертвый, и попросился работать здесь, пока не умрет совсем.

— И вот так он живет? Как собака, под открытым небом?

— Ну почему же! — возмутился я. — Он просто хочет поработать немного тяпкой, а вечером он идет спать в коровник.

— В коровник?

— Я предложил ему пойти ко мне во времянку, но ему хочется ночевать с Зайцером.

— Кладбище мастодонтов, — пробормотал Пинес.

Он подошел к Боденкину и поздоровался. Старик не узнал его.

— Не мешай работать, сынок, — проворчал он. — После обеда я возьму тебя на ярмарку и куплю тебе сахарного петушка.

— Он меня не помнит, — сказал Пинес, возвращаясь. — Мы когда-то проработали с ним несколько дней на грейпфрутовой плантации возле насосной станции на Иордане. Мазали стволы черной мазью твоего дедушки. Там бегали крысы величиной с кошку, совершенно обезумевшие от жары и одиночества. Они забирались на цитрусовые деревья и грызли кору. Страшные раны.

Он сел устало и печально.

— Мы даже представить себе не могли, чем это кончится, — сказал он. — Рылову следовало прогнать этого подстрекателя Зейтуни, содрать с него кожу своим кнутом. «Ударом бича и укусом скорпиона»[6].

26

На общий пляж, что к югу от моего дома, я спускаюсь только по вечерам. Пляжники и серфистки уже ушли, вокруг, на всем берегу, никого. На песке валяются недоеденные бутерброды, скелеты виноградных гроздьев, забытые сандалии. Детские крики все еще висят в воздухе, как грязные тряпки, медленно растворяясь в тишине. Вдали хищно покачивается на пенных гребнях тяжелый серый сторожевой катер, высматривая добычу.

Давид, старик с шезлонгами, замечает меня уже издали и ставит чайник на маленькую газовую горелку под своим навесом из циновок. Я всегда приношу ему что-нибудь поесть, или бутылку горячительного из подвалов банкира, или очередной том из моей библиотеки. Давид любит книги и читает по-испански и по-французски.

«Меня зовут Давид, как вам нравится мой вид», — любит он представляться в рифму и при этом посмеивается хриплым, заржавевшим смехом. У него большие белые зубы и сморщенное тело, выдубленное солнечной жарой.

Мы пьем крепкий чай и медленно беседуем, а песок вокруг нас кишмя кишит маленькими желтоватыми береговыми крабами на тонких членистых ножках.

«Они чистят для меня берег», — говорит Давид.

Крабы выскакивают из своих нор, мечутся по песку, их клешни подняты в самом древнем и трогательном человеческом движении мольбы и угрозы. Вот так и Эфраим поднял руки к лицу, когда вышел из машины в центре деревни. Вот так и бабушка Фейга — в ожидании пеликанов и дождя.

Другие крабы заняты починкой своих жилищ, и только мокрые брызги песка свидетельствуют об их существовании. Когда они неподвижны, их невозможно увидеть, потому что они одного цвета с песком, но мне, различавшему богомолов на сухих колючках, открывавшему замаскированные ловушки пауков и без труда отличавшему простой прутик от гусеницы бабочки-геометриды, нетрудно их разглядеть.

— Ты их любишь? — спросил Давид, проследивший за моим взглядом. — Они не кошерные.

— Люблю, — ответил я. — Но я их не ем. У меня есть старая тетя, которая ест кузнечиков.

— В пустыне есть такие кузнечики, что, пока они не двигаются, тебе кажется, что это камешек, — хихикнул Давид.

— Нужно только терпение, — сказал я.

На кустах серебряного бессмертника притаились маленькие клопы, маскируясь под сверкающие сухие листочки.

«Нужно только терпение, Барух, — сказал мне Пинес, сидя рядом со мной в засаде под кустом. — Некоторые из этих белых листочков, которые качаются сейчас взад-вперед, это древесные клопы, которые умеют подражать движениям листа, раскачиваемого ветром. Мы подождем, пока ветер утихнет, и тогда ты сам увидишь.

Кто будет висеть неподвижно — это лист, а тот дурак, который будет по-прежнему качаться, — это клоп».

Он объяснил мне, что человек и насекомое — это две породы существ, которые приспосабливаются к миру двумя разными способами. Человек, существо слабое и уязвимое, надеется на свою изобретательность и способность учиться, а насекомое, существо плодовитое и стойкое, не учится ничему — с чем рождается, с тем и умирает. «Даже такое сложное поведение, как то, что мы видим в ульях Маргулиса, — сказал он, — не есть результат находчивости или обучения».

Дедушка наблюдал за нами, когда мы стояли на перевернутых молочных бидонах у стены коровника и рассматривали построенные из грязи жилища ос в углу потолка. Пинес разворотил соломинкой выпуклое днище одного из жилищ и показал мне, что оса продолжает преспокойно достраивать крышу своего дома, нимало не заботясь о разрушенном основании.

«Так велят ей унаследованные модели поведения, — сказал он. И тут же спросил: — Так что же предпочительней — убогий, но весь настроенный на считаные задачи разум насекомого или емкий, но рассеивающийся по множеству направлений разум человека?»

«Вот смотри, — сказал он мне в другой раз. — Рылов и его сын, например, — законченные глупцы, такими родились, такими остались. У них в мозгу всего пять процентов объема пригодно для мысли. Но зато эти пять процентов непрерывно работают в одном направлении, не то что у каких-нибудь изощренных умников, у которых весь их деятельный разум улетучивается в пространство».

Я рассказал Давиду о страшной длиннорогой цикаде, которую Пинес со сверкающими глазами принес из Галилеи и наколол на булавку, чтобы украсить ею свою коллекцию.

«Посмотри, как она удивительно маскируется, Барух, — сказал Пинес. — Она зеленого цвета и в неподвижном состоянии выглядит, как удлиненный листок. А когда приблизится добыча, она бросится на нее и схватит в свои смертельные объятья, прижимая к шипам на своей груди. "И взял Иоав правою рукою Амессая за бороду, чтобы поцеловать его. Амессай же не остерегся меча, бывшего в руке Иоава; и тот поразил его им в живот..."»[1].

— Умный учитель был у тебя, — сказал Давид.

— Она ест даже маленьких птиц, мышей и ящериц, — сказал я, гордясь познаниями, которыми наделили меня годы детства и юности.

Давид был потрясен.

— Кузнечик ест мышь! — удивился он. — Вот гаденыш!

— И даже маленьких змей.

Давид поднял чашку за здоровье всех кузнечиков.

Потом деликатно начал расспрашивать меня обо мне самом и о моей семье.

— Ты странный человек, — сказал он. — Если ты живешь здесь, значит, у тебя есть деньги, но ты не похож на человека с деньгами.

— Я крестьянин в отпуску, — сказал я ему. — В отпуску от деревни, от семьи, от земли.

По ночам, возвращаясь в дом банкира, я подолгу рассматриваю письма, записки и книгу Лютера Бербанка, которые оставил мне дедушка.

«Ни один человек не выглядел на смертном одре так спокойно, так светло и так красиво, как он. Он был похож на спящего ребенка».

«Мы похоронили Лютера Бербанка в саду его старого дома, в котором он прожил сорок лет, в том месте, где он работал и сделал большую часть своих открытий. При жизни он часто приходил в это приятное место, где ниспадающие ветви достигают земли, образуя вокруг ствола маленький прохладный шатер, весь пропахший ароматом хвои. Там мы положили его на вечный покой».

В старом выпуске «Поля» я нахожу высушенные цветы цикламен и шафрана, которые моя мать оставила для моих ищущих пальцев. Дедушка подчеркнул там синим некролог о своем герое, написанный человеком по имени А. Фельдман. «Он умер в Санта-Розе, в возрасте семидесяти семи лет, в своем скромном доме, среди роз и слив, кактусов и винограда».

«Кактус и виноград, колючка и опьянение», — написал дедушка своим почерком на полях ломкого листа, потому что это были первые растения, которые встретили его в Стране.

«Под покрывалом цветов, — громко повторяю я. — Под покрывалом цветов».

Но хотя Бербанк, этот много успевший, удовлетворенный и счастливый человек, тоже бежал от любимой женщины и тоже выращивал фруктовые деревья, он не растил их в болотах Сисары[2], не был похоронен в земле, обещанной его праотцам, над ним не было устава коллектива, и он не имел, кому мстить.

Зейтуни долго смотрел вслед удаляющемуся Эфраиму, потом потер ладони и обернулся. Запах легкого заработка и сведения счетов наполнил его нос.

«Давай, давай! — крикнул он силачу. — Иди, помой кастрюлю. Иди! Ай да женщина, ай, чертовка!»

Зрители расходились с чувством неловкости. По требованию Рылова Зейтуни освободил участок подле источника и вывел своих людей за границу земель деревни.

«Назавтра в деревне появился старый Хуссейн из бедуинского племени Мазариб. В то утро он на заре вышел из дома, чтобы успокоить своих собак».

В разрывах тумана, еще лежавшего на полях, Хуссейн увидел фургон и клетку, которые направлялись на восток, и Эфраима, медленно идущего за ними своим мягким, спокойным, неутомимым шагом. Жан Вальжан развалился у него на плечах, еще погруженный в сон. Вначале старый араб подумал, что кто-то пригласил Эфраима с его быком на случку, но весь день его не покидало смутное беспокойство. Вечером он решил, что следует известить об этом, и прискакал к дому Рылова, с которым дружил уже долгие годы.

«Твой Абу-Тор[3] ушел, — крикнул он, постучав по крышке тайника, и крикнул снова: — Твой Абу-Тор ушел!»

Но в тайнике никого не было. В это время Рылов в маленьком грузовичке направлялся по тайной боковой дороге в нашу деревню, спускаясь по холмам с выключенным мотором и погашенными фонарями и волоча за собой новый чешский комбайн, нагруженный динамитом. Хуссейн знал, конечно, что Тоня коротает время с Маргулисом среди ульев в саду, выпивая сладость страсти до последней капли. Но он не хотел связываться с пчелами и поэтому поскакал в Комитет. Там немедленно организовали поисковую группу, но Эфраим, Жан Вальжан, Зейтуни и вся его труппа исчезли бесследно, словно их и не бывало.

— И больше я никогда не видел своего бывшего ученика, — сказал Пинес. — И Миркин никогда больше не видел своего сына. — Он снова протер очки. — Как это так, что бык весом в тонну с четвертью, единственный в своем роде во всей стране, и парень с таким лицом, извини меня, как у Эфраима, исчезают бесследно? Как может произойти такое?!

— Эфраим мог пройти среди летучих мышей так, что они его не замечали, — сказал я. — Ты же сам рассказывал мне о коте Маргулисов.

Пинес встал и начал ходить меж надгробий.

— Когда ты затеял это свое страшное дело, я был решительно против, — сказал он. Его вставные челюсти клацали голодным, полным слюны постукиванием. —

Помнишь, я даже пошел тогда на заседание Комитета, куда ты привел этого своего скользкого адвоката?

Я не ответил.

— Не думай, будто я изменил свое мнение из-за тех глупостей, что вы там говорили. Кладбище — это отрасль сельского хозяйства... Разновидность земледелия... Связь с почвой... Какой позор! Я стыдился того, что слышал! Стыд и позор! Подумать только, внук Миркина говорит такие слова, думал я.

— А теперь?

Пинес засмеялся.

— Теперь я другой человек. Плотину прорвало. Теперь я откладываю каждый грош, чтобы быть похороненным у тебя.

— Что ты говоришь, Яков! — взволнованно воскликнул я. — Разве я возьму с тебя деньги?!

— Что, похоронишь меня даром, да? — спросил Пинес.

Выражение его лица подсказало мне, что я дал маху, но я не понял в чем.

— Малыш, — сказал Пинес. — Малыш. — Он погладил меня по щеке мягкой рукой. Ладонь, кожа которой была выглажена мелом и эфиром, а форма придана флейтой и ручкой, скользнула по моему лицу, передвинулась на затылок, и я закрыл глаза.

— Ты сделал хорошее дело, Барух. «Из того, что не для этого, получилось это». Но я поищу себе могилу в другом месте.

Он медленно пошел прочь, но рука его будто осталась у меня на голове. Осталась, как рука дедушки, как касание звуков циркинской мандолины, как прикосновение к ледяным вискам бабушки, как пух голубиных птенцов на крыше силосной башни.

Тридцати восьми лет от роду, ста двадцати семи килограммов весом, в большом доме на берегу моря, я все еще ученик Пинеса и дедушкин Малыш. Все еще жду — его усов на моей шее, его рассказов, нарезанного им помидора, посыпанного грубой солью, на моем утреннем столе.

Щекотное прикосновение горячей и тонкой пыли под ногами. Их сладкая кровь защищает от лихорадки и депрессий. Этот яд никогда не свернется. Шифрис появится, изможденный, в старческих пятнах. Звуки Малера притянули волшебными канатами. Аисты на крыше старого дома в Макарове мечтают о лягушках Сиона.

Удары морских волн за окном большого дома. Шелест банкнот в мешках. Двести семьдесят четыре старика и старухи, одна мандолина и один престарелый мул, что лежат на моем кладбище. Первопроходцы, продолжатели и предатели-капиталисты.

27

Мы с Ури научились читать уже в пятилетнем возрасте. Иоси учиться не захотел. Когда дедушка рисовал нам слова на бумажках, он сидел возле нас и молчал. Дедушка не учил нас отдельным буквам, как Пинес. Он начал сразу с целых слов. «Буквам они научатся сами, — объяснял он. — Буквы порознь не имеют никакого смысла. Буквы начинают жить, только когда сходятся вместе».

В детском саду мы играли в ящике с песком, который «Банда» Эфраима сколотила после Великого Шоколадного Ограбления, и катались на старом тракторе «Кэйз» с железными колесами, переданном, несмотря на протесты Мешулама Циркина, в наш детский садик, а не в его музей.

Иногда из соседней лавки приходил Шломо Левин и приносил нам холодный сок или булочку. Булочки мы брали в рощу за Народным домом. Там рос дикий чеснок, память тех дней, когда дикие буйволы у источника насмехались над людьми и комары сражались с ними не на жизнь, а на смерть. Мы заталкивали эти длинные и душистые перья внутрь своих булочек.

«Приправить корочку чуть-чуть чесночком, — называла это воспитательница Рут. — А сейчас дети отправятся в рощу, чуть-чуть приправить корочку чесночком».

В коротких штанишках, в белых матерчатых шапочках, в грубых сандалиях, сшитых для нас Бронштейном-сапожником, маршировали мы в рощу, громко распевая по пути. Каждый год на Песах Бронштейн-сапожник принимал нас в своем бараке. Он давал нам в руки гири, чтобы наши взволнованные ступни как можно плотнее впечатались в кусок кожи, и обводил толстым и щекотным карандашом новый размер.

«Не разговаривайте, дети», — бормотал он, стиснув зубы, потому что держал во рту кучу меленьких гвоздиков. Не реже раза в неделю мы слышали, как он кричит от боли в туалете, что за его мастерской.

«Раньше, до того, как ты родился, у нас ни у кого не было таких сандалий. Авраам ходил в сандалиях из старых шин, а твоя мама и Эфраим вообще бегали босиком».

Мы шли в рощу гуськом, один за другим. Я всегда шел сзади, потому что я был «самый большой». Иоси, со злым лицом, шел слегка сбоку, высматривая гладкие камни для своей рогатки. Ури шел под платьем воспитательницы Рут. Только его ноги и сандалии выглядывали оттуда, словно задние лапки пчелы, с головой, ушедшей в глубины большого и сладкого цветка. Широкое лицо воспитательницы было безмятежно-спокойным. Со стороны она казалась четырехногой — две большие босые ноги спереди и две маленькие, в сандалиях, сзади.

«Благословенно лишь то, что сокрыто от глаза», — насмешливо и любовно сказал Пинес, увидев эту картину.

«Ты прекрати свои штучки, слышишь?! — кричала Ривка на сына. — Вся деревня о тебе говорит! Что это за фокусы?»

Но и пятилетние дети тоже не любят отказываться от своих удовольствий.

— Мне нравится так ходить, — сказал Ури.

— Но так не ходят! — вмешался Авраам.

— А ты молчи, — сказала Ривка мужу. — Ты-то сам какие песни распевал в девять лет?! Все небось слышали. Это твое яблочко недалеко от тебя упало.

— Рут мне разрешает, — сказал Ури.

— Интересно, что она ему разрешит еще через два года, — кипела Ривка.

— И Рут хорошо пахнет, — сказал Ури.

Из-за Ури Комитет распорядился, чтобы Рут приходила в садик в брюках, и ему самому пришлось удовлетвориться тем, что он время от времени, после полдника, подходил к ней, снимал рубашку, ложился к ней на колени и просил «сделать ему приятное на спине».

В первый день занятий дедушка взял полдня отпуска у деревьев и повел меня, Иоси и Ури в школу. Мы вошли в класс. Иоси подошел к стене, поднял глаза на большой плакат, который Пинес повесил над доской, и прочел, медленно и громко: «Не меч воина покорил Страну, а плуг земледельца».

Дедушка рассмеялся. «Ах ты, хитрюга, — сказал он, и Иоси покраснел от удовольствия. — Сидел себе тихонько рядом и все понимал».

Я был на голову выше всех остальных детей, и поэтому меня посадили сзади. Я положил свой ранец — немецкий кожаный портфель моего отца Биньямина — и увидел Пинеса, вошедшего в класс. Я уже успел получить от старого учителя несколько уроков. Когда мне было пять лет, он взял меня в апельсиновую рощу и показал продолговатое крытое гнездо с круглым отверстием сбоку.

«Это гнездо славки, — сказал он. — Птенцы уже улетели. Можешь сунуть туда руку и пощупать».

Внутри гнездо было выложено семенами крестовника и мягким, теплым пухом.

«Славка — наш друг, она уничтожает вредных насекомых, — сказал Пинес. — У нее маленькое тело и длинный хвост».

Он привел меня к себе, разыскал яйцо славки среди сотен пустых птичьих яиц, которые лежали у него в коробочках, и показал. Яйцо было тоже маленькое, бледное, с красными точечками на конце. Несколько дней спустя мы с ним прокрались сквозь кусты, чтобы послушать, как стрекочет влюбленный самец славки, и убедиться, что длинный хвост помогает ему уравновесить тело, а длинный острый клюв действительно приспособлен для поимки насекомых.

«Здравствуйте, дети. Меня зовут Яков». Его очки скользнули по лицам детей, на мгновенье остановились на моем портфеле, который раньше бывал набит немецкими пластинками, и улыбнулись. Этот портфель был у него дома в ту ночь, когда погибли мои родители, и потому уцелел. Перед началом занятий учитель принес мне его. «Завтра ты идешь в школу, Барух. Вот портфель твоего отца Биньямина. Я сохранил его для тебя».

Каждый год он входил в новый первый класс поздравить начинающих учеников. Первый урок он обычно использовал для того, чтобы рассказать какую-нибудь историю. На этот раз он рассказал о богатыре Самсоне[1], и рычание раздираемой львиной пасти, вырвавшееся из его горла, напугало всю школу.

— А теперь скажите, дети, почему нашего Самсона прозвали героем? — спросил он, кончив рассказывать.

— Потому что он победил льва, — сказала Яэль, внучка Рылова.

— Потому что он обрушил дом филистимлян, — сказал Иоси.

— Потому что он не боялся пчел. Он брал мед голыми руками, — сказал Миха, внук Маргулиса.

— Это мне никогда не приходило в голову! — восхитился Пинес.

После занятий он собрал учителей для беседы.

«Юношей был я и уже состарился, — сказал он молодым педагогам. — И многие поколения детей прошли через мои руки. Но меня по-прежнему волнует и поражает их разумность. Сегодня утром мальчик в первой группе сказал мне, что геройство Самсона — вовсе не в силе, а в храбрости, а храбрость эта выразилась в том, что он голыми руками доставал мед из ульев диких пчел».

Пинес строго обвел учителей глазами.

«Вашим рукам доверено ценнейшее сокровище — слабые и нежные саженцы, самые прекрасные из всех, которые сажают в этой деревне. Вы должны поливать, и взрыхлять, и удобрять, и направлять, но будьте осторожны с садовыми ножницами».

Вечером, на кухне, Пинес рассказывал дедушке о внуке Маргулиса и о своей беседе с учителями, а я лежал в своей постели во второй комнате, смотрел на них и прислушивался.

— Понимаешь, Яков, — говорил учитель, — этот маленький внук Хаима Маргулиса каждый день видит, что его дед и отец надевают комбинезоны, натягивают маски и перчатки, вдувают дым в улья. А тут Самсон подходит к улью безо всякой защиты и запросто вытаскивает мед голыми руками, как будто пробку из бутылки. И тогда этот маленький мальчик говорит — вот это герой.

— Все это прекрасно, — сказал дедушка, — но все-таки разорвать львиную пасть не может никто, будь он в маске пчеловода или без нее.

Его голос прервался. Его лицо исказилось, как от боли.

— Дело не в этом, Миркин! — воскликнул Пинес. — Дело не в том, прав этот мальчик или нет. Дело в том, что дети с их чистым и наивным умом высказывают свежие, сладкие и душистые мысли, и именно ты, как садовод, должен понять, как трудно ухаживать за таким садом.

— Оставь эти свои сравнения, Яков, — сказал дедушка. — Я не вижу никакой связи между садоводством и воспитанием, между человеком и животным, между личинкой капнодиса и мировоззрением.

После школы мы с дедушкой ходили обедать. Но порой, когда он был занят в саду или на него находило мрачное настроение, я ел у Рахели Левин. В ее густых жестких кудряшках уже начала пробиваться седина. Она хозяйничала по дому в зеленом рабочем халате.

Я смотрел, точно зачарованный, как ее ноги бесшумно скользят по полу.

— Хочешь тоже научиться ходить тихо? — спросила она.

— Да, — сказал я с восторгом, потому что слышал рассказы о дяде Эфраиме и уже тогда завел привычку подкрадываться к чужим домам, чтобы подслушать чужие разговоры.

— Пошли, я тебе покажу.

Она повела меня в свой сад. Рядом с домом у нее было небольшое подсобное хозяйство — несколько кур, крольчиха, грядки овощей и пряностей. Когда Левин пришел в деревню и был принят в качестве служащего, он пытался выращивать овощи возле своего дома. Но что-то было в его руках такое, что наводило порчу на растения, и любой стебелек, которого он касался, тут же увядал. Сам он ел свои серые помидоры и бледные перцы с большим воодушевлением и даже пытался убедить окружного сельскохозяйственного инструктора, что это новые сорта овощей, которые он сам вывел. Но после его женитьбы на Рахели та взяла на себя заботу об этом огороде, и Левин, всегда мечтавший о крестьянской жизни, начал наконец есть плоды земли своей с настоящим удовольствием. Рахель сажала овощи и цветы, привезла из отцовского дома кусты базилика в ящиках и жестянках, и по ночам люди и животные подходили к их забору, стояли там с закрытыми глазами и глубоко вдыхали.

Сейчас Рахель отрезала несколько сухих побегов от своей живой изгороди и разбросала их по дорожке.

«Смотри, Барух, — сказала она и прошла по ним совершенно беззвучно. — А теперь пройди ты».

Сухие ветки взорвались под моими ногами. Рахель засмеялась.

«В твоем возрасте Эфраим уже ходил по этим веткам, как фланелевая тряпка по столу. Когда ставишь ногу, старайся опускать ее мягко и плоско, и дыши только животом, не грудью».

Она набросала еще немного веток, но мне ничего не помогло.

«Ты ходишь, как старая корова, — вздохнула она. — Придется подождать, пока вернется Эфраим».

Левин приходил обедать домой. Он совсем не был похож на фотографию бабушки — всегда бледный и слабый и не умел ходить тихо, потому что волочил ноги.

«Может, эти Левины все такие, — подумал я, — поэтому бабушка и умерла».

Авраам тоже иногда приглашал меня пообедать. Но я не любил у них есть из-за Ривки. Я предпочитал есть у дедушки, хотя дедушка не умел варить ничего, кроме картошки в мундирах. У Авраама, покончив со своей порцией, я выходил из дома и прокрадывался по бетонной дорожке под кухонное окно подслушать, о чем они говорят между собою.

Ури, въедливый и язвительный, уже тогда любил острые ощущения и всегда ухитрялся испортить им аппетит.

— От чего умерла бабушка? — спрашивал он вдруг.

Я буквально слышал, как мрачнеет лицо Авраама.

— От болезни.

— От какой?

— Не морочь голову, Ури!

— А Нира Либерзон говорит, что это была не болезнь.

— Скажи внучкам Либерзона, пусть занимаются неприятностями своей семьи.

Короткое молчание, потом голос Ривки:

— Это все ваш дедушка, перед которым вы все так преклоняетесь, — это он ее убил. А ты что думал?

Я поднялся и заглянул через подоконник. Ривка яростно скребла клеенку, и ее грудь, живот и бедра колыхались под платьем, как будто там ходило целое стадо жировых складок. Мухи садились на пятна варенья, оставшиеся после завтрака. Авраам ел молча. Его сын Иоси подражал отцу. Они оба нагружали вилки, помогая себе куском хлеба.

— В салате мало соуса, мама, — сказал Иоси. Они с отцом любили макать хлеб в соус.

— Ты сначала реши, что ты хочешь — салат или болото, — ответила Ривка.

— Он прав, — заметил Авраам. — Мы любим соус.

— Ну, конечно, и тогда вы переводите на него буханку хлеба. И так уже растолстели, хуже некуда.

— Чего вдруг он ее убил? — спросил Ури, которому спор о салате казался бессмысленным и безнадежным.

— Она таскала на себе блоки льда, а письма этой русской ее добили, — сказала Ривка.

— Я не думаю, что детям в девять лет стоит слушать все эти россказни, — буркнул Авраам, и борозды на его лбу начали ползать.

Я услышал сильные хлопки. Это Иосин сокол резко захлопал крыльями по оконному стеклу, и я торопливо пригнулся и отполз от стены. Этого красного сокола

Иоси вынул из гнезда, когда тот был крохотным, вздыбленным комочком белого пуха, яростно шипящим на всех. Первые три месяца Иоси ловил для своего любимца мышей и ящериц, пока соколенок подрастал и его летательные перья утолщались и набирали достаточную силу. За это время он привязался к хозяину, как собака, и всюду ходил за ним по двору, ковыляя и цепляясь за все когтями, так что в конце концов Иоси отнес его на крышу коровника и сбросил в воздух, чтобы он научился летать. Летать сокол действительно научился, но наш двор не покинул. Он то и дело издавал резкие крики, непрерывно звал Иоси, и нельзя было оставить окно открытым, потому что он тут же влетал внутрь и на радостях рвал занавески и сваливал на пол стеклянные вазы. Все его сородичи уже откочевали, и только он один остался в Стране.

«Большая редкость, — говорил Пинес. — Большая редкость. Красный сокол, оставшийся на зиму в Стране Израиля. Какая верность!»

— Прогони эту сволочную птицу! — заорала Ривка.

Ури рассмеялся.

— Скажи спасибо, что он прилетает сюда, а не к твоему отцу, — сказал Авраам.

Отец Ривки, шорник Танхум Пекер, пришел в восторг, когда его внук завел себе сокола. «Мы сделаем из него охотничью птицу», — сказал он, и его лысина засверкала от предстоящего азарта. В первые годы после основания деревни Танхум Пекер был одним из самых занятых людей. Он шил и чинил уздечки, сбрую, вожжи и ремни упряжи. Его хомуты славились по всей Долине, потому что они никогда не натирали шею животным. Дедушка изображал мне, как Пекер нарезал полосы для кнутов, с силой проводя ножом по большому куску кожи, и при этом вздыхал от напряжения и высовывал кончик языка. «Нож его шел так уверенно, что кончик кнута начинал дрожать уже в ту минуту, когда отделялся от материнского куска». Когда в деревне появились первые тракторы, заработки Пекера упали, но его пальцы и сапоги по-прежнему пахли кожей и седельным дегтем, и тот же запах вытекал из деревянных стен его мастерской.

«Охотничий сокол, — мечтательно сказал Пекер. — Как у помещиков и господ офицеров».

В молодости он был денщиком у кавалерийского офицера в армии русского царя Николая.

«Вот были денечки! — то и дело вспоминал он, раздражая своей тоской других отцов-основателей. — Офицеры в мундирах, с саблями, все в золотых погонах, помещичьи дочки и балы, платья раздуваются, все танцуют, шепчутся в саду...»

Пекер особенно любил рассказывать о новогоднем бале у полицеймейстера в каком-то губернском городе:

— Подали таких здоровенных речных рыб, не то лещей, не то палтусов, и мне тоже дали выпить-закусить, а потом все пошли танцевать...

— И что, жид Пекер тоже танцевал? — презрительно спрашивал Либерзон. — Или только вылизывал хозяйские сапоги?

— Танцевал, — гордо отвечал Танхум Пекер.

— С конюхом майора или с кобылой губернатора?

Пекер не отвечал. Он шил седла и подпруги по заказу людей «а-Шомера» и, попав таким манером на страницы истории, уже удовлетворил потребность увековечиться, терзавшую всех наших стариков. Именной указатель «Книги Стражей» представлялся ему вполне достойным и почетным памятником, и он не ощущал нужды ни в каком ином мемориале.

Дедушка терпеть не мог Пекера, потому что во время первой войны, когда члены «Трудовой бригады» пасли овец, люди из «а-Шомера» преследовали их, уводили у них стада и оговаривали перед турецкими чиновниками. Денег им тогда не платили, свою единственную пару обуви они отдали Фейге, голод и болезни исполосовали их шрамами. Циркин часами наигрывал на мандолине, глотая ртом ее отрывистые звуки, чтобы заглушить бурчание в желудке. Кожа Фейги была покрыта нарывами, но она упрямо тащила свое костлявое, сожженное солнцем тело и усталой рукой гладила своих друзей по головам.

«Мальчики мои! — говорила она. — Любимые мои!»

Ее мальчики обворачивали ноги тряпками. Они уже не летали по воздуху. Их кожа огрубела и стала жесткой, а голод придавливал их к земле. Когда они не двигались, я вообще не мог их увидеть, даже зажмурив глаза, потому что они становились похожими на огромные застывшие глыбы. Каждый второй день Циркин варил им клейкое варево из кукурузы и бобов в жестяной печи, которую он построил в яме, приспособив под трубу поломанный глиняный кувшин.

Даже многие годы спустя, когда дымный вкус той печи давно улетучился из их ртов и волос, дедушка и его друзья все еще хранили обиду на людей «а-Шомера», и дедушка обычно ронял в их адрес: «Сатрапы, которые только и мечтали, что основать в Галилее коммуну арабских кобыл».

«Охотничий сокол», — сказал Пекер, достал из своей коробки старые шила и кривые иглы и уселся на свою шорничью скамью, оборудованную большими деревянными тисками. Иоси, Ури и я сидели рядом, завороженные мудростью его пальцев и приятным запахом его работы. Он смазал толстые нитки воском, поплевал на ноготь большого коричневого пальца, прочертил им линии для ножа, а потом сметал несколько кусков тонкой мягкой кожи в наглазник для сокола. «Когда птице прикрывают глаза, она сидит, как младенец, и не шевелится», — объяснил он.

Он вырезал отверстие для кривого клюва, а из более толстой кожи сшил себе большую перчатку, длиной до локтя. «Это перчатка, чтобы поберечь руку, иначе сокол разорвет ее на куски. Смотри, какие у него когти».

К тому времени сокол уже начал охотиться, но, услышав свист Иоси, тут же торопился вернуться к хозяйским ногам.

«Это хорошо, что он возвращается. Теперь мы научим его сидеть на руке, а через две недели, вот увидишь, Иоси, он принесет нам на обед зайца».

«Красный сокол слишком мал. Самое большее, он принесет тебе мышь, — разрушил Пинес эти надежды. — Для охоты нужен ястреб. А кроме того, Иоси, охота с помощью хищных птиц — не что иное, как отвратительное развлечение паразитирующего и загнивающего слоя, который жил за счет эксплуатации».

«Скажи своему учителю, чтоб не забывал охотиться по ночам на своих лягушек», — презрительно пробурчал шорник Пекер, когда Иоси с опаской передал ему слова Пинеса.

Иоси с Пекером понесли сокола в поле. Меня и Ури они попросили идти сзади, чтобы не мешать. Сокол послушно сел на руку старого шорника — белые когти вцепились в перчатку, застывшая точеная головка накрыта кожаной маской. Пекер выбрал подходящее место, смочил слюной палец и проверил направление ветра, а потом снял наглазник и подбросил сокола в воздух. Великолепная птица взмыла вверх, ее красный живот с коричневыми полосами по бокам так и сверкал в прозрачном воздухе.

«А ну, свистни ему!»

Иоси сунул в рот два пальца и свистнул. Сокол остановился в воздухе, развернул перья хвоста, как веер, и на мгновенье завис неподвижно, а потом спикировал наискосок с наполовину сложенными крыльями. Старый шорник протянул к нему руку, защищенную перчаткой.

Сокол раздвинул ноги, замедляя свою посадку, но поднятая рука шорника ему помешала. Он заколотил крыльями по воздуху и сел прямо на лысую голову Пекера.

«Это было ужасно, — сказал Пекер врачу, который зашивал ему череп. — Я думал, что мне пришел конец».

Пытаясь ухватиться за гладкую голову, сокол вновь и вновь вспарывал ему кожу своими острыми, как шило, когтями. На лицо Пекера хлынула кровь, он упал без сознания прямо посреди поля. «Сволочная птица» с испугом взлетела, а мы помчались домой, чтобы позвать на помощь. В доме не было никого, только старый Зайцер, который работал во дворе. Он вернулся с нами в поле. Зеленые мухи уже обсели голову Пекера, часть скальпа была оторвана и свисала с костей черепа. Мы помогли Зайцеру взвалить раненого на спину и повезли его в деревенскую амбулаторию.

Через несколько дней, когда выяснилось, что Танхум Пекер выздоравливает и уже расхаживает по двору амбулатории с огромным марлевым тюрбаном на голове, в деревне стали придумывать для него прозвища — «Ястребиный глаз», «Нимрод»[2] и «султан Абд эль-Хамид»[3], — а Либерзон написал в деревенском листке, что хотя наше общество действительно стремится вернуться к природе, но никак не для того, чтобы «эксплуатировать инстинкты диких птиц ради удовлетворения примитивных страстей человека».

«Животное охотится от голода, а человек — в погоне за извращенным удовольствием», — провозгласил Пинес в школе и прочел нам подходящий к случаю отрывок из «Книги джунглей» Редьярда Киплинга, который был «хотя и колонизатор, но умный человек».

Я поднялся, схватил камень и разбил окно. Осколки засыпали стол Авраама и Ривки.

— Дедушка не убивал ее! — крикнул я непримиримо.

— Достойный внук своего деда, — издевательски сказала Ривка. — Выгони его отсюда, пока я сама его не убила.

— Прекрати сейчас же! — сказал Авраам

— Пусть твой отец сейчас же уплатит за окно!

— Успокойся немедленно!

— Ты еще увидишь, старик умрет, и этот вот начнет воевать с нашими детьми за наследство, — огрызнулась Ривка.

— Хватит! — крикнул Авраам.

Он поднялся, вышел из дома и подошел ко мне.

— Не обращай на нее внимания, Барух, — сказал мне дядя Авраам. — Она переработала. Ты можешь всегда оставаться у нас. Я не выброшу сына моей сестры из дома.

Я посмотрел на него. Мелкий шаг, изборожденный лоб и покатость плеч окружали его непроницаемой стеной, которая двигалась вместе с ним, как панцирь черепахи. Иногда он брал меня и своих близнецов на сеновал и подзуживал нас побороться на соломе. Я не знал, нравится ему или злит, что я всегда укладываю его сыновей на лопатки. Ури обычно набрасывался на меня неожиданно и сзади, и на него нападал судорожный смех, когда я поднимал его в воздух. Иоси, обиженный и униженный, бежал к матери со слезами.

Авраам взял меня за руку. Я любил его прикосновение. Уже тогда я смутно понимал, что среди членов нашей семьи есть такие, которым достался общий кусок боли. В деревне рассказывали, будто в детстве Авраам напал на чужую женщину, которая пришла к нам в гости, бил ее по ногам, визжал и кусал в живот, пока оплеуха Рылова не повалила его на землю. Но я знал, что мой дядя был замечательный фермер, читал много специальной литературы, и его не раз звали к соседям, чтобы помочь ветеринару в диагнозе. Он вел тщательный дневник своего коровника. У каждой из его коров была детально расписанная родословная, на каждую велись записи удоя, жирности молока, осеменений, родов, выкидышей и времени, когда они переставали рожать. Эта фермерская книга была необыкновенно подробной, в особенности тот ее раздел, где он записывал точные даты расставания коров с их телятами, которых отправляли на убой.

Моя мать погибла, Эфраим исчез, и дядя Авраам был единственным ребенком бабушки Фейги, который еще оставался в доме. Все эти годы он продолжал посещать ее могилу. Мы с Ури часто видели, как он взбирается на деревенское кладбище, что на холме, на тяжелом велосипеде «Геркулес», который остался после Эфраима.

«Едет поговорить с бабушкой, — говорил Ури. — Он рассказывает ей все, что происходит в нашем хозяйстве».

«Твоя мама тоже там лежит», — намекал он, но я не реагировал.

Только один раз в год, со страхом и дрожью, я приходил с дедушкой к могилам своих родителей. Время в деревне двигалось по спиральным маршрутам дождевых облаков, измерялось месяцами беременности коров, общей длиной вспаханных борозд и таинственными, необратимыми процессами гниения, и я не соглашался измерять его днями памяти. Годы спустя, уже превратившись из мальчика в профессионального могильщика, я приобрел способность слышать, как под землей с яростным треском взрываются разбухшие животы мертвецов, но тогда я просто сидел рядом с дедушкой у памятников моим родителям, а потом сопровождал его к памятнику бабушке Фейге, всегда ухоженному и сверкающему белизной. Бетонная впадина у ее ног ярко сияла желтовато-белым обилием нарциссов и фиолетово-зеленоватыми соцветиями базилика.

«Мой отец посадил эти нарциссы, — сказал Ури, — чтобы ему было легче плакать».

28

Когда нам было одиннадцать лет, Пинес организовал одну из своих последних экскурсий.

«Как в добрые старые времена, — объявил он нам. — На телеге, запряженной лошадьми».

В молодости он, бывало, забирался со своими учениками даже на Голаны и в Хуран, и эти экспедиции порой затягивались на целых три недели. Они сушили цветы, ловили насекомых, ели и спали в мошавах, в кибуцах и в тех арабских деревнях, которые им рекомендовал Рылов. Возмущенные родители жаловались, что Пинес отрывает молодежь от работы в самый горячий сезон, когда они больше всего нужны в хозяйстве, но Пинес, выступая на специальном заседании Комитета, посвященном этому вопросу, заявил, что «в деле воспитания горячи все сезоны».

«Семена, которые школа сеет сегодня, вы пожнете через десять лет, — сказал он. — Терпение, товарищи».

На этот раз он запланировал поход сроком всего на три дня.

«Увы, дети мои. Ваши родители могут рассказать вам о больших походах, но мои силы уже не те, что раньше. Пройти туда и обратно я уже не смогу. Мы сможем дойти только до ручья Кишон[1] и древнего Бейт-Шеарима»[2].

На рассвете дедушка привел меня в дом учителя.

«Присмотри за моим Малышом, Яков», — сказал он.

В одиннадцать лет я был такого же роста, как дедушка. Пинес засмеялся и сказал, что, скорее, уж это я должен присматривать за ним.

В качестве сопровождающего с нами отправился Даниэль Либерзон. Он гарцевал верхом на лошади, вооруженный винтовкой и кнутом. Его взгляд сдирал с меня кожу, ища на моем лбу утерянные знаки. Возле русла Кишона мы остановились, вытащили из рюкзаков карманные книжки Танаха с красными корешками и стали читать высокими взволнованными голосами: «Пришли цари, сразились, / тогда сразились цари Ханаанские / в Фанаахе у вод Мегиддонских… / С неба сражались, звезды / с путей своих сражались с Сисарою. / Поток Киссон увлек их, / поток Кедумим, поток Киссон»[3].

Пинес, раскачиваясь в ритме древних слов, с осуждением рассказал нам о старейшинах Мероза[4], «которые укрылись от воинской повинности на городской свалке». Потом он сказал:

— У кнаанитов было девятьсот колесниц, и они неслись по Долине, а мы прятались меж дубами горы Тавор. — Его палец прочертил широкие линии в воздухе, голос зазвенел от восторга. — И тут пошел дождь. А что происходит у нас в Долине, когда идет дождь?

— Происходит грязь, — крикнули мы.

— Сколько грязи?

— Много, — крикнули мы. — До верха сапог.

— До живота коров, — вдумчиво сказал мой двоюродный брат Иоси.

— Так вот, эта грязь была до живота лошадей, — повел нас Пинес дальше. — Колесницы застряли в грязи, а мы спустились с горы и ударили по врагу. «И покоилась земля сорок лет»[5]. Покоилась… — повторил он медленно, словно говорил сам с собой. — Такой покой, что его меряют годами.

Но мы были детьми и еще не понимали, что он бормочет.

На следующий день мы отправились в древний Бейт-Шеарим. Уже по дороге Пинес предупредил, что нам предстоит увидеть «страшное место».

«Сюда привозили мертвых из галута, чтобы похоронить их в земле нашей Страны, — сказал он, когда мы уже стояли в больших и торжественных пещерах некрополя. Его голос гулко звучал в прохладной темноте, его тень дрожала на стенах и стекала в углубления, выдолбленные резцами древних каменщиков. — Тут жил и умер рабби Иегуда а-Наси[6], и, когда его здесь похоронили, это место превратилось в почетное кладбище».

«Но мы с вами, дети, — сейчас же добавил он, — мы прибыли в Страну, чтобы жить, а не умирать. Они верили, что погребение на древней родине очистит их от грехов и приблизит к раю. Но мы не верим, будто грехи можно искупить молитвой или перенести на козлов и голубей[7]. Наше искупление грехов — это работа на земле, а не высекание могил. Наше перенесение грехов — это пахота. Наши души мы очищаем тяжелой работой. Свой отчет мы будем давать еще в этом мире».

«Зачем ты забиваешь им головы этой чепухой?» — спросил его дедушка во время одного из их ночных чаепитий.

Но тут вмешался Либерзон и сказал, что Пинес прав, что тот свет — это мошенническая выдумка монахов и раввинов, которые не сумели выполнить свои обещания в этом мире.

Десять лет спустя на моем кладбище, большую часть которого уже заселили мертвые евреи из галута,

Пинес напомнил мне этот поход в древний Бейт-Шеарим.

«Какое поражение для воспитателя! — сказал он. — Я себе представить не мог, что кто-то из моих учеников выкинет нечто подобное. Я просто бросил тогда предостережение в воздух, а теперь гадаю, не я ли заронил в твое сердце эту безумную идею?»

«Девяносто процентов пионеров Второй алии покинули Страну, — добавил Пинес. — А сейчас ты возвращаешь их обратно».

Мы стояли возле могилы Циркина-Мандолины.

«Лежит себе и играет, — сказал Пинес. — Лежит и играет».

Именно тут, возле памятника Циркина-Мандолины, Пинеса поразил инсульт. Он нагнулся, по своему обыкновению, к земле, чтобы лучше прислушаться, и вдруг слабо и криво улыбнулся, и выражение его лица медленно изменилось, как будто он услышал у себя в голове какое-то тайное бульканье. Вначале я не понял, что произошло, но потом он стал падать боком на землю, и я отшвырнул мотыгу и бросился к нему. Я не решился подхватить его и только протянул руку, чтобы ему было на что опереться, но он никак не мог нащупать ее. Его рука, которая так смело оперировала крохотных головастиков под увеличительным стеклом и расчленяла звуковые органы кузнечиков, теперь беспомощно шарила в воздухе, как бессильный и слепой хобот.

Он с усилием поднял голову, и его губы искривились в попытке заговорить. Но из горла вырвались лишь хриплые низкие звуки, и он стал медленно оседать, словно погружался в болотную тину. Его лицо побледнело, дыхание стало поверхностным и учащенным, по щекам потекли ручьи пота. Я взвалил его на плечо и побежал в амбулаторию.

Доктор Мунк, наш мерзкий деревенский врачишка, отправил Пинеса на «скорой помощи» в больницу, и я поехал туда вместе с ним.

«Трудно предсказать, чем все это может кончиться, — сказал мне врач в приемном покое. — Лучше мы оставим его у нас. В таких случаях бывают большие неожиданности, и в ту, и в другую сторону».

Пинес лежал на кровати, извиваясь, точно гигантский червь, которого открыли солнечному свету. Белый, громоздкий и мокрый, он ползал по простыне и непрерывно пытался что-то произнести. Когда я сунул ему в руку бумагу и карандаш, он начал чиркать по левому полю листа и продолжил в воздухе. Одна его нога двигалась с трудом, а глаза выпучились и крутились в глазницах, точно два вращающихся яблока.

Кожа его непрерывно мокла, и по утрам, когда сестра мыла его, за губкой тянулась тонкая серая пленка. За ночь пленка нарастала вновь, как будто он хотел спрятаться в ней, как в коконе, и проснуться, пройдя через боль, уже с крыльями, в знакомом мире солнечного света и цветочной пыльцы.

Его состояние меня страшило. Он хихикал, как животное, мочился под себя и то и дело пытался соединить свои ладони в воздухе. Я оставался возле него две ночи и три дня. Непрерывное клацанье его вставных челюстей, которые не переставали двигаться ни на минуту, чуть не свело меня с ума. К счастью, деревня послала мне смену.

Только через три недели кожа его просохла и изо рта стали выпрыгивать отдельные слова. Вначале ему было трудно произнести некоторые согласные, но с той минуты, как он снова заговорил, слова сами стали подымать и выносить его из пучины. Потом я уловил, что он не употребляет прошедшего и будущего времени. «Это хороший признак, — не совсем уверенно сказал я врачу. — Наверно, старик пытается ухватиться за то время, в котором он реально живет». Мало-помалу к нему вернулись все слова с их законами, собрались, как муравьи к упавшему яблоку, и могучей, взволнованной колонной понесли его назад, к полному сознанию.

«Замечательно, — сказал врач. — Теперь он выздоравливает».

И действительно, обретя речь, Пинес выздоравливал очень быстро. Молодой врач был поражен той скоростью, с которой восстанавливались его силы. Он не понимал, что Пинес, человек идей, формулировок и законов, может теперь, располагая словами, игнорировать отключившиеся нервные волокна и сам, напрямую, разговаривать со своими органами, отдавая им приказы на выполнение положенной работы. Так он восстановил движение ноги, а затем — точность действия своих рук.

Три дня он говорил только с самим собой, а на четвертый вдруг обратился ко мне и абсолютно четко объявил: «Мои предки — древние пещерные люди».

Я вытаращился на него с изумлением, и Пинес, раздраженный моим непониманием, добавил, как будто диктуя: «Возвращение на землю есть не что иное, как превращение людей в глупых коров и слепых кротов».

Тогда я понял, что старый учитель сможет вернуться домой, и снова ходить, и говорить, и даже ловить насекомых своими сачками, но уже никогда не выздоровеет совсем. Иерархия ценностей, которую он выстроил для себя когда-то, стены его веры и кладовые надежд — все превратилось в тонкую, кружевную пену, когда мутная кровь прорвала плотину его мозга.

«Теперь все будут говорить, что я сошел с ума», — вдруг начал он плакать, когда через несколько дней впервые понял, что с ним случилось. Я пытался успокоить его. Я напомнил ему, что в нашей деревне и так нет ни одного человека, которого все остальные, без исключения, считали бы нормальным. Нормальность человека у нас — это просто приговор демократического большинства, принятый в соответствии с количеством людей, которые считают тебя нормальным. Эфраима, например, все в деревне по сей день считают ненормальным из-за его Жана Вальжана. А некоторые даже видят в нем доносчика и предателя. В деревенском Комитете Пинеса считали сумасшедшим и до его инсульта, потому что по ночам ему слышались какие-то крики с водокачки. Многие люди считали сумасшедшим моего дедушку, потому что с того дня, как исчез наш Эфраим, он перестал собирать фрукты в саду, предоставив им падать на землю, а сам безоговорочным тоном объявил, что отныне будет растить деревья только ради их цветов. Когда Рылов обнаружил, что Маргулис крутит с его Тоней, он решил, что тот спятил. А также поглупел до идиотизма. Маргулис, со своей стороны, думал, что безумной стала его Рива, и, трепеща от страсти, набросился на костлявое, забытое тело Тони, разряжая в нее свою сладкую мужскую силу с трудолюбивой старательностью ночного мотылька. «И с громким жужжаньем», — как добавил Ури. Тоня сама понимала, что поступает безумно, но предпочла свое безумие запаху ружейного масла, порохового дыма и мочи, который постоянно исходил от ее мужа.

Да и меня самого, в те дни, когда я еще жил в деревне, считали не вполне нормальным. «Кладбище пионеров» стало окончательным доказательством этого, но уже в школе и в детском саду дети сторонились меня, и, кроме Ури, у меня не было друзей среди сверстников.

Дедушка и Пинес наталкивали в меня свои истории и учили распознавать деревья и насекомых. Циркин играл мне на мандолине и поражал своим умением забивать гвозди. Кожа на его ладонях была такой твердой, что он мог вбить гвоздь в доску одним ударом ладони. Пожимая его руку, я всегда ощущал сухое деревянное трение. «Скорпионы в щелях нашего коровника смертельно его боятся с тех самых пор, как один из них сломал свое жало о его кожу», — с улыбкой говорил Мешулам. Но когда Мандолина доил коров, его руки размягчались и ни одна из коров не жаловалась на грубость его прикосновений.

А Либерзон читал мне сказки из книг и однажды даже поиграл со мной в прятки, один-единственный раз.

«Они делали это в память о твоей бабушке», — сказал мне Пинес.

29

Время для сказок у Элиезера Либерзона находилось не так уж часто. Он, правда, передал свое хозяйство в руки Даниэля, но зато целиком посвятил себя теперь совершенствованию ухаживаний за Фаней.

Он непрерывно изобретал все новые способы развлечь ее и позабавить. Это мастерство было скрыто в нем и раньше, но развилось до необыкновенных размеров, как только было востребовано к жизни. Он был уверен, что любовь — это та же почва, только самая таинственная и капризная из всех, и утверждал, что эта почва не терпит, чтобы за ней ухаживали банальными приемами — например, меняя глубину вспашки или вообще оставляя ее под паром. Такие приемы подходят разве что для худосочных земель и лишенных воображения пахарей. И поэтому время от времени вся деревня слышала Фанин смех, рвущийся из окон их дома, а

Ури с восхищением говорил: «Наш Либерзон опять выдал что-то новенькое!»

Никому из нас так и не удалось примирить противоречие между Либерзоном — завзятым идеологом, который палил во все стороны из катапульт сионистских утопий, обрушивая на нас лавины слов в деревенском листке и на общих собраниях, и тем шаловливым ухажером, который таился внутри него и открывался одной только Фане. Он учил воронят на своем поле свистеть ей вслед озорным посвистом русских студентов, а в летние ночи таскал ее в поля на любовные прогулки, тайным свидетелем которых мне еще удалось побывать. Пинес рассказывал, как много лет назад, когда Фаня работала в упаковочном цехе мошава, Либерзон однажды приготовил дома лакомство из сметаны, какао и сахара, набрал полный рот этого крема и отправился в цех, чтобы поцеловать жену и перелить этот сладкий крем ей в рот. «Люди, которые останавливали его по дороге, чтобы поговорить по делу, были потрясены — впервые на их памяти Либерзон и рта не раскрыл!»

В десятую годовщину их свадьбы, преодолев все свои идеологические принципы, он отправился в город за голубой горой и купил ей дорогое душистое мыло, источавшее запах легкомыслия и ереси. В ту пору наши деревенские женщины еще мылились и мыли головы огромными кирпичами серого, дурно пахнущего мыла для стирки. Фаня пользовалась своим новым мылом только по пятницам, накануне субботы, и соблазнительный запах, который шел потом от ее кожи, породил в деревне волну раздраженных пересудов, напомнив старожилам духи Песи Циркиной и печальной памяти сундук Ривы Маргулис с его буржуазными излишествами. Фаню этот запах сделал стеснительной, а страсть Либерзона как минимум утроил.

Прошло два месяца, и, когда мыло совсем истончилось, Фаня обнаружила в нем истинный подарок своего супруга — «глупенькую записку», спрятанную в запаянной оловянной трубке, которую изготовил ему жестянщик. Либерзон услышал ее веселый визг, доносившийся из барака прачечной, где мылись в те дни женщины деревни, и тут же помчался к ней.

С тех пор, как рассказывали, он начал прятать такие записки во всех возможных и невозможных местах. Она находила его маленькие жестяные трубочки в кругах деревенского сыра и в кормушках дойных коров, слышала их бренчание в канистрах с бензином для инкубатора, а когда его искусство, по мере совершенствования, достигло вершины, стала обнаруживать их даже в желудках кур, которых готовила для обеда.

«Элиезер, как обычно, перегибает, — одобрительно заметил Пинес. — Если он будет продолжать в том же духе, у Фани может появиться мания преследования. В деревне все считают, что его тайники куда изобретательней, чем отстойная яма Рылова».

В отличие от своего друга Либерзона, Циркин-Мандолина по-прежнему тяжело работал и уже устал от жизни со своим ленивым сыном и от своей «грудастой активистки» — жены.

Мешулам утащил из одного из кибуцев Долины десятки ящиков со старыми бумагами и теперь годами занимался их сортировкой, а Песя то и дело появлялась из своего кабинета во Дворце Трудящихся, чтобы принять в деревне заграничных профсоюзных лидеров, бирманских специалистов по сельскому хозяйству или черных министров в цветастых юбках и поварских колпаках вместо шапок. Кроме того, она руководила социальной и воспитательной работой в кварталах новых репатриантов, и в газете была напечатана ее фотография — она купала марокканского ребенка в жестяном тазу, одновременно улыбаясь его матери. «Товарищ Песя Циркина объясняет новой иммигрантке, что такое материнская любовь», — было написано под материнским выменем Песи.

А дедушка растил меня, подрезал и выхаживал свои деревья, писал записки и строил планы. И таил в душе тончайшую обиду на двух своих бывших друзей, маскируя ее под видом безупречной вежливости. Тот же поток времени, который наращивал плоть на моих костях и наполнял меня историями из прошлого, медленно разлагал «Трудовую бригаду имени Фейги», превращая ее в величественную легенду, кучку потрескавшихся фотографий и несколько бестелесных теней.

Но я видел в Циркине и Либерзоне членов семьи. Как-то раз, придя в дом к Либерзону и никого не застав, я взял со стола его книгу сказок. Я был еще ребенком и не умел читать и писать, но и без этого увидел, что книга пуста. Белые бумажные страницы, сверкающие глянцем и переплетенные в полотняную обложку. Либерзон попросту придумывал все сказки, которые он мне читал. «Стрекозу и муравья», «Ворону и лисицу» и даже «Цветок золотого сердца».

Пинес расхохотался, когда я рассказал ему об этом.

«Вообще говоря, все мы выдумываем сказки сами или пересказываем чужие, — сказал он. — А «Стрекоза и муравей», в частности, — просто нелепая басня, не имеющая ни малейшего смысла».

Однажды вечером я услышал, как он разговаривает с дедушкой на кухне.

— Ему нужно больше бывать со сверстниками, — сказал он. — Нехорошо, когда маленький мальчик проводит все свое время со взрослыми.

Но дедушка ответил:

— Это мой Малыш.

И с силой высосал горечь из маслины, которую держал во рту.

— Миркин, — настаивал Пинес. — Нарочно или нет, ты окружаешь Баруха грудами развалин. Я наблюдаю за ним в школе. На переменах он не играет ни в камешки, ни в прятки. И ни с кем не говорит, только ползает по земле, один.

— Он ищет жуков, как и ты, — сказал дедушка.

Порой я подымал голову и видел, что меня окружает насмешливое, крикливое кольцо.

— Они собираются вокруг него, как дневные птицы вокруг филина, кричат и дразнят.

— Меня это не беспокоит, — сказал дедушка. — И я не завидую тому, кто посмеет слишком к нему приставать.

Во втором классе я сломал пальцы внуку Рылова, Узи. Я стоял на коленях у забора, возле белого олеандра, наблюдая за гусеницами бабочки-сумеречницы. Толстые и сверкающие, они неуклюже извивались на листьях ядовитых кустов, и, когда я касался какой-нибудь из них, она поворачивалась ко мне затылком и смотрела на меня двумя огромными жуткими глазами. Я знал, что эти глаза — просто обман. Два голубоватых пятна, подведенные черным гримом. Пинес объяснил мне, что эти нарисованые глаза призваны отпугивать врагов.

Узи Рылов прыгнул мне на спину, схватил за уши и начал трясти. Я сжал его запястье и повернулся к нему лицом. Ему было тринадцать лет, он был старше и проворнее меня. На бар-мицву он получил от своего дедушки верховую лошадь и парабеллум и был послан без еды на холмы к черкесам, чтобы доказать, что способен выжить. Но я уже во втором классе весил сорок два килограмма, сравнялся с ним ростом и ежедневно получал отмеренную дедушкой порцию колострума и ненависти. Я стал медленно-медленно отгибать назад три его пальца, пока не раздался негромкий хруст. Он побелел, упал и потерял сознание. Двое учителей унесли его, а я снова наклонился к гусенице, чтобы разглядеть ее поддельные глаза.

Вечером к нам пришел Рылов, чтобы поговорить с дедушкой, но дедушка, насмешливо перекатывая во рту кубики льда, посоветовал его внуку впредь играть со своими сверстниками, а не набрасываться на беззащитных малышей.

С тех пор на меня не нападали. Зато дразнили на переменах, и Пинес, который всегда ухитрялся выглянуть в окно учительской точно в нужный момент и заметить, что я уже закипаю, выбегал в таких случаях наружу, уводил меня в школьный «Живой уголок» и клал руку мне на затылок, снимая с меня напряжение и ожесточенность.

Дважды в неделю, после обеда, я выходил с ним в поля. В «Школу Природы».

«Природа чужда расточительству — витийствовал он, пока мы шли по пыльной дороге в сторону вади. — У нее все идет в дело. «Держись за это и не убирай руку от того»[1]. Существуют червячки, которые живут в кожуре чеснока. Существуют паучихи, которые пожирают своих самцов. Коровий навоз, сгнившие фрукты, ткань, бумага — всему находится применение».

Он шел, заложив руки за спину, как помещик, осматривающий свои владения. Я тащил на плечах квадратный военный ранец, набитый пинцетами, сачками, пустыми спичечными коробками и заклеенными бутылочками с хлороформом. «Этот ранец дал мне твой дедушка, — сказал он. — Это ранец английских радистов, который принадлежал твоему дяде Эфраиму».

Я предложил Пинесу поискать богомола. Это насекомое привлекало меня сочетанием жеманной походки и ханжеского вида. Но тут нашу тропу торопливо пересек оранжевый жучок с черными пятнышками на спине, и я указал на него Пинесу, который вертел головой по сторонам, не переставая разглагольствовать. Учитель возбудился.

«Может, на этот раз нам повезет», — сказал он и велел мне не сводить глаз с жучка. Тот двигался прямо вперед, чем-то явно озабоченный. Его короткие, похожие на палочки сяжки безостановочно шевелились.

«Замечательное обоняние», — прошептал Пинес и пополз за ним на четвереньках.

Четверть часа спустя жучок побежал быстрее, и мы учуяли едва заметный запах падали.

Жучок исчез под слежавшимся слоем соломы.

«А ну, посмотрим», — сказал Пинес и, приподняв солому, обнажил трупик щегла. Мы уселись с подветренной стороны, чтобы не дышать зловонием, и Пинес велел мне внимательно приглядываться к тому, что сейчас произойдет.

Появился второй жучок, прокладывая себе дорогу между комьями земли. Не теряя времени, оба жука поспешили совокупиться возле трупа.

«Видишь, Барух, — сказал Пинес. — Природа чрезвычайно разнообразна. Одни пары назначают свидание в поле, среди цветов, другие идут в театр, а эти двое ищут зловоние».

Теперь оба жука начали подкапываться под мертвого щегла. Они выбрасывали наружу маленькие комочки земли и мелкие камешки, и труп все глубже погружался в растущую ямку. Мы просидели там несколько часов, пока птица не исчезла полностью, укрытая слоем земли.

«А теперь, — сказал Пинес, — мамаша-жук отложит свои яйца в труп и будет жевать падаль, размягчая ее для своих будущих детей, пока не появятся на свет личинки. Одни дети растут во дворцах, а другие — в падали. Да будет моя доля с вами, убогие мира сего, ибо вы соль земли».

Он взял меня за руку, и мы пошли домой.

Когда врачи объявили, что Пинес уже может вернуться в деревню, Бускила нанял для него специальное такси, а я предложил ему пожить несколько недель у меня. Но Пинес сказал только: «Домой».

Слезы, вызванные грустью и мучительным усилием, стояли в его глазах, когда мы наконец добрались до его дома. Он очень постарел за эти дни. Маленькие сгустки крови с точностью хирургического ножа перерезали нити его памяти, разрушили все плотины, которые он возводил со дня прибытия в Страну, и понудили центр голода в его мозгу посылать непрерывные сигналы.

«Все ребята поумирали, — сказал Пинес. — Пали в войне с соблазнами и от тяжкой работы. Только Левин да я пока еще живы. Двое никчемных стариков».

Теперь он уже не преподавал и почти не приглашал учеников к себе домой. На поля он тоже не выходил и лишь иногда сидел в своем саду, глядя на ползущих по земле муравьев и прыгающих в траве кузнечиков. Песчаный удав, выпущенный из клетки, лежал, свернувшись ленивыми кольцами, среди диких цветов в «Живом уголке». Свои зоологические коллекции он разделил между мной и школой. Выцветшие пресмыкающиеся в их банках с формалином, членистоногие и пустые птичьи яйца остались в «Живом уголке». Но, кроме обычной классификации, Пинес делил всех животных еще и на «полезных» и «вредных» и поэтому свои собственные коллекции тоже разделил на два больших семейства — «Наши друзья» и «Наши враги».

«Трудное деление, — признавался он. — Щурка, например. С одной стороны, она уничтожает ос, но с другой стороны — также и пчел Маргулиса. Или мангуст, который одновременно охотится и на полевых мышей, и на цыплят».

«Когда видишь насекомое, птицу, млекопитающее или пресмыкающееся, первым делом спроси его: "Ты с нами или против нас?"», — сказал мне Пинес уже во время наших первых совместных прогулок в полях, когда мне было пять лет.

«Свою коллекцию «Друзей» я оставлю тебе, — сообщил он мне. — Ты этого заслуживаешь».

Он любил советоваться с дедушкой, который был специалистом по садовым вредителям, и они вдвоем преподали мне первые уроки их распознавания и уничтожения. Однажды они привели меня в сад и, положив мне руки на плечи, подвели к одному из грушевых деревьев.

«Смотри внимательно», — сказал дедушка.

Двое мужчин, в одинаковых серых рабочих рубахах, один в каскетке, другой в широкополой соломенной шляпе, высились надо мной с торжественным выражением на лицах. Волнение, причины которого я не понимал, ощущалось в воздухе.

«Но я ничего не вижу», — сказал я.

Дедушка опустился на колени и указал на круглое, диаметром примерно в полсантиметра, отверстие в стволе груши. На земле, под отверстием, виднелась маленькая кучка тонких опилок.

«Этот хищник может уничтожить все дерево целиком», — сказал Пинес.

Дедушка вытащил тонкий, длинный кусок стальной проволоки с заостренным и завитым, как пружина, концом.

«Удочка садоводов», — сказал он и опять стал на колени возле дерева. Осторожным и уверенным движением он сунул свою удочку в туннель личинки. Полтора метра проволоки медленно исчезли внутри ствола, и дедушка молча вздохнул, поняв, как велик причиненный личинкой вред.

«Вот она, мерзавка!» — сказал он, почувствовав, что острие воткнулось в личинку.

Он слегка повертел проволоку, вонзившуюся в тело добычи, как будто поворачивал пробочник, а потом начал осторожно вытягивать ее наружу. Из глубины ствола послышалось омерзительное царапанье вырываемых из сердцевины дерева зубов и когтей, от которого у меня озноб прошел по коже, а затем свистящий, тошнотворный писк чего-то мягкого, что цеплялось за стенки своей норы, сопротивляясь вытягиванию на свет.

«Давай, вылезай!» — сказал дедушка, вытаскивая конец проволоки наружу. Мягкий оранжево-желтый комочек, испещренный черными точками, извивался и крутился на завитом острие, выставленный на всеобщее обозрение и позор. Дедушка придвинул его к самому моему лицу, и во мне поднялись тошнота и ненависть.

«Посмотри хорошенько, Малыш, — сказал дедушка. — Это враг. Медведка».

Так начались мои сельскохозяйственные уроки. Дважды в неделю меня посылали в сад высматривать маленькие кучки опилок у основания деревьев.

Я до сих пор помню, как сам вытащил первую свою личинку из ствола яблони ранет. Судороги этого чудовища и скрежет ее зубов внутри ствола передались по стальной проволоке моим пальцам, руке и всему телу.

«Не бойся, Барух, — сказал мне дедушка, — она в твоих руках».

Я стряхнул личинку на землю и раздавил ее ногой.

Когда медведка уничтожила абрикос в саду Либерзона, Пинес срубил мертвое дерево и стал расковыривать маленьким топориком его ствол, пока не добрался до одной из личинок.

Он отрубил кусок дерева вместе с личинкой внутри. «Тебя мы присоединим к коллекции, — улыбнулся он личинке. — А остальным твоим сородичам приготовим подходящие похороны».

Мы вытащили труп дерева из сада и подожгли его.

«Привет, негодяи!» — сказал Пинес, когда из горящих веток послышались смертные стоны и скрежет.

Мы пошли к нему домой. Пинес вытащил личинку обернутым тканью пинцетом и положил ее тело в промокашку. «Некоторые личинки перед смертью выделяют пачкучую жидкость», — объяснил он, заворачивая личинку.

Потом он положил извивающуюся личинку в пробирку, сунул туда же ватку, смоченную в бензине, усадил меня, дал коржик и начал читать мне лекцию.

«Это экзамен для каждого коллекционера, — произнес он. — Нет ничего труднее, чем сохранить личинку. В ней столько жидкости, что она быстро загнивает, и у нее нет наружного скелета, который сохранял бы ее форму».

Когда личинка была окончательно убита бензиновыми парами, учитель вытащил ее, положил на стеклянную пластинку, взял маленький острый хирургический скальпель и сделал надрез возле анального отверстия. «Я украл его у Сони из амбулатории», — неожиданно сказал он, и все его тело затряслось от удовольствия. Потом он намотал тело личинки, от головы до хвоста, на карандаш. Ее кишечник выпятился через разрез, и Пинес отрезал его и выбросил в окно.

«Для птиц небесных и тварей земных», — продекламировал он в библейском духе.

Он взял маленькую соломинку, воткнул ее в пустое тело личинки и с большой осторожностью подул. Его глаза напряженно мигали за покрывшимися испариной линзами очков. Личинка медленно раздулась, и Пинес поднялся, осторожно поднес ее к лампе, поворочал над горячим стеклом и снова подул.

«Это можно делать также над горячим утюгом, но ни в коем случае не над открытым огнем».

Через несколько минут кожица личинки высохла и затвердела.

«Перфекционисты еще покрывают ее прозрачным лаком», — сказал Пинес и капнул каплю разбавленного клея на сделанный ранее разрез.

Затем он взял кусок абрикосового ствола и распилил его так, что туннель медведки открылся по всей своей длине. Подул, чтобы очистить дерево от опилок, и положил законсервированного вредителя в его прежний дом. Написал на бумажке дату и место поимки, вытащил из маленькой коробочки наколотую на булавку взрослую медведку — толстую, с полосатыми крыльями — и поместил ее рядом на коре дерева.

«Важно представить их в естественной среде обитания», — вздохнул он с удовлетворением.

30

Под конец жизни Шломо Левин стал невыносимым склочником. Дедушка, единственный, кого он боялся, к тому времени умер, и в минуту слабости я отдал ему старые сапоги, в которых дедушка работал в саду. Левин садился на кровать, заталкивал в них свои тонкие ноги, затем поднимался и расхаживал в них, счастливый, как ребенок на Песах, разглядывал их потертые носы и качал головой, точно ликующий жеребенок.

«Зачем ты дал ему дедушкины сапоги? — ворчал Иоси. — Теперь он думает, что он большой человек».

Воодушевленный сапогами, Левин начал вмешиваться в дела нашего хозяйства и стал небрежен в делах своей лавки, принялся покрикивать на Рахель, бродил в новой обуви по полям и разглядывал свои отражения в лужах. Он называл себя «Душка Левин», просил жену ходить в синем платочке и пугался при виде кузнечиков и цикад.

Однажды ночью, не в силах больше сдержаться, я подкрался под окно его дома и увидел, как он вынимает из кармана черную записную книжку и раздраженно машет ею перед носом Рахели.

— Все грехи «Трудовой бригады», — шипел он. — Все они здесь!

— Когда ты наконец успокоишься, — устало сказала Рахель. — Циркин и Миркин уже умерли, бедняжка Либерзон совсем ослеп и живет в доме престарелых. Кого ты хочешь разоблачать?

— Это все потому, что она много смеялась, — сказал Левин. — По вечерам она разговаривала с ними и все время смеялась. Они пели хасидские песни и нарочно коверкали слова, чтобы рассмешить ее и больнее задеть меня.

Смех Фейги, размазанные следы украденного шоколада, пренебрежительные взгляды Зайцера — все это изрезало кожу Левина жестокими рубцами, словно жадные жвалы саранчи. Он помнил, как Либерзон целую ночь приставал к нему с вопросом, должна ли «Трудовая бригада имени Фейги» принять участие в классовой борьбе китайских пролетариев. «Труженики желтого Востока, евреи спешат к вам на помощь!» — выкрикнул Либерзон в темноту. Фейга прыснула со смеху и прижалась к нему всем телом. Всю ту ночь Левин не спал, тоскливо удивляясь, что его сестра не отличает идеал от действительности.

Миркин прилюдно курил в субботу в Петах-Тикве и этим вызвал ссору с религиозными. Циркин в Яффо рассказывал двум хасидам неприличные анекдоты про их гонителей-митнагдим[1]. Либерзона застукали в ришонском винограднике, когда он сунул обе руки под кофточку дочери директора школы. Все трое одевались и раздевались в присутствии его сестры.

Он завел себе маленькую черную записную книжку и начал тайком записывать туда все провинности «Трудовой бригады», которая похитила у него маленькую сестричку. Однажды вечером он вытащил эту книжку и зачитал им свой список.

«Ты забыл записать, что Миркин украл в Яффо апельсины», — сказал Либерзон.

«Я ничего не забыл, — сказал он сейчас Рахели. — Они насмехались надо мной и убили мою сестру, но только Миркин получил по заслугам. Он один».

Теперь, на старости лет, он вдруг заинтересовался явлением самоубийства в начале Второй алии и подолгу расспрашивал о нем Мешулама. На кладбищах старых мошавов и кибуцев было похоронено множество покончивших с собой пионеров, и ореол вины и раскаяния все еще окружал их могилы. Большинство из них уже были перезахоронены на моем кладбище, и Левин часто бродил меж их надгробьями, перечитывая страшные надписи. «Покончил жизнь самоубийством», «Не выдержал страданий», «Испил из отравленной чаши», «Положил конец своей жизни», — мечтательно бормотал он себе под нос.

Время от времени он вдруг с воплем выбегал из дома, стиснув в руке зеленую банку с ядовитой жидкостью против насекомых. Рахель бежала следом за ним. Она была намного моложе, но безумие наделяло серые ноги Левина силой и скоростью, и пока Рахель догоняла его, он уже успевал выпить весь яд до последней капли и падал на землю в ожидании смерти. Однако долгие годы, проведенные в лавке, в тесном соседстве с аммиаком, паратиономом, ДДТ и мецидом, наградили Левина иммунитетом против ядовитых химикалий. Часа через два ему надоедало лежать на солнце, он поднимался и в отчаянии возвращался домой. Рахель молча шла рядом.

Даже после дедушкиной смерти он продолжал приходить к нам во двор и выискивать себе какое-нибудь занятие. Дядя Авраам, который помнил, как добрые руки Левина кормили, купали и одевали его, когда он был ребенком, никогда его не упрекал. Он позволял ему собирать во дворе куски старой проволоки, которые оставались при упаковке соломы, — в хозяйстве они были бесполезны, но могли попасть в кормушку, а оттуда в желудок коров. Левин даже оборудовал себе на сеновале небольшой рабочий уголок и сидел там часами, рисуя разноцветные кривые удоя молока и выпрямляя согнутые гвозди для повторного использования. Оттуда то и дело слышались удары молотка и гневные восклицания, на которые наши индейки немедленно откликались восторженным хором. «Сдается мне, что твой дядя выправляет там не столько наши гвозди, сколько свои пальцы», — сказал однажды Ури своему отцу во время обеда. Иоси жаловался, что Левин поднимает целые тучи пыли, когда вытряхивает и складывает пустые мешки из-под комбикорма, и этим вызывает у кур ларингит. Он даже вышел как-то во двор и грубо выговорил Левину, а Ривка добавила с веранды еще несколько ругательств в его адрес.

Униженный и возмущенный, Левин возвращался домой и обдумывал планы мести. Все былые насмешки «Трудовой бригады» снова всплывали в его памяти. И однажды он удивил Авраама, нарушив его послеобеденный отдых.

— Ко мне вы относитесь, как к скотине, зато Зайцера содержите на всем готовом!

— Но Зайцер работал с отцом с первых дней алии, — сказал Авраам. — Мы не выбросим его только потому, что он состарился и не может работать.

— Зайцер — это лишний рот в семье, — непримиримо заявил Левин. — Он дармоед.

— Зайцер — самый лучший мул в деревне, — ответил Авраам. — Мы с отцом никогда не относились к нему, как к простой рабочей скотине. Он горбатил на нас всю свою жизнь и немало попотел на своем веку. Больше, чем некоторые из двуногих пионеров.

— Может, он и был самым лучшим мулом в деревне, — возразил Левин, подчеркивая слово «был», потому что упоминание о поте показалось ему личным оскорблением. — Но я никогда не слышал, чтобы какая-нибудь лошадь, корова или мул получали пенсию. Его нужно продать арабам на колбасу или на фабрику клея в Заливе[2]. Никто не держит в инвентаре дряхлого мула, который даже повозку тащить уже не в силах.

— Не заставляй меня выбирать между вами, — сказал Авраам. — Зайцер — это не инвентарь и никогда им не был.

Большинство мулов в деревне были англичане или югославы. Только двое были из немцев, оставшихся здесь после Первой мировой войны. Зайцер, как мне рассказывали, был единственным мулом, который взошел в Страну из России, вместе с группой молодых пионеров, вышедшей из города Могилева. Они купили его в день отъезда в Одессу. Один из них увидел Зайцера, выставленного на продажу на ярмарке, и сказал товарищам громко и насмешливо:

— Я его знаю! Это потомок того мула, который принадлежал Баал Шем Тову[3].

— Безбожник! — воскликнул хасид, который держал Зайцера за уздечку. — С каких это пор у мула бывают потомки?!

— Уж не сомневаешься ли ты в могуществе праведника? — спросил парень под смех друзей. — Если святой захочет, даже у мула будут дети.

Могилевские хасиды едва не набросились на них, но звон монет успокоил страсти. Пионеры купили мула, и благодарный Зайцер дотащил все их пожитки до самого одесского порта. Когда они поднялись на палубу «Корнилова» и увидели его печальные глаза, они добавили еще немного денег, «подняли его на палубу парохода в огромной сетке, прицепленной к крану» и привезли с собой в Страну.

«Они не пожалели об этом. Зайцер работал с ними на всех тяжелых работах».

Мешулам Циркин первым открыл, что Зайцер работал вместе с Бен-Гурионом в Седжере. Он прочел мне одно из писем Бен-Гуриона, документ, который ему удалось раздобыть путем обмена с архивом Рабочего движения:

«Седжера, 2 апреля 1908.

Я встаю еще до утра, в половине пятого, отправляюсь в хлев и кормлю своих животных. Просеиваю сечку в кормушку для быков, посыпаю на нее немного вики и перемешиваю, потом завариваю себе чай, ем, а когда встает солнце, веду свое стадо — две пары быков, двух коров, двух телят и осла — на водопой к корыту, что во дворе администрации».

Это был один из тех редчайших случаев, когда я видел, что Мешулам смеется.

«Осел! — хохотал он, хлопая себя по животу и по ляжкам. — Осел! Этот осел в Седжере был Зайцер, но разве можно требовать от социалиста из Поалей-Цион[4], чтобы он умел отличить мула от осла?!»

Зайцер провел с могилевской коммуной несколько лет. То тут, то там он встречал дедушку и его друзей и даже проработал с ними несколько сезонов. Но когда могилевская коммуна решила осесть на землю, у Зайцера появились идеологические сомнения. «Его склонность к уединению и личной инициативе не находила себе места в жестких коллективных рамках», — определил дедушка главную проблему Зайцера. К тому же он ненавидел всякого рода дискуссии и собрания, и такие вопросы, как «статус беременной коммунарки», «новости рабочего движения в Латвии» или «улучшенное питание для хлебопашцев», его нисколько не волновали. Исповеди коммунаров перед общими собраниями вызывали у него отвращение.

В один прекрасный день, рассказывал мне Ури, когда одна из коммунарок пришла чистить хлев и положила своего обкакавшегося младенца прямо в кормушку, Зайцер почувствовал, что его представление о коллективной жизни несовместимо с представлением кибуцников. Он покинул коммуну и отправился проверить идею мошава.

«Зайцер был необыкновенный работник, — рассказывал мне дедушка, когда я был маленьким. — Он всегда знал, на какой участок мы идем, и его не нужно было вести за собою».

Зайцер пахал и бороновал наши поля, вырывал мертвые деревья, тащил тяжело нагруженные телеги и волновался вместе со всеми при виде каждого нового ростка и каждого нового бидона с молоком. Он сам ходил в кузницу братьев Гольдман, когда чувствовал, что его подковы требуют замены или укрепления. Шорник Пекер сшил всем мулам и лошадям в деревне кожаные наглазники, которые не позволяли им глазеть по сторонам, косясь на соблазны, наполняющие этот мир. Зайцер был единственным, на глазах которого не было шор. Его не интересовало ничего, кроме работы. Он оплошал только однажды, когда по ошибке съел цветы дурмана, росшие возле навозной кучи. Он тогда отравился, ходил по кругу, подмигивал молодым телкам и в течение целых двух дней вел себя, как возбужденный болван.

Шли годы, и силы Зайцера сходили на нет. Дедушка, который по опыту собственного тела знал, что такое старческая немощь, сразу же опознал ее в ослабевшем теле мула и пытался облегчить его работу, но Зайцер отказывался признать, что стареет, вплоть до того дня, когда упал в оглоблях.

Я, как правило, лучше помню то, что мне рассказывали, чем то, чему сам был свидетель, но тот день, как и день моего спасения из пасти гиены, помнится мне отчетливо. Дедушка, Зайцер и я поехали привезти комбикорм и нагрузили на телегу около двадцати мешков. На коротком подъеме перед поворотом Зайцер вдруг остановился, запыхтел каким-то странным высоким голосом, и тяжелая телега стала скользить назад. Дедушка никогда не хлестал Зайцера и на этот раз тоже лишь подбадривал его восклицаниями да похлопывал вожжами по спине. Зайцер весь дрожал. Ему удалось остановить скатывающуюся телегу, и он начал снова тянуть ее вверх. Зад его опустился почти до земли, подкованные копыта выбивали искры из бетонного покрытия дороги. Потом его натужное дыханье превратилось в глубокий хрип, и дедушка бросил вожжи и соскочил с телеги. Тревожные вены расцвели на его лысине, как букет цветов. Он пытался успокоить мула и освободить его от упряжи. Но Зайцер собрал все свои силы, с могучим шумом выпустил газы, закачался и упал. Спереди раздался сильный треск сломанной дуги, и оглобли упали на землю, оставшись висеть только на шее мула. Дедушка поспешил снять с него хомут, обхватил его голову, и они оба беззвучно разрыдались.

Зайцер возвращался домой без телеги, низко опустив голову. Я шел рядом с ним и не знал, как его утешить.

«Это рабочая скотина, — сказал дедушка. — Сядь ему на спину, чтобы он не чувствовал, что идет впустую».

Я сидел на его спине и бедрами ощущал обиженную дрожь его кожи и его влажное дыхание. Лошади Циркина Мичурин и Сталин дотащили телегу до двора, и в тот же вечер дедушка и Авраам решили освободить Зайцера от тяжелой работы. Мы купили свой первый «фергюссон» на бензине, но дедушка так и не научился его водить. С тех пор Зайцер занимался только перевозкой молочных бидонов. Несколько лет спустя, когда его начали мучить сосуды на ногах, а паразиты-стронгилоиды заполнили его кишечник и лишили последних сил, и самые простые рабочие слова испарились из его мозга, дедушка привязал его на длинной веревке в тени смоковницы. Авраам поставил перед ним две половинки разрезанной вдоль бочки — одну для воды, другую для ячменя, и время от времени дедушка водил его на медленную прогулку. Только вдвоем — понюхать цветы и поразмышлять о жизни.

В отличие от стариков, которые забывают, что происходит сейчас, и помнят то, что произошло много лет назад, Пинес, после инсульта, забыл как раз свое детство и молодость.

«Я знаю, кто я и куда я иду, но не помню, откуда я пришел», — объяснял он деревенской общественности, мне и себе самому.

Я пришел к нему в сад навестить его, и он посмотрел на меня с грустью. Накануне он побывал на похоронах Боденкина на «Кладбище пионеров», и теперь был печален и растревожен. Всю свою жизнь он горячо верил в силу воспитания и поэтому в моем отклонении от правильного пути упрекал прежде всего самого себя. «Неужели это из-за той экскурсии в Бейт-Шеарим? А может, из-за того жука-могильщика?» Но я знал, что он уже не вполне уверен в праведности своего негодования. И его реакция на выкрики с водокачки, которые по-прежнему слышались ему по ночам, тоже стала другой. Он уже не багровел от ярости, когда рассказывал мне о них, не шептал по-русски и не размахивал руками. На его опухшем, разжиревшем лице рисовались только изумление и любопытство. Под его мозговой оболочкой пульсировало кровавое болото, которое ему уже не удавалось ни осушить, ни засыпать.

«Смотри-ка, Барух, — улыбнулся он. — Со мной явно произошла какая-то мутация, но мне даже некому передать ее по наследству».

Теперь это был глубокий старик. Каждую неделю я приносил ему чистое белье, менял простыни и скатерти.

«Почему ты заботишься обо мне? — спросил он меня однажды с хитринкой. — Что ты замышляешь?»

«Нас осталось только двое, — ответил я. — У меня нет дедушки, а у тебя нет внука».

Он печально улыбнулся, но я увидел, что мои слова ему понравились.

В деревне у него уже почти не осталось товарищей. Дедушка, Либерзон, Фаня и Циркин к этому времени уже умерли. Даже Рылов умер. Тоня приходила каждое утро к его надгробью с кратким визитом, чтобы проверить, не вылез ли он из своей ямы, а потом, опираясь на алюминиевый ходунок, через силу волокла ноги по гравию, усаживалась на могилу Маргулиса и принималась со старческим слабоумием облизывать свои пальцы. Я похоронил Маргулиса на моем кладбище по его просьбе. Перед похоронами его набальзамировали и законсервировали, как какого-нибудь хеттского царя. Сыновья обмазали его с головы до ног толстым черным слоем пчелиного клея и положили тело в герметичный гроб, до краев заполненный медом и запечатанный воском. В месяц Таммуз[5], когда земля белела от жары и трескалась от сухости, из могилы Маргулиса поднимался оранжевый туман, и его пчелы, обезумевшие от тоски и сладости, кружились вокруг памятника хозяину с громким и печальным жужжаньем. Тоня сидела, не шелохнувшись. «Как Рицпа, дочь Айя[6], на трупах своих сыновей, — шептал Пинес с благоговением. — Вот она, разница между нами и вами, — добавил он. — Мы любили с преданностью и чистотой, вы — с непристойными криками с водонапорной башни».

А в доме Маргулиса Рива все соскребала и соскребала последние липкие следы, оставленные ее мужем, и размышляла о кружевных скатертях, китайском лаке, ангорских котах и пылесосах.

«Если бы Рива знала, что и китайский лак — не что иное, как выделения тлей, она бы, возможно, успокоилась», — сказал Пинес.

Проложив себе новые дренажные каналы, его кровь плыла теперь поверх провалов памяти и нервных контактов. «Мне кажется, будто я родился сразу восемнадцатилетним, в тот день, когда прибыл в Страну, — задумчиво говорил он мне. — Возможно, тот хозяин гостиницы в Яффо, первый человек, которого я увидел в этот день своего рождения, как раз и был мой отец».

Он забыл имена своих родителей и сестер, пейзажи родины, ешиву в Немирове, где учился до того, как поднялся и сбежал в Страну Израиля.

«Все стерлось».

Он вдруг начал прилюдно выражать свою застарелую ненависть к Рылову. Никто не понимал почему. Рылов давно уже умер. «Тупица с кнутом, горилла с ружьем, повелитель мух[7] на помойке, — называл он покойного. — Гойский ум, достойный потомок Шимона и Леви[8]».

Он наваливал себе в тарелку больше, чем в ней умещалось, заталкивал в рот огромные количества пищи и торопливо жевал, как будто за его спиной собрались голодные шакалы, готовые вырвать кусок прямо у него изо рта. Полупережеванные, смешанные со слюной куски вываливались на сверкающий от жира подбородок. Холмики пищи собирались на столе вокруг ободка тарелки.

«Я жру, как Жан Вальжан, верно? Как бык жрет полевую траву».

Он так уставал после еды, что тут же падал в постель.

«Переваривать нужно в покое, — объявлял он. — Нельзя делать два дела одновременно. «Время плакать, и время плясать, время обнимать, и время уклоняться от объятий»[9]».

Не только я — вся деревня заботилась о старом одиноком учителе. Пищу ему доставляли прямо на кухонный стол, чтобы он не должен был таскать сумки из магазина. Рахель Левин варила для него и приносила ему горшки, бесшумно входя в дом на своих старых шелковых ступнях и пугая Пинеса неожиданным звяканьем посуды.

«Я хочу свежую пищу, — говорил он ей. — Не из мясного горшка[10]. Принеси мне из плодов твоего сада, дары зелени и покоя».

Каждую неделю я приносил ему овощи, которые выращивал возле своего дома, и он уничтожал их с пугающей быстротой. Бускила, который жил в поселке поблизости, приносил ему из дому полные кастрюли. Состарившись, Пинес влюбился в кускус госпожи Бускилы, поедал его с жадностью, без мяса, одни лишь пареные овощи и манку, и желтоватые крошки прилипали к его нижней губе.

«"Ты влек меня, и я увлечен"[11], — цитировал он Бускиле. — Твоей жене следовало бы руководить Рабочей кухней в Петах-Тикве. Уж в нее бы никто не швырял тарелки».

«Кушайте на здоровье, господин Пинес», — отвечал Бускила. Он любил Пинеса, боялся его, иногда импульсивно целовал ему руку и спешил отстраниться раньше, чем его хлестнет вторая рука, к которой вернулась скорость летающих паучков. Пинес не любил этот марокканский обычай целования руки, но Бускила объяснял мне, что «так положено».

Я предложил Бускиле платить за еду, которую его жена готовила Пинесу.

«Постыдись, Барух, — сказал Бускила. — Пинес — праведник. Он святой. Мы все рабы его. Вы, ашкеназы, не понимаете этого, вы не умеете читать знаки. Белые голуби, которые всегда сидят на его крыше, — ты думаешь, это просто птицы? А та змея, которая ползает в его саду и охраняет ворота?

Прости меня Бог, что я вообще говорю об этом, — Бускила возводил очи горе, — но, когда он умрет, выйдет свет из его могилы или вода из-под его памятника. Вот увидишь. Это большая честь для меня и богоугодное дело — приносить пищу такому человеку».

Ури насмехался над суевериями Бускилы и за глаза называл Пинеса «Баба-Пинес»[12].

«Пошли, навестим праведника», — говорил он мне. Но наши беседы с Пинесом стали однообразны. Он снова видел в нас учеников и подолгу, со всеми подробностями, чавкая набитым ртом, рассказывал о Шамгаре, сыне Аната[13], и об образе жизни синицы. И даже пытался дать нам задания на дом.

И он все еще, каждые несколько месяцев, слышал непристойные выкрики загадочного «жеребца», взлетавшие над кронами деревьев.

«Я уверен, что он делает свое грязное дело прямо на водонапорной башне, — сказал он нам с Ури. Его рот был набит стручками душистого горошка. — Ведь человек, в отличие от птиц, не совокупляется на ветках. Этот жеребец уже перетрахал, извините меня, половину деревни. — Пинес хитровато подмигнул. — Даже замужних. Прошлой ночью это была жена старшего внука нашего Исраэли. Как это может быть, я не понимаю? Ведь они поженились всего два месяца назад, и она казалась мне такой симпатичной девушкой».

Больше всего Пинеса удивляло, что эти выкрики слышит он один. «Вот уже несколько лет! — недоумевал он. — Как это так? У нас ведь есть ночные сторожа, которые ходят вокруг, прислушиваясь ко всему, есть хозяева, которые встают ночью принять роды у коровы или приготовить индеек для отправки. Многие люди выходят еще до рассвета, чтобы опылить свои поля, шофера молоковозов выезжают после полуночи — и никто не слышит!»

И, немного подумав, добавил: «Я все-таки подозреваю, что это бедняга Даниэль Либерзон. Он никак не может утешиться. А может, это Эфраим?.. Возвращается вот так по ночам и взимает свой налог с деревни».

Мы с Ури смущенно переглянулись, не в силах понять, в какой из частей его искалеченного мозга рождаются все эти фантазии.

«Я непременно выясню это, — внезапно объявил Пинес. — Даже если это будет последнее, что я сделаю в своей жизни. Я поднимусь на водонапорную башню и буду ждать его там».

Я улыбнулся, даже не пытаясь удержать его от этого намерения. Старый Пинес был слишком тучен и физически немощен, и я не верил, что он решится полезть по лестнице на вершину башни. Оказалось, однако, что Пинес подошел к решению проблемы с обычным для него научным педантизмом. Полулежа в кресле, он долгими часами просматривал свои старые записные книжки, выискивая ранние предрасположенности и признаки порочных наклонностей. У него была одна специальная книжка, в которой он собирал поразившие его в свое время выражения учеников, их рифмованные опусы и умные фразы. Когда он время от времени, годы спустя, просматривал эту книжку и натыкался на творения, которые снова привлекали его взгляд, он тотчас отправлял очередную их порцию в деревенский листок. Эти публикации вызывали бешеную ярость его бывших учеников, самым первым из которых уже стукнуло пятьдесят, а то и все шестьдесят. Однажды вся деревня хохотала, читая в «Листке» детское стихотворение Дани Рылова:

Курочка Ганка
Клюет себе манку
Бедная кура
Не понимает дура
Что ее обязательно зарежут.

Через сорок лет после создания этого прочувствованного произведения его жалостливый автор превратился в грубого скотовода, который зарабатывал выращиванием телят на убой и дружил с жестокосердными скототорговцами и безжалостными мясниками. Но Пинес лишь улыбнулся, узнав, что Дани Рылов пришел в бешенство, и продолжал квохтать над своими бывшими птенцами, добродушно посматривая на них. Мешулам тоже разъярился по поводу этого стиха, но по причине искажения автором фактов.

«У кого были тогда деньги, чтобы кормить кур манкой?! — злобно вопрошал он. — Стыд и позор! Ради жалкой рифмы люди готовы фальсифицировать историю!»

Той ночью Пинес опознал меня, когда я спрятался около его забора, чтобы защитить от мести Дани Рылова.

«Иди спать, Барух, — сказал он мне, выйдя из дома. — Я уже бросил по ветру свои споры. Старых учителей нельзя уничтожить, даже если они бездетны. Семена, которые я укрыл в земле, прорастут лишь после моей смерти».

В другой, более секретной записной книжке он на протяжении многих десятилетий записывал свои размышления о семьях учеников. Он всегда внушал детям, что они должны помогать родителям в работе на земле, но знал, что были и такие мошавники, которые эксплуатировали своих детей сверх всякой меры.

Он рассказывал мне, вспоминая первые годы своего учительства: «В школе были тогда считанные ученики и самая скромная, дешевая мебель». Летом малыши сидели на соломенных подстилках, и каждое утро он обводил своих воспитанников долгим испытующим взглядом, «точно пастырь, проверяющий свое стадо», чтобы увидеть, кто из детей обласкан, накормлен и поцелован дома, а кто был вытащен из постели еще до зари, чтобы поработать до ухода в школу. Рива Маргулис обычно будила свою дочь в пять утра — отскрести до занятий бетонный настил перед домом. Девочка не раз опаздывала, потому что ее мамаша украдкой переставляла будильник на час назад, если ей казалось, что сполоснутый водой бетон недостаточно сверкает. В деревне тогда еще не было доильных аппаратов, и дети, которые на заре доили вручную, приходили в школу с такими затвердевшими пальцами, что не могли писать. Когда голова усталого ребенка падала на грудь и его глаза закрывались, Пинес не делал ему замечания, но все знали, что он в тот же вечер отправится тайком поговорить с его родителями.

«Каждый ребенок был как целый мир, и я не переставал вглядываться в него».

Обычно он приходил в школу раньше своих учеников, развешивал на стенах рисунки и плакаты, садился в кресло и ждал малышей. Авраам рассказывал мне, что в те дни Скотт и Амундсен наперегонки пробивались к Южному полюсу, и Пинес ежедневно сообщал детям о их продвижении. Зимой, когда деревня утопала в жуткой грязи, он тащил их на спине или впрягался в знаменитые «грязевые сани» и развозил их по домам и при этом лаял, как собака, запряженная в настоящие сани, словно состязался с исследователями Антарктиды.

Авраам и Мешулам были из первого поколения его учеников, которое насчитывало всего семь человек. Авраам был спокойный, скрытный, прилежный и аккуратный. Мешулам был живой, язвительный и любил спорить. Его зачаровывали рассказы Пинеса о первых годах алии, но на уроках природоведения он откровенно скучал.

«Твой дядя был сиротой, и у Мешулама мать не жила дома». Пинес видел, что Мешулам приносит с собой из дома не бутерброд, а просто кусок хлеба.Он также знал, что Циркин изо дня в день кормит сына запеченной тыквой с яйцами — это было единственное блюдо, которое он умел приготовить, — и что жалостливые соседки время от времени приносят мальчику покрытую тряпкой миску с едой или приглашают к себе в дом.

«Мешулам мог стать гордостью деревни, — сказал Пинес. — У него была ясная голова и железная воля, но трудное детство направило его мысль к тем временам, когда поношенная одежда и печеная тыква связывались со строительством новой жизни, а не с обыкновенной запущенностью ребенка».

Он знал, что лень и безделье Мешулама восстановили против него всю деревню. «Но от тебя я мог ожидать, что ты поймешь его лучше, чем все остальные».

«Дедушка тоже его не выносил», — сказал я.

«Твой дедушка никого не выносил, — ответил он. — Только меня, временами, да и тут о его вкусе можно поспорить. А ты смотришь на деревню его глазами и судишь мир по миркинской мерке».

Он посмеялся, довольный своим каламбуром, а потом поведал мне, как Мешулам праздновал свою бар-мицву. Поскольку Песя вечно пропадала в городе, а Циркин-Мандолина уставал от работ по хозяйству, Мешуламу пришлось самому готовить угощенье для товарищей. Он нашел дома в буфете несколько заплесневевших кусков торта, которые остались еще со времен визита Хаима Вейцмана[14], нарезал их тонкими ломтиками и на рассвете принес в класс. Пришедший в шесть утра Пинес обнаружил отчаявшегося мальчика, который тщетно смачивал эти сухие куски слезами и каплями сладкого вина, пытаясь вернуть им хоть какой-нибудь вкус. Учитель тихонько вышел из класса, пошел к себе домой и вернулся с печеньем, намазанным повидлом.

«Твоя мама оставила их у меня на твой день рождения», — сказал он Мешуламу, который знал, что это неправда, но не сказал ни слова.

Все это было записано у Пинеса в его записной книжке, которую он называл «Дневником пастуха». Там, своими красивыми буквами старого учителя, он запечатлел все, что не вошло в наши ученические табеля. Его почерк был так элегантен, а требовательность к написанию букв так велика, что в результате все его ученики писали в точности его почерком. В деревне и сегодня все пишут одинаковыми буквами, и уже были случаи, когда анонимные любовные письма приписывались не тем людям, а в банке не принимали правильно подписанные чеки. Однажды нашу деревню посетил великий Бялик, и Пинес преподнес ему тетрадь со стихами, которые написали в его честь деревенские дети. Поэт был потрясен одинаковостью всех почерков и со смехом выразил предположение, не сам ли учитель исписал всю эту тетрадку. Обиженный Пинес промолчал, но на той же неделе повел своих питомцев на гору Гильбоа — читать там стихи Черниховского, этого вечного бяликовского соперника.

Я смотрел, как он открывает зеленую калитку и медленно волочит ноги по подъему улицы к дому Левина. Тоня и Рива были последними из пионерок в нашей деревне, а Пинес, Зайцер и Шломо Левин — последними из пионеров.

«Зайцер никогда не отличался особой разговорчивостью, Рахель только и знает, что набивать мне брюхо, а Левин, который в жизни ничего не построил, теперь непрерывно строит козни против меня», — рассказывал он, когда вернулся оттуда ночью и обнаружил меня, сидящего возле дедушкиной могилы.

31

Каждый год Зайцер участвовал в двух торжественных церемониях. В годовщину основания мошава дервенская комиссия по культуре приглашала его подняться на сцену вместе с другими отцами-основателями — честь, которой из всех животных удостаивались только он и корова Хагит. А в праздник Шавуот три аккуратно причесанных мальчика в белых рубашках приходили отвести его во двор Мешулама.Там его с большой помпой запрягали в «Первую телегу», на которую нагружали украшенные гирляндами снопы пшеницы, бидоны молока, фрукты, вопящих младенцев, цыплят и телят. Это был единственный день, когда Зайцер соглашался снять с головы свою старую рабочую фуражку с проделанными в ней отверстиями для ушей и надеть венок из цветов, который придавал ему несколько разгульное выражение.

Когда озлобленному Левину напомнили сейчас обо всем этом, он впал в дикую ярость, обозвал Зайцера «старым паразитом», а потом, все на том же крике, завопил, что однажды ночью он забыл в нашем коровнике номер газеты «Давар», а когда вернулся за ним, обнаружил, что «этот старый паразит» сидит на заднице, расставив копыта и опираясь спиной на ствол смоковницы, и при свете луны просматривает его, Левина, газету!

Этот крикливый спор происходил неподалеку от той самой смоковницы, где привязанный Зайцер стоял рядом со своей кормушкой и водой. Вокруг дерева уже обозначился точный круг твердо утрамбованной его копытами земли, и две преданные цапли, специально присланные из поселений Иорданской долины, задумчивыми, осторожными поклевываниями вычищали его старую шкуру от паразитов. Зайцер опускал свои большие челюсти в бочку с ячменем и вылавливал вытянутыми губами отборные зерна. Что-то вроде тонкой улыбки обозначилось на его лице, и его уши выпрямились над поношенной фуражкой, словно он прислушивался к разговору. Увидев это, Левин разозлился еще больше, подбежал к Зайцеру и ударом ноги перевернул его питьевое корыто. Терпение Авраама лопнуло, и он выгнал дядю со двора.

Назавтра старый Левин появился снова, извинился и вернулся к работе, и Авраам, который тоже раскаивался в своем вчерашнем поступке, зашел ко мне для короткого разговора.

«Мы в большом долгу и перед Зайцером, и перед Левином, — сказал он. — Конечно, мы не отправим Зайцера к шкуродерам, но нельзя обижать и дядю Шломо.

Пусть он и не ахти какой земледелец, но без его помощи отец один не потянул бы».

Иоси ненавидел Левина лютой ненавистью, а Ури вообще предложил пустить обоих стариков — что Зайцера, что Левина — на колбасу. Поэтому Авраам попросил меня проследить за ними обоими, и я вскоре обнаружил, что старый дядя завел себе обычай подкрадываться к Зайцеру и отодвигать его поилку, в надежде, что никто этого не заметит, а Зайцер тем временем умрет от жажды.

Время от времени, выпалывая траву возле памятников, я махал рукой старому мулу, чтобы он знал, что кто-то заботится о нем и следит за его врагом. Но Зайцер не отвечал. Со смертью дедушки он потерял последнюю радость жизни, а постоянные преследования и мелкие пакости Левина даже его сделали нервным и угрюмым. Стоило тощему силуэту лавочника появиться в нашем дворе, как старый мул весь подбирался, и, хотя его большая голова по-прежнему оставалась погруженной в кормушку с отборным ячменем, зад его непрестанно поворачивался то вправо, то влево с таким прицелом, чтобы в случае нужды одна из задних ног всегда была наготове.

Для Шломо Левина это превратилось в высоко принципиальную борьбу, и, будучи прекрасным счетоводом, он однажды вечером заявился к Аврааму и предъявил ему «расчетную таблицу», в которой были вычислены все суммы, уже вложенные в «этого зазнавшегося дармоеда».

Вечер был душный, весь наполненный стрекотом и жужжаньем. Через открытые окна мне был хорошо слышен их возбужденный спор. Левин громко, монотонно и язвительно зачитывал ежедневный «Рацион мула»: «Молотый ячмень — восемь килограммов, кормовая вика — полтора килограмма, сена — три килограмма» — и повторял это снова и снова, пока Авраам не велел ему прекратить эту ерунду.

Левин вышел, хлопнув дверью. Сжавшись, как побитый, он прошел, что-то ворча себе под нос, возле казуарины, меж ветвями которой я сидел, и от обиды даже не заметил меня.

Неделю он не приходил, а потом его ответ появился в виде статьи в деревенском листке, в которой он писал об «одной семье, которая содержит бездельника-мула и кормит его отборнейшей пищей в полном противоречии с лозунгом обязательной хозяйственной продуктивности, выдвинутым нашим Рабочим движением».

Несколько недель подряд деревенский листок был нарасхват. Обычно его страницы заполняла унылая статистика, вроде уровня осадков и цен на молоко, «нескромные объявления о случке», меланхолические размышления подрастающих девиц да всякого рода печальные и радостные объявления. Теперь там изо дня в день публиковались отклики на дискуссию между Зайцером и Левином.

Многие были на стороне Зайцера, но были и такие, которые поддержали старого счетовода. Дани Рылов, у которого тесное личное знакомство с забоем скота вызвало неожиданный приступ сатирических потуг, сочинил фельетон на тему о «мессианской утопии», в котором описывалось, как «милосердные и недальновидные души наполнили Страну Израиля санаториями для больных ослиц и домами престарелых для кур, переставших нести яйца», и все это на общественной земле. Фельетон кончался выводом, что нечего удивляться безудержным затратам на содержание бесполезного мула «со стороны семьи, давно известной ношением своих животных на руках».

В конце концов в дискуссию вмешался сам Элиезер Либерзон. Последний из членов «Трудовой бригады имени Фейги», он уже жил в ту пору в доме престарелых, в той самой комнате, где квартировали когда-то дедушка и Шуламит. Слепой и одинокий, он утратил всякое значение — как в своих собственных глазах, так и в глазах всей деревни. Но теперь он вдруг передал мне, что будет рад, если я приду навестить его, да как можно быстрее, «с карандашом и бумагой».

Мы сидели на веранде. Либерзон расспрашивал меня, что слышно в деревне, — точь-в-точь как дедушка за несколько лет до того, только в дедушкиных расспросах никогда не было такой ярости и печали. Он спросил меня, поливаю ли я цветы на могиле его жены и встречаюсь ли когда-нибудь с его сыном.

— Не так чтобы часто, — ответил я и тут же испугался. — Поливаю, да, но с Даниэлем разговариваю не так чтобы очень часто.

— Все могло быть иначе, — сказал Либерзон.

— Да, — сказал я.

— Что «да»?! Что «да»?! — раздраженно крикнул старик. — Ты не понимаешь, о чем говоришь! «Да», — он говорит!

Я молчал.

— Ты принес бумагу и карандаш? — спросил он.

— Да.

Он сердито продиктовал мне несколько коротких и очень резких фраз для деревенского листка. Он указывал, что «даже если есть определенная экономическая правда в некоторых утверждениях товарища Шломо Левина, самоотверженную работу которого в кооперативном магазине деревенская общественность высоко ценит, тем не менее недопустимо, чтобы общественные служащие позволяли себе такого рода замечания в адрес производительного сектора деревни, к которому принадлежит также наш дорогой товарищ Зайцер».

«Извини, Барух, что я на тебя накричал, — сказал слепой, когда я собрался уходить. — Придет день, и ты тоже увидишь то, что вижу я. Извини меня. И приходи как-нибудь снова».

По ночам Левин и Пинес лежали без сна. Каждый в своей постели лелеял планы и плел интриги.

Левин думал о том, как бы отомстить мулу, из-за которого Элиезер Либерзон прилюдно унизил его, как никогда в жизни. Сквозь оконное стекло я видел, как открывались его старые раны, сочась жгучей сукровицей стыда. Неотесанное хулиганье из «Трудовой бригады» снова осыпало его насмешками, горы песка и шоколада грозили погрести его под собой, несметные стаи крылатой и пешей саранчи копошились в его кровати, заживо сдирая с него кожу.

А в то же самое время Пинес, принеся из холодильника в кровать остатки кускуса и испачкав ими подушку, вновь и вновь размышлял о тех воплях похоти, что так колотили по его нежным барабанным перепонкам, грубо оскорбляя все, что ему было дорого. Теперь, когда кровь, пропитавшая его мозг, вытолкнула оттуда былой гнев и закупорила прежнюю жажду возмездия, ему хотелось лишь дознаться, кто же это кричит. Старые записные книжки этого ему не открыли.

Он тяжело поднялся, вышел за калитку, пересек улицу и походил вокруг больших бетонных опор водонапорной башни. Волны жара и холода попеременно окатывали его тело, и это так раздражало его, что он вдруг решился и, ухватившись за поручни железной лестницы, стал что было сил взбираться наверх.

«Это было второй раз в моей жизни, — рассказывал он мне. — Тридцать лет назад, когда мои выпускники полезли на вышку тренироваться в спуске по канату, я тоже поднялся туда с Эфраимом, Мешуламом, Даниэлем Либерзоном, Авраамом и другими ребятами. Они все соскользнули вниз по канату, а мы с Мешуламом вернулись по той же лестнице».

Он боялся, что его заметят, а еще больше — что ослабевшее тело может его подвести. «Те крохи логики, что еще сохранились в моей голове, приказывали мне остановиться». Каждая клетка его тела замирала от страха высоты. И тем не менее он упрямо лез наверх, дряблый, немощный, не отваживаясь посмотреть вниз, и чем выше он взбирался, тем холоднее становился воздух вокруг.

Он хватался вспотевшими руками за шелушащиеся железные перила и с непонятной силой подтягивал свое испуганное тело. Добравшись до верха, он перекинул ногу через последнюю ступеньку и буквально рухнул на бетонную крышу. Его трясло от страха и изнеможения. Несколько минут он «валялся, как падаль», наслаждаясь шершавой прохладой бетона и постепенно приходя в себя, потом наконец отдышался и с любопытством поглядел вокруг. Плоская площадка крыши была окружена невысоким парапетом, вдоль которого шли перила из металлических труб. Рядом с ним пылились обломки наблюдательной будки, где в былые времена стоял на страже дозорный, вооруженный прожектором и колоколом, на противоположной стороне у парапета лежали груда пустых мешков и потрепанные, белые от пыли семафорные флаги.

Пинес встал, но почувствовал головокружение и тяжело навалился на перила. Холод металлических труб привел его в чувство. Он зачем-то прокричал: «Ау-у! Ау-у!» — но крик был слишком слаб, чтобы прорваться сквозь кроны деревьев и понестись вдаль с ночными потоками. Сова скользнула мимо башни, бесшумно, как летящие с ветром семена крестовника, и он вздрогнул от испуга, хотя в его классификации совы относились к разряду «Друзей». «Небольшой ущерб, который они причиняют в курятнике, с лихвой компенсируется числом мышей, которых они пожирают», — всегда утверждал он. Некоторые хозяева убивали сов, потому что боялись беззвучности их полета и почти человеческого вида их белых лиц, и эти люди вызывали невыносимый гнев в душе учителя.

Под ним, внизу, расстилалась деревня. «Уже не белые палатки на пустыре, а настоящие дома, хлева, пашни, мощеные дороги, высокие деревья и люди, пустившие корни».

Деревня спала праведным сном. Ветер свистел в кронах деревьев, гроздья будущих желтков завязывались в утробах цыплят, на складах комбикорма гудели смесители, поливалки постукивали в темноте.

Добрых полтора часа просидел Пинес в своей засаде, но так ничего и не увидел. В конце концов он снова спустился, замирая от страха, на землю и медленно побрел домой.

«Я сделал это! Я взобрался! — говорил он себе, едва переставляя ноги. — Завтра ночью я сделаю это снова».

32

Под конец пребывания в доме престарелых дедушка так ослабел, что большую часть дня лежал в кровати или сидел в инвалидной коляске. Шуламит ухаживала за ним, как могла, но и она не была особенно крепкой и здоровой. В воздухе меж ними висел старый дым пароходов и вокзалов. Они не переставали трогать друг друга, смотреть друг на друга, встречаться и расставаться.

Крымская шлюха часами глядела на дедушку, гладила кончики его пальцев, читала иероглифы морщин на его шее и плакала. За считанные недели он стал меньше ростом, грудь сузилась, тело усохло. Ее взгляд, который не мог больше кормиться его чувствами и вниманием, жадно высасывал теперь клетки из его тела.

Его отношение к ней, этот осторожный узор тщательно дозированной любви, было просчитанным и опасным, как искусство канатоходца. Одно неосторожное движение — и он мог упасть и вновь распасться в глубине ее глаз, захлебываясь и задыхаясь в пыли собственных костей.

Только сейчас я понимаю, что в той комнате было четыре человека: дедушка и Шуламит в их молодости и они же — в их старости. Иногда — оба старые, иногда — оба молодые. Иногда Шуламит была молода, а дедушка стар, иногда наоборот. Время, которое я знаю лишь по завязыванию плода да брожению силоса, в их комнате стало многокрылым флюгером, которого еще не коснулся никакой ветер.

Молоко, которое я ему приносил, он глотал с трудом, но упрямился выпить до дна. Порой он захлебывался и выплевывал маленькие кисловатые створожившиеся сгустки. В «тяжелые дни» я носил его в душевую, чтобы помыть. Он лежал в моих больших руках — маленькое тело намылено, рассеянный взгляд уплывает куда-то, словно белый взмах прощанья. В «хорошие дни» он улыбался вымученной улыбкой и расспрашивал, что нового в нашем хозяйстве.

С Шуламит я не разговаривал, хотя мог бы задать ей немало вопросов. Сначала, когда она появилась, я ее ненавидел. Ее и тех русских, которые позволили ей выехать. Через неделю после ее появления дедушка начал готовиться к переезду в дом престарелых. Свои планы он скрывал и, когда наконец сообщил нам, что все решено и подписано, мы были ошеломлены. Авраам наморщил лоб, Ривка тяжело запыхтела и выдавила: «Прекрасно, прекрасно, тебе лучше знать». Иоси промолчал, а Ури хихикнул и сказал: «Ну, дед, ты тот еще хитрюга!»

Я был так напуган, что у меня похолодело в животе. Я понимал, что это связано с той женщиной, что приехала из России, постучала в нашу дверь и вошла, как будто вышла прямиком из дедушкиного сундука.

«Привет, Яков, — сказала она. — Угостишь меня чаем?»

Дедушка встал с трясущимися руками. Он знал, конечно, что Шуламит собирается приехать. Пеликаны прилетели, как обычно, а телеграмму из Иерусалима Бускила торжественно доставил за день до того. Бускила любил телеграммы. Он научил Зиса реветь, как сирена «скорой помощи», когда в деревню приходила какая-нибудь телеграмма. «В нашем деле это самое большое удовольствие», — объяснял он.

«Это мой внук. Его зовут Барух», — произнес дедушка. Первые слова, которые он сказал ей после такой долгой разлуки.

Она засмеялась, когда он подал ей чашку чая, рассеянно перекатывая во рту маслину, засмеялась и положила руку на его запястье, словно подтверждая, что вступает во владение.

В конце концов, она всего лишь старуха, сказал я себе. Высокая, но сутулая. Жесткие, седые волосы, морщинистое лицо, дряблые, толстые валики мяса, свисающие с шеи, мшистые старческие пятна, проступившие на лице и руках, как лишай на старых оливковых деревьях. Но под ее платьем угадывались длинные бедра. Ее ноги ступали неуверенно, но сохранили точеное изящество.

Она тоже пила неостуженный, только что вскипевший чай, а когда чашки опустели, они оба поднялись, словно по сигналу, и обнялись. Дедушка прижался к ней лицом и стал медленно покачиваться вместе с нею. Его усы касались ее шеи, одна рука мягко и быстро выстукивала на ее плече код узнавания, а вторая скользила от ее грудей к животу тем давним заученным движением, что все эти годы ожидало на складе осиротевших привычек.

У каждой пары, объяснил мне потом Ури, есть свой собственный и ограниченный набор любовных движений и жестов. Он образуется быстро, заучивается медленно и не забывается никогда.

«Эти движения остаются и после того, как любовь кончается, — сказал он. — После того, как они перестают дышать кожей друг друга, пожирать плоть друг друга и нырять с головой, как безумные, в глаза друг другу».

Ури имел что-то против человеческих глаз. Он утверждал, что в глазах нет никакого такого «выражения» и все разговоры, будто глаза — это зеркало души, «попросту элементарный оптический обман». Он предпочитал читать по ртам, расшифровывая уголки губ, и когда говорил с человеком, всегда смотрел только на его рот, а не в глаза.

Шуламит плакала, дрожа всем телом. Крестьянские пальцы дедушки ползли по ее коже, осторожно прикасаясь и прижимаясь к ней. Плотины времени распадались, и слабые колени двух состарившихся людей подкашивались под нарастающим напором. Только сейчас дедушка заметил, что я еще в комнате, и оторвался от нее. Они сидели и смотрели друг на друга, и воздух в комнате так сгустился, и столько слов и прикосновений ждали в своих тайниках, что я поторопился сказать, что мне нужно закрыть поливалки, и побрел в сад.

Когда часа через два я вернулся, у них еще горел свет, водяной бак шумел, нагреваясь, и я застал их посреди разговора по-русски.

«Что было, то было, — сказал мне дедушка. — Теперь мы с Шуламит будем жить вместе. Нам осталось не так уж много лет».

«С каждым разом, что я взбирался на башню, у меня оставалось все меньше сил и становилось все больше страха».

Цепкость пинесовских рук ослабевала, и как-то раз, спускаясь с лестницы, он чуть не свалился с десятиметровой высоты. «Я долго висел, уцепившись за лестницу с нечеловеческой силой». Его трясущиеся колени больно ударялись о холодный металл. Жуткий страх перехватил дыхание.

«Почему ты не позвал меня? — рассердился я. — Если бы ты сорвался, я бы тебя поймал».

Пинес грустно улыбнулся. «Это уже не сказки твоего дедушки, Барух. Сейчас речь идет о реальных вещах, — сказал он. — А кроме того, хотя ты силой пошел в своего отца, но я куда тяжелее твоей матери».

Постепенно он пришел в себя и, поскольку подниматься было легче, чем спускаться, решил продолжить подъем и в конце концов в очередной раз распластался на сыром бетоне крыши, чтобы успокоиться и восстановить дыхание.

Прошло около получаса, и он уже собрался было спускаться, как вдруг услышал чье-то прерывистое дыхание и звук быстрых рук, перебирающих перекладины. Он перегнулся через ограду и увидел две темные фигуры. Они поднимались быстро и ловко. Он не знал, куда укрыться. В смущении, испытывая неловкость, он пригнулся за остатками наблюдательной будки, сжался, как только мог, и увидел, как эти двое ступили на крышу.

В темноте он не мог разглядеть лица, но по их движениям было понятно, что это молодые, уверенные в себе и в своей ловкости люди, «знающие, как все молодые, что их тела им полностью послушны».

Они тут же упали на груду мешков, и Пинес из своего укрытия услышал шелест торопливо стаскиваемой одежды, приглушенные стоны и давно забытое влажное чмоканье раздвигаемой плоти и выскальзывающего мяса. Потные испарения любви поднимались над горячими телами, сгущались в холодном воздухе и вливались в его ноздри. Лежа завороженный греховным очарованием этого мгновенья, старый учитель почувствовал вдруг, как что-то шевельнулось в самых, казалось, омертвевших частях его тела, и тут увидел, как на фоне темного неба появился кудрявый, резной профиль юноши, приподнявшего голову над перилами крыши.

На сей раз дерзкий крик послышался совсем рядом.

«Я трахнул жену Якоби!» — выкрикнул молодой любовник.

Пинес сжался, как полевая мышь, вспугнутая в своей норе, и почувствовал, что его виски разламываются от вожделения и стыда. Якоби был молодым и удачливым секретарем деревенского Комитета, а жену его учитель знал с тех пор, как она была одной из множества его учениц.

«Внучка Бен-Якова, того самого Бен-Якова, что был убит во время арабского восстания 29-го года[1]. Была симпатичным, разумным ребенком и на моих глазах выросла в добрую, работящую, стеснительную девушку».

Крик взорвался на ветру, и его звуки, рассеявшись во все стороны, стали спускаться на деревню, как обрывки белых лепестков миндаля. На лица проснувшихся деревенских женщин взошла дремотная улыбка. Потом тишина вновь сомкнулась над вершиной водонапорной башни, и теперь Пинес слышал только удары собственного сердца и совсем рядом с собой — тихий, горловой смех женщины, прижавшей голову возлюбленного к своим грудям, чтобы заставить его замолчать.

Так они лежали, не подавая звука, и кровь в старых чреслах учителя постепенно успокоилась тоже. Ему стало холодно, но он боялся пошевельнуться и мучился, пока они наконец не встали, оделись и начали спускаться по лестнице.

Он решил выждать еще несколько минут, чтобы избежать неловкости, если они его увидят. Потом встал, схватился за перила, глянул вниз и увидел, что из темных кустов вокруг башни выскакивают несколько мужчин и, «точно злобные звери», набрасываются на влюбленную пару.

Женщину оттащили за волосы, а парня повалили и в ужасающем молчании стали методично, будто выполняя какую-то механическую работу, избивать и топтать тяжелыми рабочими ботинками. Только надсадный хрип, стоны и всхлипывания да тяжелое шмяканье ударов слышались в холодном воздухе.

Когда нападавшие снова исчезли в кустах, Пинес торопливо спустился по лестнице, подошел к лежащему и посмотрел на его окровавленное тело. Рваное мясо сверкало всеми оттенками кармина, точно раздавленный гранат, и сердце учителя сжалось и задрожало.

«Он лежал лицом вниз. Я осторожно повернул его на спину, и он застонал от боли. Это был Ури Миркин. Твой двоюродный брат».

33

Я и сейчас еще мучительно жалею, что меня не было там в ту ночь, чтобы вырвать Ури из рук истязателей. В ту минуту я топтался под домом нашего деревенского врача. Здравчасть дома престарелых регулярно оповещала деревенских врачей о состоянии здоровья их стариков, и я надеялся услышать сквозь занавески, как чувствует себя дедушка в эти свои последние дни.

«Если бы я был там, — всхлипывая, говорил я Пинесу, — если бы только я был там! Я бы спас Ури. Я бы поубивал их всех».

Кулаки мои сжимались и разжимались, пот катился по шее.

Пинес рассказал мне обо всем лишь после того, как Ури изгнали из деревни. Все знали, что произошло, но только мне старый учитель признался, что был в эту ночь на башне. На заседании деревенского Комитета он на все расспросы отвечал, что вышел погулять из-за бессонницы и увидел юношу, лежавшего без сознания. «А увидев, закричал во весь голос, что совершившие эту подлость — бандиты, разбойники, сыны рефаимов[1]».

На самом деле Пинес спросил Ури, что с ним, и, не получив ответа, бросился в розовый сад возле синагоги, смочил под краном носовой платок и, вернувшись, вытер разбитые губы моего брата. Худое искалеченное тело медленно шевелилось в усилии и муке сломанных ребер и раздавленных тканей. «Как израненный ангел, упавший с небес».

Он подхватил Ури под мышки и с трудом дотащил до своего дома, стоявшего неподалеку. «У него была сломана ключица и вывихнуто плечо».

«Почему ты не позвал меня?! — взвыл я. — Я бы донес его на руках!»

Пинес уложил Ури на свою кровать и сидел возле него всю ночь. Он раздел его догола, осмотрел нежное, стройное, истоптанное тяжелыми ботинками тело, бережно протер его раны влажным платком и смазал зеленкой.

Ури дергался и стонал от боли, разноцветные кровоподтеки переливались по всему его телу, как цветы, и запах раскрывшегося женского бутона, еще подымавшийся от его чресел, не переставал ударять в возбужденные ноздри Пинеса, «заполняя носовые синусы» и собираясь под костями висков и лба, точно слой сладкой росы.

Всю ночь Пинес сидел возле Ури и смотрел на него.

«Он допытывался у меня, почему я каждый раз кричал и что во мне есть такого, что все женщины деревни готовы со мной лечь».

«Он был слишком потрясен, измучен и растерян, чтобы отвечать на мои вопросы».

Страшные звуки глухих ударов, хрустящих костей, выворачиваемых суставов, раздираемой кожи не выходили из головы Пинеса. В ночной темноте он не смог распознать нападавших и теперь подозревал каждого мужчину в деревне, от шестнадцати до шестидесяти лет. «Мы уподобились диким зверям, — думал он. — Человек брата своего поедает». Кости пинесовского черепа истончились до толщины издырявленной пленки, которая с трудом сдерживала муку и гнев. «Всю свою жизнь я затыкал пробоины, а сейчас плотины рухнули, и я увидел лицо надвигающегося зла».

Утром он оставил возле кровати чашку чая и печенье и отправился в наш коровник. Авраам и Иоси доили, раздраженные отсутствием Ури. Я работал во дворе, разгружая телегу с кормовой свеклой.

«Ури у меня», — сказал учитель. Но не успел он договорить, как в воротах коровника появились люди из деревенского Комитета. Авраам велел нам с Иоси продолжать дойку, а сам поднялся с ними в дом. Минуты через две оттуда послышались страшные вопли Ривки. Будто мало ей было того стыда, что она была дочерью наемного служащего, простого шорника, а не земледельца, и женой разочаровавшего всех «первенца деревни», так теперь ей еще выпал позор быть матерью распутного сына. Впервые в жизни я слышал то, что хотел услышать, без того чтобы подползать и пригибаться, забираться на ветки, и подслушивать, и таиться в темноте, как вор.

— Всё из-за этой сучки-воспитательницы, которая разрешила ему ходить у нее под юбкой, прямо у себя в заднице! — орала моя тетка.

— Не всем обязательно это слышать, — увещевал ее Авраам.

— Это все твоя вина! Это у тебя уже в девять лет стоял на эту американку! А твой брат вообще трахал коров! И сестра твоя тоже раздвигала ноги без трусов на всех крышах!

Огромная стая голубей в ужасе взлетела над крышей коровника, и стихающее хлопанье их крыльев оставило за собой эхо, бьющееся о Ривкины щеки. Члены Комитета терпеливо переждали, пока улеглась суматоха, и потом сообщили родителям, что они решили «отослать Ури на некоторое время из деревни». Жену секретаря Якоби, сообщили они, уже увезли ночью в дом ее сестры в городе. Мешулам Циркин, который к тому времени был почти пятидесятилетним девственником, говорил мне потом, что «если бы они решили увезти всех, кого трахнул твой Ури, в деревне остались бы только Рива и Тоня».

Ури доставили в районную больницу. Я навестил его всего один раз, и он попросил меня больше не приходить. «Хорошо, что дедушка не знает, — сказал он, — хорошо, что дедушка уже умер». Сестры, привлеченные его красотой, которая угадывалась даже из-под бинтов, порешили, что ему не нравятся женщины. Когда он выздоровел, дома решили отправить его к дяде, Ривкиному брату, который был крупным подрядчиком на строительных работах в Галилее. Авраам и Ривка провожали его до станции. Я поднялся на крышу сеновала и видел, как они шли через «Кладбище пионеров». Они постояли возле могилы дедушки, прошли через апельсиновую рощу и потерялись, как муравьи, на соломенно-желтых просторах полей. Вот так же я смотрел, как Зайцер исчезает вдали, уходя в свой очередной субботний поход, так я видел уходящего вдаль Эфраима, и бабушку Фейгу, торопящуюся со всеми деревенскими к железной дороге, и Шломо Левина, возвращающегося с похорон своей сестры.

На Ури были отглаженные синие брюки и светлая рубашка, в руке он нес маленький деревянный чемодан. Ривка шла рядом с ним, а Авраам немного впереди, наклонив голову, как будто прокладывал дорогу. Они пересекли поле стерни, обогнули брошенные артиллерийские позиции англичан и направились к станции, скрытой за гигантскими эвкалиптами. Когда поезд отошел, оставив за собой долгий гудок, я снова увидел Авраама и Ривку. Они шли обратно. Она шагала немного впереди, возбужденно размахивая руками, а он то и дело наклонялся, чтобы положить зернышко цианида в замеченную по дороге мышиную нору.

Я несколько раз говорил с Пинесом об этой истории, но он сказал, что любовь к женщине никогда не свивала гнездо в моем сердце и я не смогу понять, что там на самом деле произошло. В ту пору, утратив прежние ограничения и тормоза, Пинес уже открыто говорил все, что думал. «Ты любил только своего дедушку, — сказал он мне. — Иногда ты напоминаешь мне Эфраимова быка. Может, и ты ждешь, что кто-то возьмет тебя на спину и отнесет на случку».

Я не рассказал ему, что все эти годы знал о похождениях моего двоюродного брата. Я никогда не видел Ури, что называется, в деле, но не раз невольно подслушивал откровенные и бесстыдные разговоры женщин, которые признавались друг другу в своих проказах и всякий раз, вспоминая Ури, вздыхали, и хихикали, и указывали друг на друга пальцами и глазами. Потом я видел их в деревне — они улыбались друг другу, словно обменивались общей тайной. Все до единой — внучка Рылова, внучка Либерзона, жена Шуки — осеменителя коров, дочь столяра Гидеона, мать Михаль Маргулис и сама Михаль, наша бывшая соученица, и жена деревенского врача, и жена ветеринара, которая, несмотря на возраст, металась в приступе страсти, как бушуют полевые колосья на ветру, и всё выкрикивала: «Эфраим! Эфраим!»

«И самое странное, — сказал мне Ури, изумленный тем, как много я знаю, — что им нравится, когда я так кричу, и все они знают об этом, одна от другой, и эти крики важнее для них, чем само занятие».

Первой была хриплая Эдна, внучка Рылова, у которой груди появились уже в девять лет, и после этого раз в месяц тучи самцов греческого мотылька разбивались об оконные сетки ее комнаты.

Ей было тогда семнадцать лет, а Ури пятнадцать. Его красота и острый язык не давали ей покоя, и однажды ночью она сама схватила его и потащила к водонапорной башне.

«У меня не оставалось выбора, — сказал Ури, и на его лице появилась знакомая сдержанная улыбка. — У нее был револьвер».

Он полез за ней по лестнице, следуя, как привязанный, за ее задом, который сверкал в темноте перед его глазами, туго обтянутый белыми брюками.

«Ну и горячая же она была, — рассказывал он мне. — У нее там хлюпало и чавкало, как будто кто-то выдергивал босую ногу из болота, и я почувствовал, что мне хочется влезть в нее целиком, сунуть туда и руки, и ноги, и даже голову. И тут вдруг я вспомнил ее деда, и все его бомбы, и ружья, и взрывчатку, представил себе, что он сделает со мной, если поймает меня застрявшим в тайнике его внучки, — и начал ржать».

— Что тебе так смешно? — спросила Эдна.

— Я трахнул внучку Рылова, — медленно и хвастливо шепнул Ури прямо в ее рот.

— Так почему бы тебе не сообщить об этом всей деревне? — сказала она презрительно.

И прежде чем она успела его остановить, он приподнялся над перилами башни и крикнул во весь голос:

«Я трахнул внучку Рылова!»

Его слова запутались в ночных ветрах, отразились от веток деревьев и, взорвавшись, распались на буквы и капли. Никто не услышал их, потому что они раскололись на тысячи бессмысленных осколков.

Даже я, великий подслушиватель, не услышал. Но старый Пинес, чьи уши не были забиты землей, как у всех у нас, и которого жизнь среди насекомых и детей научила соединять загадочные обрывки слогов и звуков, — Пинес услышал. И, как он, услышали этот крик все женщины деревни, которых однообразная, скучная жизнь научила искать возбуждения даже в грязных поилках для кур и под ворсистыми тыквенными листьями.

Одинокий учитель со страхом вскочил на постели, пылая желанием излить свой гнев на виновника, но женщины деревни проснулись все вместе и смутно улыбнулись в темноте. Они опознали голос и шанс, ликование жеребца и яркий свет, что слепит глаза. Лежа в своих жестких железных кроватях, они вдруг ощутили тонкий и драгоценный аромат, гладкость прозрачных бокалов, прикосновение юношеского тела.

«Ты никогда этого поймешь, — сказал мне Ури. — Ты не любишь женщин. А я думаю обо всех этих несчастных индюшках в их темных комнатах, о дедушке и Шуламит, о сладких пальцах Хаима Маргулиса, о бедняге Даниэле, который полюбил твою мать в возрасте трех недель, и о бабушкиных словах, что у каждого человека где-то в мире есть его половинка. Я хочу найти свою».

«Если бы Фаня Либерзон была жива, она сказала бы, что это месть твоей бабушки Фейги, — сказал Пинес. — Сладкая кровь «Трудовой бригады» превратилась в жилах семейства Миркиных в тот яд, что не сворачивается никогда. Твой дедушка, который так и не дал ей любви и всю жизнь мучился тоской и ненавистью к Шуламит. Авраам, который в девять лет пропел свою первую и последнюю песню любви и замолчал навеки. Ури, который заставил всех нас забыть всякую меру. И ты, стреноженный бык из дома Миркиных, дикий буйвол в сетях, лишенный сердца и наделенный могучей силой».

Избиение Ури потрясло учителя до глубины души. «Мы ошиблись, — писал он в деревенском листке. — Ошиблись в воспитании. Ошиблись в идеале. Ошиблись в предназначении. Уподобились животным, что ушли по шею в трясины земли».

Теперь, на девяносто пятом году жизни, Пинес поднял голову, огляделся вокруг и обнаружил, что грозные волны по ту сторону плотины давно уже высохли и свежие ветры тянут оттуда по всей земле.

«Если бы ты знал, какие поразительные мысли растут в моем сердце! Они, как ночные бабочки, витают в моих висках».

«Только сейчас я понимаю, — писал он в статье, которая вызвала бурю в деревне, — что Ури Миркин был самым оригинальным мыслителем, которого произвела на свет наша деревня. Как Ирмиягу в ущелье Бен-Хином, как Элиягу на горе Кармель, как Иотам на вершине Гризим[2], так Ури Миркин возносил свою весть с вершины водонапорной башни».

34

«Все произошло после того, как дедушка ушел из дома, и после того, как он умер, — писал мне мой изгнанный двоюродный брат. Ури уже отслужил в армии, не захотел возвращаться в деревню, снова поселился у своего дяди в Галилее и работал у него на скрепере. — Зайцер и Либерзон ослепли и умерли, Пинес спятил, Мешулам начал заново погружать деревню в болото, мои мать и отец покинули Страну, Иоси остался в армии, мало думает, мало говорит и из всякой мелочи делает проблему, меня выгнали, а ты — надо же, именно ты — стал самым богатым человеком в Долине».

«Я получил письмо от Пинеса. Он размышляет о нас. Два внука Миркина, — пишет он, — нанесли ему удар ниже пояса. Первый — посредством смерти, второй — посредством любви. Мясом вонючим и мясом ебучим. Это цитата. Жаль, что дедушка не слышит, как нынче выражается наш Пинес».

«Что это было такое в нашем старике, что держало всех нас вместе? — писал Ури. — Кто знает, кем он был на самом деле, — ангелом, что повелевает произрастать всякому ростку, или дьяволом из «Трудовой бригады» имени нашей несчастной бабки? Как и ты, я тоже часто думаю об Эфраиме. Зачем дедушка принес ему маску? Для него? Или для самого себя? Иногда я думаю, что Эфраим ушел именно из-за дедушки, а не из-за всего остального».

Мои большие следы присоединяются к исчезающим чертежам моря на влажном прибрежном песке. С удивлением рассматриваю я эту бесплотную и бесплодную разновидность земли, с ее такими красивыми и такими бесполезными зернами. Этот песок — что он, как неускоренное в своих изменениях подобие земли нашей Долины: быстро впитывает влагу и быстро ее теряет, быстро сметается ветром и быстро собирается вновь, быстро разрезается трещинами и быстро их залечивает? Время быстро пишет на нем и так же быстро стирает всё записанное.

Сырые бугорки, выдавленные пальцами играющих детских ног, отпечатки резиновых сандалий, округлые следы женских пяток, ведущие к самой кромке воды и исчезающие в ней, и резкие углубления, вырезанные подошвами пробежавших по песку джоггеров с их глупыми, страдальческими лицами. Если бы Эфраим прошел здесь, вес Жана Вальжана на его плечах оставил бы в песке глубокие ямы, даже глубже, чем моя поступь.

Я не могу представить себе человека, который ушел бы из дома из-за дедушки. Во мне и сейчас стынет желание снова свернуться под его крылом, ухватиться за полу его рубахи. «Ты не прав, — мысленно отвечаю я Ури. — Ты не прав. Никто не мог покинуть дедушку, даже наш дядя Эфраим».

Поиски не прекращались до самой дедушкиной смерти. Надо всем Ближним Востоком была раскинута сеть, поджидавшая человека в маске со светлым, тяжелым быком на плечах. Полковник Стоувс, который служил теперь в Арабском легионе в Иордании и по-прежнему прихрамывал из-за искалеченного колена, продолжал его поиски там. Арабские старики, друзья Рылова, получали сообщения из Сирии и Ливана. В самой Стране это было поручено людям Рабочего движения. Всем, кому по работе приходилось ездить по стране и встречаться с разными людьми и животными: сельскохозяйственным инструкторам, партийным активистам, моэлям, врачам и ветеринарам, — всем было велено смотреть в оба.

Порой доходили слухи о телятах породы шароле, появлявшихся в самых неожиданных местах. Мухтар[1] Мазарива слышал от паломников, вернувшихся из Мекки, будто где-то возле Макны, что в Саудовской Аравии, видели огромного белого быка, идущего по берегу моря. Два шотландских натуралиста, которые изучали особенности размножения лысух в болотах Сейхана, что в Турции, заметили в бинокли желтоватого коротконогого бычка, который покрывал самку буйвола. Перелетный скворец, который приземлился во дворе Пинеса, умоляя снять с его ноги раздражающее алюминиевое кольцо, видел Эфраима, пересекавшего Черное море вплавь, с юга на север, и Жана Вальжана, с тяжелым топотом огибавшего это же море по суше.

Какое-то время эти слухи пробуждали надежды, но бесшумный и незримый Эфраим, с его опытом подкрадываний, маскировки, пролагания маршрутов и выживания, так и не нашелся. Пути его странствий уходили дальше, чем мы осмеливались предположить. Через несколько лет французский мотоциклист, совершавший пробег вокруг света, обнаружил таких телят и в Армении, и в Алжире. Похоже было, что капли *crème* Жана Вальжана летят по ветру, как цветочная пыльца.

«Он отнес своего Жана Вальжана в тот публичный дом в Арзеве», — сказал Ури.

«Границы никогда не составляли проблему для Эфраима, — сказал его английский командир лорд Ловат, который приехал из Лондона навестить нас. — Твой сын был прекрасным солдатом и настоящим другом, — сказал он дедушке. — Даже после его ухода из армии наша связь не прервалась. Он многим нам помог».

Дедушка закусил губу и ничего не ответил.

Лорд Ловат был худощавый пожилой джентльмен, опиравшийся на резную палку. Голубой шелковый платок скрывал его горло и стальную трубку, которая торчала из раздробленного пулей кадыка и издавала слабые посвистывания, когда он смеялся. С ним была высокая и красивая пожилая женщина, которая начала дрожать, как только они въехали в деревню.

Лорд Ловат расписался в деревенской гостевой книге, а потом мы повели его в дом к Рахели Левин, потому что он хотел узнать, кто научил Эфраима ходить так бесшумно. Он был поражен, увидев худую смуглую старуху, которая неслышно, как по воздуху, скользнула к забравшейся в ее огород крольчихе и до смерти напугала ее, крикнув ей прямо в длинное ухо: «У-у-у!»

Потом он закрылся с дедушкой для долгой беседы, а меня обнаружили подслушивающим под окном и прогнали к красивой женщине, которая гуляла в саду. Она бродила меж цветущих деревьев и прижимала их мягкие лепестки к горлу, напевая и тихо смеясь.

Мне велели охранять ее, что я и сделал. Я шел за ней по пятам, на подобающем расстоянии, так тихо, как только удавалось, и старался не мешать ей, когда она стала танцевать меж грушевых деревьев. Даже Авраам и дедушка не узнали ее. Ее запах возродился только в моих ноздрях, и только я и она слышали рев быков, колотившихся о стенки своих загонов.

— Ты помнишь этот стих Торы, Яков? — спросил дедушка Пинеса, когда лорд и его красивая спутница уже уехали. — Помнишь, как Иаков сказал: «Еще жив сын мой, пойду и увижу его, пока не умру»?[2]

— И он увидел, тот Иаков, в конце концов, он увидел, — сказал Пинес.

— Этот Яков, — сказал дедушка, — уже не увидит своего сына никогда. Только счеты с вами держат меня на этой земле. Вы выгнали его из деревни, и я поражу вас в самом чувствительном для вас месте — в земле. Шуламит я накажу в ее сердце, а вас я накажу в вашей земле.

35

У нее было твердое русское «р», глубокие влажные «л». Когда-то все отцы-основатели говорили, как она, но воздух Страны разбавил густую слюну в их ртах, приподнял их нёба и расширил горла.

«Шестьдесят пять лет подряд он пытался вырвать Шуламит из своего сердца. Он катался, как животное, в песке и в грязи, чтобы стереть с себя запах ее прикосновений, ковырялся в порах своего тела, выискивая ее длинными, завитыми проволоками памяти. Но ее кожа сияла ему из грушевых крон, из-за среза голубой горы. Воды его озер не позволяли прыгающему по ним камню успокоиться и кануть на дно. У каждого пеликана, опускавшегося над домом Либерзона, была ее белая грудь».

Пинес, вечно голодный, любопытный, больной и толстый старик, впадал теперь в лирику без всякого перехода. Притворяясь прежним учителем природоведения, он прижимал меня к груди и втыкал в меня булавки своей любви и своих назиданий, а когда я начинал плакать, низким и тягучим голосом, гладил меня по затылку.

«Она терпелива, месть, терпелива, как луковица морского лука, — сказал он. — Ее наслаждение — в долгих годах утонченной отделки и созревания. Она завязывается в глубинах души, в ее тайниках, под тонкой пленкой пшеничных полей и гладкой кожи, в расселинах и теснинах».

В последние свои годы Пинес начал распознавать месть везде, где она прорастала. Он объяснил мне, как дедушка отомстил деревне, как он отомстил Шуламит и как земля отомстила нам всем. Он говорил слова, которые лишали деревню покоя, как и памятники моего «Кладбища пионеров».

«Эта грубая земля, привыкшая к смраду святых костей и к тяжелой поступи паломников и легионов, давилась от смеха, я думаю, при виде еврейских пионеров, которые целовали ее и проливали на нее дар своих слез, с трепетом овладевали ею, тычась своими жалкими мотыгами в ее огромное тело и называя ее матерью, сестрой и женой. Прокладывая первые борозды, выжигая сорняки, осушая болота и вырубая леса, мы одновременно сеяли семена своего поражения».

И добавил торжественным голосом: «В конечном счете мы осушили болота, но под ними обнаружилось нечто более страшное. «Связь с землей», «слияние с природой» — что это, как не возвращение вспять, закат и озверение? Мы вырастили новое поколение. Это уже не те, неукорененные и несчастные евреи галута, это крестьяне, прочно привязанные к земле, — грубые, сварливые, склочные, ограниченные, узколобые люди с широкой костью и толстой кожей. Твой дядя Авраам понял это, когда ему было девять лет, твой дедушка понял это, когда ушел Эфраим, а я понял это после того, как увидел, как он отказывается от плодов своего сада и думает только о его цветах. Но Ури понял это только после того, как ему отбили селезенку».

«Нет такой земли, — заключил Пинес, и легко было догадаться, что он уже приготовил впечатляющее завершение своей речи. — И нет такой женщины...»

Слабый и старый стоял дедушка передо мной и Шуламит.

«Отныне и далее я буду жить с ней, — сказал он мне. — Пойми меня, Малыш. В моем возрасте я уже не могу поступить иначе. Но не здесь, не в этом доме».

Я услышал знакомые шаги, приближающиеся к времянке. Пинес постучал в дверь и вошел. Либерзон и Циркин стояли за его спиной.

Они неудержимо разрыдались и стали обниматься, тяжело дыша, и все это изобилие эмоций, внезапно вырвавшихся из старых русских тел, так потрясло меня, что я повернулся и вышел. В ту ночь я спал среди охапок сена на сеновале, и дедушка не пришел укрыть меня. Его друзья ушли после полуночи, но свет горел во времянке всю ночь. Утром, когда я вошел, дедушка медленно готовил завтрак, а крымская шлюха лежала в его кровати и спала.

«Я никогда не показывал тебе эту фотографию», — сказал дедушка. Его пальцы погладили бумажное покрытие сундука, осторожно нащупывая там что-то, и нашли то, что искали. Он вытащил свой старый окулировочный нож, надрезал и оторвал бумагу и двумя пальцами вытащил оттуда старую фотографию.

«Это она, — шепнул он и кивнул в сторону кровати. — Когда мы были молодыми, там».

Фотография была рассечена надвое, почти по всей ширине, как будто ударом косы. Обе части были склеены с задней стороны старой коричневой липкой лентой.

Шуламит сидела на резном стуле, в темной блузе с круглым воротничком и узким галстуком из черного бархатного шнурка. Молодое, рассеченное вдоль лицо, брови изогнуты высокомерными серпами, руки, отрубленные ненавистью ножниц, сложены в бесконечном покое, с той мучительной уверенностью, которую всегда излучают красивые женщины.

«По ночам мы купались в реке, под прикрытием камышей и тростника, и Шуламит сверкала, как аист в кустах».

«Она спала со всеми офицерами, — сказал я. — И со старыми генералами Красной армии. Все знают, что она делала. Из-за нее ты не спал по ночам. Из-за нее умерла бабушка».

Дедушка встал, с трудом приподнялся на кончиках пальцев и ударил меня кулаком по лицу. Он был так стар и слаб, что совсем не сделал мне больно, но я сразу же вспотел, как старая лошадь на осенней борозде, и на мои глаза навернулись слезы.

Шуламит проснулась, и я выбежал из времянки. Через полчаса они вышли погулять, и я пошел за ними, на расстоянии. Дедушка показывал ей доильные автоматы Авраама, сеновал, старого Зайцера, который жевал свое пенсионное довольствие. Мул посмотрел на нее равнодушно, потому что в своем преклонном возрасте уже понимал, что «нет у человека преимущества перед скотом»[1] и жизнь обоих — не что иное, как бесконечное волочение тяжелой телеги и напрасные старания избежать ловушек, ям и навозных куч. Они прошли мимо старой земляной печи бабушки Фейги, повалившиеся стены которой все еще пахли хлебом, болью и тыквенной кашей, и спустились в сад. Издали я видел, как взлетали его длинные рукава, когда он представлял одно за другим свои деревья, и знал, что это он машет нам на прощанье — персику, груше, миндалю, мне.

«Ты только посмотри на них, — сказал Ури, подойдя и встав рядом со мной. — Прямиком из какого-нибудь русского романа».

Месяц спустя они переехали в дом престарелых. До самого смертного часа дедушка мстил ей своей любовью — расчетливой, сдержанной, точно отмеренной, непрерывной, холодно-умелой и бессердечно-искусной, теми древними и мягкими движениями блаженства, которые заставляли Шуламит сбрасывать седую листву, царапать стены и бить ногами, насколько это позволяла боль в старческих суставах.

А потом, как писал мне Ури после дедушкиной смерти, дедушка ушел и все пошло под откос. Крики Ривки стали всемеро громче, молчание и борозды Авраама углубились, а я почти перестал есть, потому что в моем желудке вырос и набух огромный клубень тоски. Слух прошел по стану, ворвался в стойла и птичники, прошелестел над садами: Миркин ушел из дому. За считанные дни дикая акация овладела цветником и огородом возле нашей времянки. Черные муравьи с подтянутыми к самой спине подбрюшьями носились по полу, как безумные. В дедушкином саду рухнули три отчаявшихся миндальных дерева, опустевшие стволы их заполнились белым порошком сомнений. Табанос, эти беспощадные коровьи мухи, завладели нашим двором, и их короткие сильные хоботки буравили кожу, оставляя после себя кровоточащие дыры и обезумевших животных, не способных сосредоточиться на работе.

Когда колючки дикой степной акации пробили доски пола и их уродливые плоды вздулись прямо перед моими глазами, точно злокачественные опухоли, я поднялся с кровати, позвал Иоси, и мы вместе вышли в сад, вооружившись мотыгами. Мы пытались докопаться до тех длинных и жестких главных корней, что тянулись под землей и выпускали проклятие своих отростков над ее поверхностью. Через день Иоси отчаялся. Его ладони покрылись пузырями, и вечером он не мог распрямиться.

«Безнадежное дело, — сказал он мне. — Нужно просто раз в неделю обрубать их сверху и поливать бензином, вот и все».

Но я хотел добраться до самого сердца этой напасти — до того тела, что выбросило наружу свои дикие побеги, до того сплетения корней, которое выжидало, пока дедушка уйдет из дому, а потом прокралось ко мне под землей.

Глубокая траншея, которую я когда-то прорыл, пересекала двор и выходила в поля. Мощными ударами мотыги, выворачивая огромные комья земли, я продлил ее в сад, прорезал участки, засеянные кукурузой и клевером, прошел через заброшенные зенитные позиции англичан, вспугивая медведок и кротов, выбрасывая наружу черепки и ошалевших многоножек. По пути я обрубал каждое боковое ответвление коренного ствола и четыре дня спустя распрямился и увидел перед собой наш ручей.

Здесь, в том месте, где Пинес когда-то встретил старого пахаря-араба, у малины, возле которой, сияя во тьме, лежал когда-то младенец Авраам, все еще царил страшный запах Булгакова. В воздухе еще плавали его шелковистые волосинки, и ядовитое, осклизлое дыхание гиены осело здесь на листья девясила. Тут я наконец добрался до материнского корня.

Упрямый корень, разом утолщаясь, уходил в глубину земли. Я обкрутил его вокруг своей поясницы, уперся пятками и начал тянуть. Я был тогда в хорошей форме. Сто двадцать килограммов мощного и крепкого мяса. Высокий, как мать. Сильный, как отец. Почва пучилась и мало-помалу поднималась, и толщенный светло-желтый корень постепенно вылезал из нее, выворачивая большие глыбы земли, скелеты крыс, совиный помет, оловянные бокалы для пива и смятые жестяные игрушки, еще сохранившие тепло рук немецких детишек, которые обнимали их, умирая от малярии.

Я упал на спину, и корень окончательно вырвался из земли. Его белые отростки извивались в воздухе, как безглазые черви, ищущие, за что бы зацепиться. Огромная яма разверзлась в земле. Над ней поднялось белесое и удушливое облако, в котором кишело и копошилось несметное комарье. Я заглянул в яму и увидел темные, вязкие, тяжело колышущиеся воды прошлого и маленьких личинок, всем телом прилипших к водной поверхности, сосущих воздух через тонюсенькую дыхательную трубочку и ждущих чего-то. Как все ученики Пинеса, я тоже способен был опознать личинку анофелеса, даже с закрытыми глазами.

Хриплый, глубокий рев раздался из ямы. Болото, которое отцы-основатели когда-то заточили в глубины земли, для надежности окружив его стволами высаженных вокруг эвкалиптов, теперь угрожающе ползло и пучилось мне навстречу, жадно вскипая под солнечными лучами.

Меня охватил ужас. Все слышанные в детстве жуткие истории, все забытые страхи отцов-основателей, впечатанные в мое тело, — все разом проснулось во мне. Я торопливо забросал яму землей и стал утрамбовывать ее всем своим весом и силой, танцуя над ней, как безумный.

Вернувшись домой, я обнаружил, что перистые листья дикой акации возле времянки уже свернулись жалкими, умирающими трубочками. Я вырвал их остатки из земли и отправился спать. Долгие дни я оставался в постели, вдыхая смолистый аромат деревянных стен, ветер из сада и дедушкин запах. Только тогда я начал понимать, что в огромной, давящей тени его тела моя жизнь превратилась в чахлый папоротник, в лесной перегной.

Долгие ночи лежал я, не укрываясь, и прислушивался к мелким шажкам на крыше, к дрожащему писку желтопухих цыплят, а потом дверь открылась, вошел Авраам с бидоном в руке и сказал, что дедушка хочет молока.

В тот год мне сообщили, что как сирота я буду освобожден от военной службы. В деревне говорили, что у меня нашли «психические сдвиги».

«Что удивительного? — сказала тетя Ривка. — Этот полоумный взял себе старого идиота в качестве матери».

С тех пор как дедушка ушел в дом престарелых, Ривка, и так не слишком приветливая, возненавидела меня в открытую. Ее страшило, что дедушка может завещать мне все хозяйство, и теперь она понукала своих сыновей, чтобы они тоже навещали его в доме престарелых. Но Иоси сказал, что у него и без того много работы в коровнике, а Ури и вовсе пренебрег опасениями матери.

«Меня не интересуют деревья, и я вообще не намерен заниматься сельским хозяйством, — объявил он. — Как можно жить в такой дыре? Только и знают, что целый день сплетничать о коровах».

Но задевать меня никто не решался. Я был самым сильным парнем в деревне. Уже в четырнадцать лет меня назначили капитаном нашей деревенской команды на районных соревнованиях по перетягиванию каната. Перед каждым выступлением дедушка подходил ко мне и наставлял: «Барух, ты, главное, упрись ногами в землю и не сдвигайся с места. Мы им покажем».

Но сейчас у меня не было никого в мире, кроме Пинеса, кто беседовал бы со мной, проверял на мне новые идеи и отвечал на мои вопросы. Правда, Зайцер время от времени заглядывал ко мне в окно и кивал головой, но он был очень стар и почти разучился разговаривать.

По утрам, вставая, я вдыхал слабый, все более истончающийся остаток дедушкиного запаха, еще остававшийся в пространстве комнаты. У маслин, которые я консервировал для себя, не было того вкуса. Они быстро размягчались и гнили, потому что мне ни разу не удавалось найти правильную меру соли. Свежее яйцо ныряло в раствор, как камень, или выпрыгивало из него, как будто им выстрелили из пулемета.

Я был «одинокой птицей на крыше», по словам Ури. Пока его не изгнали из деревни, он заходил ко мне каждый день и всегда приносил два куска пирога, которые воровал из кухонного шкафа своей матери, — один для меня, один для Зайцера.

«Как ты живешь так?» — спрашивал он.

Ласточки гнездились в углу моей крыши, шершавый серый лишайник затянул стены.

«Нельзя так запускать это жилье, — возмущался Мешулам, пришедший просить у меня старую дедушкину шляпу для одной из своих экспозиций. — Оно представляет собой одно из последних свидетельств быта пионеров в первые годы поселения».

То была типичная шляпа молодежи из движения «а-Поэль а-цаир»[2], изготовленная из серого прочного материала, с опущенными полями. Я любил иногда надевать ее, когда шел в поле.

По ночам, один во времянке, я метался меж изъеденными деревянными стенами и выл от тоски, взывая к покинувшему меня дедушке, к погибшим родителям, к исчезнувшему дяде Эфраиму, к звездам, — чтобы пришли и спасли меня от боли и одиночества. Теперь я дружил лишь с пауками, что равнодушно покачивались в углах комнаты, да с прозрачными ящерицами, которые прилипали лапами к оконному стеклу и неподвижно смотрели на меня своими темными, наивными глазами. Днем я занимался садом, который дедушка, с высоты своего любовного гнездышка, велел Аврааму оставить на мое попечение.

«Малышу нужно чем-нибудь заниматься, — сказал он. — И руки у него хорошие».

Я подрезал деревья, насекал глазки, привязывал ветки и мазал черной мазью раны, расползавшиеся по стволам. Подобно дедушке, я тоже позволял плодам созревать и падать на землю. Иногда приходил Авраам, чтобы попросить меня помочь в коровнике, и я всегда охотно откликался. Мне нравилось разгружать тяжелые мешки с комбикормом, чистить сточную канаву и водить смущенных и взволнованных молодых коров на первое свидание с осеменителем.

В те часы, когда мне казалось, что мои кости уже крошатся от безнадежности, я шел бороться с молодыми быками в загоне для откорма. Зайцер отрывался от старых газет, поднимал свою морщинистую голову и с интересом смотрел, как я хватаю полутонного теленка за рога и забавляюсь, ворочая его. Бычки, могучая помесь Брахмы, Агнуса и Шароле, радостно ревели глубоким нутряным ревом, когда я приближался к загону, на ходу снимая с себя рубаху. Они любили меня и ту толику веселья, которую я вносил в их жалкую, короткую жизнь.

Откорм телят на мясо был очень прибыльным в те времена, но при виде торговцев скотом с их грузовиками дядя Авраам мрачнел. Они накручивали хвосты быков на кулак и мучительными поворотами руки вправо и влево заставляли этих больших животных идти к сходням грузовика. Авраам не мог вынести этого зрелища, и еще два-три дня после того, как его плачущих быков уводили на бойню, мышцы дяди сводила такая судорога, что он ходил по двору, качаясь и дергаясь, как механическая кукла.

Когда я баловался с его бычками, он ничего не говорил, но медленная слабая улыбка разглаживала его изрытый бороздами лоб и разливалась по лицу. Иногда я видел тетю Ривку, которая пряталась за толстым стволом эвкалипта и смотрела на меня, когда я выходил из загона, раздетый, потный, встрепанный, со вздувшимися жилами.

«Чем укладывать быков в навоз, лучше бы уложил девочку на солому!» — сердито выкрикивала она и тут же исчезала.

В дедушкиных ящиках я нашел старые бумаги, документы, мамины засушенные цветы, письма, которые присылали дедушке со всех концов Страны, чтобы посоветоваться с ним по поводу садов. «У меня тяжелая почва, и после дождя вода стоит на ней подолгу. Могу ли я посадить в ней персики?» — писал Арье Бен-Давид из деревни Кфар-Ицхак.

Дедушка прикалывал к каждому письму копию своего ответа. «Дорогому товарищу Арье» он рекомендовал посадить по 36 персиковых деревьев на дунам и привить их к сливе «мирабелла».

Остатки изъеденных, больных, уже раскрошившихся в конвертах листьев, когда-то посланных к нему на диагностику, и записка его почерком: «Шимон, дружище! То, что я сказал об удалении лишних побегов, не относится к винограднику, посаженному в нынешнем году. В таком нежном возрасте нельзя трогать побеги, выросшие из привитых глазков. Нужно удалить только ветки, выросшие на подвое».

Были и другие находки. «Я живу в съемной комнате еще с несколькими рабочими, — писал Шломо Левин из Иерусалима своей сестре в Галилею. — Возвращаюсь домой после работы, и руки мои так изранены и распухли от работы с камнем, что я не могу ни к чему прикоснуться. Тут поблизости растут несколько старых оливковых деревьев, и я иду туда, опираюсь на одно из них и плачу, как маленький ребенок. Стану ли я когда-нибудь настоящим рабочим? Или это просто тоска по нашей маме?»

Дождь барабанил по крыше времянки, медленный, затяжной дождь Долины, который превращает землю в ловушку, а тело в губку. Я любил расхаживать под дождем, нахлобучив на голову пустой мешок, сложенный в виде большого заостренного колпака, покрывающего мою голову и плечи. Раз в неделю я ходил в Народный дом к началу киносеанса — посмотреть, как Рылов сгоняет пощечиной того, кто посмел сесть на его постоянное место, — а иногда уходил к источнику, чтобы полежать на спине в кустах и поглядеть на небо. Сюда когда-то ушел мой дедушка со своим первенцем, маленьким Авраамом, и вся деревня поднялась на водонапорную башню, чтобы посмотреть, как сияет этот мальчик в ночной темноте.

«Я разжег небольшой костер, который горел всю ночь, отпугивал шакалов и окрашивал тростник и малину золотым светом, — рассказывал мне дедушка. — Авраам спал, а я думал».

Три раза в неделю в мой большой дом приходит уборщица. По ночам я сижу в сверкающей чистотой кухне, пью чай и размышляю, воскрешая в воображении нашу дремлющую деревню. У нас в Долине о людях всегда говорят просто — «спят», но о деревне — что она «спит сном праведным».

Наша деревня имеет форму буквы «Н». Дома мошавников расположены по длине вертикальных палочек, а их поля — снаружи, по обе стороны от буквы. Хозяйство Миркиных находится в северо-восточном углу. Вдоль центральной поперечины стоят школа, Народный дом, инкубатор, маслодельня с сыроварней, амбулатория, кооперативная лавка, силосная башня и почта. Дома наемных служащих идут параллельно домам земледельцев, во внутренней части деревни, окруженные маленькими садиками и подсобными хозяйствами.

Трудно представить, что когда-то здесь были болота и пустыри. Старые фотографии в ящиках Мешулама: палатки на плоской, лысой пустоши, полуодетые люди, невзрачные, худосочные коровы и тощие куры — все это кажется сфотографированным где-то в другом месте. Сейчас к входу в каждый двор ведет аллея высоких кипарисов или казуарин, а некоторые даже посадили у ворот своего дома вашингтонские пальмы, и теперь эти тонкоствольные деревья качают своими растрепанными вершинами высоко в небе.

Дюжину таких пальм я посадил у входа на свое «Кладбище пионеров». К этому времени в нашем доме оставались только Авраам, Ривка и Иоси. Каждую субботу они ездили навестить Ури. Иногда они приглашали меня с собой.

Иоси вел старый «студебеккер». У него не было водительских прав, но водитель он был прекрасный — спокойный, внимательный, и дорога словно втягивалась в его зрачки, как будто он непрерывно перерабатывал ее в своем мозгу. Авраам молчал, а Ривка, поначалу пытавшаяся завязать разговор, спустя некоторое время разочарованно умолкала, и на ее лице появлялось выражение обиженной телки. Это у нее получалось профессионально.

Ее брат, у которого теперь жил Ури, после армии оставил деревню и за несколько лет стал крупным подрядчиком по земляным работам. Его тракторы работали по всей Стране, и ответвления его бизнеса протянулись даже в Африку и Латинскую Америку. Это был богатый, маленький, веселый человечек, который очень симпатизировал мне и всегда пытался вызвать меня побороться. Он изо всей силы хлопнул меня по спине и спросил, не хочу ли я поработать у него в качестве бульдозера.

— Я слышал, ты делаешь большие деньги, парень, — сказал он, хитровато улыбнувшись, и стукнул кулаком по стене моего брюха. — Если тебе нужен экскаватор-другой для твоих могил, ты только скажи.

— Мне достаточно кирки и мотыги, — ответил я.

— Он скоро купит тебя самого, со всеми твоими экскаваторами, — вмешалась Ривка.

Поскольку слухи о причинах изгнания Ури прибыли сюда вместе с ним, он стал предметом толков и сновидений всех местных девиц. Но он по-монашески отрешился от прежних удовольствий.

«Знаешь, о чем я думаю? — сказал он мне, когда мы наконец остались на несколько минут наедине. — О твоих родителях. О твоем отце, который поднял глаза и понял, что его женщина упадет к нему с неба, и о твоей матери, которая умерла во сне, обнимая его и мечтая о мясе».

36

С того дня, как дедушка ушел с Шуламит, он посетил нас всего один раз. До сих пор помню, как зачастило мое сердце, когда я вернулся с поля и увидел машину из дома престарелых, стоящую в нашем дворе. Я вошел и увидел, что дедушка лежит в своей кровати, а деревенский врач и Авраам сидят около него.

Поначалу меня охватил страх. Но дедушка сказал, что приехал только потому, что очень тосковал по дому. У двери врач сказал мне, чтобы я заглянул к нему потом.

Доктор Мунк был новичком в деревне. Он появился у нас уже после того, как дедушка ушел в дом престарелых. У него была милая жена-блондинка, которая сразу же подружилась со всеми и иногда даже подменяла кого-нибудь в школе. Запах кошачьей чистоты исходил от ее кожи, и ее летние платья пахли растертыми листьями лимона. Уже через месяц после их приезда Пинес и женщины услышали возглас: «Я трахнул жену доктора Мунка».

Доктор играл на виолончели и даже выступал несколько раз перед нашими деревенскими любителями музыки. Циркин побывал на одном из этих его концертов и потом объявил, что, если бы он тоже держал свою мандолину между ногами, «она завывала бы ничуть не хуже».

«Наш дедушка думает, что он вот-вот умрет, — сказал мне доктор Мунк с той деланной доверительностью, которую он практиковал. Его отвратительная собачонка тем временем злобно пыталась укусить меня за лодыжку. — Я осмотрел его, он в полном порядке. Такие мысли иногда посещают людей его возраста. Так что давай успокоим нашего дедушку».

В доме престарелых дедушка просто сказал, что хочет навестить своих, и это не вызвало никаких подозрений. Но, добравшись до дома, он сразу же попросил Авраама позвать врача.

«Я умираю, — сообщил он доктору Мунку, — и я хочу спросить, что ощущает человек в минуту смерти».

Я был изумлен. Дедушка никогда в жизни не звал врачей. Он доверял только медсестрам и фельдшерицам. Нашего прежнего врача, который умер за несколько лет до этого, он терпеть не мог. То был странный еврей-вегетарианец, который эмигрировал из Шотландии куда раньше, чем ее впервые упомянул в своих письмах дядя Эфраим. Он мазал плесенью загрязненные раны и слезящиеся пенисы задолго до открытия пенициллина и ел печеные клубни подснежника, мякоть мандрагоры и толченую кору ореховых стволов. Каждое утро он принимал солнечные ванны, а своих гостей угощал мальвой, которую собирал на обочинах дорог, и портулаком, который воровал из куриных кормушек. Его иврит смешил всю деревню. Он прославился своими диагнозами, вроде: «Корова ударила Рылова копытом в голову, и он полчаса лежал в навозе, лишенный ума». Его диета была такой сбалансированной и здоровой, что он вообще не старился, и даже в восемьдесят лет, когда клеверные бострихиды и долгоносики с их длинными хоботками окончательно доели все запасы клетчатки в его внутренностях и она превратилась в желтый порошок, на его коже по-прежнему не было ни единой морщинки.

Доктор Мунк знал ходившие по деревне рассказы о Якове Миркине.

— Я много слышал о вас, дедушка, — сказал он, листая историю болезни, принесенную из деревенской амбулатории. — Я рад познакомиться с вами.

Он позвонил врачу в дом престарелых, измерил дедушке давление и пульс и для большей уверенности сделал кардиограмму.

— Дедушка, — сказал он, — вы здоровы, как бык. На Олимпиаду я бы вас не послал, но вы совершенно здоровы.

— Давайте уточним, — сказал дедушка, и я с радостью услышал знакомый холодок в его голосе. — Во-первых, я не ваш дедушка. А во-вторых, я не просил у вас диагноза. Не называйте меня дедушкой и не посылайте меня на Олимпиаду. Я всего лишь хотел знать, что при этом ощущают.

— Сказать по правде, я не знаю, — обиделся врач. — Это зависит от причины смерти.

— Старость, — сказал дедушка. — Очень банальная причина. Я умру от старости.

Всю ту ночь я не спал. Я был так рад, что он снова дома, и так напуган его словами, что не мог заснуть. Дедушка же, наоборот, с большим трудом поднялся с кровати, укрыл меня, вернулся в кровать и уснул, как младенец.

Когда взошло солнце, я приготовил ему завтрак. Мы поели, а потом дедушка попросил, чтобы я взял его в поле. Я повез его в инвалидной коляске по тракторной колее. Мы проехали мимо коровника, и старые дойные коровы радостно и шумно засопели ему навстречу, но телята и первотелки уже не узнавали его.

— Нужно класть им в кормушку каменную соль, — сказал дедушка подошедшему Аврааму.

— Сегодня соль добавляют прямо в пищевые концентраты, отец, — сказал Авраам.

— Но коровы любят лизать свою соль, — настаивал дедушка.

Мы проехали мимо старой смоковницы и оливы. Дедушка обнял Зайцера за шею и потрепал его по носу, который все еще был мягким и гладким, как нос однодневного осленка, несмотря на старческие морщины.

Мы добрались до сада, который выглядел буйно разросшимся и здоровым.

— Прекрасно, — сказал дедушка, щупая листья и ветки. — Принеси мне что-нибудь на пробу.

Он понюхал сливы «метли» и «виксон», которые в то время никто еще не выращивал, сказал, что в земле не хватает азота, и посоветовал мне в следующем году посеять между деревьями сладкий горох, чтобы улучшить качество почвы.

— Теперь послушай, Барух, — сказал он внезапно. — Этот врач ничего не понимает. Я скоро умру, и я хочу, чтоб ты похоронил меня здесь, в моем саду.

Я почувствовал, что испуганная улыбка пытается удержаться в левом углу моего рта и дрожь ползет по моему лицу.

— Но Авраам хочет сохранить этот сад, и я ухаживаю за ним, как ты просил, — пробормотал я.

— Ты будешь и дальше ухаживать за ним, не бойся, — сказал дедушка. — Я не займу много места. — И, помолчав, добавил: — Слушай внимательно, Малыш. Я не приехал в гости. Я приехал умереть. Я хочу умереть дома, и тебе будет легче сразу же похоронить меня здесь, не рассказывая никому и не врываясь в холодильник дома престарелых.

— Но почему, дедушка? — спросил я непослушными губами.

— Они выгнали моего сына из деревни, — с суровой торжественностью продекламировал он. — Я не хочу, чтобы меня похоронили на их кладбище, я не хочу быть их частью. Я выверну их землю наизнанку.

Он строго посмотрел на меня.

— Ты похоронишь меня здесь. — Его лицо посуровело. — Эта земля принадлежит мне и тебе. Потом ты похоронишь здесь Шуламит, а может быть, придут и другие. Не давай никому убрать нас отсюда. Я полагаюсь на тебя, Барух. Ты — единственный, кто может сделать это для меня.

Дедушка смотрел на меня, пока я медленно переваривал его слова. И тут меня вдруг озарило, зачем он кормил меня всеми этими овощами, зачем поил меня колострумом и своими рассказами, зачем спас от гиены и зачем взвешивал с такой педантичностью.

— А теперь отвези меня домой, — приказал он.

Я повез его домой. На сердце у меня было тяжело. Я чувствовал себя безнадежным идиотом. Я чувствовал себя, как животное, которое ничего не понимает.

Я уложил дедушку в кровать, и он велел мне вернуться к работе. «Я отдохну здесь немного», — сказал он.

В обед одна из куриц пришла в поле, многозначительно похлопала крыльями, и я вернулся следом за ней в нашу времянку. Дедушка уже ждал меня в нетерпении. Он велел мне срочно пойти в кооператив и купить у Левина новую пижаму.

«Хочу себя побаловать», — улыбнулся он.

«А шелковых простыней для мула тебе не велели купить?» — язвительно поинтересовался Левин.

Когда я вернулся с мягкой, серой в голубую полоску фланелевой пижамой в руках, дедушка попросил меня разжечь дрова под его старым баком для мытья и подтащить к его кровати сундук.

Печная труба гудела, дедушка рылся в сундуке, терпеливо упорядочивая свои старые, исполосованные шрамами бумаги. Письма, документы, землистого цвета фотографии. Потом немного походил по комнате, ковыляя из угла в угол. Я не вернулся на работу. Я ходил за ним, почти прижимаясь к его маленькому телу, и мое большое, тяжеловесное присутствие, видимо, раздражало его, потому что он вдруг крикнул, чтобы я уходил. Но я все равно остался. Я боялся, что, если хоть на секунду отвернусь, он тут же растворится и исчезнет.

Вечером я принес ему молоко из коровника, но он тут же всё вырвал, рассердился и крикнул, чтобы я немедленно вымыл пол. Потом извинился и попросил, чтобы я помог ему пройти в душ и посидел с ним, пока он моется. В душе я хранил его табуретку — старую деревянную подставку для дойки, добела выскобленную и отполированную грубой хлопчатобумажной тканью его рабочего комбинезона. Он уселся, чтобы не поскользнуться на мокром кафеле, и сделал себе такую горячую воду, что его белая кожа тотчас зарозовела и покрылась испариной и капли воды потекли по оконным стеклам. Потом он намылился и рукой, обернутой в большую мочалку, тщательно протер все тело, торжественно ковыряясь между ягодиц, за ушами, между пальцами ног, а я сидел и ждал, конченный, привалясь спиной к стене, в тени прокисшей рабочей одежды, висевшей на вешалке. Я уже научился распознавать, когда дедушка подбивает свой жизненный счет, и не мешал ему в этом.

Когда он кончил, я помог ему подняться, укутал его большой, старой, мягкой простыней, которой он обычно вытирался, и отнес в комнату, как нянька несет грудного ребенка. Он медленно натянул новую пижаму, попросил застегнуть ему пуговицы и потом сказал: «Похорони меня на моей земле, среди деревьев». Он лег в кровать, положил очки на маленький ночной столик, подтянул одеяло до самого подбородка и погрузился в такой глубокий сон, что мне понадобилось целых шесть часов, чтобы признать, что он потерял сознание и оно уже никогда к нему не вернется.

Ривка и врач предлагали немедля отправить его в больницу, но Авраам сказал, что его отец решил умереть и не следует ему мешать. В первом часу ночи доктор Мунк объявил, что такое состояние может продолжаться много суток, и Ривка с Авраамом отправились немного отдохнуть. Тело дедушки продолжало дышать, содрогаться и выделять комочки коричневой, сухой и зловонной земли.

Три дня подряд я сидел у деревянной стены и не заснул ни на минуту. Люди входили и выходили, и под конец я так ополоумел от усталости, что уже не различал, кто из них вошел в дверь, а кто появился из закрытого дедушкиного сундука. На третью ночь, когда все мое тело уже стало вялым и пористым от бессонницы, сны перестали клубиться в комнате, и я понял, что дедушка умер. Я встал, подошел к кровати и приподнял его. Он был маленький и легкий.

«Земля, земля, — произнес он вдруг. — Земля подаст свой голос».

Я поднял его на руки и вышел с ним наружу. Мы миновали сеновал и стойла дремлющих телят. Возле старой хижины Эфраима мы остановились, чтобы взять мотыгу, лопату и вилы. Потом мы молча прошли мимо Зайцера, тело которого содрогалось в идеологическом споре с самим собой. Издалека послышался лай шакала, и индюшки всполошились в своих клетках. Плотный слой росы покрывал землю, стебли травы и сиденье одиноко приткнувшегося к забору «фордзона».

«Здесь», — произнес дедушка.

Я поднял мотыгу, сделал несколько ударов, углубился в землю, убрал вилами крупные комья и затем подровнял края лопатой. Так я рыл и рыл, и, поскольку силы мне было не занимать, а душа моя бушевала, мне понадобилось всего двадцать пять минут, чтобы выкопать меж грушами и яблонями аккуратную квадратную яму глубиной в полтора метра.

Я снял с него пижаму и положил его в яму. Его белое, гладкое тело блестело в темноте. Я засыпал его вырытой землей, утоптал ее ступнями, потом положил сверху тяжелые камни, собранные на обочине, упал на влажную землю и погрузился в беспамятный сон.

В семь утра я проснулся. Солнце пробилось сквозь листву груш и ударило меня по ресницам. Дядя Авраам звал меня по имени, бледный доктор Мунк стоял с ним рядом. Якоби, секретарь деревенского Комитета, наклонился надо мной и тряс меня за плечо, требуя немедленно объяснить, что это все означает.

Доктор Мунк, осмелев, набросился на меня в жалких попытках сдвинуть с места и визжал, как безумный: «Как я могу заполнить свидетельство о смерти?! Кто решил, что он умер?! Что здесь творится?!» — и прочую чушь. Якоби со странным выражением на лице поднял брюки дедушкиной пижамы, словно надеялся найти объяснение в их складках.

— Оставь эту пижаму! — завопил я каким-то новым для себя, неузнаваемым голосом.

Он продолжал стоять с пижамой в руках, и я отшвырнул доктора Мунка, тяжело поднялся и, размахнувшись, с бычьей силой ударил Якоби по лицу открытой ладонью. Его губы лопнули, точно зрелые сливы. Он отлетел и сел на задницу. В два прыжка я оказался возле него и вырвал пижаму из его рук.

— Это тебе за дедушку и за Эфраима! — крикнул я.

Он приподнялся, опираясь на суставы пальцев.

— Не вздумай умничать, — предостерег я.

Ниже ростом и легче меня, Якоби тем не менее был крепким парнем и, как большинство мужчин в деревне, имел за плечами богатый военный опыт. Он встал, вытер кровь с подбородка и сухо бросил мне:

— Мы вернемся через час, чтобы вскрыть могилу. Мы похороним его на деревенском кладбище, в ряду основателей, возле твоей бабушки, и для твоей же пользы. Барух, не создавай нам лишних проблем.

Они ушли, и через несколько минут Авраам вернулся, уже в одиночку, неся тяжелую буксировочную цепь от трактора и отрезок двухдюймовой стальной трубы. Он молча положил их на могилу и вернулся к своим коровам.

Через полчаса он появился вновь. На этот раз с ним было несколько мужчин, в том числе уже чистый и заклеенный пластырем Якоби, Пинес и Дани Рылов. Я рыл в это время ямки для декоративных кустов, которые намеревался посадить вокруг могилы. Я выпрямился и посмотрел на них.

— Дедушка просил похоронить его здесь, — повторил я.

— Мы знаем, что ты очень привязан к дедушке, — мягко сказал Пинес. — Но так себя не ведут. Есть кладбище, Барух, и людей хоронят именно там.

Он хотел перехитрить меня, как поступают крестьяне с телятами в стойле, чтобы под прикрытием ласкового и успокаивающего голоса приблизиться и положить гипнотизирующую руку на мой затылок. Но я уже знал все приемы учителей и скотников. Я отпрыгнул и молча встал на груду камней, насыпанных на могиле.

— Оставь его, Пинес, сейчас не время его воспитывать, — сказал Якоби. — Хватит с нас выкрутасов этой семейки.

Он махнул рукой, и я уловил краем глаза долговязую фигуру Дани Рылова, который пошел на меня, широко расставив руки. Тяжелая буксировочная цепь с устрашающим крюком на последнем звене засвистела над моей головой и стала темным сверкающим кругом. Дани и все остальные отступили назад.

Пинес, который не раз видел, как я откатываю тяжелые валуны, чтобы найти под ними скорпионов и бархатных шершней, торопливо подбежал к Якоби. Авраам тоже подошел и произнес гневным шепотом, который услышали все, стоявшие вокруг:

— Мы не хотим скандала. — Его лоб ползал и искажался в мучительных судорогах. — Не забывай, что мы в трауре. Мой отец умер, и мы хотим оплакать его в тишине и с достоинством.

Якоби трезво оценил положение.

— Хорошо, мы уйдем, — сказал он. — Но я тебе обещаю, что Комитет этого так не оставит.

По сей день я не знаю, кто был прав. Ури, который говорил, что дедушка обладал пророческим даром, или я, утверждавший, что он планировал свои действия так долго и с такой педантичностью, что будущее просто вынуждено было течь по каналам, которые он прорыл для него, пока не достигло меня и пробудило для дела.

Дедушка знал, что никто не извлечет его тело из его земли. Знал, что никто не осмелится тягаться с чудовищным внуком, которого он вырастил. Знал, что вслед за ним я спрячу в его земле и других людей, и каждое из этих тел будет тикающей миной и угрожающим золотым мешком.

Он знал, что никто не извлечет его из его земли, потому что деревня никогда не выносила сор из избы. Свои проблемы мы решали в узком кругу. Только в самых страшных и невероятных случаях мы вызывали полицию. Но у нас никогда не случалось насилий или убийств, а всякими кражами, драками и прочими исключениями из правил занимался Комитет с надежной помощью общественного мнения и деревенского листка.

Целый месяц я охранял дедушкину могилу. Авраам не поощрял меня в этом, но и не возражал. Иоси и его мать присоединились к общепринятому мнению, что я спятил. Ури забавлялся. Пинес ужасался.

— Не могу поверить, что этот кошмар происходит на моих глазах, — говорил он.

— Так сказал дедушка, — отвечал я.

— Это немыслимо! — восклицал Пинес.

— Так велел дедушка.

— И потом эти угрозы — свистящие цепи, железные трубы. Как Цербер при входе в ад.

— Так распорядился дедушка.

Пинес смотрел на меня с упреком, но мало-помалу и он отступился, словно бы мысленно смиряясь с поражением. Дедушка знал, что растерянный Пинес попытается переубедить меня и не сумеет. Продукт долгой эволюции, старый учитель принадлежал к поколению людей, шеи которых рабски подчинялись аркану идеологий. Душа его не могла противиться таким словосочетаниям, как «Похоронен в своей древней земле» или «Лег в землю, на которой трудился всю свою жизнь».

«И почил... и погребен в саду при доме его»[1], — с плохо скрываемой завистью цитировал он Танах.

Он не сказал ни слова и тогда, когда я похоронил Шуламит. Фаня бушевала несколько дней подряд, пока не поняла, что ничего ей не поможет, и успокоилась тоже. Только через несколько месяцев, когда прибыл гроб Розы Мункиной и ее розовый памятник вознесся возле дедушки, а я начал вовсю торговать могилами, Пинес ужаснулся по-настоящему.

Сад доживал тогда свои последние дни. Когда я похоронил там дедушку, Ури предсказал, что теперь, получив в удобрение тело старого садовода, деревья зацветут особенно бурно. Но на самом деле ближайшие к могиле деревья быстро засохли, будто какой-то яд влился в их сердцевину. Деревья из более далеких рядов стали больными и беспокойными. Их листья покрылись тлей, ветки качались даже в полном безветрии, плоды падали, еще не созрев, а стволы были избуравлены всеми мыслимыми вредителями. Цветы на них изредились, и из их чашечек воняло трупами пчел и мушек, отравленных желтым ядом пыльцы и нектара. Маргулис забрал свои ульи подальше, и только ветер порой поднимал ковер мертвых лепестков, обнажая сухую, твердую землю. Время от времени я срывал последние плоды, еще висевшие на высохших ветвях, но на вкус и на ощупь они напоминали мясные котлеты. По ночам их догрызали совы и хорьки, и в скором времени дедушкин сад умер и сгнил до основания.

На дедушкином памятнике Авраам высек имя своего отца, даты рождения и смерти и фразу, которая была вырезана когда-то на самом первом посаженном им дереве: «Зеленеющею маслиною, красующеюся приятными плодами, именовал тебя Господь»[2].

37

В первую весну после смерти дедушки земля на его могиле зашевелилась. Жучки с красноватыми, в черную крапинку, спинками выползали оттуда в ожидании новых мертвецов. И мертвецы не замедлили прибыть, «Кладбище пионеров» стало явью, и деревню залихорадило. Я отказался предстать перед деревенским Комитетом, и Бускила, вернувшись с заседания в приподнятом настроении, зачитал мне несколько отрывков из протокола, которые показались ему особенно забавными.

«Товарищ Либерзон: Товарищи! Вот уже год товарищ Барух Шенгар хоронит покойников на территории хозяйства семейства Миркиных. Товарищ Шенгар похоронил там своего дедушку, утверждая, что такова была просьба покойного, и не испросив разрешения уполномоченных органов. Спустя несколько месяцев он похоронил там же некую Шуламит Моцкин, новую иммигрантку из России, известную всем вам как та женщина, которая жила с Яковом Миркиным в его последние дни. После этого он начал хоронить там людей за плату и даже импортировать трупы иммигрантов, некогда бежавших из Страны.

Товарищ Рылов: За последние полгода в хозяйстве Миркина было захоронено не менее пятидесяти голов.

Адвокат Шапира: Попрошу господина Рылова выражаться более уважительно.

Товарищ Рылов: Тут вам не просто люди. Тут — Комитет. И как деревенский Комитет мы требуем от товарища Шенгара эвакуировать из хозяйства Миркина все могилы до единой и впредь прекратить подобные штучки.

Адвокат Шапира: Позволю себе заметить. Это никакие не штучки, а сугубо профессиональные занятия. Мой клиент зарабатывает тем, что предоставляет погребальные услуги людям, которые сами его об этом просят.

Бускила: Вот именно. Мы никого не заставляем.

Товарищ Рылов: А ты заткнись, Бускила.

Товарищ Либерзон: Товарищи! У мошава есть кладбище на холме — красивое, пристойное кладбище, окруженное деревьями, глядящее на Долину и к тому же расположенное в нескольких километрах от деревни, как того требуют санитарные правила. Чего нельзя сказать о хозяйстве Миркина, которое расположено вблизи от жилых домов.

Адвокат Шапира: Согласно закону о народном здравоохранении от 1940 года, с поправкой 1946 года, министерство здравоохранения выдает разрешение на открытие нового кладбища при условии — первое, что упомянутое новое кладбище не подвергает угрозе загрязнения какую-либо реку, колодец или другой источник воды, и второе, что на момент его открытия упомянутое новое кладбище находится на расстоянии не менее ста метров от ближайшего жилого дома. Всякое новое кладбище должно быть окружено прочным забором или стеной высотой не менее одного и пяти десятых метра. Кроме того, всякое новое кладбище должно иметь достаточное дренажирование. Мой клиент утверждает, что «Кладбище пионеров» соответствует всем перечисленным выше требованиям, оно проверено и утверждено полномочной государственной комиссией, и разрешение этой комиссии, выданное моему клиенту, я передаю для вашего ознакомления.

Товарищ Либерзон: Товарищ Шенгар нарушает Устав мошава. Мы вернулись на нашу землю, чтобы основать сельскохозяйственное поселение и жить трудом своих рук.

Адвокат Шапира: Позволю себе заметить, что действия моего клиента никоим образом не противоречат упомянутому Уставу деревни. В полном соответствии с принципами, упомянутыми уважаемым господином, мой клиент не использует наемную рабочую силу и платит все свои долги и налоги в кассу кооператива, как того требует упомянутый Устав. А кроме того, позволю себе заметить, что мой клиент безусловно возвращает евреев на их землю и способствует славе и почету поселенческого движения, создавая мемориал его пионеров.

Товарищ Рылов: Дурацкие шуточки.

Адвокат Шапира: Мой клиент зарабатывает трудом на земле — в прямом смысле этого слова. Он живет делом рук своих и считает себя несомненным земледельцем, а погребение людей — специфической отраслью сельского хозяйства. В своей работе он использует сельскохозяйственные орудия, предназначенные для копания, посадки растений, удобрения и полива, и его труд явно удостоился благословения, поскольку плоды этого труда прекрасно зарекомендовали себя как в экономическом, так и в сельскохозяйственном смысле. Его могилы устойчивы против засухи, мышей, заморозков и всяких болезней. Позвольте передать для вашего ознакомления завизированный дипломированным бухгалтером расчет, доказывающий, что каждый дунам могил приносит больше прибыли, чем любая другая сельскохозяйственная культура, как в абсолютных цифрах, так и относительно необходимых инвестиций».

«И это их окончательно добило, — ликовал Бускила. — Доходы, «товарищ Шенгар», деньги, тот факт, что наш вид сельского хозяйства куда прибыльнее, чем их».

38

Началом своей славы Пинес был обязан открытию пещеры первобытного человека. «Мы с деревней были тогда еще молодыми», — рассказывал он мне. Как и все его ученики, я тоже хорошо знал эту пещеру. Она находилась на краю того холма, где располагалось деревенское кладбище, на каменистом склоне, обращенном к Долине. Вход в нее долгие годы был скрыт зарослями кактуса и развалинами каменных построек немецких поселенцев. На похоронах бабушки Фейги Пинес увидел на развалинах двух сычей, самца и самку, которые усердно кланялись и простирались ниц перед скорбящими людьми, посматривая на них своими прищуренно-любопытствующими золотыми глазами. «Из их чаши пила и от их ломтя ела, — читал он над могилой бабушки Фейги, — «От голоса стенания моего кости мои прильпнули к плоти моей. Я уподобился пеликану в пустыне; я стал как филин на развалинах»[1]». Через несколько дней он вернулся туда и обнаружил скрытое среди камней гнездо этих маленьких хищников. Земля вокруг была усеяна маленькими серебристыми черепами полевок, изгрызанными крыльями саранчи и затвердевшими сухими комочками. Два сидевших в гнезде птенца пахли падалью, а своим белым пухом и гневным пыхтеньем напоминали крошечных хасидов.

«Я подошел, встал на колени и вдруг увидел вход».

Поначалу он решил, что это древнее убежище какого-нибудь отшельника. Он обошел скалу, пробрался между кактусами и проник в пещеру. Незнакомый и сумрачный запах свисал со стен. Тишина задушенных костров, сухая гниль да пряный настой застывшего времени. Кремниевые орудия лежали под тонким слоем земли и помета, который сгребался легко, одним прикосновением пальцев. Копнув поглубже, Пинес увидел ту прославленную лобную кость, что впоследствии заставила примчаться в эти места исследователей из далекой Англии, которые в результате раскопок установили, что жил в этой пещере не кто иной, как «Гомо сапиенс исраэли».

«Нет такого существа, как израильский человек разумный», — сказал мне Пинес много лет спустя, уже после того, как кровоизлияние в мозг наделило его чувством юмора и терпимостью к таким поступкам, как проделки Ури и выпады Шломо Левина.

Археологи из Лондона нашли в пещере пять человеческих скелетов — три взрослых и два детских. Пинес весь дрожал, описывая мне это зрелище. «Я представил себе, как они будут вскрывать своими кирками наши собственные захоронения. Я так и видел, как сверкают их ломы, как они роются в могиле моей Леи, как обнажают синие маленькие кости моих безгрешных близняток, укрытые меж ее ребрами и тазом».

Каменные орудия, большая бедренная кость буйвола, расщепленная по всей длине, и расколотые позвонки носорожьих детенышей убедили Пинеса в том, что обитатели пещеры были охотниками, а не земледельцами. Давняя неприязнь проснулась в его душе. Тщательно укрытые наконечники стрел, кремниевые ножи, толстые, низкие лобные кости и могучие надбровные кряжи — все это напомнило ему Рылова.

Он вышел из пещеры, сел у входа и посмотрел на расстилавшуюся под его ногами широкую, покорную, плодородную Долину. Ему вдруг показалось, что убогие времянки деревни, ее зарождающиеся аллеи и маленькие низенькие деревца плывут куда-то по пустынной глади истории, покачиваясь на ее пластах. Первые прямоугольники полей выглядели отсюда сотканной кем-то сетью паутинок и крохотных заплат. Молод он был, и такие маятниковые размахи эпох над Долиной вызвали у него головокружение.

В группе археологов из Англии были старый профессор, который, по словам Пинеса, «проникся ко мне большой симпатией», а также веселая группа высоченных студентов в пробковых шлемах и расклешенных, коротких, по колено, бриджах. Они захихикали, когда Пинес назвал свою фамилию. Профессор деликатно спросил его потом, почему бы ему не назваться иначе, «но я выдал этому симпатичному гою[2] как следует, объяснив ему, что Яаков — это красивое еврейское имя».

Они поставили на холме большую палатку и каждый день приходили в деревню купить яиц, молока и сыра. Обедали они у Ривы Маргулис, за полную плату, шумно топали под столом ногами в носках и удивлялись при виде хрустальной посуды, сибирской кружевной скатерти на столе и стаканов с золотыми ободками.

«Все это одолжил Риве Комитет, хотя на самом деле это были ее собственные вещи, — сказал Пинес, понижая голос до шепота. — Из того сундука, который прибыл из России».

К тому времени, когда Пинес рассказал мне об открытии пещеры и об английских археологах, этот знаменитый Ривин сундук «с излишествами» давно уже был погребен под толстым слоем земли и забвения.

«Это было одно из первых испытаний, которые нам довелось пережить». Вместе с любовной поэмой маленького Авраама, нашествием саранчи после Первой мировой войны и смертью Леи Пинес сундук Ривы лежал теперь на такой глубине, куда мог бы добраться разве что гидравлический плуг.

«Выйдя за Маргулиса, она послала родителям письмо, в котором рассказывала им о своем муже и его ульях и описывала, в каком она восторге от работы на земле, а к письму приложила свою фотографию — маленькая девушка Страны Израиля в платье из серой и грубой арабской ткани сыплет пищу курам во дворе и выбирает мед из ульев.

Когда они поженились, — рассказывал Пинес, — никто, даже сам Хаим Маргулис, не знал, что отец невесты — знаменитый Бейлин из Киева, самый богатый еврей на Украине».

Спустя полгода в деревню прибыла телега, запряженная тремя парами быков. Шестеро казаков и четверо черкесов с винчестерами, воткнутыми в седла, и сверкающими кинжалами за поясом кружили вокруг телеги на маленьких, нервных лошадях и настороженно посматривали по сторонам. Из большого сундука, что лежал на телеге, была извлечена мебель черного дерева, целые сервизы прозрачной, как воздух, посуды, шелковые подушки и перины, лопающиеся под напором гусиного пуха, бухарские ковры и голубоватые кружевные занавесы. Родители Ривы ухитрились контрабандой провезти приданое дочери под самым носом у коммунистов. В тот же вечер члены Комитета приметили странный блеск, что вспыхнул в глазах деревенских женщин, и Тоня Рылова, вне себя от зависти и принципов, потребовала созвать общее товарищеское собрание.

Экстренное собрание разъяснило Риве, что кооператив не потерпит такого рода роскошь в доме еврейского земледельца. Ей был предоставлен выбор — либо она отправит сундук обратно, либо отправится вместе с ним.

«У меня есть предложение получше, — мягко сказал Маргулис. — Мы с Ривой уже обсуждали это. Мы передадим все ее приданое в общественное пользование».

Давясь слезами, Рива кивнула в знак согласия с мужем, и Рылов с Либерзоном были посланы конфисковать ее богатства. Долгие годы потом она вынуждена была смотреть, как оборванные пахари едят из ее хрустальной посуды, сжимая грязными пальцами позолоченные вилки ее родителей. Они обращались друг к другу на «вы», насмешливо кланялись, отдавали честь и танцевали менуэты на жнивье, и я хорошо помню слово *народники*, которое повторялось в рассказе Пинеса. Либерзон, который не упускал случая посмешить свою жену и лишний раз понравиться ей, приклеил к щекам длинную бороду из кукурузной метелки, нарядился под графа Толстого, вышел в белой рубашке к работавшим в поле товарищам, обратился к ним как к своим *оброчным* и стал поить холодным лимонадом из благородного хрусталя.

Тумбочка, покрытая китайским лаком, стояла в палатке Комитета, пока ее не изгрызли жуки-короеды. Набор серебряной посуды обменяли на шесть коров и одного голландского быка, злобного и капризного. Взамен одного из ковров Рылов приобрел разобранный миномет, а гусиный пух Комитет разделил поровну по всем одеялам в деревне. Тоня и Устав были удовлетворены, а Рива ходила мрачная и злая. Маргулис говорил ей, что его мед вкуснее, когда его лижут с пальцев, а не с золотых ложечек, растирал воском ее шершавые ладони и капал ей на живот длинные золотистые капли. Но это не утешало и не успокаивало ее. Для виду она согласилась с решением деревни, «но по ночам все слышали, как хлопают полы палатки Маргулиса от ее вздохов и рыданий».

«То, что папе удалось спасти от русских большевиков, украли наши израильские большевики», — сказала она мужу.

Не прошло и двух лет, как вся хрустальная посуда была разбита. Она была такой прозрачной, что ее не было видно, если в ней ничего не было, и невидимые стаканы и рюмки то и дело слетали со стола, задетые грубыми руками земледельцев.

Маргулис каждый день уходил на свои цветочные пастбища, и, когда разбилась последняя хрустальная рюмка, Рива осталась наедине с пылью, пóтом, высокими идеалами и густым запахом навоза.

«И тут она помешалась, — сказал Пинес. — Нормальная женская чистоплотность, которая есть не что иное, как высшая форма инстинкта гнездования, превратилась у нее в безумную страсть». Вооруженная плотно повязанной косынкой, передником, тряпками и парой резиновых сапог, она вышла на свой великий бой.

Для начала она изгнала из дома мусорное ведро, потому что присутствие грязи, даже под крышкой, выводило ее из себя. На задах коровника, метрах в ста пятидесяти от дома, высилась большая куча коровьего навоза, и она десятки раз в день посылала туда своих малышей, чтобы выбросить очистки от огурцов, остатки обеда и крошки, которые она подбирала под столом.

— Она все время смотрела в небо, — рассказывал дедушка.

— Как наша бабушка? — спросил я, но дедушка не ответил.

— Все в этой деревне смотрят на небо, — сказал Либерзон. — Высматривают дождевые облака, почтовых голубей, саранчу.

— И перелетных пеликанов, — сердито добавила Фаня.

Но Рива смотрела на небо, потому что всю жизнь ожидала неожиданного набега пылевых облаков из пустыни и очередных налетов скворцов с севера, загаживающих все вокруг. «Сраные голуби», — называла она их. Вокруг своего дома она расставила добрую дюжину ловушек для больших мух — сетчатые ящики с гниющими кусочками мяса или фруктов внутри и маленькой дыркой в днище, так что мухи, втиснувшись внутрь, уже не могли вылезти обратно. Такие ловушки успешно применяются в деревне по сей день, но у Ривы ловушки всегда оставались пустыми, потому что мухи уже изучили ее дом и перестали туда наведываться.

Каждый день за обедом английские археологи с улыбкой выслушивали ее требование снять обувь перед входом в дом, вежливо съедали ее борщ и курицу с картошкой, благодарили за вкусную еду и возвращались к своей пещере. Пинес ходил с ними каждый день.

«Иногда я ел с ними, потому что любил слушать их разговоры, но Либерзон намекнул мне, что негоже одному из товарищей лакомиться жареными курами на деньги богатых английских буржуев, в то время как все остальные товарищи питаются печеными тыквами и очищенными стеблями мальвы».

Англичане так и не поняли, почему Пинес перестал сопровождать их на обед, а он, в свою очередь, не понимал, как можно поднимать кирку без хоровой песни.

Выкопав и просеяв примерно тридцать кубометров земли, археологи уперлись в огромную сланцевую плиту, которая закрывала лежащую под нею вторую, более глубокую часть пещеры. Они попытались отвалить ее, но оттуда послышался глухой и зловещий шум. Пинес объяснил им, что нужно привести на место опытного каменщика, который способен читать по прожилкам и трещинам камня, и даже привез из Назарета старого араба-каменотеса, который спустился в глубь пещеры, приложил ухо к плите, поскреб своим зубилом, побарабанил пальцами по каменной поверхности и сообщил, что плита имеет хрупкость стекла и, если ее взорвать, произойдет обвал, который похоронит самих археологов. Так и осталась в пещере неисследованная пустота.

Археологи собрали свои пожитки, находки и выводы и вернулись домой. Английский окружной комиссар установил на входе в пещеру железную дверь, запер ее и отдал ключ Пинесу. Рылов тотчас заявился к нему с угрозами и требованием передать эту пещеру Стражам, чтобы они присягали там тайком и укрывали взрывчатку и трупы, но Пинес категорически отказался. В неожиданном приступе упрямого мужества он объявил Рылову, что не задумавшись обратится к окружному комиссару, если обнаружит, что кто-то пытался проникнуть в пещеру.

Это место стало его убежищем. «Каждому нужна своя дыра», — сказал он мне, усмехнувшись. Он любил сидеть у входа в пещеру и разглядывать Долину под непривычным — как по месту, так и по времени — углом зрения. Он не спал там, потому что опасался, что может подхватить пещерную лихорадку или живущие под землей клещи заразят его какими-нибудь исчезнувшими болезнями, вроде неандертальского тифа или другой дочеловеческой, древней, неизлечимой пакости, и приходил туда лишь затем, чтобы исследовать, записывать и размышлять.

Там, во чреве земли, он обнаружил слепых змей, которые питались плесенью, бесцветных тритонов, которые меняли жабры на легкие куда медленнее, чем их земноводные собратья под солнцем, и африканских трилобитов из семейства членистоногих, ранее не известных в Стране. «Живые окаменелости», — назвал он их, и в уме его вспыхнула ослепительная догадка. Неподалеку высилась рощица белесой акации — «единственный остаток африканской флоры, населявшей Страну миллионы лет назад», и Пинес решил, что трилобиты — это еще один остаток того же периода. Когда он присел и нагнулся, чтобы лучше рассмотреть этих бессмертных микроскопических рачков, вся пещера вдруг показалась ему головокружительным временны́м туннелем. Он ощутил приятное тепло при виде последних потомков «тех умных и изощренных крошек», которые без всяких идей, традиций и комитетов ухитрились создать такое прочное и живучее сообщество. Ему казалось, что пещера вместе с рощицей составляют пузырек первобытного пространства, который каким-то чудом вырвался из своего времени и всплыл сквозь толщу тысячелетий, и порой Пинес ловил себя на том, что перед каждым спуском под землю старается как можно глубже вдохнуть и набрать в легкие побольше воздуха, будто ему предстояло погрузиться в глубины густого и странного янтаря.

Многие годы он водил своих учеников к этой пещере. Мы шли часа два по полям, взбирались по крутому склону холма и внезапно ныряли в расщелину скалы. Пинес доставал ключ, со скрежетом открывал железную дверь, и тяжелый холодный пар выползал наружу, как будто испытывая нас липким прикосновением к лицам и голым ногам. Вначале учитель усаживал нас в нескольких шагах за входом. Тут было глубокое озерко, такое древнее, что вода в нем уже не имела никакого вкуса, потому что все, что было в ней растворено когда-то, давно уже осело на дно. Маленькие слепые создания сновали там во все стороны. Их нельзя было увидеть, потому что вечный мрак, скопившийся в их тканях, делал слепыми и тех, кто на них глядел, но их мягкие тельца можно было ощутить тыльной стороной ладони.

Пинес показывал нам, как затачивать кремниевые осколки до остроты лезвий, пытался высечь огонь, ударяя камни друг о друга, а потом собирал нас всех на скальной ступеньке у входа, чтобы мы посмотрели оттуда на знакомые нам места.

«Когда-то здесь сидел первобытный человек, — говорил он, — и смотрел на нашу Долину. Тогда здесь росли большие лианы и огромные деревья — дубы, ясени и вязы, — а среди них расхаживали полосатые тигры, рыкающие львы и ревущие медведи».

Он встал. «И вся Страна была напоена водой, — торжественно провозгласил он. — Чистые, прозрачные потоки мчались в своих руслах, белый пар стлался над берегами, скрывая тростники и землю. Там, внизу, в высокой траве, паслись большие животные — дикие кабаны и лани, бегемоты и буйволы. Первобытные люди спускались туда, чтобы охотиться на них, а потом разбивали их кости на этих скалах каменными молотами и ножами».

Уши Пинеса слышали, как стонет убиваемый буйвол и кабаньи клыки с хрустом вспарывают кожу на животе древнего охотника. Его взгляд облущивал землю и нырял в топкие колодцы прошлого. Он рассказывал нам о влажных лесах, покрывавших первобытную Землю, о причудливых рыбах, скальных кроликах и огромных страусах, которые мигрировали из Африки в нашу Долину куда раньше первых людей. Он высказывал предположение, что землеройка, этот маленький хищный убийца, взошла в Страну с ледяного севера, ящерицы и зайцы — со стороны Средиземноморья, а виверра и ласточка — из широких азиатских просторов.

Крылья птиц, ноги человека, когти и копыта животных поднимали вокруг него желтые клубы пыли. Кнааниты, туркмены, белые трясогузки, евреи, римляне, дикие козы, арабы, болотные кошки, немецкие дети, дамасские коровы и английские солдаты сражались за право впечатать свои следы в забвение рассыпающихся комьев.

Он не был профессиональным историком. Он был всего лишь скромным и пытливым воспитателем, «народным учителем», как он любил себя называть, преподавателем природоведения и Танаха — дисциплин, имеющих своим предметом циклы времен, исчезновение видов, возвращение утопических надежд и вечное умирание-воскресение бога Таммуза[3].

«Я — замерзший во льду мамонт, — сказал он мне, и кусочки еды полетели во все стороны из его рта, когда он засмеялся. — Тот, кто разморозит меня, обнаружит, что я еще пригоден в пищу».

За время своей жизни, этот «крохотный миг эволюции», он успел увидеть исчезновение больших орлов в небесах над нашей Долиной, повстречаться с животными, понимающими человеческий язык, и услышать трели черных дроздов, покинувших свою родину в холмах Нижней Галилеи, чтобы перелететь в нашу деревню.

В ту пору его мозг был еще цел, округл и надежно защищен плотинами и валами. Болезнь еще не прорубила в нем свои еретические пути. Но и тогда, в юности, он чувствовал тщету всего сущего. Великий «Путь моря», по которому пересекали нашу Долину отряды завоевателей и купцов, был не более чем ничтожной царапиной на коре Земли. Некогда неприступный, окруженный стенами город со своими быстрыми колесницами и глубокими подвалами зерновых складов превратился в груду развалин у подножья голубой горы. Бурный поток, древняя река, в которой утонули девятьсот колесниц Сисары, стал обманчивым сточным ручьем. Полководцы и алтари были поглощены провалами, дворцы и кости рассыпались в прах. И старинные акведуки, и террасы древних земледельцев, и виноградники кибуца — все исчезло. Всего лишь два поколения сменились с тех пор, как Либерзон встретил Фаню среди виноградных кустов, а уже кусты эти давно выкорчеваны, земля покрыта бетоном и корпусами пластмассового цеха, и вся история напрочь забыта.

Сейчас он завидовал первобытному человеку, который не слышал голоса, повелевшего: «Пойди из земли твоей и иди в землю, которую Я укажу тебе»[4]. Человеку, который пришел в девственную страну, не тронутую ни кровавыми следами совокупления, ни крохотными отпечатками верности и любви. «Его вели лишь жажда и голод, да еще та наивная тяга к влажной теплоте по имени жизнь, которая по сей день сохранилась в каждой живой клетке».

А еще он завидовал Мешуламу, который был совершенно равнодушен к гигантскому размаху крыльев времени и следовал за его полетом лишь с того дня, когда отцы-основатели поселились на земле Долины. Мешулам не понимал процессов увядания и распада, закрывал глаза, чтобы не видеть отполированные до белизны кости, окаменевшие страусиные яйца и обломки огромных раковин. Все, что предшествовало основанию деревни, казалось ему длинной и бессмысленной вереницей отрицательных чисел.

«Мешулам думает, что это отцы-основатели выгнали отсюда первобытных людей и болотные растения, отравили мастодонтов и пещерных медведей, скосили тропические заросли и оголили землю, застенчиво ожидавшую их, как дрожащая невеста», — сказал Пинес.

«Застенчиво ожидавшую... Кого? Кого? Кого?» — напевал старый учитель тонким, насмешливым голосом. Под конец жизни он постиг все прелести сарказма. Теперь он понимал, что земля попросту стряхивает с себя покрывало ничтожных человеческих выдумок.

«Эта выдуманная земля — просто лоскутное одеяло, сшитое из наших сказок и легенд, — сказал он. — Тонкая пленка, под которой скрывается одно лишь свидетельство человеческого самомнения. А весь наш земной шар — просто ничтожная крупица пыли на краю третьестепенной галактики».

«Земля обманула нас, — сообщил он мне с похотливой улыбкой. — Она не была девственной».

39

Сейчас, постаревший, грузный и полуслепой, Пинес обрел способность проникать мысленным взором в такие просторы космоса и глубины земли, что его порой охватывало головокружение и он падал без сознания на пол, среди остатков недоеденных котлет, засушенных гусениц и сухих хлебных корок. Именно в таком состоянии обнаружил его Мешулам, когда заявился к старому учителю в невероятном потрясении от обнаруженных им новых исследований, посвященных как раз нашей деревне.

Он поднял Пинеса, привел его в чувство, уложил в кровать, гневно помахал перед ним в воздухе одним из многочисленных журналов, которые выписывал, и потом сунул его учителю под нос. То был выпуск под названием «История Страны Израиля и ее заселения», и на его обложке красовалась большая, розоватая и загадочная рыба, обвивавшая Пещеру Праотцев[1] таким манером, что ее нос утыкался в чешуйки ее же хвоста.

— Теперь они заявляют, что в Долине вообще не было болот! — с яростью воскликнул Мешулам. — Они, видите ли, произвели новое исследование!

Седая голова и искривленные пальцы придавали Мешуламу сходство с раздраженным стервятником. Он лихорадочно перелистывал страницы, пока не добрался до нужной статьи, которая называлась «Болота Долины — миф и действительность», и начал читать, перепрыгивая со строчки на строчку дрожащим от волнения пальцем:

— Вот! «Преследуя определенные воспитательные и политические цели, сионистское движение превратило Изреельскую долину в символ сплошной заболоченности, малярии и смерти и, по сути дела, сделало из ее освоения свой героический миф. В действительности 99 процентов земель этой долины никогда не были заболочены».

Пинес, которого восторженные журналисты уже тогда называли «одним из последних пионеров Изреельской долины», немедленно узрел в словах Мешулама тот рычаг, который может поднять его из обморочной трясины ереси, тот якорь, уцепившись за который он сумеет защититься от головокружительных превращений пещер во времени и их вероломных соскальзываний в пространстве, чтобы вернуться к прежней, знакомой и надежной вере.

— Продолжай, — взволнованно сказал он.

— «Факты свидетельствуют, что к началу заселения Изреельской долины болота занимали в ней весьма незначительную площадь, — читал Мешулам, — и это полностью противоречит той картине, которую рисуют источники, работавшие на создание Мифа о Болотах. Истинный размер этих болот был невелик, но сила их воздействия на воображение была огромна».

Слова «сила воздействия на воображение» Мешулам повторил несколько раз, со сдержанной яростью. Он отхлебнул чаю и, немного успокоившись, сообщил, что «эти невежды, которые именуют себя историками», хватаются даже за воспоминания его отца и Элиезера Либерзона, «чтобы подкрепить свою лживую картину», но делают это обманным путем, потому что «выхватывают нужные им слова, пропуская все остальное».

— Но они не знают, с кем они имеют дело! — угрожающе выкрикнул он в пустоту комнаты. — У меня есть все документы и все доказательства. Не зря я годами собирал эти бумаги, пока вы все надо мной смеялись. Вот, — продолжил он, отдышавшись и указывая на злополучный журнал. — Вот что они пишут о моем отце, эти лжецы. — И снова начал читать: — «Перед тем как основать поселение, группа пионеров отправилась осмотреть местность. Один из них, некто Циркин, известный под прозвищем Гитара, пишет в своих воспоминаниях: «Мы спустились к первому болоту. Здесь росла группа зеленых и свежих ив. Знатоки объяснили нам, что таких болот не следует бояться, потому что воду можно спустить с помощью обыкновенных канав и никакого болота больше не будет». «Гитара» — с отвращением процедил Мешулам и глянул на Пинеса, чтобы убедиться, что тот тоже возмущен.

— Читай, Мешулам, читай дальше, — нетерпеливо сказал Пинес.

— Сейчас я прочту тебе, что на самом деле писал отец и что не процитировали эти так называемые исследователи, — объявил Мешулам и раскрыл книгу воспоминаний своего отца, всем нам знакомый зеленый том под названием «Дороги отечества», который он сам собрал, напечатал и подарил каждой семье в деревне за несколько лет до того. — «Мутная вода стоит в кустах и ямах и покрывает все вокруг толстым зеленым пластом, в котором кишат всевозможные паразиты». — Он перевернул страницу и нашел знаменитый отрывок, который был даже в свое время опубликован в газете «Молодой рабочий» и в детских хрестоматиях. — «Мы смотрели на эти зеленые озера с их зловонной водой, и в душе нашей не было радости. Камыш выше человеческого роста, густой и зеленый, и болото — тоже зеленое, глубокое и затягивающее, и много других болот, больших и малых, и всюду кишмя кишат комары».

В тот же вечер, когда я, уже вернувшись с кладбища, помогал Аврааму на молочной ферме, Мешулам объявился и у нас. Перекрывая вой электромоторов и оглушительные хлопки компрессора, он громко рассказывал мне, Аврааму и скептически слушавшим коровам, как наши отцы-основатели, стоя «по пояс в топкой жиже», прокладывали керамические дренажные трубы по методу профессора Бройера, «отводили проклятую воду», распевая при этом гимн пионеров «Я с лягушками, как дома», и «тряслись всем телом от лихорадки».

Потом он продекламировал воспоминания своего отца: «Тростник мы косили до тех пор, пока не окаменевали плечи и начинали болеть руки, и все это, несмотря на строгие предостережения доктора Иоффе и малярию, которая неотступно нас преследовала». И процитировал в заключение самого доктора Иоффе: «Ни под каким видом не следует поселяться в этих местах». Многие свои документы Мешулам знал на память.

Мы возились с клапанами, и пока Авраам выключал компрессор, Мешулам уже вышел на более принципиальный уровень. Теперь он бичевал «распространившийся в обществе цинизм» и «присущее этим жалким так называемым исследователям стремление к дешевой славе и сенсации, которое вот-вот заразит все остальное общество, включая и нашу деревню».

В то время Авраам уже перестал возить бидоны на молочную ферму мошава. Его коровы истекали такими могучими потоками молока, что он поставил холодильные баки прямо у себя во дворе, и цистерна приезжала к нему каждый день, чтобы выкачать их содержимое. Сейчас он проверил температуру в своих холодильниках, а потом, чтобы закончить разговор, сказал, что, возможно, стоило бы послать по этому поводу письмо в газету, но Мешулам только сердито сплюнул, демонстрируя свое отношение к журналистам, которые «тоже приложили руку к этой грязной клевете», и сказал, что «тут нужны серьезные шаги, способные всколыхнуть всю страну».

«Это возмутительно, — сказал Пинес, который и впрямь вырвался на какое-то время из объятий первобытного человека, забыл о том, как обратился во прах великий «Путь моря», и вновь почувствовал себя уютно и уверенно во Вселенной, которая опять сократилась до размеров деревенского скандала. — Сегодня они называют Циркина «Гитара», а завтра будут рассказывать, что мы вообще никогда не восходили в Страну. А ведь доктор Иоффе лично приезжал к нам в Долину и говорил, что наше место ничуть не лучше тех болот, что были в Хедере».

Он написал пространное опровержение и отправил его в газету, но его статья так и осталась неопубликованной и даже не была возвращена. Пинес обиделся до глубины души. Он с горечью вспоминал о тех временах, когда его статьи, а также материалы других учителей регулярно публиковались в изданиях Рабочего движения. В честь основания деревни он даже сочинил когда-то небольшое стихотворение, которое было потом напечатано в газете «Молодой рабочий» в обрамлении цветочного венка. Циркин-Мандолина положил его на музыку, и по всей Долине писклявые и уверенные детские голоса распевали веселый припев:

Не сдадимся у порога,
Есть мечта, ясна дорога!
Мы пришли в свою страну,
Нас невзгоды не согнут!

В конце концов Пинес обратился в Комитет и потребовал, чтобы его статья была опубликована в деревенском листке в виде платного объявления. Статья действительно появилась, но предварявшая ее надпись «На правах объявления» жгла сердце автора как унизительное клеймо.

Озаглавив статью «Страна пожирает своих героев», Пинес первым долгом обрушивался в ней на исследователей, называя их «пустомелями», которые «проституируют высокую идею», а затем делился с читателями собственными воспоминаниями.

«Во время обследования местности мы наткнулись на могилы немецких колонистов, которые когда-то пытались создать здесь свое поселение, но умерли от малярии. Потом мы встретили старого араба, который пахал на паре быков.

— Ты страдаешь от малярии, у тебя бывает лихорадка? — спросил я его.

— Нет, — сказал он. — Вы, когда поселитесь, будете четыре года воевать, потому что ваша кровь восстанет против вас. А когда проболеете четыре года, те, кто выживет, уже болеть не будут.

— А дети у вас умирают часто? — спросил я.

— Да, — сказал он. — Старики живут, а дети — их забирает к себе Аллах.

Через год после этого лихорадка забрала у меня мою жену, мою Лею. Ее и двух зародышей, что были у нее внутри. Двух безгрешных близняток, которые так и не увидели солнечного света. И вот, «грехи мои вспоминаю я ныне»: я хотел покончить с собой, но товарищи выхватили у меня из рук ружье. Моя жена и мои дочери стали жертвами тех самых болот, которых якобы не было в Изреельской долине».

В деревне немедленно возродился давний спор насчет пинесовского ружья.

— Чего он опять морочит голову со своим ружьем? Он забыл его дома, — сказал Мешулам, которому показалось, что статья Пинеса отвлекает общественное внимание на второстепенные вопросы.

— Рылов вытащил из его ружья боек, — сказал Левин.

— Тебя тут вообще еще тогда не было, — сказали Левину.

— Эта Лея Пинес имела делишки с Рыловым, — сказала Рива Маргулис.

— Эта проститутка никогда не умирала от малярии, — сказала Тоня Рылова. — Она умерла от пещерной лихорадки.

— Кому положено знать, тот знает, а кому не положено, не знает. — Рылов на минуту высунул голову из своей отстойной ямы, чтобы глотнуть воздуха, тотчас снова нырнул в нее и исчез из виду.

40

Объявление Пинеса меня разволновало. Я впервые увидел слова знакомых мне историй, разостланные перед таким огромным множеством глаз. Я снова глянул на голубую гору, высматривая тень Шифриса, зелень глаз дяди Эфраима, блеск рогов Жана Вальжана. Но всякий раз, когда я упоминал об этой троице, Ури начинал издеваться надо мной, допытываясь в своих насмешливых письмах, как я думаю, взвалит Эфраим на себя также и Шифриса или же это Шифрис взвалит себе на плечи и Эфраима, и Жана Вальжана.

Статья Пинеса вызвала некоторый интерес в деревне и окрестных поселениях, но та общественная буря, которую он рассчитывал поднять, так и не взбушевала.

Мешулам, озлобленный и горький, как листья терновника, мрачно бросил: «Я вас предупреждал. Нужно предпринять такие шаги, которые всколыхнут всю страну».

Запершись в своем «Музее первопроходцев», он уселся среди древних качалок для теста, стиральных досок, закопченных ламп, глиняных горшков, сит и решет, маслобоек, мельничных жерновов и керосиновых инкубаторов и стал обдумывать новый проект. Он решил воспроизвести наши болота и историю их осушения, в надежде, что люди со всей Страны сойдутся смотреть на это представление.

Изрядно повозившись, он выкопал у себя во дворе большую мелкую яму с плоским дном и заполнил ее водой. «Здесь будет болото!» — объявлял он всем любопытствующим, и, поскольку наша тяжелая, черная земля неохотно впитывает влагу, вода в его яме действительно простояла несколько дней подряд. Я тоже пошел посмотреть. Комары и стрекозы уже отложили там свои яйца, одноклеточные водоросли окрасили воду сказочным зеленоватым сиянием, и там и в самом деле образовалось что-то вроде небольшого болота. Мешулам, громко распевая песни пионеров, копал дренажные канавы и даже воткнул в грязь несколько эвкалиптовых веток. Но соседи, которым стали докучать визгливые комары и брачное стрекотанье разгоряченных жаб, устремившихся в новоявленное болото, ворвались ночью на циркинский двор, надавали Мешуламу несколько сухих затрещин и осушили болото простым канализационным насосом, присоединенным к тракторному двигателю. Вопрос был перенесен на общее собрание, Мешулам заявил, что это только начало, и в последующие дни его раздражающие лужи стали появляться в самых неожиданных местах — на въезде в мошав, на лужайке у Народного дома, возле памятника павшим и, наконец, — в детском саду.

Ночью я выследил его, когда он тащил шланг от школьного пожарного крана в сторону детского сада. А в полвосьмого утра, когда малыши пришли туда, они увидели, что шланг разбросал песок по всему двору и песочный ящик, построенный Бандой многие годы назад, залит водой. По колено в воде стоял Мешулам — в подвернутых штанах, без рубашки, в ожидании милосердного укуса малярийного комара. На его груди кучерявилась яростная седина, цыганская тряпка отца багровела на его лбу, и разноцветные пластиковые игрушки плавали у его колен. Вид светлоголовой, испуганно хныкающей детворы испугал меня. Я понимал, что все это чепуха, но почему-то боялся.

Впрочем, ничего не случилось. Дети, правда, были сильно напуганы, двое даже забились в истерике, а один из них, сын Якоби из деревенского Комитета, потом несколько месяцев заикался, но ничего особенного не произошло. И самого Мешулама, героически стоявшего в своем болоте, не укусил ни один малярийный комар. Разве что неожиданный и насмешливый ветер, стряхнув ему прямо на плечи коконы гусениц шелкопряда с деревьев близкой рощи, наградил его зудом, от которого он страдал еще долгое время спустя.

На той же неделе мы отправились навестить Ури. Он расспрашивал меня о здоровье старого Зайцера, которого называл «производительным сектором на привязи», и спросил о Пинесе, статью которого увидел в газете. Я рассказал ему о новом помешательстве Мешулама. «Король Нарцисс Болотный!» — воскликнул Ури, и мы расхохотались. Ривка заявила, что не видит никакой разницы между болотами Мешулама и моим «Кладбищем пионеров», но Ури вдруг стал серьезным и сказал матери, что сейчас, издалека, он лучше видит происходящие в деревне процессы распада и разложения, признает, что в них есть и его доля, и уверен, что нас еще подстерегают многие неожиданности.

Мы вернулись домой и собрались было отдохнуть. Тяжелая полуденная жара лежала во дворе. Коровы уныло дремали в стойлах. На ферме тихо урчали моторы холодильника. Издалека мы увидели, что Зайцер лежит под своим деревом с покрытой головой. Сначала никто не обратил на это внимания, потому что Зайцер имел обыкновение в жаркие дни натягивать себе на голову большую зеленую тряпку, но, очнувшись от дневной дремоты, увидели, что солнце уже садится и его лучи дробятся на сверкающих тельцах трупных мух. Авраам издал громкий и горестный вопль и подбежал к старому мулу, голову которого эти мухи и покрывали знакомым шевелящимся зеленым покрывалом, как падаль, брошенную в поле.

Зайцер еще дышал. Его ребра медленно поднимались и опускались, а на земле, вблизи его шеи, катался странный и липкий шарик. Прошло несколько секунд, прежде чем мозг осознал, что за ужас видят глаза и мы поняли, что это его левый глаз, выбитый из глазницы ударом камня.

Лужица крови, разбросанные повсюду камни, знакомые следы рабочих сапог и отпечатки насмерть испуганных копыт объяснили нам, что тут произошло. Пользуясь нашим отсутствием, Шломо Левин прокрался во двор в те пылающие полуденные часы, когда все прячутся в своих домах, стал на безопасном расстоянии от привязанного Зайцера и швырял в него камнями, пока не выбил ему глаз.

Авраам вызвал ветеринара, доброго человека, который никогда не углублялся в истинные отношения между земледельцами и их животными. Они сидели возле Зайцера, осматривая его страшную рану.

— Рана тяжелая, а мул очень стар, — сказал ветеринар. — Тут не обойтись без свинцовой примочки.

— Свинцовой примочки? — переспросил Авраам.

— Да, между глаз, — ответил врач и поднялся, отряхивая колени.

Авраам выгнал его со двора. Потом принес большой коровий шприц и немного сульфидина из аптечки коровника, прочистил глазницу, продезинфицировал ее, перевязал и заполнил сосуды мула полутора литрами «Биокома». Слезы безостановочно катились по его щекам, но руки действовали уверенно и твердо. Три ночи подряд просидел он возле Зайцера и, разочаровавшись в обычных лекарствах, поил его обезжиренным и подслащенным молоком и кормил из бутылки ячменной кашей с размоченным маком и рисовой шелухой, ухаживая за ним, как ухаживал за своими новорожденными телятами, когда они подхватывали дизентерию.

Но старый мул лишь хрипел и умирал, и у него не было сил даже для того, чтобы открыть свой единственный глаз. Только черная дедушкина мазь, которую я хранил в жестяной банке, спасла ему жизнь. Авраам решился и втер полную пригоршню этой мази в глубокую, сочащуюся яму в голове Зайцера, и через несколько часов железный старец вернулся к жизни, а дядя встал и отправился домой отдохнуть.

Стоя за стволом оливы, я смотрел, как он медленно шагает по двору, низко опустив голову, и воздух течет и дрожит вокруг него, а свет ночного фонаря над коровником стекает тенями с его ступней.

Я всегда любил Авраама. Он был немногословен и ни разу не погладил меня, но мне были понятны мучительные пути его души. К тоске, унаследованной от дедушки и бабушки, он добавил собственное безысходное томление. Таким он помнится мне и сегодня, после многих лет разлуки: нагнувшийся над большим телом Зайцера, склонившийся над молочными реками, текущими из его коров, бредущий по двору в синей рабочей одежде и желтых сапогах — страшный лоб разрезает воздух своими длинными бороздами.

Левин никогда больше не показывался возле нашего дома. «Эфраим застрелил бы его», — сказал Иоси, пришедший на свою первую побывку из армии, и стал строить жестокие планы возмездия, вроде удушения с помощью одеяла, выстрела разрывной пулей в колено и применения противопехотной мины. Авраам взывал к нам не сводить счеты и скрыть от деревни ужасный поступок дяди, но слухи вырвались на волю, религиозный старик парикмахер, ходивший по кибуцам и мошавам Долины, разнес их по всем поселениям, и вскоре в деревне появились друзья Зайцера, пришедшие его навестить.

Это были старые люди, последние из отцов-основателей. Все, как дедушка, — в каскетках, в серых рубахах, с изуродованными ревматизмом и работой пальцами. Они уже годами не собирались вместе. Каждый на своем месте выращивал вокруг себя скорлупу, чтобы укрыться в ней ото всех. Были среди них друзья, которые не виделись друг с другом с самой свадьбы моих родителей. Сейчас они бродили по нашему двору, а потом все вместе спустились к смоковнице — молчаливая земля у них под ногами и высокое небо слов над их головой. Железные люди, как выражались у нас в Долине. Поколение гигантов, старейшины племени. Я вспомнил, как дедушка, тогда еще живой и насмешливый, как-то сказал Пинесу, что подозрения и споры в конце концов доведут раскол среди старых товарищей до его самой чистой формы — раздвоения личности.

Навестив Зайцера, они продолжили свой путь к моему кладбищу, двигаясь как сплошная серая масса, и прошли среди памятников своих друзей, принюхиваясь к запаху цветущих декоративных деревьев и тихо, беззлобно переговариваясь друг с другом. Я стоял в стороне и не осмеливался подойти.

Как и дедушка в свое время, многие из них съежились и словно уменьшились ростом — первый признак приближающейся смерти. Годы чрезмерной любви, набрякающей ненависти, растущих разочарований и копания в себе сожгли их клетки и высосали соки из их тел. «Мы — те крепкие померанцевые дички, на которых был привит весь еврейский ишув», — сказал мне Элиезер Либерзон за несколько дней до смерти и тут же добавил, чтобы не выглядеть чересчур хвастливым, что у самого дичка плод отвратительный — «горький и сухой».

А Бускила, слегка испуганный и наполовину спрятавшись за моей спиной, прошептал: «Вот увидишь, Барух, теперь все будет в порядке». Он знал некоторых из них — тех, которые решились уже при жизни купить участок для своей могилы.

Пионеры осматривали кладбище, как годы назад, впервые спустившись в Долину, осматривали ее землю. Навстречу их шагам из-под земли поднялась дедушкина дрожь, и этим старикам не нужно было даже прикладывать ухо к земле. Их широкие ступни собирали эти звуки в корзины их тел. У меня не хватило духа следовать за ними. Стоя у забора, я смотрел на них и думал, что Бускила прав, потому что мои споры со старейшинами Долины и впрямь подходят к концу.

Они разошлись по своим деревням, и вскоре стало ясно, что гниющее тело дедушки и мешки с деньгами Розы Мункиной и других предателей-капиталистов не удовлетворились тем, что отравили сад и нарушили привычный распорядок жизни. Через несколько недель после этого визита голоса старейшин начали расползаться по Долине, словно там, на кладбище, они все сговорились друг с другом. Пинес, натренированный на пристальных наблюдениях и тщательной регистрации результатов, первым догадался, что происходит. Опомнившись от страха, вызванного собственными слезами, он стал различать вокруг себя всхлипывания и покашливания других и понял, что это не жалобные стоны кротов, попавших в ловушки, и не вопли плодов, опрыскиваемых пестицидом.

«Голос слышен в Раме, — процитировал он, — вопль и горькое рыдание»[1].

Тихий, сверлящий и всепроникающий звук глубоких, горловых откашливаний, перехваченного дыхания и проглатываемого плача сотрясал ночной воздух. Вой, который уже не могли остановить стиснутые челюсти. Еле слышный, вытекал этот звук из орлиного, в тяжелых складках, горла, без труда одолевая сопротивление облысевших десен и дергающихся губ. «Они размягчают землю», — сказал Пинес и неожиданно поведал мне, какими потрясающими способностями закапываться обладают некоторые насекомые.

Потом слухи начали катиться по деревням, точно колесо, подгоняемое горными ветрами. Религиозный старик парикмахер, который приезжал к нам раз в месяц на своем древнем мотоцикле, рассказал, что Иошуа Кригер, птицевод из кибуца Нир-Яков, который изобрел «инкубатор без керосина» и сформулировал программу первой трудовой коммуны в Гедере, объявил всем, что его ноги пустили корни. Само по себе это никого бы не обеспокоило, когда бы старый Кригер не вздумал пустить корни именно в день своего девяностолетия, которое отмечалось при большом стечении народа, и к тому же в точности возле распределительного водяного вентиля, где Кригер мешал прокладке оросительных линий и тракторам, которые как раз в этом месте заканчивали очередной прямоугольник вспашки. Всякий раз, когда его пытались сдвинуть оттуда, он начинал жутко вопить, утверждая, что они рвут его нежные корешки и причиняют ему адскую боль.

В конце концов, рассказывал парикмахер, его выкопали вместе с огромным комом земли вокруг ног и снова посадили среди кипарисов на выезде из кибуца, где он и остался стоять, приветливо помахивая рукой всем проезжающим, набрасываясь на смущенных волонтерок из-за границы и докучая всем нелепыми прогнозами погоды.

Ицхак Цфони, первым проложивший борозду в восточной части Долины, ведя плуг одной рукой и стреляя во все стороны другой, принялся кружить по своей деревне с корзиной красноватых, в мягкой скорлупе, яичек в руках, утверждая, что сам снес эти яйца. Он пытался заставить своих детей и внуков сделать из них яичницу и сам ел их, уверяя, что они приносят вечную молодость.

«В этом есть определенная логика, — сказал Пинес, разглядывая в зеркале, как пострижен его затылок. — Съедая снесенные нами яйца, мы превращаем прямолинейный ход времени в круговой цикл».

А Зеев Аккерман из соседнего с нами кибуца наконец-то закончил сборку своей «пищемолочной машины» и объявился с ней и со своим смущенным сыном на «Кладбище пионеров».

Я хорошо помнил их с той поры, когда ходил к дедушке в дом престарелых. Аккерман долгое время был кибуцным водопроводчиком и не переставал жаловаться на «отношение земледельцев». Те входили в кибуцную столовку, окруженные запахами земли и трав, а он, весь в хлопковом масле и парах мыла и канализации, смотрел на них, «этих пшеничных принцев», и мучительно им завидовал.

Сейчас, в доме престарелых, он издевался над кибуцниками, которые раз в месяц приходили к нему на поклон, умоляя, чтобы он открыл им, где проходят те водопроводные и канализационные трубы, которые он упрятал в земле за десятки лет до того. Никто, кроме него, не знал расположения этих труб. Садовники-декораторы тоскливо смотрели, как землекопы корежат разбитые ими лужайки, чтобы найти, где протекают или забились трубы той секретной сети, план которой злобный старик фанатично охранял от посторонних.

«Копайте, копайте! — усмехался он. — Покопаетесь поглубже под землей Израиля, все там найдете».

Все свое свободное время и огромные технические познания он посвящал теперь всепоглощающему делу своей жизни. «Месть конструктора» — так он называл эту работу. Весь день напролет он занимался своей «пищемолочной» машиной, собранной из труб, баков и маленьких сверкающих солнечных батарей, доводя ее клапаны на токарном станке, принадлежавшем ремонтнику дома престарелых.

Появление дедушки среди престарелых невероятно возбудило старого Аккермана. «Как много мы с тобой могли бы совершить, если б не этот твой дружок Элиезер Либерзон с его любовью», — сказал он дедушке, добавив, что не забыл и историю с коровой.

Он спросил, как поживает Циркин-Мандолина и «Трудовая бригада имени Фейги», смахнул слезу, припомнив бабушку, которую назвал «образцовой пионеркой», поинтересовался здоровьем Зайцера, с которым когда-то работал в Явниеле, а потом схватил дедушку за рукав, усадил на кровать и начал читать ему длинную лекцию о том, как работает его машина, которая перевернет все народное хозяйство.

«Больше не будет тяжелой работы и тяглового скота, ни в зной, ни зимой. Моя машина будет вырабатывать пищу прямо из земли, воды и солнца. Все, что делают эти твои растения — пьют и дышат, поглощают солнечный свет и цветут, запасают питательные вещества и плодоносят, — все это сделает машина».

Он вытащил из-под машины большой таз, наполненный землей. «Сюда я наливаю воду, смешанную с необходимыми химикалиями, здесь лучи нашего доброго солнца ударяют по зеркалам, а вот тут у меня кнопки».

«Смотри, Барух, — сказал он, когда из недр машины послышался сдавленный утробный звук. — Машина выдала свой урожай — редьку с баклажанами».

Он покрутил несколько рукояток, и, действительно, из машины, со скрежетом и хрипом, выползла мутная и медленная струя размолотого пюре. Старик зачерпнул ложечку и с сияющим лицом поднес к моему рту.

«Попробуй, попробуй! — умоляюще попросил он. — Настоящая редька. Ты не почувствуешь разницы».

«Хватит, отец, хватит», — прошептал его пристыженный сын, и я вспомнил тот гигантский шесек, который он передавал со мной старику.

Всякий раз, когда я приносил Аккерману пироги и шесек, посланные сыном, он издевательски усмехался и говорил, что пирог вреден для кишечника, а шесек — «без косточек и такой, что его легко жевать» — его машина производит в более чем достаточном количестве. А потом с возмущением сообщал мне, что уже писал во все учреждения, но никто не принимает его всерьез.

«И твое молоко, — добавил он, — то твое молоко, которое ты приносишь дедушке, что само по себе, несомненно, достойно похвалы, я и его могу извлечь из своей машины, потому что она способна производить и молоко, и мед — ведь все это, с позволения, сказать, не более чем выделения. Но машину никто не зарежет, когда она состарится, и не сбагрит в дом престарелых. Не зарежет и не сбагрит!»

Его слова так потрясли меня, что я рассказал об этом Пинесу.

— Мы не думали, что когда-нибудь состаримся, — сказал Пинес, который с того времени, как поднялся на водонапорную башню и видел, как избивали Ури, тоже сильно постарел и ослабел от полного отчаяния. — Мы верили, что так же, как мы взошли в эту Страну вместе, и работали вместе, и заселяли Долину вместе, так же вместе и умрем.

— Это верно, — сказал Мешулам. — Ни в одном их уставе нет упоминания о старости. Все там есть — специальное питание для беременных товарищей, распределение рабочей одежды, покупка полуботинок для казначея. И только о том, что делать со стариками, с ними самими через многие годы, — ни слова.

— Но борьба с возрастом — это очень личная борьба, — вздохнул Пинес. — Это не дело коллектива. Когда придет мое время, я хочу только одного — встретить смерть в полном сознании.

Сегодня Аккерман похоронен на моем кладбище — шестой ряд, семнадцатая могила, а его пищевая машина валяется за кибуцным коровником. Сверкающая, забытая, немая. Несколько специалистов из Техниона[2], прослышав о ней, попытались привести ее в действие, но отчаялись. Ни одному человеку, кроме Аккермана, так и не удалось извлечь из нее «продукт», так же как дерево возле нашей времянки, на котором когда-то, по рассказам, одновременно росли абрикосы, лимоны, груши и айва, перестало плодоносить после смерти дедушки. Зеленое, хмурое и бесплодное, высится оно во дворе, и только растрепанные гнезда ласточек, эти нахальные нагромождения соломы и уворованных перьев, свисают с его ветвей.

Но Зайцер, ради которого все эти старики пришли к нам с визитом, нес бремя своих страданий в полном молчании и выглядел так, будто решил провести остаток своей жизни с максимальной осторожностью и воздержанием. Время от времени я отвязывал его и вел на кладбище. Там он стоял в прохладной тени деревьев и, даже если он случайно наступал на цветок со своей слепой стороны или выщипывал траву на лужайке, я никогда его не упрекал.

И помешательство Мешулама, похоже, тоже прошло. «Старый Циркин заболел той болезнью, от которой умрет», — сказал Пинес, и теперь Мешулам старался скрасить последние дни своего отца, пытаясь даже что-то делать по хозяйству. Но и у него уже тоже вызрела своя месть, сказал мне Пинес, в той же взволнованной глубине, под тонкой пленкой пшеничных полей и гладкой кожи лба, где вызревают всякие отмщенья.

За несколько недель до смерти Циркин-Мандолина вызвал меня. Он жил дома, категорически отказываясь идти в дом престарелых. «Не хочу я, чтобы эти молодые физиотерапистки выкручивали мне пальцы, а молодые врачи совали мне трубки в задницу!»

Циркин был раздражен и ворчлив и уже с трудом передвигался. Мешулам возил его с места на место в деревянной тачке, выстеленной пустыми мешками.

«Только такой бездельник может найти время возиться со старым отцом, — бурчал Циркин. — Нашел себе, наконец, достойное занятие».

Мешулам предложил купить ему коляску с электроприводом, из тех, в которых ездят старики в кибуцах.

«Не буду я разъезжать в колясках одесских гимназисток!» — объявил Мандолина.

Слабость и бессилие выворачивали его кости. Он уже не мог работать. Его благословенные поля, где росли отборные фрукты, кормовые травы, пшеница и хлопок, пришли в запустение. Вьюнок и дикая акация завладели его садами и покрыли их зловещим покрывалом одичания. Целые семьи полевых мышей, сбежавших от цианида с близлежащих полей, нашли себе здесь убежище и теперь регулярно совершали дерзкие набеги на соседние участки. Комитет несколько раз обращался к Мешуламу с категорическим требованием обработать свои поля и истребить мышей. Но Мешулам ничего не умел. Комитет обратился к Либерзону, и тот, почесав в затылке, припомнил, что вскоре после основания деревни ее посетил некий эксцентричный египетский агроном, который рассказал поселенцам, что мыши не выносят бобовых стручков. По указанию Либерзона участок Мешулама был окружен бобовыми посадками. Мыши, зачарованные непонятным заклятием, не осмеливались переступить эти границы. Они плодились и размножались, пока заграждения, голод, скученность и внутренние разногласия не привели к появлению у них клыков и не превратили их в хищных зверей, которые беспощадно истребляли друг друга. По ночам мы слышали хриплый мстительный вой победителей и предсмертные вопли раздираемых жертв, и Пинес объявил, что окруженный бобовыми заслонами участок Циркина превратился в эволюционный тупик и никакая новая мутация уже не спасет его обитателей.

Молочные коровы Циркина-Мандолины стонали от боли, терзавшей их переполненное вымя, пока старик, сидя в своей тачке, пытался втолковать своему сыну, как их доить. Мешулам никогда в жизни не держал коровьих сосков.

«Мы доили руками! — рычал старик. — Руками! А ты даже электродоилку включить не способен!»

«У нее воспаление вымени, идиот! Ты что, не видишь? Почему ты мучаешь эту несчастную душу?»

Артрит доводил Циркина до безумия. Его пальцы окостенели и искривились, как когти ястреба. Мозолистая кожа ладоней высохла и покрылась сетью трещин, которые углубились до мяса и причиняли ему страшную боль. Он не мог доить, подрезать деревья, играть на своей мандолине. Шорник Танхум Пекер рассказал ему, что когда-то в Крыму старые крестьяне лечили ревматизм пчелиным ядом. Утром я повез его к могиле Маргулиса. Циркин снял рубаху, с трудом поднялся, спустил штаны и долго стоял на солнце, опираясь на памятник и ожидая, пока скорбящие пчелы Маргулиса ужалят его. Тоня посмотрела на него с яростью, но ничего не сказала, только вынула изо рта обглоданный палец, встала со своего всегдашнего места и исчезла среди деревьев. Там, повиснув на ветках, точно гроздья плодов, прятались в густой листве деревенские дети — внуки и правнуки, которые сбежались посмотреть на голую задницу одного из отцов-основателей.

Изнывая от боли и нетерпения, Циркин кричал на пчел и размахивал руками, но все было бесполезно. Долгие годы тяжкой работы и игры на мандолине наделили его хорошим запахом, и пчелам он представлялся не грабителем, которого нужно ужалить, а, скорее, каким-то огромным, вкусно пахнущим соцветьем. Они садились ему на плечи, ползали по его спине и заду и не делали ему ничего плохого.

Через час он попросил, чтобы я отвез его домой. Морщины на его затылке и расщелина между ягодицами были забиты оранжевой цветочной пыльцой, которую нанесли туда пчелы. Бускила почистил его большой мягкой щеткой, помог ему снова надеть рубаху и перевязать ее веревочным поясом, а потом проводил нас до деревни.

Мы сидели втроем на кровати, под шелковицей. В летние дни Циркин выходил ночевать во двор, потому что жара выдавливала из стен дома проклятый запах духов его Песи, наполняя им комнаты, и этот запах безумно мучил носоглотку и принципы старика.

— Послушай, Барух, — сказал он мне. — Я долго не протяну, и я хочу, чтобы ты нашел мне хорошее место, рядом с твоим дедушкой.

— Ты его и так получишь, — сказал Бускила. — Ты не должен просить.

— Позволь мне говорить с миркинским мальчиком, — ледяным тоном сказал Циркин и переждал мгновение. Он всегда продолжал говорить только после того, как убеждался, что его слова услышаны. — Я хочу, чтобы ты похоронил мою мандолину вместе со мной, как ты это сделал Маргулису с его медом. Как хоронили всех этих маленьких фараонов — вместе с их игрушками из слоновой кости и навозными жуками.

— Хорошо, — сказал я.

— Не думай, что это так просто. После того как я перестал играть, Мешулам забрал ее к себе в музей.

Заставить Мешулама расстаться с исторической достопримечательностью было немыслимо, но Циркин все предусмотрел.

— На моем сеновале, на центральной балке крыши, в углу, лежит маленькая коробка. Пойди, принеси ее. Не беспокойся, Мешулам не увидит, он ходит на сеновал только по крайней надобности.

Я очистил коробку от голубиного помета и паутины и принес ее ему.

— Тут у меня внутри всякие старые бумаги и прочая чепуха, — улыбнулся Циркин. — Список покупок «Трудовой бригады» от июня тысяча девятьсот девятнадцатого года, письмо Ханкина ко мне и письмо Шифриса, которое пеликаны принесли из Анатолии десять лет назад. Только мы с Либерзоном знаем об этом, но он приближается, этот безумец, он уже близко.

— Отдать это Мешуламу?

Циркин посмотрел на меня, как на абсолютного идиота.

— Ни в коем случае! — воскликнул он. — Просто скажи ему, что он может получить эти бумаги взамен мандолины. Насколько я знаю моего болвана, он согласится. Это как раз то, что он любит больше всего, — бумажки. А мандолину забери и похорони вместе со мной, в том же гробу, чтобы черви играли мне под землей.

41

Через две недели, под покровом ночной темноты и без предупреждения, Зайцер порвал веревку, на которой был привязан, направился к дому Шломо Левина, подошел, поднял копыто, осторожно постучал им в дверь и отступил в сторону. Левин вышел и, увидев огромную тень мула, ринувшуюся на него из темноты, понял, что уже поздно. Наклонив голову, чтобы лучше видеть врага своим единственным глазом, Зайцер оскалил желтые зубы, впился ими в руку Левина и сдавил ее со всей той силой и ненавистью, которая еще оставалась в его старых челюстях. Он сжимал ее до тех пор, пока дряблые бицепсы порвались, хрупкая кость, что под ними, хрустнула, раскрошившись, и жидкая кровь белопиджачных банкиров запузырилась меж осколками и лоскутьями кожи. Левин даже закричать не успел. Он тут же потерял сознание, а Зайцер тихо растворился в ночи и вернулся к своей кормушке и своей смоковнице.

На рассвете Рахель увидела, что мужа нет в постели. Она выбежала во двор и обнаружила, что он лежит на траве, чуть слышно стонет и лицо его позеленело. Ее крики разбудили всю деревню, и Иоси повез раненого в больницу. Сначала подозревали, что в округе появилась новая гиена, но в полдень Авраам пришел в Комитет и признался, что это сделал его мул. Вызвали районного ветеринара, и тот, расследовав дело, распорядился застрелить Зайцера, как того требует закон.

Поднялась суматоха. Авраам, словно обезумев, бросился домой, плача и расшвыривая по дороге комья земли, а когда прибыли полицейский и ветеринар, Зайцера во дворе уже не было. Дядя спрятал его в зарослях возле источника. В то утро я был занят заливкой бетона и установкой памятников на двух новых могилах и только после обеда, вернувшись домой, узнал о том, что произошло. Авраам отказался рассказать, куда он спрятал своего мула, но на следующее утро, когда я пошел к источнику, чтобы побыть наедине, я обнаружил Зайцера там. Его пустая глазница сочилась медленными гнойными слезами.

«Я принесу тебе ячменя», — сказал я ему, но Зайцер был уже в ином мире — шел дорогами старой земли, размышляя о суете жизни и нюхая цветущие растения, даже имени которых никто уже не помнил, а найти их можно было только в альбоме, где моя мать хранила засушенные цветы. Вечером пришел Авраам, чтобы охранять Зайцера от диких зверей и государственных чиновников, но около полуночи он задремал. Зайцер воспользовался случаем и исчез в полях.

Наутро, с восходом солнца, мы уволокли его большое, разрезанное пополам тело с главной дороги. Зайцер знал, что в три часа ночи большой трейлер с молоком проходит здесь из деревни в город, и ждал его на обочине шоссе.

«Он выпрыгнул из темноты и распластался прямо перед колесами, — рассказывал потрясенный Мотик, водитель трейлера. — У меня было двадцать восемь тонн молока в цистерне, и я ничего не мог уже сделать».

Хрупкий и ломкий, истонченный трудом и годами, Зайцер раскололся от удара огромного бампера, как старая глиняная кукла. Следы шин, остатки шерсти и кровавая пыль, обрывки мяса и куски ветхой, шелестящей кожи растянулись на четверть километра. Авраам бегал по дороге и кричал, разгоняя хищно подбиравшихся шакалов.

Через месяц Шломо Левин вернулся из больницы с культей, болтавшейся в пустом рукаве. Никто не поздоровался с ним, потому что покойный Зайцер был «одной из исполинских фигур нашего Рабочего движения», как выразился на вечере памяти в Народном доме Элиезер Либерзон, который специально выбрался для этого из дома престарелых.

Несчастный Левин, которого деревенские насмешники с тех пор называли не иначе как «наш Трумпельдор[1]», уже никогда полностью не оправился. Он тощал и уменьшался, сидел в огороде своей Рахели и грыз одну за другой целые пластины камардина, огромные, как простыни. Его особенно злило, что Зайцер, который и при жизни перехватил у него уважение общественности, теперь, своей смертью, тоже ухитрился его превзойти, похитив у него желанную славу самоубийцы. Лишь Авраам, который с детства помнил доброту дядиных рук и его подарки, да Ури, когда вернулся в деревню, время от времени навещали его.

Когда Левин почувствовал, что его конец приближается тоже, он позвал меня, предложил мне большую сумму денег, которую я тотчас отверг, и попросил, чтобы я похоронил его на «Кладбище пионеров». «С нашим производительным сектором», — с горечью сказал он.

И я согласился. В конце концов, он тоже был из людей Второй алии. На его памятнике сверкает надпись, которую он сам придумал для себя: «Тут лежит Шломо Левин, из Второй алии, покончивший с собой с помощью укуса мула».

Каждую неделю Бускила и наш адвокат Шапира спорили со мной, уговаривая с умом распорядиться доходами от покойников, но я не обращал внимания на их уговоры.

К тому времени Бускила нашел нам агента во Флориде.

«Они все торчат там, — сказал он. — Все еврейские старики. Там у них есть болота, и они ждут, пока солнце их прикончит».

Он купил черный тендер, нарисовал на его дверцах золотыми буквами «Кладбище пионеров» и с большим умением руководил моими делами и мною самим.

«Это никуда не годится — я сижу в конторе, а ты копаешь ямы и поливаешь землю из шланга, — выговаривал он мне. — Ты хозяин, Барух. Давай я найму рабочего для черной работы».

Я объяснил ему, какое значение придают у нас работе на земле и почему деревня возражает против наемного труда. Но Бускила, строго соблюдавший кашрут и субботу, пренебрежительно отмахнулся от принципов мошава.

«Меня это не убеждает. Я тоже верующий, — сказал он. — У всех есть свои мезузы[2] и свои заповеди, а ваши порой хуже наших».

А в другой раз: «Почему бы тебе не съездить разок за границу, отдохнуть, развлечься, познакомиться с девушками? — И полюбопытствовал: — Тебе что, не хватает денег?»

У Бускилы есть дочь, моложе меня. Пухленькая, симпатичная, приятная девушка. Он уже несколько раз намекал, что не прочь нас познакомить.

— Чего вдруг? — краснел я. — Мне хорошо, как есть.

— Я пошлю ее отнести еду старому Пинесу, а ты загляни туда, — предложил он в конце концов напрямую. — Она будет тебе хорошей женой, не то что эти ваши здешние женщины.

— Хватит, Бускила, хватит, — сказал я, чувствуя, что мой лоб собирается сороконожками складок.

— Так жить нехорошо. Ты парень здоровый, тебе нужно жениться.

— Ни в коем случае! — решительно сказал я.

— Если марокканец сватает тебе свою дочь, ты не можешь ему отказать, — предупредил меня Бускила.

— Мне не нравятся девушки, — сказал я.

— Ну, своего сына я тебе предложить не могу, — засмеялся он, но лицо его помрачнело.

Иногда он смотрел на меня, когда я работал, удивляясь силе моего тела и его размерам.

— Ты совсем не похож на своих родственников, — сказал он. — Ты большой, темный, сплошное мясо и волосы и не поддаешься любовной заразе. Твой двоюродный братец, этот жеребец, переспал со всеми девками в деревне, а ты настоящий тихоня.

— Кончай, Бускила, — попросил я. — Не тебе судить, что происходит в нашей семье и в нашей деревне.

— Вам тут всем винтиков не хватает, — продолжал он поддразнивать меня, нащупывая границы моего терпения.

Порой он рассказывал мне о своих первых днях в деревне: «На меня смотрели косо. Как будто все время проверяли. Послали меня работать на очистке лука, чтобы посмотреть, гожусь ли я в почтальоны. Даже Зис считал себя выше меня, потому что его отец-осел, видишь ли, когда-то возил воду. Но потом я дал ему по голове, и он начал вести себя, как человек».

Он наблюдал за людьми с нескрываемым любопытством, быстро углядел все тончайшие ниточки деревенских отношений и то и дело раздражал меня своими афоризмами.

«Человек, который все время сидит в отстойной яме, наверняка чего-то боится».

«Женщина никогда не забывает первый прикоснувшийся к ней палец».

«Хороший дед лучше родного отца. А плохой — так нет его хуже».

«Почему у вас все время — земля, земля, земля? Разве мало того, что мы на ней рождаемся и в нее ложимся? В промежутке можно и отдохнуть».

«У вас, если кто-нибудь в девять лет скажет глупость, его так до могилы и считают дураком. Ставят на нем точку».

Будучи письмоносцем, он навещал каждый дом в нашей деревне и до сих пор помнил, где его угощали холодной водой или фруктами, а где дверь оставалась закрытой и подозрительные взгляды сверлили его через окно. Он был первым, кто понял, что Маргулис и Тоня сошлись снова, а дедушка получает письма из-за границы не только по почте и его сухость продиктована не раздражением или подозрительностью, а печалью и ненавистью. Он знал, что Мешулам регулярно получает не только публикации по истории поселенческого движения, но и коричневые конверты, которые положено было доставлять запечатанными, хотя их содержимое, подмигивая и приплясывая, сверкало глянцем и наготой даже сквозь плотную упаковку. Он посмеивался про себя, принося почту в дом Либерзонов, потому что часть писем, включая те, что якобы приходили из-за границы, были посланы Фане самим Либерзоном.

«Он посылает ей свои письма, не указывая отправителя, чтобы сделать ей сюрприз».

42

Отслужив в армии, Иоси остался на сверхсрочную, а Ури вернулся в дом своего дяди и работал там на тяжелых машинах. Поэтому в хозяйстве Миркиных не возникла проблема «сына-продолжателя».

Когда отцы-основатели прибыли в Палестину, объяснил мне Мешулам, они увидели, что владения феллахов раскроены на крохотные лоскутки ножами завещаний, и решили, что в наших деревнях хозяйство будет продолжать только один человек. С самого рождения всех сыновей в семье подвергали долгой проверке, чтобы решить, кто из них будет наследовать отцу. Испытующие глаза родителей, учителей и соседей оценивали первые шаги ребенка во дворе, следили, как наливаются мышцы его спины, проверяли наличие или отсутствие того дара магического прикосновения, которым наделен всякий хороший крестьянин. Уже в десятилетнем возрасте мальчик знал, останется он в деревне или ему придется искать будущее в ином месте.

Отверженные уходили поначалу в обиженное молчание, потом взрывались в лихорадочных просьбах и тщетных усилиях, но приговор всегда был окончательным. По возвращении из армии их отправляли в большой мир, навстречу судьбе, но нравы и повадки нашей деревни были оттиснуты в их теле, как тавро владельца на его быках и коровах. Некоторые становились земледельцами в других местах, кое-кто уходил в бизнес или учебу, и все без исключения преуспевали. Деревенское детство и юность, годы, проведенные в тяжелом труде, привычка брать на себя ответственность и глубокое знание повадок живых существ приуготовили их добиваться успеха во всем, за что бы они ни брались.

Мало-помалу отцы передавали свои обязанности избранным для наследования сыновьям, советовались с ними, как лучше убрать урожай и какие удобрения использовать, проверяли их ответы и новые идеи. Как улей выращивает своих новых цариц, так растила деревня следующие поколения земледельцев.

Там и сям случались ошибки. Даниэль Либерзон, чья невинная младенческая любовь к моей матери была поначалу истолкована как свидетельство полной сельскохозяйственной непригодности, в конечном счете превратился в прекрасного земледельца. После смерти моих родителей, когда ему уже некого стало любить и ненавидеть, он направил свои способности и энергию на работу на земле. Потом он долго ездил по местам, где жили новые иммигранты, и приобрел известность как самоотверженный и повсеместно почитаемый инструктор по сельскому хозяйству, а вернувшись домой с женой-румынкой, весьма преуспел в разведении птиц, хлопка и пищевых грибов. Мешулам дал ему старую русскую книгу по сельскому хозяйству в обмен на дряхлое ведро — то самое, в которое доили нашу знаменитую Хагит, — и в этой книге Даниэль нашел секретный рецепт для смеси соломы, земли и конского навоза, на которой растут самые лучшие грибы. Время сбора грибов, говорилось в книге, наступает, когда в теплице ощущается «сильный запах леса». Но Даниэль никогда не бывал в русском лесу и не знал, как он пахнет, и поэтому каждые несколько недель, едва лишь в его теплице вырастало новое поколение грибов, он отрывал своих старых родителей от их бесконечных поцелуев и заигрываний и звал понюхать свои затененные грядки. И они ни разу его не подвели.

Напротив, Мешулам уже с младых лет дал понять всем окружающим, что «его влечет к земле одна только сила тяжести и ничто больше», как сказал Ури.

Сам Ури не собирался оставаться в деревне, и, когда он об этом заявил, никто не удивился. Его любовь к книгам, приверженность к заднице воспитательницы Рут, неприспособленность к длительной тяжелой работе и постоянные насмешки над бессмысленной жизнью несушек, над чересчур вольным обращением осеменителей с доверенными им первотелками и над прочими серьезными вещами, о которых не положено было шутить, вызывали опасения задолго до его серии свиданий на водонапорной башне. Но именно она стала последней соломинкой.

В деревне его любили, но всем было ясно, что рабочие сапоги Авраама унаследует Иоси. Он был парнем основательным и надежным, с неплохими техническими познаниями и врожденным стремлением все планировать и во всем наводить порядок. Авраама настораживала только таившаяся в нем агрессивность. Он боялся, что Иоси может наброситься на животное, которое нагличает или не выполняет свои обязанности. Но уже в четырнадцать лет ему можно было доверить утреннюю дойку. И даже дедушка, который в Ури видел отдаленное подобие своего потерянного Эфраима, всегда обращался к Иоси, когда ему нужно было дочиста проборонить сад, не повредив стволы.

Вот почему, когда Иоси заявил, что не собирается вернуться домой, потому что ему нравится армейская жизнь, Авраам оторвал взгляд от земли, поднял голову и, поскольку он не так уж часто делал это раньше, вдруг испугался при виде своей жизни, стелющейся перед ним в угрюмом однообразии до самого горизонта смерти. Его охватило отчаяние. Я всегда, по мере возможности, помогал ему в хозяйстве, но мое главное дело состояло в работе на поле мертвых в умирающем дедушкином саду.

«Ни один из внуков Миркина не будет земледельцем, — сказал Рылов. — Комитет должен выставить их хозяйство на продажу».

«Не обращай на него внимания, — сказал мне Бускила. — Какой идиот купит сейчас это хозяйство? Кто решится выкапывать из земли кости всех этих стариков? Кто захочет пахать среди надгробий?»

Дедушкина месть обретала зримую форму. Могилы пылали в земле деревни, как вечный укор, они бросали издевательский вызов всему смыслу ее жизни, от них шел возмутительный запах потрясения основ. Когда я проходил по деревне, люди смотрели на меня исподлобья и шептались, оценивая толщину моей шеи, которая не хочет склониться под ярмо идеалов, и прикидывая в уме, сколько денег собралось в моих мешках. Я не обращал на них внимания. Глаза, что следовали за мной, казались мне обманчивыми, нарисованными на лицах пятнами и меня не пугали. А Бускила, который бережно хранил в одной из своих упорядоченных папок подробные записи наших переговоров с деревенским Комитетом, от души развлекался, перебирая эти листки, и все убеждал меня, что нечего бояться их угроз.

«В сельском хозяйстве вы, может, понимаете лучше меня, — говорил он, — но в могилах и я кое-что понимаю. У нас в Марокко похоронены шестьсот шестьдесят святых, и тем не менее все эти годы наши старики отправлялись в Святую землю, чтобы их похоронили там».

«Это не одно и то же», — сказал я.

«Конечно, нет, — усмехнулся Бускила. — Мы, марокканцы, берем деньги с людей, которые приезжают к могиле святого, а вы, ашкеназы, дерете деньги с самих святых».

Только Авраама не тревожило мое могильное поле. Угрюмый, утративший надежду, он с головой ушел в будни своей молочной фермы и трудился там, как никогда. Он изобретал новые методы кормления, опрыскивал стойла особыми веществами, которые уничтожали всех паразитов на шкуре и в кишечнике коров, разработал, с помощью двух инженеров, систему датчиков, которые контролировали бы давление в каждом соске по отдельности, и экспериментировал с различными видами музыки во время дойки. С тех пор как мой отец присоединил свой патефон к коровнику Рылова, все животноводы деревни знали, что музыка улучшает качество и количество молока, но только Авраам способен был подобрать музыкальный стиль под коровий вкус. Коровы у него стояли в стойлах с огромными наушниками на висках, мечтательно и томно качая головами в такт флейтам и струнным инструментам, которые выжимали молоко из их сосков до последней капли.

Он почти полностью отменил добавку грубого корма в коровий рацион и вместо этого раз в неделю выводил своих коров на пастбище — «не по диетическим, а по психологическим соображениям». Электромоторы на его ферме гудели непрерывно, и старый спор, доить два или три раза в день, был для него решен. «Это не профессиональный вопрос, — объяснил он, — а пустой и мелочный торг, что важнее — удобства коров или удобства человека». Его коровы доились четыре раз в день, и компрессоры, в сущности, не переставали стучать никогда.

Самая плохая из его коров давала в три раза больше знаменитой Хагит, но Мешулам, который в своих удрученных блужданиях по деревне однажды забрел и к нам, мрачно заявил, что ни одна из них все равно никогда не будет выставлена ни в одном музее и не войдет в историю как рекордсменка.

«История — это не, что произошло, а то, что записано, — сказал он. — Вот почему так велика опасность этого отвратительного исследования о наших болотах. История запомнит Хагит, а не эти молочные колодцы твоего дяди».

Перестав возить молоко на деревенский сборный пункт, как это делали все остальные, мой дядя тем самым исключил себя из ежедневных встреч животноводов мошава. Он ушел в себя, как медведка уходит в свою подземную нору. Каждое утро я слышал рев большого дизеля и скрип руля, когда Мотик-шофер искусно подавал задним ходом свою гигантскую цистерну на двадцати двух колесах прямо в наш двор. Потом до меня доносился вечный разговор между ним и Авраамом.

— Доброе утро.

— Доброе утро.

— Можно качать?

— Можно.

— Он прыгнул почти внутрь машины. Я уже ничего не мог сделать.

— Я знаю. Ты не виноват.

Два огромных сепаратора непрерывно урчали в подсобном помещении коровника. Воронка одного из них выбрасывала сметану, которая всегда вызывала волнение у посетителей «Кладбища пионеров» и увлекала их к коровнику, где Ривка, без ведома деревенского Комитета, продавала им заветные баночки. Из второй воронки вытекало обезжиренное молоко, которое обогащалось минералами и направлялось обратно в коровник, прямо в поильную систему. Авраам был первым среди животноводов деревни, кто понял, что жидкость — это главный фактор правильного обмена коровьих веществ, куда более важный, чем твердая пища. Ему никогда не составляло труда перехватить обезвоживание у своих коров на его самой ранней, почти неприметной стадии или вернуть их в цикл ежедневной дойки. «Корове нужно пять литров жидкости, чтобы выдать один литр молока», — услышал я, как он объяснял своему Иоси, когда они вдвоем промывали сильной струей из прозрачных пластмассовых шлангов белые керамические плитки пола в коровнике. У него вся система подачи — воды, дезинфицирующих веществ, воздуха и молока — была сделана из прозрачных труб, и такими же прозрачными были стеклянные резервуары, в которые непрерывно поднималось и стекало молоко. «Чтобы свершения можно было не только свершать, но и созерцать», — говорил Ури. Впрочем, у моего брата была своя новаторская идея, как увеличить надой: «Зачем вливать воду в коров, когда ее можно вливать прямо в молоко?!»

Только сейчас в деревне поняли предсказание Либерзона. Твердая косточка маслины наконец-то раскололась. Надежды, возлагавшиеся на первенца деревни, стали осуществляться. Авраам, в его белом халате и в желтых резиновых сапогах, добился в своем деле больше, чем первенцы всех других поселений. Но в механических движениях его работающих рук было что-то пугающее. Он уже не массировал вымя, а просто тер его, равнодушно и отчужденно, и больше не улыбался от удовольствия, когда под его пальцами напрягались соски. Он перестал хлопать коров по заду в период течки и подносить пучки клевера к морде своей любимицы.

Теперь его коровы маршировали, точно гигантские чучела, в свои стойла, и Авраам надевал им на соски резиновые чашечки электродоилки, как будто и сам был одним из тех автоматов, которые он установил в своем коровнике. И тем не менее молоко не переставало хлестать через край, и несколько раз случалось так, что он вынужден был вылить излишки, которые тут же превратились в болотца, покрытые тонкой сморщенной пленкой.

Однажды вечером, когда он выплеснул таким образом сразу несколько сот литров молока, Ривка вошла в коровник и капризным тоном спросила, почему бы ему лучше не сделать ей молочную ванну, как римской императрице. Авраам улыбнулся, но на хвосте его улыбки затрепетала ярость, которую Ривка никогда раньше не видела. Морщины на его лбу углубились, и кончики их веточек исчезли среди канатов волос. Его лицо так исказилось, что на мгновение он напомнил ей своего исчезнувшего брата. Она вдруг поняла, как опасно его состояние. Она знала, как легко Миркины скрывают свои лица под сетчатой маской или древесной корой, и поняла то, что я знал уже давно: в этих белых озерах ее муж топит свою гневную скорбь.

Тем временем я несколько раз вспахал и пробороновал свою землю и засеял ее люпином, а Бускила нанял несколько грузовиков с красным щебнем и каменщиков, которые приготовили бордюрный материал и отполировали квадраты белого камня, предназначенные для памятников. Я проложил дорожки до конца участка, а когда люпин начал цвести, закопал его в землю, в качестве зеленого удобрения, а на его месте высадил красивые декоративные деревья и расставил повсюду деревянные и каменные скамьи. Великолепные перелетные птицы, незнакомые даже Пинесу, спускались на отдых на мой участок и весело прыгали по веткам. Маленькие и молчаливые дикие животные словно бы возникали среди цветов, как во времена творения. В сумерки я выходил побродить в саду, чтобы начистить медные буквы, подышать прохладным воздухом, который собирался в тени деревьев, и придумать имена для птиц и животных.

Полный покой царил здесь. Старые песни стихли, превратившись в еле слышный шепот, отзвуки громких лозунгов и деклараций лежали, погребенные под сладостью комьев земли, и мечи пламенных дискуссий больше не скрещивались, как когда-то. В летние ночи парочки со всей Долины пробирались ко мне на кладбище, чтобы обниматься и любить на прохладных каменных надгробьях. В ночной тишине слышались слабые стоны женщин и тяжелое пыхтенье мужчин, и время от времени из глубины земли доносился приглушенный взрыв — это живот очередного покойника, завершая цикл набухания, вздувался так, что брюшная стенка уже не выдерживала давления газов и лопалась с громовым треском. Я знал, что в эту минуту его внутренности вываливались наружу и полчища белых червей, что доселе, как одержимые, слепо толкались в стенки гроба, врывались наконец внутрь. На «Кладбище пионеров» все, кроме дедушки, были похоронены в гробах. Так стали хоронить покойников во всех деревнях и кибуцах Долины, с тех пор как Либерзон заявил, что верующие устраивают себе легкую жизнь тем, что возвращаются в прах без гробов[1].

Элиезер и Фаня Либерзоны приходили на все похороны, которые происходили на моем кладбище. Старик всегда стоял в первом ряду, обнимая жену, и его пальцы дрожали на ее груди, но он оставался по-прежнему тверд в своем неприятии моего процветающего дела. Как и прочие его друзья, он тоже опасливо подсчитывал оставшиеся ему дни и обдумывал возможности их заполнить.

Все заботы по хозяйству, если не считать обнюхивания грибов, он уже снял с себя и передал Даниэлю. Он утратил былой интерес к утопическим формулировкам, пылким идейным спорам и упрочению принципов коллективизма. Фразы вроде: «Раскрылись скрытые в нас сокровища», «Во времена смятенья и сомнений» и «Отказ от наемного труда следует рассматривать не только в исторической перспективе, но и в плане личного опыта нашего поколения» — стекали теперь с кончика его карандаша и языка с такой легкостью, что это вызывало у него удрученность и боль. Только Фаню с ее громким смехом, седыми волосами и живыми глазами ему по-прежнему приходилось каждый раз завоевывать заново. Она осталась, как и была всю жизнь, его мечтой, неуловимо порхающей птицей, и яркие сполохи ее платья и волос были последним, что еще могли видеть его слепнущие глаза.

Каждый год Элиезер отмечал день их первой встречи в винограднике веселым праздником, который он устраивал ей и себе в полях. Раньше к ним иногда присоединялся и Циркин с его мандолиной, но с тех пор, как его стали перевозить с места на место в деревянной тачке, больше уже не появлялся. На пятидесятилетие их любви Либерзон приготовил сумку с продуктами — хлеб, деревенский творог с отпечатками марли, в которой его отцеживали, селедка в зеленых яблоках и сметане и поздние огурцы, внутри одного из которых была спрятана его записка. Эту маленькую жестяную трубочку Либерзон воткнул за несколько недель до праздника в завязь огуречного цветка, буквально в тот момент, когда она начала набухать среди увядших лепестков, и зеленая мякоть огурца постепенно наросла на нее. Фаня упаковала тарелки и вилки, Либерзон наполнил термос прозрачным гранатовым соком, и они отправились в поле.

Они шли по краю засеянного участка, покачиваясь от старости и счастья. За день до того прошел первый осенний дождь. Размякшие семена тяжело дышали, силясь пробиться наружу, и земля, по своему обычаю, расстилала над собой пары́ чистых обещаний, которые с каждым годом все больше обманывали земледельцев. В такие дни мы с Пинесом обычно выходили на поиски зарывающихся в землю насекомых, которые торопились использовать влажность почвы, чтобы пробуравить новые жилища для себя и своих потомков.

Фаня и Элиезер направлялись к старому винограднику Маргулиса. Либерзон, в очках с толстыми стеклами, нес сумку. Фаня, слабая и невесомая, склонила голову ему на плечо. Она подразнивала его, отпуская шуточки по поводу тяжелого и назойливого аромата мужского семени, который испускали пестики рожкового дерева, а Либерзон, порозовев от любви, все приговаривал: «Ну что ты, Фаня, в твоем возрасте!»

Обнимая, помогая и направляя друг друга, шли они по выбитой колесами телег колее, наслаждаясь запахом дождя и тяжелыми тучами, которые вырвались наконец из пещеры на голубой горе. Добравшись до старых виноградных лоз Дабуки и Палти, они расстелили под ними скатерть и, поддерживая друг друга руками, медленно опустились в высокую траву. Они ели, не сводя глаз друг с друга.

Кругом не было ни души. Этот маленький виноградник Маргулис посадил многие годы назад для своих пчел. Он никогда не собирал там виноград, полагая, что это добавит к меду аромат старого вина. Виноградные лозы, за которыми никто не ухаживал со дня его смерти, покрыли рассыпающуюся ограду непроходимой путаницей сильных побегов, которые разбегались во все стороны, все больше дичая и переплетаясь. Большие серебряные пауки выткали в их просветах сверкающие занавеси. Ящерицы-медяницы грелись в последних лучах лета на свежих кротовых буграх, дружелюбно поглядывая на влюбленную пару.

Либерзон медленными аккуратными движениями разрезал селедку, намазал хлеб сметаной и спросил с хитрецой:

— Хочешь огурец, Фаня?

— Потом, — ответила Фаня, и Либерзон не стал торопить ее, чтобы не возбудить подозрение и не испортить приготовленный сюрприз. Он оперся на один из камней, а Фаня легла навзничь на траву и положила пятно своей прекрасной головы на бедро мужа. Стояло послеобеденное время, и мягкое осеннее солнце, бледное, как желток охлажденного яйца, нежно гладило их кожу, просачивалось в старческие суставы и наполняло их души счастьем и любовью.

— Смотри, — сказал Либерзон. Его слабые глаза смутно различили неясные размытые точки, которые посверкивали перед ним в тишине, окруженные прозрачным черным сиянием.

Фаня открыла глаза.

— Муравьиные царицы, — сказала она. — Муравьиные царицы вылетели в брачный полет.

Крылатые царицы полевых муравьев сотнями выбирались на осенний свет, ползли по земле и взлетали в воздух. Многие исчезали в хищно распахнутых клювах стрижей, другие запутывались в паутине, а остальные порхали в полете, тесно прижавшись к своим маленьким самцам.

— Какие они красивые, — сказала Фаня. — Какие они красивые, когда выходят в этот свой единственный день любви и света.

Либерзон смотрел прямо перед собой, пытаясь разглядеть поблескивающих цариц. Фаня снова закрыла глаза и осторожно потянулась, повернув голову набок и прижавшись щекой к его бедру. Он ощутил на своем лице легкое крылатое прикосновение, осторожно поднял руку, чтобы схватить ее пальцы, и понял, что поймал одну из муравьиных цариц.

— Смотри! — сказал он Фане. — Вот она, царица! А я, красота моя, думал, что это ты.

— Это я, — ответила Фаня. — Давай полетим вместе!

Стрижи разреза́ли воздух своими резкими криками и черными серповидными крыльями. Глаза Фани были закрыты, и темнота под ее веками была розоватой от солнца. Она вслушивалась в отрывистый посвист стрижей и улыбалась, а Либерзон чувствовал невыразимую сладость и любовь, которые перетекали к нему от ее лежащего тела. Он поднес муравьиную царицу поближе к своим слабым глазам, чтобы лучше разглядеть ее точеное тельце.

— Когда Пинес был еще в хорошей форме, — сказал он, — он мог прочесть нам целый доклад о любви, которая позволяет муравьиной царице вырастить крылья.

— Ты тоже можешь, — ответила Фаня. Из ее полуоткрытых губ вырвался короткий вздох, как будто она задремала и увидела сон. Ее рука упала на землю, белые волосы мягко шевелились на ветру. Либерзон посмотрел на нее, почувствовал, как расслабляется ее тело, и осторожно лег на спину, чтобы не разбудить ее. Он положил голову на камень и стал вглядываться в огромное осеннее небо, а рука его медленно перебирала пушок на затылке жены. Долгие годы, прожитые с ней рядом, научили его бережно лелеять свою любовь к жизни, и она горела в нем все ярче, чем старее он становился. «Вечный огонь» — так он называл ее про себя. Он был благодарен Богу за то, что тот был милостив к нему, несмотря на его неверие, и дал ему силу поддерживать этот огонь день за днем. И кибуцу и Циркину-Мандолине за то, что они помогли ему раздобыть этот дар, эту «птицу из виноградника», которой он удостоился.

Несколько цариц опустились на платье Фани, и, прежде чем тоже заснуть, Либерзон осторожно сдул их, чтобы они не ползали по ее коже и не помешали ее сну. Через час он проснулся, дрожа от наполнившей воздух прохлады. Прежде чем он понял, что это не прохлада осени, а холод смерти, идущий от тела его жены, пленки катаракт поторопились затянуть его глаза своим плотным занавесом, и он окончательно ослеп.

Во тьме, что упала на него, пальцы его ощутили ледяную стылость ее кожи, а уши услышали жужжание трупных мух, который чуют смерть за несколько секунд до ее прихода. Из своего укрытия в высокой траве среди виноградных побегов я видел, как он тормошит ее тело.

Потом он с трудом поднялся, выворотил из земли один из кольев прогнившего забора и побрел, нащупывая дорогу среди виноградных лоз. Он шел, крича и всхлипывая. Я знал, куда он идет. Я поднялся и пошел за ним, чтобы с ним ничего не случилось. Шесть часов кряду ковылял он по черным бороздам своей слепоты, натыкаясь на деревья и камни, и падал, споткнувшись о комья земли и оросительные трубы, пока наконец достиг своей цели. Была уже глубокая ночь, и я снова спрятался за небольшим возвышением.

«Она была моим светом, — повторял он, пытаясь объяснить свое состояние сторожам соседнего кибуца. Они прибежали на фабрику пластиков, услышав сигнал тревоги, и увидели там старика, из глаз которого, сплошь затянутых катарактами, текли белые мучнистые слезы. Он пытался разворотить бетонный пол обломком гнилого деревянного шеста. Либерзон не мог объяснить им, как ему удалось пересечь ограду с ее сигнальными устройствами, пройти через железные ворота и не попасть в лучи прожекторов, чтобы в конце концов упасть возле пластиковых катков точно в том месте, где пятьдесят лет назад качались гроздья александрийского муската и парень с девушкой ели виноград с сыром, перебрасываясь веселыми шутками под тающие звуки мандолины.

«Здесь я встретил Фаню», — говорил он им, в десяти километрах от ее тела.

Но двое молодых красавцев не знали, кто такая Фаня, кто такой Либерзон, и не представляли себе, что долгая и непримиримая война между их кибуцем и нашей деревней началась именно здесь, из-за него, под слоем этого бетона и цемента.

Я видел, как они поднимают Либерзона, гладят его по волосам и растерянно советуются между собой. Теперь, убедившись, что они не сделают ему ничего плохого, я поднялся и пошел обратно в деревню. Издали я увидел красный мигающий огонек «скорой помощи», выезжавшей из ворот кибуца, и понял, что Либерзон лежит внутри, немощный, но гневный, бормоча непонятные слова о каком-то оставшемся в поле огурце. Фаню привезли домой еще раньше, и две зеленые осветительные ракеты, взлетевшие со двора Рылова, уже приказали поисковым группам вернуться.

Когда я вернулся во времянку, меня встретили Даниэль и Якоби. «Где ты был? Тебя ищут по всей деревне!» — сердились они.

Либерзон приказал им привести меня. Старик был прям и деловит. Самым решительным тоном он сообщил нам, что хочет похоронить Фаню «на новом кладбище Баруха». Он был так раздражен, что не дал никому перебить себя и не позволил напомнить о его прежнем отношении к «Кладбищу пионеров». Но раздражение его было вызвано не скорбью или горем, как бы они ни были глубоки, а тем, что смерть возлюбленной не открыла ему ничего нового и не научила ничему, чего бы он не знал раньше. «Предчувствуемая боль разлуки — в конечном счете она всегда оправдывается», — писал дедушка в одной из своих записок за многие годы до того, а во всей Долине не было большего, чем он, специалиста по исчислению разлук и счету печалей.

«В отличие от большинства любящих, — со стоном сказал Либерзон, — слепота поразила меня лишь в ту минуту, когда любимая покинула меня. Не тогда, когда я увидел ее впервые, и не тогда, когда она была со мной».

Он отказался пойти к врачу, чтобы снять катаракты.

«Она была моим солнцем, луной и звездами, тем светилом, что управляло сменой моего дня и ночи, — вздыхал он назавтра, когда я копал ее могилу. — Ужас великой тьмы охватил меня». Я помнил его язвительные слова в протоколе заседания Комитета, посвященного моему кладбищу, когда он заявил, что я «импортирую трупы», и обзывал меня «пагубным примером» и прочими подобными словами. Но я не удивлялся. На этом этапе своей жизни я уже мог различить руку дедушки, которая разрыхляла землю передо мной и указывала будущему его течение. Каждую ночь я ложился спать в выкопанных им канавах и просыпался, мокрый, дрожащий, смердящий, когда поток его пророчеств подступал к моим ногам.

Либерзон велел мне и Даниэлю сохранить для него место рядом с Фаней, и это было завершением нашего долгого спора из-за кладбища. Больше никто не беспокоил меня. Старик укутался в свою слепоту, был отправлен в дом престарелых и разделил комнату, где раньше жили дедушка и Шуламит, со старым выходцем из Болгарии, которому исполнилось сто четыре года.

Долголетие нового соседа его впечатлило.

— Йогурт? — уважительно спросил он.

— Коньяк и шоколад, — ответил болгарин и представился. Его звали Альберт.

Так Либерзон потерял еще одну свою иллюзию, зато приобрел более глубокое знание человеческой натуры.

В течение одной недели он потерял жену и покинул свою землю, и поэтому его дружба со старым болгарином началась решительно и быстро. Оба они знали, что дом престарелых — их последняя остановка, и были настроены использовать ее наилучшим образом. Либерзон не спорил с Альтбертом, не пытался его переубедить или склонить на правильный путь, и Альберт платил ему улыбкой, которую Либерзон хоть и не видел, но ощущал всей кожей лица. Они вели приятные лаконичные беседы и пришли к такому дружескому взаимопониманию, которое даруется лишь немногим. Либерзон не пытался рассмешить Альберта или произвести на него впечатление, не рассказывал ему о болотах и пеликанах или о «Трудовой бригаде», а только о своем детстве на Украине и о смерти своей жены. Все, что в промежутке, было скрыто черным покрывалом, которое висело перед его глазами.

Болгарин целыми днями лежал в кровати, укрывшись одеялом по грудь, его глаза сверкали. От его мокрых простыней поднимался тонкий запах пролежней и отстойных ям с оружием. Он рассказывал Либерзону о чудесах знаменитого борца Поддубного, о широте души короля Бориса[2] и о вкусе черного хлеба своей молодости в Пловдиве. Он лежал в броне отутюженной, отглаженной белоснежной шелковой рубашки, и его сверкающий галстук напоминал истомленную жаждой черную бабочку, присевшую ему на горло. Ниже пояса, под одеялом, он был совершенно гол, но Либерзон не знал об этом, а если бы и знал, вряд ли вздумал бы обижаться.

43

Время шло, молоко струилось, кукурузные початки созревали, и копья их листьев ранили кожу. Амбары полнились, на деревьях завязывались плоды инжира, были еще войны и еще, и на склад комбикорма пришел новый работник — пожилой и могучий человек по имени Иошуа Бар.

— Я тебя откуда-то знаю, — сказал ему страж Рылов. — И я разберусь откуда.

Как только в деревне появлялся новый человек, старый страж вылезал из своей ямы с оружием, чтобы «прощупать новичка». Мне нравилось смотреть, как он с усилием выползает из своей зловонной норы, стоит несколько минут на солнце, пока к нему возвращается способность двигаться, потом запрыгивает верхом на свою лошадь, поразительно слаженным движением руки и бедра подает ее назад и галопом вылетает со двора. Такими же поразительно слаженными и заученными были движения всех наших стариков, когда они брали в руки знакомый, привычный им инструмент — старый культиватор, чтобы прополоть траву, или косу, чтобы на праздник Шавуот срезать первые колосья. И таким же было движение дедушкиной руки, когда он гладил свою Шуламит.

Иошуа Бар смущенно улыбнулся. Это был настоящий великан, недалекий и покладистый человек, весь в лысине и морщинах.

— Ну, я, это, покрутился там и сям, — сказал он уклончиво.

— Мы не любим людей, которые крутятся, — сказал Рылов. — Двигающиеся цели, в них тяжело попасть, даже если они с тебя ростом.

— Оставь его, — сказал начальник склада. — Он хороший работник. Чего ты к нему привязался?

— Ладно, — сказал старик. — Но если вы оба, ты и он, хотите умереть в своей постели, пусть не приближается к моему двору.

— Но мы, это, не спим с ним в одной постели. И вообще, как ты со мной, это, разговариваешь? — обиделся Иошуа Бар.

Но Рылов уже пришпорил свою лошадь, выкрикнул напоследок: «И перестань все время вставлять свое «это»!» — и исчез в клубах пыли, так каменно выпрямив спину, что это отбивало всякую охоту следить за ним взглядом.

Иошуа Бар любил играть с деревенской детворой. В обеденный перерыв он заходил в лавку и покупал там буханку хлеба, сто граммов масла, завернутого в вощеную бумагу, и три головки чеснока. Это был его обед.

«Хлеб для здоровья, масло смазывает человеку кишки, чтоб легче, это, ходить на горшок, а в чесноке есть сила, и он против глистов, которые заползают в человека, чтобы съесть его масло», — объяснял он малышам, которые топтались, точно цыплята на обогревателе, на его огромном теле, излучавшем приятную силу и тепло.

В Польше Иошуа Бар был знаменитым борцом. «Я надевал, это, шкуру леопарда, перепоясывался римским поясом и клал на лопатки всех гоев до единого», — возбужденно рассказывал он, демонстрируя старую фотографию, на которой он был изображен в позолоченном картонном шлеме с пышным конским хвостом, и ноги его были крест-накрест перехвачены гладиаторскими ремешками.

Иошуа Бар снимал комнату у Рахели Левин и удивлял начальника склада своим трудолюбием и неутомимостью. Каждое утро он бегал и упражнялся в полях, и его тяжелое буйволиное дыханье разносилось по всей деревне. Дважды в неделю он тренировал деревенскую молодежь в забытых воинских искусствах времен мандата — джиу-джитсу и рукопашной борьбе. «Мне не нужно, это, платить», — стеснительно отказывался он. Но однажды, когда он, побагровев от натуги и удовольствия, показывал малышам, как поднимает одной рукой мешок с комбикормом, из-за кучи сорго вдруг выскочил Рылов, выхватил из кобуры свой русский наган и крикнул: «Ну вот! Теперь я знаю, кто ты. Ты тот силач, из труппы Зейтуни».

Теперь вспомнили все. Хотя годы изрядно проредили былую гриву волос Иошуа Бара, это несомненно был тот самый цирковой силач, который ломал кирпичи и гнул гвозди.

Дани Рылов и секретарь Якоби забрали его в помещение Комитета и вызвали Авраама.

Авраам пришел взволнованный и напряженный.

— Где мой брат? — спросил он с порога.

Но то, что рассказал силач, ничем не могло помочь.

— Твой брат, это, был с нами всего один день, — сказал Иошуа. — Зейтуни дал ему вроде кличку — Альфонсо Коррида, стальной человек из Толедо.

Тошнотворное цирковое прозвище вызвало у присутствующих стон негодования и отвращения.

— Он шел за нами весь день со своей коровой на спине, — продолжал силач.

— Это бык, а не корова. Не она, а он. Бык породы «шероле», — сказал Дани Рылов.

— Ну вот, он, это, шел себе с этим своим коровой, а я глазам своим не верил, сидел в телеге и смотрел, как он все время шел, в этой своей маске на лице, и даже не запыхался. Мы тогда заночевали у арабов в деревне. А Зейтуни, он с того времени, как твой брат к нам пришел, все на меня ругался, а вечером сказал, чтобы я всем готовил ужин, как повар.

На глазах изумленных арабов Эфраим десять раз поднял Жана Вальжана на плечи, и те были потрясены.

Они решили, что в его теле прячется джинн. Его маска и одинокий глаз, освещавший сетку своим зеленым блеском, наводили на них благоговейный страх.

— Но, кроме этого коровы, у него совсем не было силы, — сказал Иошуа. — Я мог бы уложить его одной рукой. Он, это, даже сто килограмм не мог поднять. Или там пятьдесят. Только своего, это, корову.

— Если ты еще раз скажешь «это», — сказал Рылов, — я тебя заставлю проглотить вот этот кнут!

Пинес открыл дверь, вошел и сел сбоку.

В тот вечер Зейтуни заработал много денег. Он был счастлив.

— После ужина он, это, дал твоему брату резиновую женщину.

Слезы навернулись на глаза Авраама.

— За что нам это? Почему именно нам?

— Каким отчаявшимся должен быть человек, чтоб соблазниться такой подачкой? — вопросил, ни к кому не обращаясь, Пинес.

— С ней никто раньше не делал этого, — сказал силач. — Только Зейтуни. Потому что ей вообще не нужны были мужчины. Когда ей хотелось, она могла, это, сама поцеловать себя туда. Она могла сложиться так, что мужчины совсем дурели.

Пинес передернулся и сказал:

— Эти детали нас не интересуют. Вернись, пожалуйста, к Эфраиму.

Силач продолжал:

— Зейтуни запустил ее в палатку с твоим братом, и они начали там друг с другом, а потом мы все услышали, что она орет, как животное, которое рехнулось. И тут, посреди, вдруг пришел этот его корова, поднял своими рогами вход в палатку и стал на них смотреть. Я видел, как они склещились друг с другом, и она, это, вся вроде как обвязалась вокруг него. Твой брат был совсем голый, одна тряпка на лице, и тут он поднял ногу и дал этому своему корове по морде, чтобы тот ушел. Но корова не ушел.

— Вот так же Эфраим смотрел на него, — сказал Авраам таким глухим и измученным голосом, как будто это дедушка говорил из удушья могилы.

— Тогда он встал и пошел, а эта резиновая женщина так и была на нем завязана. А корова взял в рот его одежду и тоже пошел за ними, но метров через пятьдесят мы услышали такой звук, как будто выскочила пробка, и она, это, отвалилась с него, как мокрая тряпка. — Силач сунул толстый, прямой палец в рот, надавил изнутри на щеку и выдернул его, издав отвратительный, мокрый и хлюпающий хлопок. — Вот такой был звук, — сказал он.

Зейтуни бежал за ними, кричал и просил, «но корова повернулся, нагнул голову, посмотрел ему в глаза, захрипел и сделал ногой — вот так, по земле, — и Зейтуни испугался больше подходить».

— И куда же он пошел? — допытывался Рылов.

— По какому азимуту? — спросил Дани. Узи, его сын, служил тогда в армии, в части, которая называлась просто «Подразделение», и Дани подхватил у него несколько армейских терминов.

Иошуа перестал угрожающе реветь и рыть ногой по полу.

— Это было как будто сон. — Его грубое лицо разгладилось и засветилось. — Как будто мне это вроде снится. Он взял своего корову себе на спину, и они исчезли между деревьями и облаками.

— Куда исчезли? Куда? — закричал Авраам.

— Никто не знает, — сказал силач. — Зейтуни тоже искал его немного, думал, может, твой брат, это, раскается. Но они ушли насовсем. Я никогда в жизни не видел такого человека. Мы всего два дня были вместе. Утром я ему завидовал, в обед боялся, а вечером уже любил.

На следующий день Зейтуни купил у арабов новорожденного теленка и потребовал, чтобы силач начал тренироваться в поднимании быков.

— Я сказал ему: сколько я там могу поднять? Корову в двести кило? В триста кило? Это мой предел. Как он, я все равно никогда не смогу. Я знаю, что такое сила. Я специалист по силе. Это не сила. Только совсем пропащий человек может сделать такое. Или, это, двое хороших друзей.

Стоя под окном, я услышал, как кто-то тяжело вздохнул и отодвинул стул. Авраам устало поднялся и вышел. Иошуа Бар посидел еще мгновение, а потом прыгнул к окну и прокричал ему вслед, буквально над моей головой:

— Я так думаю, что корова не хотел, чтобы твой брат делал это с резиновой женщиной.

Якоби и Дани толкнули его обратно на стул.

— А почему ты вернулся сюда, Иошуа? — подозрительно спросил Якоби.

— Я бросил Зейтуни. Не хотел больше работать у него. Давно уже. Потом я делал всякие другие работы. Был на строительстве, грузил мешки с цементом, и в порту тоже, привязывал, это, корабли и, только когда пришел сюда, вспомнил, что человек с коровой — он из этой самой деревни.

И тут я услышал, что старый Рылов поднялся, и понял, что сейчас он встанет за спиной допрашиваемого и начнет швырять пугающие вопросы в его оцепеневший затылок.

— Ты рассказал нам красивую басню про Эфраима и его быка, — сказал он. — Мы такие сказочки слышали уже не раз. А теперь слушай меня внимательно и отвечай. Вам попадались по дороге англичане?

— Нет.

— Я опять повторю, а ты веди себя, как следует. Тебе не доводилось видеть англичан, которые говорили с Эфраимом, что-нибудь получали от него или передавали ему?

— Какие у тебя, это, англичане в голове? — рассердился Иошуа. — Мы давно в нашем собственном государстве. Твои англичане давно ушли.

— Послушай, я уже имел дело с такими, как ты, и даже в два раза потяжелее, — сказал Рылов с искренней тоской. — Припомни хорошенько. Может, это был хромой английский офицер с палкой? Или два шотландца?

— Что это — шотландцы?

— Не вздумай мне выходить из деревни, — предупредил Рылов. — Я проверю твою историю у моих друзей в Галилее. А потом у меня к тебе будут еще вопросы. Мы тебе не просто люди. Мы — Комитет! — С годами его голос стал гулким, как будто звучал в пустоте, и теперь его слова, прозвенев в воздухе, продолжали отдаваться от стен и после того, как он вышел из комнаты.

Авраам вернулся с допроса Иошуа Бара раздавленным, словно весь мир разом обрушился на него. Не входя в дом, он направился прямо в коровник и там стал реветь, и кружить с растопыренными руками, и метаться вперед и назад, как зарезанная Шошанна, и борозды на его лбу врезались так глубоко, что побелели от напряжения. Иоси был в армии, Ури работал у своего дяди, и Ривка поймала меня, когда я возвращался, и потащила в коровник, чтобы я проследил за ее мужем, не то он разобьет себе голову о стену. Я подождал, пока он упал на пол, и понес его домой.

Я нес его без труда. Без всяких усилий. Я сильный человек. Большой, как бык. Внук послушный и опасный, широкий в плечах и жестоковыйный. Зачем мне вся эта сила, которую дедушка втиснул в мое тело? Так я нес больного Пинеса, так я нес моего мертвого дедушку, так я нес едва не утонувшую в море серфистку. Так я несу смертельно усталого Шифриса, свои мешки с деньгами, бочку рассказов, мою мать — высокую, красивую, сгоревшую дотла.

Циркин-Мандолина умер на своей кровати во дворе. Песя, которая умерла через год после него, даже не знала, что он умер. Она лежала одна, в маленькой комнате, в гериатрической больничке, принадлежавшей Рабочему движению, правая половина ее тела была парализована, и она непрерывно вела крикливые, язвительные и бессвязные разговоры с министром финансов, с Фаней Либерзон и с кем-то еще по имени Эттингер. Мешулам пришел сообщить ей о смерти отца, и она не поняла, о ком идет речь. Она лишь повторяла: «Цветок в пупке, цветок в пупке» — и все просила спасти от огня ее ночную рубашку.

Циркин умер шумно, возмущенно, не соглашаясь и сопротивляясь. Вся деревня слышала, как он борется с госпожой Смертью.

«Мне никто не говорил, что это будет еще и больно!» — кричал он с горьким удивлением.

Мешулам и доктор Мунк стояли у его кровати. С помощью Элиезера Либерзона, которого по этому случаю привезли из дома престарелых, они пытались убедить Циркина перейти в больницу. Он спорил, извивался, отказывался наотрез.

«Это дело нескольких минут», — прохрипел он.

«Ваши студенты воткнут в меня трубки», — простонал он.

Потом сознание его затуманилось.

«Позовите доктора Иоффе».

И после короткого молчания: «Иди, поешь с нами, Фейга. Я приготовил печеную тыкву, с яйцами и мукой. Иди, они оба ушли, пойдем со мной в воду, она совсем не холодная».

И вдруг закричал: «Товарищи Циркин, Миркин и Либерзон обязуются не делать никаких попыток!» Но только я понял его слова.

Потом он слегка успокоился, но его грудь по-прежнему поднималась и опускалась с трудом.

«Главное — это дышать, — сказал он себе. — Не переставать дышать ни на секунду».

Новый приступ болей подбросил его тело, и он снова начал кричать. На этот раз он проклинал тех, кто «считает ямы», — давнее, оставшееся на слуху название, смысла которого уже никто не понимал. «Все началось из-за этих слабаков, из-за этих счетчиков!» — ругался он.

— Кто это — счетчики ям? — спросил я Мешулама несколько недель спустя.

— Какая-то отцовская выдумка, — сказал Мешулам.

Письмо, которое Циркин-Мандолина написал бабушке Фейге, письмо, которое так и осталось неотправленным, я не отдал. Остальные бумаги, которые были в коробке, Мешулам зачитал на могиле своего отца. Он пришел в восторг, обнаружив там подлинник письма Ханкина, в котором шла речь о выселении арабских издольщиков с земель Эйн-Тивона, и отчет о покупках «Трудовой бригады имени Фейги», помеченный зимой

1919 года. «Два ротеля[1] муки, кунжутное масло, четыре рубашки из арабской ткани, соломенная шляпа для Миркина».

Он утверждал, что письмо Шифриса — это подделка. «Жалкий розыгрыш», — сказал он, но тем не менее сохранил его в своем архиве. «Если захочешь обменять его на устав «Трудовой бригады», я готов поговорить», — предложил он.

Мы опустили гроб в яму, и Мешулам присыпал его землей. После двух-трех неуклюжих гребков мотыгой, его сменил последний член «Трудовой бригады», старый слепой Либерзон, который закончил дело несколькими точными движениями лопаты.

— Куда ты девал отцовскую мандолину? — спросил Мешулам, когда люди уже начали расходиться.

Я показал на могилу.

— Что?! — заорал он. — Ты положил ее в гроб?!

— Согласно просьбе покойника, — сказал Бускила.

— Так хотел твой отец, — объяснил я.

Мешулам бросил на нас убийственный взгляд, схватил лопату и стал раскапывать только что засыпанную могилу. Мы не вмешивались. Я остановил его лишь некоторое время спустя, когда он уже достаточно углубился и звуки стали слышнее.

— Прислушайся, Мешулам.

Он продолжал копать. Я вырвал у него лопату и отшвырнул ее в сторону.

— Прислушайся хорошенько, Мешулам!

У нас в деревне люди привыкли, что из-под земли то и дело доносятся какие-то звуки: скрипучее пробуждение улиток, щебет немецких детей, умирающих в лихорадке, задыхающийся хрип тонущих солдат Сисары. Сейчас Мешулам услышал трепетанье отцовских струн, его сухожилий, его ресниц.

Осиротевший Мешулам, старый и ленивый человек, никогда в жизни не посадивший дерева и не познавший женщину, разразился слезами, упал лицом на землю и крикнул: «Прости, папа, прости!»

44

Летом на кладбище вовсю стрекотали цикады, страстно прижавшиеся к веткам олив и кустам жасмина. Воткнув свои короткие хоботки в кору, они сосали свежие соки из жил растений и извещали об этом весь мир протяжным и монотонным воплем наслаждения. Это был тот же оглушительный стрекот, что из века в век сопровождал землю и населявших ее людей, начиная с первобытного племени в пинесовской пещере и кончая «Трудовой бригадой имени Фейги». Это он встречал армии захватчиков, толпы паломников и репатриантов, караваны странствующих купцов и бродячих циркачей.

Человек, не привыкший к оглушительному голосу цикад, может обезуметь уже через несколько минут, но у нас, у людей Долины, они были любимыми певуньями лета и поля.

«Что заставляет их петь? — вопрошал Пинес меня и себя. — Это не брачная песня, потому что самки не идут на голос самца. И не остерегающий голос на границе своей территории, потому что самцы цикад не нападают друг на друга. И вдобавок ко всему они почти лишены слуха. Что же заставляет их петь?»

Он посмотрел на меня в ожидании ответа, но мне было тогда всего десять лет, и я был точно тяжелый, прожорливый мешок, в котором полно чужих рассказов и ни одного своего ответа.

«Вот настоящая песня этой земли, — сказал Пинес. — Упрямый крик, без нот и мелодии, без конца и начала, одна лишь вызывающая и торжествующая декларация существования: "Вот она, я!"».

«Да будет тебе известно, Барух, — сказал Пинес, — что это скромное насекомое, именно оно — настоящий герой знаменитой басни о стрекозе и муравье. Переводчики-недоумки извлекли эту цикаду из ивритского текста и назвали ее стрекозой. Вся эта глупая басня — плод огромного невежества».

Он привел меня в сад. Солнце пылало над огромными полями. Ни одной птицы не было в небе. Телята стояли в квадратной тени изгородей, вывалив языки, сети паутины застыли, и их обитатели спрятались среди веток. Обожженные бабочки падали на землю, и их крылья в моей руке были горячими и твердыми, как медные листочки. Только цикада, квадратная и стойкая, с силой и страстью выводила свой знойный гимн суховею. Ее резкий оранжевый голос прорывался сквозь листья, бросая вызов ярости солнца, смеясь над пламенем земного пекла.

Пинес был большим мастером ловли цикад. Каждый ребенок в мошаве знал, что цикады замолкают в тот момент, когда различают приближающегося человека, спешат взлететь и исчезнуть. Но Пинес открыл мне, что их острое зрение маскирует почти полную глухоту.

«Фабр взрывал заряды под каштаном в своем саду, но цикады даже не шелохнулись», — рассказывал он мне. Анри Фабр, французский энтомолог, был любимым автором Пинеса. «Может, он был не так уж педантичен в своих наблюдениях и не верил в теорию эволюции, — признавал учитель, — но, к его чести будь сказано, он был наивен и любопытен, как ребенок».

Мы вместе приблизились к кустам. Рука Пинеса метнулась вперед, из ветвей донесся ужасный вопль, и вот уже цикада забилась в его пальцах. Теперь он показал мне ее огромные мозаичные глаза, прозрачные, в прожилку, крылья, клапаны голосовых сумок по бокам брюшка. Взяв тонкую соломинку, он поиграл по клапанам и извлек из цикады короткий стрекот.

И тут он объяснил мне, как велико человеческое невежество. Аристотель, сказал он, верил, что мухи рождаются из гнилого мяса. В Моисеевой Торе написано, что заяц и кролик жуют жвачку. «Жалкие глупцы! — прошептал он. Он всегда понижал голос, когда держал в руке насекомое. — Невежды! А сколько безграмотности и глупости содержится в той басне! Ведь цикада зимует под землей в виде личинки и совершенно не нуждается в милостях муравья. А летом именно прилежный муравей оказывается грабителем, который ворует у цикады плоды ее труда».

Я был тогда десятилетним ребенком. Я все еще помню, каким жестким казалось мне ее маленькое тельце, когда она извивалась и била сильными ножками, пытаясь вырваться из моих пальцев. Пинес показал мне, как она высасывает сок, сидя на кожуре яблока, и как длинная колонна темных маленьких муравьев, почуявших сладость сока, ручьем течет к ней вверх по древесному стволу. Первые из них уже прижались к хоботку цикады, взобрались на ее спину, жадно заглатывая крохотные капельки сока, который вытекал из пробуравленного ею отверстия. В воздухе висел дурной, напористый запах муравьиной кислоты.

«Видишь, — сказал Пинес. — «Пойди к муравью, ленивица[1], — повторяют они, — к этому прощелыге, попрошайке и паразиту, который прилюдно грабит трудолюбивую цикаду под покровительством царя Соломона и лицемерного буржуя Лафонтена».

Дедушку цикады не интересовали. Насекомые, которые не угрожали или не помогали плодовым деревьям, не удостаивались его внимания. Иногда, правда, цикада оставляла красноватое колечко на кожице фруктов, но дедушка не видел в этом никакого вреда. Однажды, копая с ним в саду, я увидел личинку цикады в ее глубоком туннеле. Там она проводила свою жизнь в полной тьме, прижавшись к одному из корней и высасывая из него пищу. Личинка была бесцветной и неповоротливой, глаза ее помутнели от темноты, и ее осклизлое тельце выскользнуло из моих пальцев.

Благодаря Пинесу я удостоился также присутствовать при последнем превращении цикады. «Это дело удачи», — предупредил он меня, и буквально в тот же момент гусеница выбралась на поверхность земли и стала оглядываться в поисках куста, на который можно было бы забраться. Она была еще неуклюжей и тяжелой, но ее глаза уже потемнели и блестели на солнце.

«Вместилища уже готовы принять солнечный свет и окончательную форму, — прошептал Пинес. — Ибо сладок свет и хорошо глазам видеть солнце».

Мы сидели на земле, и рука учителя лежала на моей. Гусеница оседлала ветку куста, поползла по ней и остановилась. Ее кожа треснула вдоль всей спины, как будто вспоротая невидимым лезвием.

Мало-помалу взрослая цикада высвободилась из своих младенческих пеленок. Ее мокрые и слабые ножки медленно подрагивали, влажная мантия крыльев начала затвердевать. Три часа подряд мы следили за тем, как солнце и воздух наполняют ее жилы и как ее цвет из желтовато-белесого становится зеленым, а затем коричнево-серым. Потом она разом оторвалась от дерева, полетела своим путем, и тут же послышался ее громкий голос, спорящий с голосами подруг в поле, опьяненный гордостью свершения, существования и жаждой жизни.

Пинесом овладела задумчивость. «Сегодня ты видел зрелище, которое немногим довелось увидеть», — сказал он.

Мы поднялись и направились домой, и вдруг учитель схватил меня за руку.

«"Во все дни свои ел впотьмах"[2], — процитировал он. — Четыре года она буравила землю в полной темноте, и четыре недели отпущены ей петь под сладким светом солнца. Стоит ли удивляться, что она так радостна и голосиста?»

Эти слова произвели на меня большое впечатление. Я рассказал дедушке, как поет цикада, но он пренебрежительно махнул рукой. «Пинес большой знаток, — сказал он, — но он окружает своих жучков множеством небылиц. Разве гусеница в земле печальна? А цикада на дереве радостна? Пинес приписывает насекомым человеческие переживания».

Но там, в садах моего детства, учитель смотрел на меня и улыбался, радуясь каждой возможности одарить, воспитать и повлиять. А я, хоть и совсем маленький, понимал, что он изо всех сил трудится надо мной и формирует меня. Я знал, что они с дедушкой часто спорят обо мне, и, как большой теленок, вытягивал шею, чтобы получить побольше ласки.

«Тебе как будто недостаточно, что он сирота, без отца и матери. Зачем ты еще наваливаешь ему на плечи все свои несчастья», — возмущался Пинес над ночной миской маслин.

Я лежал в кровати, «Жизнь насекомых» Анри Фабра, которую Пинес дал мне почитать, лежала у меня на груди, и большое счастье заполнило меня, когда я услышал, как дедушка ответил: «Он мой Малыш».

Только по прошествии многих лет Пинес признал, что его энтомологические поэмы не имели под собой никакой научной базы и произносились лишь для того, чтобы дать мне первое представление и увлечь изучением природы. «Очарование, которое испытывает человек, глядя на животных, — не что иное, как форма эгоизма. Его источник — в нашей потребности к самоутверждению. Мы одомашниваем животных, дрессируем птиц, надеваем шляпы на обезьян, и все для того, чтобы доказать себе, что мы — венец творения.

Странным образом, — продолжал Пинес, — рассказ о сотворении в Танахе и теория эволюции Дарвина привлекательны одним и тем же: они представляют человека высшей ступенью. Но, мальчик мой, вправе ли мы предположить, что природа так разумна и целенаправленна? А может, она не что иное, как цепь случайностей, исторгающая из себя свои ошибки?»

Он открыл свою большую книгу Танаха и показал мне «важный стих»: «Участь сынов человеческих и участь животных — участь одна; как те умирают, так умирают и эти… и нет у человека преимущества перед скотом»[3].

«Все комментаторы ошибочно толковали этот стих, — захлопнул он Танах. — Самое важное слово в нем не «смерть», а «участь». Не смерть выражает равенство меж человеком и животным, а участь».

Он внимательно посмотрел на меня и растаял, увидев, как неотрывно я ему внимаю.

«Участь человека и участь животных… — повторил он. — Оба они — результат игры случая и оба одинаково подчинены капризам случайности. — И вдруг расхохотался. — Уж не говоря о рабочем скоте нашего мошава, участь которого — трудиться, как мы.

Помнит ли цикада четыре года, проведенные под землей? — вопрошал Пинес, сидя под яблоней. — Помнит ли эта прекрасная бабочка те времена, когда она была грузной гусеницей на листьях руты?

Этап личинки, — объяснил он мне, — это не только время созревания и неслышной подготовки, но также время забывания и забвения, непроницаемая стена между личинкой и взрослым насекомым, между этими двумя, такими противоположными, формами жизни одной и той же души.

Но мы, люди, — продолжал он свои ламентации, — не удостоились этого жуткого дара. Мы не только приговорены тащить на себе горб памяти, но и не получили в награду эту коротенькую жизнь, которая вся — полет, любовь и восторженная песня, свободная от непрерывного обжорства, стяжательства, ожирения и глупости».

Я зачарованно следил за колонной разбойничьих муравьев, которые атаковали цикаду, согнали ее с места и теперь расхищали тот кладезь сока, который открыла она. Пинес посмотрел на меня и понял, что сейчас самое время вложить в мои уши заключительный вывод. «Почему же тогда Соломон прославлял именно муравьев? — спросил он. — Потому что Соломон был царь, а цари всегда отдавали муравьям предпочтение перед цикадами и пчелам — перед навозными жуками. В точности как этот мерзавец Мичурин. Они всегда видели в нас слепую массу людей, рабская покорность которых передается по наследству».

Когда мы вернулись в нашу времянку, он взял с кровати дедушкин томик Бербанка и зачитал вслух: «Перед лицом природы безусловно равны ядовитая змея и самый великий государственный деятель».

«Зачем? Зачем? — Дедушка вскочил из-за кухонного стола. — Зачем ты забиваешь мальчику голову этой дурью?»

Продолжение пинесовского урока я услышал, только когда повзрослел, а старый учитель заболел и сбросил с себя прежние оковы. «Лучше всю жизнь катить свой навозный шарик, чем питаться медом со стола власть имущих», — провозгласил он, с хихиканьем пережевывая сласти жены Бускилы.

45

Теперь только Рылов, Пинес, Тоня, Левин и Рива остались в деревне. Я попросил Бускилу время от времени возить их в дом престарелых, навещать слепого Либерзона, и он «почел за честь» выполнить мою просьбу. Но

Либерзон не проявлял к ним большого интереса. Только когда Левин опубликовал свою клеветническую статью о Зайцере, он отреагировал своей знаменитой статьей, а когда взорвалась отстойная яма Рылова, он услышал грохот, сразу сообразил, в чем дело, и прибыл на похороны.

Рылов был уже очень стар. Он все реже появлялся из своей ямы — еще раз проскакать по садам, проветриться, набраться солнечного тепла и настороженно осмотреть все кругом. Со всех концов Страны приезжали люди посмотреть на престарелого Стража, который все еще был крепким, как старый сапог, и мог часами неутомимо мчаться на лошади. «Они не понимают, что этот несчастный старикашка из последних сил забирается в седло и потом скачет два дня подряд просто потому, что стыдится попросить, чтобы ему помогли слезть с лошади», — ответил мне Ури, когда я описал ему допрос Иошуа Бара и подозрения Рылова.

Я думаю, что пары́ мочевых кислот, которые годами просачивались в наглухо забитые ящики в рыловском тайнике, разъели залежавшиеся упаковки химических детонаторов. Взрыв оружейного тайника тряхнул всю деревню. Тысячи старых патронов для маузера, груды гранат и тонны гелигнитовых лепешек и динамитных шашек подняли в небо бушующую волну нечистот, молока, перемолотой земли и перекрученных ружейных стволов.

Когда желтое облако рассеялось, оказалось, что на месте рыловского двора зияет огромный котлован. Телятник его сына Дани превратился в смесь обугленных труб и жареного мяса. От сеновала остались только дымящиеся головни, которые шипели и шептались под нескончаемыми каплями дождя. «Четырнадцать дойных коров бестрепетно отдали жизнь, так и не выдав, даже под угрозой гибели, где крылось оружие» — так подытожил событие Ури. Старый Рылов рассеялся в радиусе сотен метров. Его сын Дани и внук Узи, верные семейному духу конспирации, убедили следователей из полиции, что имела место техническая авария, вызванная смешиванием большого количества красного фосфора и солей серы и калия, предназначенных для удобрения полей.

Остатки Рылова искали несколько дней по всему мошаву, но старика так и не нашли. Прошли долгие месяцы, пока выветрился ужасающий запах аммиака, дыма и подгоревшего жаркого, и тогда были обнаружены подкованные сапоги старого всадника, наполненные гниющим мясным фаршем. Правый сапог скрывался в кустах возле источника, а левый укрылся под бугенвиллеей, которая обвивала опоры водонапорной башни. Их упаковали в нейлоновый мешок и торжественно похоронили на моем кладбище при большом стечении народа.

На похороны сапог прибыли последние из Стражей, ветераны Хаганы и Рехеша[1] и сотни бледных, как смерть, никому не известных старцев, которые выбрались по такому случаю из своих отстойных ям, подвалов и закупоренных бетонных погребов. Когда могила была засыпана, они сгрудились в тени деревьев, чтобы обновить пароли, сверить часы и обменяться секретами.

Мы всегда знали, что Рылов продолжал собирать оружие и после образования государства, но никто не представлял себе, какие огромные количества он сумел раздобыть. «Только этот Страж мог бы вооружить две дивизии! — воскликнул один из выступавших в своей надгробной речи. И вперил пожелтевшие глаза в толпу собравшихся. — Мы оплакиваем тебя, товарищ Рылов. Мы выражаем сочувствие Тоне, твоей подпольной подруге. Мы сожалеем о том, что твой тайный склад был обнаружен. И мы очень, очень сожалеем о твоем пропавшем оружии».

Но Тоня, которую жизнь с мужем научила, что смерть — недостаточная причина для прощения, отошла от свежей могилы, направилась прямиком к надгробью Маргулиса и на виду у всех скорбящих уселась на своем обычном месте. Ее тело уже образовало себе постоянный, устойчивый просвет в облаке пчел, и теперь, вписавшись в него, она снова начала облизывать и обсасывать свои укорачивающиеся пальцы.

Либерзон тоже остался после похорон на кладбище и стал бродить среди памятников, нащупывая путь своей палкой из померанцевого дерева. Когда я подошел к нему, он потрогал рукой мое лицо и плечи и сразу же опознал меня. «Какой ты большой, — сказал он. — Сила твоего отца и рост твоей матери». Потом попросил меня провести его к могиле Фани, сел на белый камень и с силой втянул воздух. «Вот и Рылов ушел, — сказал он. — И этот безумец тоже. Большая потеря. Пинес и Миркин терпеть его не могли, но, если бы не Рылов и его друзья, мы бы не устояли. Нужны, нужны и такие люди».

Запах цветов и декоративных растений радовал его. «Ты должен посадить здесь еще и овощи, — сказал он мне. — Овощи здесь хорошо взойдут». В России, рассказал он, один крымский крестьянин сажал кабачки и лук, арбузы и картошку среди могильных памятников на кладбище своей деревни и получал поразительные урожаи. Его картошка была размером с дыню, арбузы были необыкновенно красные и сладкие, «а одну его тыкву, которая весила шесть с лишним пудов, почти как ты, Барух, взяли у него и доставили на тройке прямо во дворец Николая Второго».

«Кровь мертвых бурлила в жилах растений. Ты посади на моей могиле розы и баклажаны, я накормлю их своим старым мясом. И я еще расцвету в Стране Израиля!»

Либерзон вынул из кармана садовый нож с деревянной ручкой. Точно такой же нож был у дедушки, он надрезал им кору деревьев. Я осторожно присел рядом с ним на могилу Фани, опасаясь, как бы он не почувствовал это и не рассердился. Он вытащил из кармана яблоко «джонатан» и принялся его чистить. Тонкая, ровная кожура сходила с яблока длинной красноватой лентой, которая все удлинялась и спускалась, пока не было очищено все яблоко, и Либерзон начал жевать его своими ороговевшими деснами.

«Там, в кибуце, — задумчиво сказал он, — на том месте, где стоит фабрика, раньше был замечательный виноградник. Там я встретил Фаню».

Перед вечером Бускила отвез нас обратно в дом престарелых. Либерзон сидел между нами, на передней скамье черного пикапа, слабый и увядший. «В следующий раз я уже буду ехать сзади, — сказал он. — Лежа».

Когда мы прибыли в дом престарелых, я помог ему спуститься и провел в его комнату. Старый болгарин, лежавший в своей кровати в шелковой рубашке и черном галстуке-бабочке, улыбнулся слепому другу.

— Привет, Альберт, — сказал Либерзон.

— Вы уже вернулись? — спросил Альберт.

— Все кончилось.

— У нас после похорон все идут в дом умершего и много едят, — сказал Альберт с тоской. — Пастеликос, афью, холодная фасоль. И выпивают тоже.

— А у нас после похорон продолжают жевать комбикорм, — сказал Либерзон.

Старики засмеялись.

— У меня была когда-то девушка в Варне, — сказал Альберт. — У нее была грудь — три кило тут и три кило тут, и все это теперь в земле.

Либерзон показал мне рукой, чтобы я уходил, и я вернулся домой.

46

Настало время, когда все наши старики начали умирать один за другим, словно сговорившись. Выступавшие на похоронах поминали «пустоту, оставшуюся после ушедших», но природа, вопреки своей «ненависти к вакууму», о которой говорил нам Пинес, эту пустоту почему-то не заполняла.

Как-то ночью я пошел заглянуть в окно Мешулама. Он сидел, низко склонившись над своими брошюрами. Лицо его, окруженное белоснежным ореолом клочковатой траурной бороды, было изрезано покаянными морщинами. Людям, приходившим к нему с соболезнованиями, он первым делом рассказывал, как глубоко раскаивается теперь в своей былой лености, укоротившей дни его отца, и как корит себя, что всю жизнь занимался мелочами, а не главным, после чего плавно переходил к перечислению, чуть не нараспев, принципиальных различий между обычным комаром и малярийным анофелесом. Личинка обычного комара висит в воде по диагонали и дышит через длинную дыхательную трубку, тогда как личинка анофелеса висит горизонтально, и дыхательная трубка у нее коротенькая, а кроме того, у обычного комара усики короткие и животик опущен книзу, тогда как у малярийного усики намного длиннее, а живот приподнят. Когда же посетители спрашивали, к чему он перечисляет им элементарные факты, которые может продекламировать на память любой ребенок в мошаве, он кротко отвечал, что в Израиле еврейская память ослабла и размякла, как тесто, и поэтому необходимо кое о чем напоминать.

По окончании положенного тридцатидневного траура Мешулам глянул на себя в зеркало и решил не сбривать отросшую бороду. «Ему впервые в жизни удалось что-то вырастить, и теперь он не хочет расставаться с этой грядкой, что проклюнулась у него на лице», — писал мне Ури, вновь и вновь заклиная, чтобы я продолжал сообщать ему обо всем, что происходит в нашем мошаве.

Борода Мешулама росла на славу и по обычаю всех бород придавала своему хозяину неколебимую самоуверенность и глубокую убежденность в правоте выбранного им пути. Каждый день он заявлялся на могилу отца, чтобы задать ему очередные вопросы, и его приход неизменно вызывал большое оживление среди других посетителей кладбища. В старой рабочей одежде, перепоясанный истрепанным веревочным поясом покойного Мандолины, в белой бороде и с гривой исполосованных проседью волос, Мешулам казался им живым воплощением Ханкина, Гордона и пророка Исайи одновременно. Американские туристы и прибывшие с экскурсией школьники почтительно взирали на него и робко просили разрешения увековечиться с ним рядом на фотографии. Бускила предложил мне платить Мешуламу «какую-нибудь мелочь», пусть тот так и расхаживает целый день по кладбищу в своей старой кепке и с мотыгой в руках. Он подумывал даже, не пригласить ли нам фотографа, чтобы напечатать сувенирные открытки с его портретом и продавать их посетителям. Но меня присутствие Мешулама стало все больше раздражать. С тех пор как Авраам и Ривка уехали за границу, он вконец разошелся. Как-то раз он потребовал, чтобы мы водрузили возле памятника его отцу — он так и выразился: «водрузили» — чучело нашей дойной рекордсменки Хагит. Теперь, когда дедушка умер и Авраам уехал, все хозяйство лежало на мне, и у меня не было терпения возиться еще и с Мешуламом.

«Мне только твоей облезлой коровы недоставало, — сказал я ему. — А кроме того, если бы твой отец хотел, чтобы она стояла с ним рядом, он сам сказал бы об этом Либерзону».

Бускила уже собрался было произнести свою постоянную формулу: «Покойница не соответствует условиям приема», — но Мешулам вдруг прекратил свои настояния. Его лицо, окруженное белоснежно сияющим, призрачным нимбом первопроходца, мужественно осушающего болота и озеленяющего пустыни, обрело то скорбное выражение, которое он усвоил благодаря долгому и сосредоточенному разглядыванию старых фотографий.

В течение нескольких недель он безуспешно пытался заниматься сельским хозяйством. Сначала притащил к себе во двор стайку цыплят род-айлендской породы, но тут же передумал и решил переключиться на овощеводство. Стеснительно обратившись к Рахели Левин, овощи которой славились на всю Долину, он показал ей одну из достопримечательностей своей книжной коллекции, «Выращивание овощей в Стране Израиля» — сочинение земледельца Лифшица (и далее) из Петах-Тиквы. Рахель с сомнением глянула на старую брошюру, на обложке которой, точно наглядная иллюстрация к пророчеству о стране, текущей молоком и медом, красовались два толстых ребенка и огромная головка зеленого салата, и осторожно намекнула Мешуламу, что эта книга много старше нашего мошава, так что ее советы, скорее всего, давно устарели.

Но Мешулам был совершенно пленен непринужденным очарованием лифшицевского стиля. «Баклажан любит землю легкую и сдобренную», — громко зачитывал он мне, и губы его при этом округлялись так, будто он пробует на вкус то удобрение, которое больше всего любят баклажаны. Особенно околдовали его две фразы Лифшица: «Самый предпочтительный сорт редьки для климата Страны Израиля — это штутгартский белый гигант», а также: «Чем животное меньше, тем навоз от него лучше: испражнения овцы лучше испражнений коровы, испражнения диких птиц лучше испражнений голубей, а самый лучший продукт дают шелковичные черви».

«Он, видно, мечтает, какие гигантские арийские редьки вырастут у него на испражнениях бактерий», — откликнулся Ури, добавив, что Мешулам может войти в историю как «первый земледелец в Долине, который удобрял землю с помощью пинцета и увеличительного стекла».

Мешулам и впрямь раздобыл где-то шелковичных червей, и Рахель, как всегда терпеливая и добродушная, позволила ему каждый день срывать с большой шелковицы в ее дворе свежие листочки, чтобы кормить этих крохотных животных. Но земля упрямо распознавала неуверенность его испуганных, дрожащих прикосновений и, корчась, выблевывала его семена. А вечно голодные цыплята тихо злобствовали за его спиной.

Тем не менее Мешулам не сдался. Предчувствие великих свершений уже вошло в его сердце, и он вышагивал теперь по мошаву с торжественным и многозначительным видом будущей роженицы. Мошавники хорошо знали это выражение по своим беременным женам и коровам, но не узнавали его на бородатой физиономии Мешулама и принимали за проявление скорби.

Упрямство отца и бесстыдство матери, соединившись в одном неуклюжем теле, наделили Мешулама неслыханными силами. Он арендовал мошавную косилку и тяжелую борону и с корнем выворотил буйный ковер одичавшей моркови, колючек и резеды, который покрывал его участок. Последние полевые мыши, змеи и сороконожки в ужасе бежали с земли, которая была их прибежищем с тех самых пор, как болезнь сразила Циркина-Мандолину. Потом он нанял Узи Рылова, чтобы тот хорошенько пропахал его поле. Урчащий зеленый трактор запахал глубоко в землю норы кротов, раздавил яйца ящериц и вскрыл вечно мрачные туннели рассерженных медведок, обнажив их тела беспощадному солнцу. Под конец Узи собрал всю траву на краю участка, Мешулам поджег ее и долго, как зачарованный, внимал благовестию этого ревущего очистительного пламени.

«Наш Мешулам наконец-то решил стать земледельцем», — сообщали друг другу мошавники, встречаясь по вечерам на молочной ферме, и многие стали предлагать ему свою помощь и совет, потому что единственным знакомым ему земледельческим орудием были ржавые лемехи Кирхнера и Цирле, изображения которых он встречал в сельскохозяйственных журналах 1920-х годов. Но Мешулам отвергал все советы. Вместо этого он вызвал большой экскаватор окружного Комитета и обнес свой участок плотной земляной насыпью метра в полтора высотой. Изумленным соседям он объяснил, что намерен поэкспериментировать с культурами риса, которые выращивают на заливных полях.

«Рис — это очень важный и весьма питательный продукт, которому еврейское Рабочее движение до сих пор не уделяло должного внимания», — торжественно провозгласил он.

Но на сей раз ему никто не поверил. Все поняли, что седая борода, сыновья скорбь и показная пахота скрывают за собой намерение Мешулама создать самое большое из своих искусственных болот. Было решено обсудить эту угрозу на ближайшем общем собрании, в повестке дня которого стояли переговоры с поставщиками комбикорма, централизованная закупка арматуры для расширения коровников, а также, к моей большой радости, просьба Ури разрешить ему посетить мошав.

Со времени его изгнания прошло уже несколько лет, и страсти поутихли. Жена Якоби давно вернулась в мужнин дом, окруженная тихим сиянием гордого примирения и новых, подхваченных в городе идей, и, когда Ури прислал в Комитет мошава письмо с просьбой разрешить ему приехать на праздники, мне было ясно, что просьба его будет удовлетворена.

Но собрание не состоялось, потому что Мешулам действовал с неожиданной быстротой. В ночь перед собранием он вышел в поле в отцовских рабочих сапогах и с новым пятикилограммовым молотком, купленным на складе инструментов. Никогда еще в жизни, даже в ту минуту, когда он обнаружил в картонном ящике Комитета завалявшиеся там письма Слуцкина[1] и Берла[2] к Либерзону, его сердце не билось так радостно, как сейчас, когда он шел вдоль труб орошения и один за другим сшибал с них большие вентили, не давая себе труда оглянуться.

Вода фонтаном вырывалась из каждой следующей проломанной трубы и с шумом хлестала на землю. Вначале она еще отчасти просачивалась в грунт, но потом, когда отдельные комочки земли склеились друг с другом, все поле превратилось в одно огромное грязевое озеро, и вода в нем начала подниматься.

Домой Мешулам не вернулся. Всю ночь он месил сапогами грязь, а когда вода поднялась выше его сапог, забрался на свою земляную насыпь. К тому времени, как из коровников и птичников послышались первые испуганные вопли, разбудившие членов Комитета, которые тотчас обнаружили, что давление в оросительной системе мошава резко упало, поля Мешулама уже были залиты полностью, а мошав потерял трехнедельную норму водного рациона.

С рассветом люди столпились на границах циркинского участка, глядя и не веря собственным глазам. Взбаламученная грязь уже осела, и многочисленные заливы и протоки новоявленного озера покойно сверкали на солнце. С того угла, где я стоял, было видно отражение голубой горы, которое дрожало в лениво покачивающейся воде, и неописуемый ужас, вызванный видом затопленной земли, смешивался с какой-то скрытной радостью, которую испытывает всякий земледелец при виде всего, что прозрачно и прохладно, и течет, и журчит, и отражает в себе облака. Один только Пинес сразу понял, что произошло на самом деле. Кончились долгие годы мирных чередований посева и жатвы, и слез, и песен, и шуток. Цепи времени наконец распались, и недра некогда скованной земли разверзлись снова.

«Стоя там, я вспомнил тот день, когда маленький Авраам Миркин прочел свою поэму, — показывал он много позже перед комиссией по расследованию, назначенной руководством Движения. — Тогда тоже не все почуяли надвигающуюся беду». Члены комиссии посмотрели на него, переглянулись и поскорей отправили его домой.

Спустя некоторое время люди стали расходиться, но я все никак не мог сдвинуться с места. Чем дольше я смотрел, тем больше мутнела прозрачная вода, на моих глазах покрываясь кошмаром зеленоватой слизи. На запах легенд и сомнений выползали из укрытий ростки осоки и плакун-травы, оживали большие улитки, которые всю свою жизнь ждали этой влажной вести, а надо всем этим высился на своей насыпи обмотанный цыганской тряпкой своего отца Мешулам, который размахивал ржавым кривым серпом для расчистки тростников, снятым со стены «Музея первопроходцев», и восторженно орал: «Здесь будет болото!»

«Здесь будут комары!» — яростно крикнул ему в ответ секретарь Комитета, и без того доведенный до исступления бесконечными хлопотами конца сезона, а теперь еще и потерей драгоценной воды.

Мешулам поднял руку. «И комары тоже! — воскликнул он. — Евреи Страны забыли, что такое болота, но теперь они вспомнят».

Якоби не стал дожидаться конца лекции. Он взревел: «Псих ненормальный!» — бросился к экскаватору и включил двигатель. Удар стального ковша проделал двухметровый пролом в земляной насыпи, озеро прорвалось наружу и стало стекать на соседние поля.

«Не так! — закричал Мешулам, сознательно перенимая тот тон, которым Пинес повторял гневные слова пророков на уроках Танаха. — Да пророете вы каналы, и да проложите керамические трубы, и да пригласите товарищей из всех газет и журналов, и да посадите эвкалипты, и да будете петь, страдать и умирать!»

Послышались смешки. Но я видел, что стоявшие поодаль Пинес, Тоня и Рива в ужасе схватились за руки. И я знал, что в доме престарелых Элиезер Либерзон учуял убийственный, томительный и забытый запах, перестал жевать, сказал Альберту: «Мне плохо» — и вырвал на столовую скатерть маленький комок отвратительно шевелящейся зелени.

«Кора взорвана, бездна разинула зев», — пробормотал Пинес, «по касательной» вспомнив о своем мозге и о той болезни, что затянула этот мозг облачным покрывалом забвения. Лишь самая вершина горы проступала теперь над этими облаками, словно голубой островок памяти. Ощутив внезапный и жуткий голод, старый учитель повернулся и заторопился домой, чтобы утопить свой страх в миске кабачков с помидорами и рисом.

Тоня Рылова вернулась на свое вечное дежурство на могиле Маргулиса и снова стала облизывать обглоданные пальцы, кожа на которых, вокруг ногтей, была уже пористой и белой, как сморщенная пленочка на вскипяченном молоке.

Рива, которую рождение болота отвлекло от надраивания оконных стекол, вернулась к своей работе. Один Мешулам по-прежнему стоял на насыпи, уверенный и спокойный. Многолетнее изучение всех практических нюансов сионистской трудовой утопии позволяло ему предвидеть, что должно теперь произойти, и атака Якоби на земляную насыпь только подкрепила его ожидания.

С этого момента все пошло по нерушимым путям причины и следствия. Вода залила соседнее поле клевера, сломав и повалив его стебли. От ее губительного дыхания увяла и полегла кукуруза и, размокнув, превратилась в губчатые, пенящиеся лепешки. По поверхности озера, просочившись из иных глубин, покатились громадные булькающие пузыри, с треском лопаясь и распространяя страшный и смрадный запах. И наконец, раздался громкий визгливый звук, и из бездонной трясины взмыло вверх облако бесцветных, белесых комаров с огромными усиками и высоко приподнятыми животами.

Только теперь я начал понимать, что все это не случайно и что невидимые тонкие нити, привязывающие нас к земле, тянутся на невообразимую глубину и расстояние, встречаясь в особых точках корней, трупов и отпечатков копыт. Я вспомнил несчастного Левина — как он говорил, ломая свои иссиня-голубые пальцы, что «эта земля не прибавляет сил тому, кто по ней ступает, а лишь вливает безумие в его подошвы».

Дедушкино бегство от Шуламит, уход Эфраима, изгнание Ури, отъезд Авраама, оставшиеся непрочтенными борозды любви Даниэля Либерзона — все было попросту трещинами, сквозь которые истекал этот никогда не застывающий яд.

Пинес ошибся, сказал я себе. Он затыкал своими пальцами не те дыры. Не случай правит нами — разве что принять огромные груди Песи Циркиной за пару мясистых случайностей, которые покорили Циркина-Мандолину и породили на свет вывихнутый ум Мешулама.

В обед на участке появились несколько рабочих, которых Мешулам нанял в соседнем поселке. В крестьянских рубашках и русских фуражках, которые он велел им надеть, с размазанными по лицу улыбками, они выглядели жалкими и смущенными. Мешулам раздал им старые серпы и мотыги и повел к своему болоту. К нашему удивлению, они тут же хором грянули старый гимн первых осушителей болот:

Я с лягушками, как дома,
Потому что мне знакома
Песенка воды,
песенка воды.
Нас тут семьдесят героев,
Пусть врагов и больше втрое,
Мы душой тверды,
мы душой тверды.
Смолкли песенки лягушек,
Потому что рты квакушек
Все полны воды,
все полны воды.

Поначалу они пели стеснительно и неуверенно, но постепенно их голоса крепли и набирали силу, а взмахи рук становились шире и свободнее. Однако час спустя появились вызванные секретарем грузовики с цистернами, быстро выкачали воду из мешуламовского болота и отправились сливать ее в русло вади. За ними приползли самосвалы, доверху заполненные землей, и вывалили свой груз на участок Мешулама. День еще не кончился, а свежая земля на участке уже была утрамбована трясущимися от гнева катками, и к прежним долгам хозяйства Циркина прибавился огромный счет за воду, разрушение оросительных труб и арендованные машины плюс серьезное предупреждение о конфискации имущества в случае неуплаты. Перед вечером, когда я ехал на вокзал, чтобы привезти Ури домой, мне уже казалось, что все события минувшего дня — это еще одна подслушанная мною история, еще один кошмар моего воображения.

Я вел свой пикап через поля. У меня нет водительских прав, и обычно я езжу только по следам тракторов, вокруг мошава.

Ури спрыгнул с подножки поезда, и мы обнялись. Когда я прижал его к своему сердцу, я почувствовал, что он повзрослел и тело его окрепло.

«Ты меня раздавишь, животное! — застонал он со сдавленным смехом. — Ты сам не знаешь, какой ты сильный».

Он выглядел хорошо. Худой и насмешливый. Обаятельный и неотразимый, как всегда. Мы поехали домой. Ури разглядывал обработанные поля. Вокруг пробивались белые бородки хлопка, багровели первые гранаты, перенимая черед у последних сомерсетских персиков. Вдали на первой осенней пахоте трудился большой красный трактор. Мы поднялись на дорогу, параллельную ограде «Кладбища пионеров». Ури умолк и с изумлением смотрел на памятники, на изобилие зелени, цветов и декоративных деревьев.

«Куда ты деваешь заработанные деньги? — спросил он, когда мы вошли во времянку. — Здесь же ничего не изменилось!»

Я по-прежнему спал на своей старой кровати и вытирался большой мягкой простыней дедушки. Оловянные чашки и стеклянные тарелки бабушки Фейги все еще служили мне в кухне.

Мы пили чай, ели вкусный пирог, который Ури привез мне в подарок, а вечером я предложил ему дедушкину кровать, потому что по просьбе Комитета передал дом его родителей семье кантора, который приехал в мошав на Дни Покаяния[3], чтобы вести праздничную службу в синагоге.

Всю ночь мы лежали без сна, Ури и я.

— Завтра с утра, — сказал он, — мы сходим к Пинесу. И может быть, съездим в дом престарелых, навестить Элиезера Либерзона.

Я был несколько удивлен этим предложением, потому что Ури даже дедушку не так уж часто навещал в доме престарелых.

— На этих экскаваторах у меня остается много времени подумать, — сказал он. — Либерзон — вот мой старик в нашей деревне. Не Пинес и даже не дедушка.

— Все ищут образцы для подражания, — ответил я. — Бускила все еще думает, что Пинес — святой, а Пинес написал в нашем листке, что ты тоже какой-то особенный.

— Для Пинеса я всего лишь экзотический представитель класса млекопитающих.

Я услышал, как он смеется в темноте. Дрожь удовольствия мелкими волнами пробегала по моему телу.

— Я раскаиваюсь, — добавил он, помолчав. — Я раскаиваюсь во всем том, что случилось тогда на башне. Я был мальчишка, и они соблазнили меня. Я был для них развлечением, орудием мести или игры. Жаль, что я сразу не пошел к Элиезеру Либерзону, когда все это только начиналось.

— Он вышвырнул бы тебя из своего дома, — сказал я. — Особенно после того, как ты в придачу трахнул еще и дочку его Даниэля.

— Никуда бы он меня не вышвырнул, — ответил Ури. — Он бы со мной поговорил. Но теперь это уже не важно. Я научился сам. Ты сейчас разговариваешь с самым моногамным мужчиной в Долине и во всем мире.

— Не каждому удается найти такую жену, как Фаня, которая стоила бы пожизненной преданности, — сказал я.

— Ты ничего не понимаешь и говоришь глупости, — сказал Ури. — Любая женщина стоит преданности на всю жизнь. Это не от нее зависит. Это вопрос выбора. В Фане не было ничего особенного, кроме любви Либерзона. Она была не более чем зеркало, которое Либерзон не уставал начищать и перед которым он выполнял свои шпагаты и пируэты. Плясал, и пел, и поклонялся самому себе. Таково большинство женщин.

— А дедушка и Шуламит?

Ури приподнялся.

— Дедушка решил, что Шуламит стоит преданности всей жизни, — сказал он медленно и убежденно, как будто давно уже сформулировал это для себя, таким тоном, каким дедушка произносил свое «они-изгнали-моего-сына». — Хотя она не стоила преданности даже на две минуты. И это именно то, что он сделал, даже если попутно он убил бабушку, а саму Шуламит не видел почти всю свою жизнь.

— Ты стал рассуждать, как твоя мать, — рассердился я.

Ури рассмеялся:

— Вы с моей матерью никогда не ладили, но учти — она неглупая женщина. Совсем неглупая. Она вовремя вытащила отсюда моего отца. За две секунды до того, как догорел фитиль.

Он включил дедушкину лампу у кровати и сел в постели. Обнаженный торс — худощавый, тонкий, великолепный. От той ночи, когда его избили, остался только широкий шрам над левым соском, след от удара носком тяжелого сапога. Он полез в свой деревянный чемодан и вытащил конверт. «Я получил от них письмо», — улыбнулся он и показал мне фотографию большого белого дома среди пальм. Ривка в желтом платье сидит на затененной деревянной веранде, прихлебывая из огромного бокала какой-то красноватый напиток с кубиками льда, ее круглые глаза радостно сверкают над срезом стекла. Авраам — в коротких штанах и серой майке, борозды на лбу мягкие и влажные на тропическом солнце — инструктирует группу черных людей в коровнике, который выглядит как гибрид лаборатории и дворца.

— Да, — сказал я. — Это ей удалось. Я не обвиняю ее. Хорошо, что ты не видел своего отца, когда он вернулся с допроса Иошуа Бара.

Я хорошо ее помню — с этим выражением решимости на лице, хлопотливую, как глупая, упрямая курица. Она вложила в это дело весь свой куриный мозг. Когда Авраам вернулся с допроса и свалился в коровнике и она поняла, что должна увезти его из мошава, она бросилась к своему брату. Он был знаком с подрядчиками, которые специализировались на земляных работах, с торговцами оружием, с крупными воротилами, чья невидимая сеть раскинута по всему миру, и с посредниками, прозрачными, как воздух, незримыми для всех, видящими все. «Мой брат мне поможет, — повторяла она, — мой брат мне поможет». И вдруг стала приветлива со мной. «Я еду поговорить с ним. Хочешь что-нибудь передать Уреньке?»

Она съездила, вернулась и никому ничего не рассказала. Но через несколько дней в мошав прибыли три незнакомых человека. Холодно и молча ходили они по нашему двору, всегда сохраняя одинаковое расстояние между собой, как те маленькие мушки, что зависли в полутьме сеновала и медленно кружат на одном и том же месте, и все время измеряли, оценивали, беседовали с Авраамом и подолгу наблюдали, как он работает в коровнике. Их гладкие костюмы сверкали, как грудки голубиных самцов, и пылинки с соломинками не решались присесть на их аккуратно уложенные прически и зеркальные носы их туфель. Если бы скрестить адвоката Розы Мункиной с шотландским офицером-десантником, подумал я, вот так бы выглядело их потомство.

Один из них сфотографировал Авраамову молочную ферму и переписал его цифры и таблицы, а через месяц после этого визита прибыли грузовики и покупатели. Авраам продал весь свой скот и электрическое и пневматическое оборудование, оставил мне только синий «фордзон-декста» и уехал, прихватив с собой несколько дюжин пробирок с замороженной бычьей спермой и сопровождаемый женой и четырьмя беременными первотелками, которые все поворачивали головы назад и испуганно мычали. На Карибских островах его ждали государственный контракт, дети, жаждущие молока, неограниченный бюджет и веселая, простая земля, не зараженная священными костями и ядовитыми солями чаяний и спасений.

Ключ от своего дома они оставили мне, но я не ушел из времянки и лишь иногда заглядывал туда — проветрить комнаты и открыть краны, чтобы не забились водопроводные трубы. Доильные стенды в коровнике покрылись толстым слоем паутины, пауки-прыгуны и гекконы вылавливали там мошек, и по ночам я слышал слабые потрескивания кафельных плиток, которые лопались сами собой.

Только через несколько недель умолкли последние отзвуки мелодий дойки и чавкаюших ртов над кормушками, затих свист сжатого воздуха и перестали слышаться шлепки навоза, падающего в сточную канаву. Былые молочные потоки превратились в рассыпчатый желтоватый порошок. Он покрыл пол толстым слоем, и ходить по нему босиком было приятно.

Вот так, сказал я себе, выглядела, наверно, наша деревенская кузница, когда братья Гольдманы вышли из дедушкиных рассказов и ушли на войну.

— Он ждал Шуламит, только чтобы отомстить ей, — сказал я Ури.

— Малыш, — сказал Ури, — ты ничего не понимаешь. Помнишь, как Пинес объяснял нам кругооборот кислорода при дыхании? Он тогда поставил тебя перед классом и надел тебе на голову бумажный мешок, который прилегал к твоему рту и носу.

— Помню, конечно, — ответил я. — Под конец я просто упал в обморок.

— Это потому, что ты был хороший мальчик, а Пинес забыл сказать тебе, когда прекратить, — усмехнулся Ури.

— Ну и что? — обиделся я.

— Дедушка всю жизнь жил с таким вот глупым мешком, который Шуламит прижала к его носу, и дышал ядовитым воздухом безнадежной любви. Эта гниль отравляла его, сводила с ума и убила почти сразу после ее приезда. Как ты думаешь, почему он умер так быстро и как он мог знать заранее, что умирает?

— Он был стар, — сказал я, — он сам сказал это доктору Мунку.

— Я никогда не верил нашему дедушке так, как верил ты. И я трахнул жену доктора Мунка через месяц после того, как она появилась в мошаве, — презрительно сказал Ури. — Так что ты уж мне поверь — этот доктор тоже ничего не понимает ни в любви, ни в болезнях.

Ночью залило площадку перед молочной фермой, и утром, когда мы пришли навестить Пинеса, его не было дома. Он пошел посмотреть на рабочих, срочно вызванных в центр деревни. Гнилостная, ледяная на ощупь жидкость сочилась из больших трещин, расколовших бетон, и, когда люди утром пришли со своим молоком на ферму, они увидели там Мешулама. Размахивая своей красной тряпкой и кривым серпом, он в восторге танцевал и пел перед возмущенным народом. На этот раз усталый и раздраженный Якоби, уже не колеблясь, размахнулся и отвесил Мешуламу тяжелую пощечину.

«Если я еще раз увижу тебя возле вентилей, — он угрожающе придвинулся к нему всем телом, — ты тоже будешь у меня стоять в своем дебильном музее с животом, набитым опилками».

Кровь, что текла из разбитого носа Мешулама, расцветила его белоснежную траурную бороду карминными пятнами, но он только улыбался. Рабочие выкачали грязь и поставили опалубку, чтобы залить площадку новым цементом, опрыскали личинки вредителей, принесенные сточными водами, и заделали трещины.

Пинес, еле волоча ноги, пришел в Комитет, чтобы объяснить усталым и возмущенным мошавникам, что это болото им никогда не удастся осушить с помощью общественных работ, и Якоби так заорал на него, что люди снаружи сбежались к окнам. «Какое, к черту, болото, какое болото?! Мы имеем дело с безумцем, который бегает повсюду и открывает краны. Перестань морочить голову, Пинес, мы уже не твои ученики».

Пинес был так потрясен и обижен, что даже не заметил стоявшего перед ним Ури. Но Якоби заметил нас обоих, и распиравший его гнев вырвался, как вода из садового шланга. Шрам на нижней губе — след моего удара в день смерти дедушки — побледнел от ярости.

«Вся семейка здесь! — зашелся он в крике. — Вся ваша поганая семейка! Мне тут нужно срочно доставать тракторы для пахоты и мчаться в центр за семенами, а вместо этого я должен заниматься этими двумя миркинскими выродками, этим ебарем и этим гробарем, и этим сумасшедшим Мешуламом, который вздумал возрождать болота, и этим выжившим из ума старым идиотом с его жуками!»

Пинес положил успокаивающую руку мне на затылок, Ури взял его под локоть, и мы пошли к старому учителю пить чай.

— Может, теперь он наконец заявится, этот ваш Шифрис. Болото для осущения ему уже приготовлено.

— Или Эфраим, — сказал я.

— Шифрис не придет, Эфраим не вернется, — сказал Пинес.

47

Никто не помнил имени старого парикмахера Долины. Все называли его уважительно «рабби», и казалось, что ему нравится это обращение, хотя он всегда повторял: «Я всего-навсего простой деревенский еврей». Он выполнял также обязанности кантора и моэля для всех наших поселков. Он жил в религиозном мошаве в северо-западном углу Долины. Однажды, в детстве, дедушка взял меня туда, когда его позвали, чтобы вылечить один из заболевших садов. Когда мы выехали на проселочную дорогу, тянувшуюся меж полями, дедушка дал мне подержать вожжи. Зайцер всю дорогу цокал спокойно и размеренно. Видно, ему нравились эти случайные поездки по нашим дорогам, потому что после них он возвращался к повседневной работе с удвоенным пылом.

Дедушка говорил с бородатыми садоводами на незнакомом мне языке, не на том, которым писал Шуламит, но слова были те же, с которыми Левин обращался к поставщикам своей лавки. На обратном пути он много шутил и рассказывал мне, как религиозные мошавники ухитряются обходить запрет Торы на посев разнородных растений на одном поле. «Один идет и сеет злаки, а назавтра выходит другой и на том же участке, рядом, сеет бобовые, как будто ничего не знает о первом».

Религиозные мошавники были странные люди. Они не проклинали погоду, когда видели, что на осеннем небе нет ни единой тучки. Они доили своих коров по субботам, не желая их огорчать, но при этом клали в ведра кафельные плитки, чтобы молоко считалось как бы вылитым на пол, а на Песах сжигали подчистую все квасное, даже то, что шло в пищу животным, и Элиезера Либерзона, по рассказам, это так бесило, что однажды он специально отправился к ним в мошав, чтобы спеть там в коровнике придуманную им насмешливую песню о том, как «Му-у-у-исей освободил еврейских коров с их хозяевами от му-у-у-ки египетского рабства».

Они были люди веселые, с юмором и поэтому не обиделись. Но сразу же после праздника в дом Либерзона прибыла целая делегация, притащившая с собой огромный ящик, наполненный сдобными халами, красными баночками с таким острым хреном, что от одного его запаха слезы наворачивались на глаза, бутылками водки собственного производства, которая точно бревном ударяла по желудку, и закрученными жестяными банками селедки, вкус которой притягивал отцов-основателей со всей Долины волшебными канатами вожделения и ностальгии. А когда это наперченное взаимными шпильками пиршество закончилось, религиозные перемигнулись, спустились к навесу, где Либерзон держал своих индеек, и хором грянули: «Да здравствует социализм!»

Одуревшие птицы так же дружно ответили восторженным согласием, и даже Фаня Либерзон, отсмеявшись, сказала своему пристыженному мужу, что в этом состязании он проиграл.

Кантор-моэль-парикмахер был очень стар. Он впервые появился у нас много лет назад, когда его привезли на телеге из города, что за голубой горой, чтобы сделать обрезание моему дяде Аврааму, «первенцу Долины». Телега мягко покачивалась на пружинистой весенней дороге, приятный запах лошадей и цветов наполнял воздух, и молодой парень, редкая бородка которого скрывала совсем еще нежную и бледную кожу, тоже был пленен чудным и вкрадчивым очарованием этой земли. Вернувшись в город, он продолжал мечтать о ней. Нашу голубую гору он видел с ее другой стороны, но в ясные дни земля Долины появлялась над ней как перевернутый мираж, дрожащий в голубом небе, и это видение лишало его покоя. Услышав, что группа хасидов собирается основать религиозный мошав, он поспешил присоединиться к этим пионерам. Год спустя его переехала нагруженная телега, сломав ему оба колена, и он вынужден был вернуться к своим прежним занятиям.

Обязанности парикмахера, кантора и моэля забрасывали его в самые отдаленные уголки Долины. Однажды, в полях одного из поселений, он увидел большую женщину, подбородок которой украшали несколько жестких щетинок. Она была запряжена в арабский плуг с рядом гвоздей вместо лемеха, а следом за ней шел мальчик лет десяти, который изо всех сил давил на рукоятку плуга. Парикмахер был очарован могучими, прочно упершимися в землю колоннами ног этой еврейской Астарты, ее хриплыми стонами и промокшими от пота подмышками. Добравшись до ее деревни, он стал расспрашивать о ней. Ее звали Тхия Файн. Ее муж, рассказали ему поселенцы, развелся с ней и вернулся в Россию, «чтобы осветить весь мир факелом Революции». Брошенная, но не сломленная, она осталась на своей земле, а мальчик, как парикмахеру тоже поторопились сообщить, не ее, а соседей, которые помогают ей из жалости.

«Рабби» попросил поселенцев сосватать ее ему. Они рады были от нее избавиться, поскольку ее присутствие все время понуждало их вспоминать о провозглашенном ими принципе взаимопомощи. Через две недели она повязала голову платком и пошла за ним, таща за собой на веревке пустую телегу и осла, нагруженного ее пожитками.

Дюжая невеста оказалась бесплодной, но работящей и доброй. Она научилась блюсти все предписания Торы, от самых легких до самых тяжелых, без устали трудилась в хозяйстве «рабби» и вместо плодов чрева выращивала прекрасные плоды земли. Сам он продолжал странствовать по всей Долине и заодно научился делать педикюр коровам. Сначала он ковылял по кибуцам и мошавам пешком, резал птицу по всем правилам ритуала, подрезал разросшиеся копыта, обрезал челки лошадей и крайние плоти младенцев мужского пола, то и дело изумляясь и бормоча благословения, стоило ему завидеть голые ляжки кибуцниц или вдохнуть густой запах выворачиваемых комьев земли. Потом, скопив немного денег, он купил себе маленькую двуколку с запряженным в нее высоким и легконогим кипрским ослом, а после войны приобрел старый мотоцикл с коляской, из излишков, оставленных английскими войсками.

Когда я был ребенком, он приезжал к нам в мошав раз в месяц. Уже издали виден был клуб пыли, несущийся по полевым дорогам, точно маленький осенний смерч. Потом доносилось задыхающееся тарахтенье старенького поршня, и наконец наступало мгновение, которого ждали все дети. Старый хасид давал полный газ, выжимал сцепление, разгонялся по уклону построенного ирландцами моста через вади, тяжело взлетал по подъему противоположного берега, и из его горла вырывался победный вопль: «¨п-пи-и-и!» Его лицо сияло. Серый плащ и длинные белые кисти предписанной ритуалом бахромчатой нижней рубашки развевались на ветру. Голова его была покрыта шлемом, какие носили летчики и под который он заталкивал свои густые пейсы, глаза были защищены шоферскими очками. В коляске мотоцикла подпрыгивала и бренчала поразительная деревянная коробка, которая, раскрывшись, превращалась в паримахерское кресло. Из ее днища выдвигались складные ножки, а из ее ящичков появлялись бритвы, ножницы, заляпанная пятнами простыня и ручная машинка для стрижки волос. Старый парикмахер расстилал на столе газету, обматывал стригущегося простыней и начинал щелкать ножницами и языком, докладывая обо всем, что происходило в окрестных поселениях.

«Рабби» был неистощимым и достоверным источником новостей и историй. Это он передавал письма Шломо Левина городским сватам и тайком отвез его в Тверию на первое свидание с Рахелью. Это он неоднократно переправлял шифрованные записки Рылова и к нему. Это он сообщил, что молодые ребята из соседнего кибуца собираются напасть на нас с камнями и что новый племенной жеребец на экспериментальной конюшне обладает невероятными мужскими достоинствами («Его сноп как встанет, так и стоит прямо, как во сне у Иосифа»[1], — улыбался он). Это он с огромным воодушевлением распространял рассказы о подвигах Ури на водонапорной башне, после того как тот был пойман. Просеянные через решето сомнений, его сообщения позволяли сделать вполне серьезные выводы. Он сам вызвался вынюхивать повсюду следы Эфраима. Годами он расспрашивал и искал, потому что именно Эфраим (которого он стриг в закрытой комнате) достал для него кожаный шлем на базе у своих английских знакомых.

Пятьдесят лет подряд он приезжал стричь мошав. Он стриг дедушку, он стриг Эфраима, он стриг Авраама, моих мать и отца, Ури, Иоси и меня самого, всю нашу деревню. «Один учитель, один парикмахер, одна земля, — сказал Ури. — Какое успокоительное чувство преемственности». Я тоже прошел через его руки. В начале каждого лета к нему посылали всех деревенских малолеток для положенной ритуалом первой стрижки наголо. Так экономились деньги и укреплялись корни волос. Возмущенные малыши извивались в кресле и буянили, один только я, подчиняясь указаниям дедушки, сидел спокойно, ибо «агнец перед стригущим его безгласен»[2]. Других детей «рабби» приходилось удерживать силой, пока ему не удавалось одним быстрым движением провести своей щиплющей машинкой по голове, от лба до затылка, и выстричь широкую просеку в волосах. Потом он освобождал свою жертву. «Беги, дружочек!» — говорил он ему. Мальчик вскакивал и удирал со всех ног, но уже через какой-нибудь час возвращался и сам умолял парикмахера завершить работу.

Каждый год перед осенними праздниками деревенский Комитет нанимал «рабби» для тех немногих мошавников, которые собирались в нашей маленькой синагоге, и после праздников тот возвращался домой с пачкой денег, несколькими связанными курицами, ящиком гранатов, инжира и подобранного с очищенных лоз винограда, а если год был хороший, то и с полной банкой сметаны.

Теперь, когда он постарел и его руки стали дрожать «от долгих лет молитв и вождения мотоцикла», ему больше не доверяли тонкое дело стрижки и обрезания. У него уже не было и сил петь молитвы или трубить в шофар, и он сам нашел нам нового кантора, из своих родственников, — ортодоксального еврея из города, что за голубой горой.

Комитет послал к поезду Узи Рылова на открытом рабочем джипе. Все семейство Вайсбергов — сам новый кантор, его жена, взрослая дочь и двое маленьких близнецов — было потрясено стремительной, в клубах пыли, ездой по полевым дорогам, а также обнаженными плечами самого Узи. Жена и дочь негодующе оттолкнули его руку, когда он хотел помочь им спуститься с джипа, и уже через час после их прибытия моих ноздрей коснулся сладкий запах незнакомого варева, доносившийся из дома Ривки и Авраама.

Новый кантор не был похож на своего предшественника. Он не знал никого из наших людей, и земля Долины ничего не говорила его душе. Уже на следующий день его жена развесила на Ривкиной веревке постиранные вещи, подобных которым в деревне никто не видел, а потом Вайсберг вышел на веранду и начал упражняться на шофаре. Пронзительные воющие звуки резали воздух на дрожащие полоски и подняли с деревенских крыш сотни голубей.

Канторские близнецы поразили деревенскую детвору своими пейсами, длинными чулками и гигантскими бархатными кипами, что покрывали их бритые головы. Ошеломленные деревенским солнцем, свежими фруктами, запахами полей и коровников, они прокрадывались во дворы, чтобы посмотреть на живое куриное и телячье мясо, и все время переговаривались друг с другом на быстром языке, которого никто не понимал из-за его странного звучания. Их особенно испугало непонятное поведение коров, которые нагло напрыгивали друг другу на зады, и лошаки, эта помесь лошадей и ослов, которые казались им нечистыми порождениями преисподней. Деревенские дети указывали на них пальцами и насмехались с безопасного расстояния. Приблизиться они не решались, потому что дети кантора были очень странными и необычными. Пинес смотрел на них, как будто силился что-то припомнить и понять, но дни собственного детства давно выветрились из его памяти.

«Я откуда-то знаю этих детей, — повторял старик, — но никак не могу припомнить откуда».

Смуглая и строгая, как ее отец, дочь кантора проводила большую часть времени в доме, хотя вечерами я видел, как она, в длинной, до пят, юбке, прохаживается по пальмовой аллее, рука об руку со своей матерью. Очень разнились они от наших краснощеких женщин и деревенских девушек, чьи чувственные соблазнительные ароматы доносились уже издалека. Мать и дочь шли маленькими шелестящими шажками, опустив глаза, и, казалось, старались не замечать попадавшихся им навстречу здоровяков-мошавников и их сыновей с распахнутой голой грудью, заслоняясь от них зажатыми в пальцах крохотными маленькими платочками, непрерывным бормотанием под нос и броней черных одежд, которые начисто исключали любые догадки или предположения.

Как-то вечером Бускила пригласил семью Вайсбергов посетить наше кладбище. Мы с Ури взрыхляли цветочные грядки, а Пинес сидел рядом. Бускила объяснял гостям, кто здесь похоронен, а кантор, качая головой, говорил: «Доброе дело выпало вам, доброе дело». Он не знал, что мы хороним людей в гробах, без нищих попрошаек и без надлежащих молитв.

Когда они подошли к нам поздороваться и я распрямился, меня поразила красота канторской дочки. Ее кожа была цвета глубокой и волнующей смеси персика и оливы, опущенные темные глаза сияли под точно и смело очерченными серпами бровей. До этого я видел только женщин Долины. Они были либо слишком старыми, либо не вызывающими интереса, потому что я видел их с детства и до самой зрелости.

— Это господин Яков Пинес, наш учитель, — объяснил Бускила кантору, — это мой хозяин Барух, а это Ури, у родителей которого вы живете.

— Приветствуем гостей, — сухо сказал Пинес.

Кантор улыбнулся.

— Приветствуем хозяев, — сказал он. — Меня зовут Вайсберг. Спасибо за гостеприимство.

— Осторожнее входите в нашу кухню, господин кантор, — сказал Ури. — Как бы на вас не набросилось что-нибудь квасное.

— Прекрати, Ури! — напрягся Пинес.

— Квасное? — Кантор еще не знал моего двоюродного брата.

— Вы ведь едите только мацу в Йом-Кипур[3], не так ли?

— Постыдись, Ури, хватит! — упрекнул Бускила. — Простите его, господин Вайсберг.

— Мы привезли себе еду из дома, — хихикнули маленькие близнецы. Но их отец помрачнел и велел им замолчать.

Меланхолия позднего сентября повисла в воздухе. Все стояли молча. Из далеких апельсиновых рощ уже доносился сильный запах осенних удобрений, и грусть умирающего лета слышалась во вздохах гусей Якоби. Они прижимались к сетчатым стенкам своих загонов и стонали от боли, глядя на птиц, летевших в Египет.

«Лето и зима, ласточка и журавль»[4], — сказал Пинес тем торжественным тоном, которым он в свое время учил нас библейскому стихотворному размеру. На лице его блуждала улыбка человека, который вновь прислушивается к смене сезонов в собственном теле.

«Прошла жатва, кончилось лето»[5], — ответил кантор цитатой на цитату и улыбнулся, успокоившись.

Я ощущал конец лета в сожженных солнцем листьях, медленно слетавших с деревьев в саду, в нежном прикосновении ветра к моим обнаженным плечам, в том, как умолкли вдруг горлицы, какими прореженными выглядели склеенные из жеваной древесины гнезда бумажных ос. Осиротевшие пчелы Маргулиса, утратив былой энтузиазм, сонно летали в воздухе в поисках остатков винограда или инжира, ускользнувших от глаз собирателей. По утрам, возвращаясь из ночных блужданий, я замечал вставшие дыбом перья на телах воронят, неподвижно лежащих на корке инея под кипарисами. Росы стали выпадать чаще, и на сиденье трактора собирались теперь маленькие и холодные лужицы, стывшие во впадинах, продавленных крестьянскими задами. После обеда в небе Долины собирались перистые облака. Пинес, Рахель, Рива и Тоня посеяли в своих огородах редьку и цветную капусту, собрали картошку, подрезали и убрали мертвые ветки с помидорных кустов. Одни лишь ухоженные и сытые цветы на «Кладбище пионеров» не обращали внимания на смену сезонов, и воздух над ними по-прежнему светился и дрожал, как вокруг лица канторской дочери.

Год спустя я покинул деревню. Я еще не понимал тогда предзнаменований будущего, но в тот год я чувствовал осень острее, чем всегда. Казалось, что в воздухе висит тоска концов и расставаний.

«Скончание лета хуже самого лета», — сказал кантор, заметив выражение моего лица.

Люди, меня не знающие, часто пытаются понравиться мне или понять, что я собой представляю. Они произносят разные слова, чтобы прощупать толщину моего черепа, суют мне под нос руку, чтобы я мог понюхать и почувствовать. Обычно я не обижаюсь. Я знаю, что дедушка вложил в меня что-то от животного и что-то от дерева. Но сейчас меня охватило отвращение. Уродливое слово «скончание», буква «т», которая выскочила изо рта кантора с каким-то нарочитым и мокрым чмоканьем, словно толстый и прямой палец из-за щеки, — все наполняло меня неприязнью к этому человеку в длинном черном одеянии, который напоминал мне качающееся огородное пугало.

48

Через несколько дней, в канун Нового года[1], мы с Ури отправились в дом престарелых навестить Элиезера Либерзона. Бускила ездил туда время от времени по делам, и я подумал было присоединиться к нему. Но Ури сказал: «Давай пойдем пешком», — и вот мы снова шли по той дороге, которая словно струилась под моими босыми ступнями и ползла передо мной, как теплая и покорная земляная змея.

Почти все старики собрались в синагоге дома престарелых и распевали там молитвы требовательными, как у детей, голосами, как будто прокладывали и трамбовали свой последний путь. Но Либерзон никогда не полагался на молитвы, которые сочинили другие, а Альберт лежал в своей постели, тихий и элегантный, в шелковой рубашке, которую приподымали волны его дыхания, в черной бабочке, которая охватывала его горло.

— Мы, болгары, не вымаливаем будущего, — сказал он, приветливо улыбаясь. — Por lo ke stamos, bendigamos.

— Хватит с нас того, что есть, — перевел Либерзон, который уже знал большинство его присказок.

Обычно они разговаривали на иврите, но порой переходили на русский шепот. «Русский очень похож на болгарский, — сказал он. — А к старости я стал и ладино[2] немного понимать».

Он сидел напротив Альберта, охватив коленями свою померанцевую палку. Он потрогал мое лицо рукой, поднял на меня взгляд слепых, мутно-белых глаз и сразу узнал меня. «Какой ты большой, — сказал он. — Сила твоего отца и рост матери».

Только сейчас он почувствовал присутствие Ури. Он взял его за руку, притянул к себе и провел подушечками пальцев по его лицу, скользнул, затаив дыхание, по лбу, натянул и осторожно ущипнул кожу щек, тоскливо потрогал переносицу, перебитую в ту ночь, когда Ури поймали на водонапорной башне.

— Ты вернулся, — сказал он. — Я всегда знал, что ты вернешься.

— Я вернулся, — сказал Ури.

— И твои раны зажили, — добавил Либерзон. — Теперь все в порядке.

— Да, — подтвердил Ури. — У меня уже все в порядке.

— А твой французский теленок?

Ужас сжал мое сердце. Пальцы слепого, словно ободрав кожу, коснулись скрытого под оболочкой средоточия боли и яда.

— Я Ури Миркин, — смущенно прошептал мой двоюродный брат.

Рука старика отпрянула, как будто коснулась раскаленного угля.

— Ури Миркин? — переспросил он. — С водонапорной башни?

Я смотрел на них — на уродливого старика, который за всю свою жизнь завоевал одну-единственную женщину, и на моего красавца брата, который переспал со всеми женщинами мошава.

— Я пришел сказать, что я сожалею, — хрипло сказал Ури.

— А кто не сожалеет? — спросил Либерзон.

— Он сделал тебе что-то плохое? — спросил Альберт.

— Нет-нет! — сказал Либерзон. — Это дичок, выросший на полях деревни.

— Да, красивый парень, — сказал Альберт.

— Если бы я был наполовину такой красивый, как он, мне бы тоже проходу не было. Женщины падали бы передо мной, как созревшие плоды на крышу.

— Non tiene busha, — заключил Альберт. — Ни стыда, ни совести.

— Это было не так, — возразил Ури.

Либерзон поднялся и пригласил нас на веранду. Он прислонился к перилам, и легкий ветерок, пробежав по его коже, донес до нас знакомый запах всех старых крестьян — едва уловимый замшелый дух старческих лишаев и решетчатой тары, высохшего навоза, клевера и молока. Могучая палка и серые рабочие штаны придавали его облику ту мощь и значительность, что, вопреки Мичурину, достались ему вовсе не по наследству.

Он поднял палку и указал ею на Долину:

— Видите вади, там вдалеке? Оттуда мы пришли — Циркин и я, с вашими дедушкой и бабушкой, — чтобы глянуть на Долину. А этот бездельник, ее брат, прохлаждался тогда в своем банке в Яффо.

Он сделал паузу, чтобы убедиться, что мы уловили его насмешливый намек на Шломо Левина, но мы промолчали. Элиезер Либерзон видел сейчас Долину как рельефную карту. Запахи и отраженные звуки, которые доносились к нему, были его ориентирами на этом рельефе памяти. Но та уверенная точность, с которой он тыкал палкой во мрак своей слепоты, почему-то наполняла меня бесконечной печалью.

— Дороги кишели грабителями, — продолжал Либерзон. — Вся Долина была как сплошная юдоль плача. Издольщики с трахомными глазами обрабатывали клочки земли. Шакалы и гиены свободно расхаживали даже днем. — Он провел палкой по линиям Долины, как полководец поколений. — А там, возле тех двух дубов, видите их? Там был когда-то шатер Яэли, жены Хевера Кенеянина[3]. Но мы спустились только к развалинам немецких поселений и потом поднялись обратно к поезду.

— Царь Борис стал возле поезда и сказал: «Вы не заберете у меня моих евреев». Это он немцам сказал. Не испугался. — Голос Альберта послышался из комнаты, увлажненный усилием и благодарностью.

— Это тот Борис, который ждал, пока Качке кончит разговаривать с английским королем? — спросил Ури.

Слепой улыбнулся любовной и жалостливой улыбкой.

— Альберт видит сны наяву, — сказал он. — Сефарды не такие, как мы. — И тут же вернулся к своему: — Мы работали тогда возле Киннерета, прокладывали дорогу в Тверию и по ночам ходили купаться в озере. Мы уже стояли в воде, раздетые, и брызгали на нее, и тут она сняла платье и встала на прибрежных скалах, прямая и голая, как цапля. И мы вышли из воды к ней.

— Три кило здесь и три кило здесь, — донесся слабый голос из комнаты.

— О чем он говорит? — прошептал Ури.

Либерзон подошел к двери.

— Ша, ша, Альбертико, ша, — сказал он.

Мы сидели на веранде. Земля шептала под лужайкой дома престарелых. Личинки цикад наливались соками. Семена ждали. Дождевые черви и гусеницы жуков-могильщиков пожирали гнилье.

— Мы не были лучше вас, — сказал Либерзон. — Нас вылепили время и место. Многие сбежали, ты это должен знать, Барух, теперь они возвращаются к тебе.

— Расскажи нам историю, Элиезер, — попросил я вдруг. — Расскажи нам какую-нибудь историю.

— Историю? — повторил старик. — Хорошо, я расскажу вам историю. Через несколько дней после того, как мы прибыли в Страну и еще до того, как мы встретили вашего дедушку, — начал он давним, знакомым мне тоном, — мы с Циркиным копали ямы для саженцев миндальных деревьев возле Гедеры. Каторжная работа. Ты чувствовал, как у тебя трещит позвоночник, руки покрывались пузырями, а за стеной пшеницы стояли издольщики-арабы и ждали, пока мы свалимся и их снова возьмут на эту работу. И тут один из наших бросил мотыгу и сказал, что сходит за водой. А другой пошел с ним, чтобы помочь. Они вернулись с канистрами и сказали, что раздадут нам всем воду, а когда раздали воду, сказали, что теперь они будут считать ямы. — Насмешливая улыбка появилась на его губах. — Слышишь, Альберт? — крикнул он. — Мы копали, а они считали. — Но Альберт не ответил, и Либерзон продолжал: — В каждой группе рабочих были такие учетчики ям. Сначала они отправлялись по воду, потом делили ее, потом начинали считать ямы, потом считали людей, а потом считали членов своей партии. Через год после этого они уже отправлялись на очередной сионистский конгресс, а оттуда в Америку, собирать деньги, чтобы им было что еще считать. — Либерзон рассмеялся. — Циркин их ненавидел. Все эти учетчики ям стали важными партийными боссами, и мы никогда не могли добиться от них денег на развитие мошава. Мы всегда жили на грани голода, на грани успеха, на грани урожая.

— Non tiena busha, — припечатал Альберт со своей постели.

— А однажды, — продолжал Либерзон, — Песя привезла какого-то важного деятеля из Центрального комитета. Мешулам был тогда совсем маленький, и он сидел возле этого босса, как зачарованный. Задавал ему бесчисленные вопросы, а тот, я не хочу называть его имени, все восхищался, какой у нее толковый мальчик, и охотно отвечал на все его вопросы, а потом Песя повела его к ним в коровник, показать, как Циркин доит своих коров. Циркин только раз на него глянул и тут же узнал. «Вот мы и встретились, — сказал он ему. — Ну, что давай опять по-старому: я буду доить, а ты будешь считать коров, а?»

Либерзон снова повернулся к Долине. Его рука с палкой двигалась медленно, ощупывая и читая карту тоскливых воспоминаний.

— Мы пришли основать поселение. Свое собственное место. Вон там, вдали, то большое зеленое пятно — это эвкалиптовая роща, которую мы тогда посадили. Эти эвкалипты выпили все болото. Если срубить эти стволы, оно вернется и затопит всю землю. — Он не знал, что эвкалиптовой рощи больше нет. За год до того большие стволы, истекающие соком, были срублены, и ничего особенного не случилось. Пни выкорчевали и на их месте посадили хлопок. — А к тому вади, что за рощей, побежал Пинес, чтобы покончить с собой, когда увидел, что его Лея целуется с Рыловым. Кто бы мог поверить?! Беременная женщина. Мы бросились следом и вернули его домой. А револьвер нашли только через год, во время пахоты. Он совсем проржавел и никуда уже не годился. И Лея тоже умерла уже, подхватила какую-то редкую лихорадку, которую даже доктор Иоффе не знал. Какая-то пещерная лихорадка. — Он быстро прочертил палкой в воздухе с запада на юг. — Там, на той далекой горе, пророк Элиягу увидел маленькое облачко, «и бежал перед Ахавом до самого Изрэеля», и опередил царских коней.

Мы вернулись в комнату. В воздухе пахло сладковатым карминным запахом перезрелых астраханских яблок, тишиной приближающейся смерти Либерзона и простынями Альберта.

— Знатные скандалы учинили вы оба, а? Ты со своими могилами, а ты со своими девками.

— Я теперь тракторист, — ответил Ури. — Я работаю.

Чувство юмора слущилось с него, и он ощущал себя одиноким и беззащитным перед Либерзоном. Старик устало опустился на кровать. Я почувствовал неловкость, оттого что мое тело занимало больше места, чем позволяла маленькая комната. Либерзон откинулся на спинку кровати.

— В анналах Движения о нас всегда говорится вместе, — сказал он. — Племя пионеров. Мол, вместе взошли в Страну, вместе возрождали Землю, вместе поселялись, вместе умерли и вместе их похоронили, в одном ряду, чтобы удобней было фотографировать. На каждом нашем старом снимке есть ряд людей, которые сидят, и ряд тех, которые стоят. Еще двое всегда стоят на ящиках и смотрят сзади, и двое лежат впереди, опираясь на локоть, так что их головы соприкасаются. Так вот, трое из каждого снимка — это люди, которые потом бежали из Страны. Были пешие, были павшие и были сбежавшие. Трудяги, трупы и трусы.

— Дедушка тоже однажды сказал что-то подобное, — заметил Ури, но Либерзон не обратил на него внимания. Во мраке, который его окружал, воспоминания любви были единственным, что виделось его невидящим глазам. Он посмотрел в окно. Я знал, что он сейчас скажет.

— Там, где стоит сейчас кибуцная фабрика, был когда-то замечательный виноградник. Там я встретил Фаню. — Он поднял на меня свои белые слезящиеся зрачки. — Ты хорошо сделал, Барух, что позволил мне тогда пойти туда. Другой на твоем месте, наверно, попытался бы спасти меня.

Я рассказал ему о болоте Мешулама.

— Какая глупость, — вздохнул он. — Кого это сейчас интересует? Бессмысленное разбазаривание воды, и ничего больше. — И даже не поинтересовался подробностями. — Я ненавижу это место, — вдруг сказал он. — Они заставляют нас плести абажуры из камыша и ужинать в четыре часа дня.

Ури хотел еще поговорить с ним — о его любви к Фане и о собственной истории, — но Либерзон помрачнел и стал неразговорчив. Он уже витал в каких-то иных мирах. И больше нас не замечал.

— Старый какер! — бушевал Ури на обратном пути. — Ничего его не интересует. Я так долго мечтал об этой встрече, а вы мне все испортили, ты и он. Ты со своими фантазиями и историями, а он со своими назидательными воспоминаниями. Поучает нас своей палкой. Даже слепые, они все равно видят лучше всех и знают лучше всех, эти твои отцы-основатели!

— Чего ты хочешь? — пытался я защитить Либерзона. — Его жена умерла, его друзья умерли, а болото Мешулама, по-моему, испугало его больше, чем он делал вид.

— Лучше бы он совсем выбросил меня вон, чем пренебрегал бы так откровенно. Они всегда были слепыми. С одной-единственной мечтой перед глазами, ноги по колено в грязи, а уши забиты землей.

— Почему твои проблемы вообще должны его интересовать? Чем он тебе обязан?

— Так даже лучше, — задумчиво сказал Ури. — Может, все мое чувство вины родилось от тоски по нашей деревне.

— Он думает только о Фане, — сказал я. — Весь этот его спектакль на веранде был только для того, чтобы показать, что он еще помнит, где был кибуцный виноградник.

— Он чокнутый, — убежденно сказал Ури. — Спятил на всю катушку. Что стоит сделать ему операцию, снять эти дурацкие катаракты! Он просто хочет быть слепым, вот и все.

— На что ему еще смотреть?!

— Мать была права, — сказал Ури. — Эти старики действительно свели тебя с ума.

Я промолчал.

— Ты не можешь себе представить, как я соскучился по нашей деревне, — сказал он. — Несмотря на скандал, несмотря на побои, несмотря на изгнание. Я дважды приходил сюда ночью и тут же уходил. — Он посмотрел на меня и рассмеялся. — Какое это разбазаривание сил — позволить тебе ходить просто так. Тебя нужно впрячь в телегу или в борону.

— Если хочешь, я могу понести тебя, — предложил я.

— Не валяй дурака! — сказал он.

— Мне это нипочем, — улыбнулся я с глупой надеждой. — Я могу донести тебя на руках отсюда и до самого дома.

— Что с тобой? — спросил он. — Иди лучше повали в навоз быка-другого.

Ури может быть жестоким, как мангуст.

— Я могу взять тебя на руки, на спину, на плечи, как ты захочешь, — настаивал я, но Ури не согласился.

— Кончай, хватит! — сказал он, и на этот раз в его голос прокралось что-то испуганное и резкое.

Мы шли молча, и когда подошли к деревне, увидели большую толпу, собравшуюся возле грушевого сада Бен-Якова. Уже издали мы услышали крики и, когда подошли, снова обнаружили Мешулама в той же мерзкой тряпке на голове и с иззубренным серпом в руках.

«Чего вы от меня хотите?! — орал Якоби. — Что, я должен поставить сторожей возле каждого вентиля?!»

Земля вокруг него двигалась и тряслась. Бездна со скрежетом выблевывала черную грязь, мусор и кости вперемешку с толстыми бледными червями, которые обвивались вокруг деревьев и валили их в ядовитые лужи. Вместо них тут же выпирали снизу стебли и камыши высотой в человеческий рост, и Мешулам набрасывался на них, яростно размахивая своим серпом. Старый араб, которого он нанял в соседней деревне, лениво пахал на краю болота, бормоча под нос знакомые слова. Маленькое стадо диких свиней с топотом и храпом выбежало прямо из дедушкиных рассказов. Среди них было несколько больших самцов, грозных на вид самок и с десяток сосунков с встопорщенной жесткой щетиной и твердыми прямыми хвостиками. Они шумно прочапали по грязи и хлюпнулись в мутную болотистую жижу, которая углублялась на глазах. Я поднял голову. Черные точки описывали круги в небе, приближались, парили надо мной и кричали, как безумные.

Я посмотрел на орущего Якоби, на Ури, на толпу разгневанных мошавников. Сквозь их рабочую одежду, прокаленную кожу и сильные тела призрачно проступали могучие грязевые окаменелости, которые все эти годы лежали в ожидании в глубинах земли.

Я увидел мощных и грузных буйволов, которые надвигались прямо на нас. Их глубокие и влажные ноздри возбужденно и жадно расширялись при виде первых признаков человеческой измены. Я не боялся их. Я привык к животным. Гигантский светлый бык бежал с ними рядом. Широкий разворот его плеч, толщина топочущих копыт и жаркий пар из мокрого носа заставили мое сердце забиться чаще. Я бросился к ним навстречу и, поравнявшись, увидел бегущего с ними парня в брюках цвета хаки и в маске пасечника, который поддерживал спотыкающегося на бегу старика и нес его потрепанный мешок. Но стадо уже миновало меня, пересекло поле и исчезло за далекими кипарисами, и, когда я снова открыл глаза и увидел залитый болотной жижей сад и направленные на меня удивленные взгляды, я понял, что никто, кроме меня, их не заметил.

49

После Нового года Иоси тоже пришел домой — на побывку. Я услышал скрежет тормозящих шин джипа, громкое потрескивание радиотелефона, топот ног, пробежавших по дорожке и поднявшихся по ступенькам и, наконец, громкий девичий вскрик, вырвавшийся из дома его родителей.

Дверь времянки распахнулась. Он встал в проеме в своей офицерской форме, с крылышками погон и знаками различия, требуя, чтобы ему немедленно объяснили, что это за «омерзительная ханжа» появилась в родительском доме.

Ури расхохотался. Братья обнялись. Я снова увидел, как они любят друг друга и как различны, и почувствовал, что во мне нарастает раздражение. Иоси тоже получал письма от родителей с Карибских островов, и теперь они уселись рядом, сравнивая слова и показывая друг другу фотографии.

«Наконец-то отец тоже получит удовольствие от жизни», — улыбнулся Ури. Но Иоси сказал, что «чем учить этих черномазых», лучше бы Авраам подучил ребят из какого-нибудь нового еврейского поселения на Голанах.

Я стоял возле раковины и резал овощи для салата. Сначала лук и помидоры, а потом огурцы и перец. Быть может, их свежее дыхание разнесется до самых краев земли.

Мне было хорошо с Ури, и появление Иоси разозлило меня. Я знал, что мне придется предложить ему ночевать с нами, и пожалел о том, что согласился впустить семью кантора в дом Авраама и Ривки.

— Может, вы немного погуляете?! — сказал я. — Ужин будет через полчаса.

— В чем дело, Барушок? — спросил Иоси. — Тебе трудно поговорить со своими двоюродными братьями? Или ты боишься, что мы попросим у тебя в долг?

— Я не боюсь. И я уйду отсюда в тот момент, когда кто-нибудь из вас захочет вернуться сюда хозяйничать.

— Никто из нас ничего не говорил о том, чтобы вернуться хозяйничать или уйти отсюда, — сказал Ури. — Что ты из всего делаешь проблему?

— Чтобы вытащить тебя отсюда, потребуется солидная помощь. Не меньше взвода, — сказал Иоси тем бравым голосом, которому он научился у Узи Рылова, и преувеличенно громко захохотал. Иоси всегда смеялся вовнутрь, втягивая воздух в себя, вместо того чтобы выталкивать его наружу, и судорожный звук его смеха привел меня в бешенство. Я почувствовал, как напряглись мои шейные мышцы.

— Если бы Ури здесь не было, — сказал я ему, — ты бы сейчас вылетел из этого окна и приземлился прямо в свой дурацкий джип.

— Товарищи, — сказал Ури, — давайте успокоимся, о'кей? Барух, Иосеф, товарищи, в эти дни, когда все наше Рабочее движение кается и спрашивает себя: «Куда?» — мы не имеем права тратить силы на бесплодные споры. Мы уже годы не сидели втроем. Трое внуков единственного и неповторимого дедушки, пионера, осушителя и садовода, поаплодируем Якову Миркину, товарищи!

— Двое внуков и Жан Вальжан, — сказал Иоси.

— Лучше быть теленком твоего дедушки, чем сыном твоей матери, — повернулся я к нему.

Иоси встал, объявил, что он идет «взять радиотелефон из джипа», и вышел.

— Что должна была означать эта твоя гениальная китайская поговорка? — поинтересовался Ури.

— У вас у обоих хотя бы есть мать, — сказал я.

— Не устраивай трагедий, — рассердился он. — Я уже не первый раз слышу твои глупости, но я достаточно хорошо тебя знаю, чтобы понять, когда ты порешь абсолютную чушь.

— Иди, позови своего брата, — сказал я. — Салат готов, а яичницу я приготовлю, когда вы будете за столом.

Ури вышел, и они оба вернулись лишь через полчаса.

— Мы были на кладбище, — сказал Иоси. — Боже праведный, во что ты превратил отцовский участок!

— Ваш отец решил уехать за границу, — ответил я. — А вы оба объявили, что не намерены возвращаться. Так не предъявляй мне сейчас претензий.

— Хватит, — сказал Ури. — Либо мы садимся за стол, либо я немедленно ищу, с кем бы забраться на водонапорную башню.

После еды мы успокоились и пошли побороться на заброшенный сеновал Мешулама, потому что в нашем дворе уже не оставалось соломы.

— Два Близнеца против могучего Чудовища! — пыхтел Ури, который повис на моей спине, пытаясь сдавить мне горло, пока Иоси прыгал передо мной и бодал меня лбом и кулаками. Мы смеялись, не переставая. Колкая солома липла к коже и забивалась в волосы на голове и на груди, и в конце концов я уложил Ури на солому, поставил на него ногу, чтобы он не сдвинулся, а извивающегося Иоси схватил за пояс и поднял в воздух. Теперь он уже не плакал, как в детстве, а только разевал рот и издавал боевые крики, давясь от смеха.

Свет керосиновой лампы приближался к нам со стороны «Музея первопроходцев», покачиваясь в ночной темноте. Испуганный и разгневанный Мешулам вошел на сеновал.

— Смирр-наа! — крикнул Иоси.

Ури прыгнул на Мешулама и выхватил у него из рук лампу.

— Возвращаемся со свидания с вентилем? — спросил он. — Или просто заглянули, чтобы поджечь сеновал?

Мешулам вконец разозлился.

— Что вы здесь делаете? — требовательно спросил он.

Завернутый в мокрую ночную комбинацию Песи, он выглядел, как маленький трогательный вороненок.

— Ну и артист! — сказал Иоси.

— Мы просто решили немного позабавиться, Мешулам, — объяснил я. — Пошли отсюда, ребята.

Ури стал пятиться задом, обратив к Мешуламу насмешливое лицо.

— Ты ведь знаешь правила, — предупредил он. — Ты должен сосчитать до ста, прежде чем пойдешь нас искать.

Мое веселое настроение стремительно улетучивалось. Мы вернулись домой, но Иоси попросил по дороге завернуть на кладбище. «Там, наверно, жутко красиво ночью, со всеми этими белыми цветами и памятниками». Я открыл ворота. Гравий шуршал под нашими ногами. Пели сверчки. Братья стояли у надгробья дедушки, а я сидел на розовой плите памятника Розы Мункиной.

— Сколько ты берешь за могилу? — спросил Иоси.

— Смотря с кого. Богатым старикам из Америки это обходится примерно в сто тысяч долларов. Бускила знает точно.

— Так ты миллионер! — произнес Иоси, и голос у него был тоньше обычного. — Ты просто миллионер. Ты знаешь это?

— Я никто, — сказал я. — Я просто продолжаю работать на нашем участке. Я делаю то, что велел мне дедушка.

— Красиво здесь, — сказал Ури. — Жутко красиво.

Он встал и отошел в темноту. Слышно было, как журчит за забором его струя.

— Тебя что, не учили в армии, что ночью нужно мочиться тихо? — насмешливо спросил Иоси. — Ты поводи им туда-сюда!

— Я стараюсь, — откликнулся Ури из темноты, — да это он всю жизнь водит мною! Ладно, вы как хотите, а я иду спать. Увидимся завтра.

— Ну и тип! — сказал Иоси. — Ну и тип, этот наш Ури!

Теперь, в темноте, когда он не смотрел на меня лицом своей матери, которое всегда просвечивало сквозь его собственное, и после нашей веселой возни на сеновале, я чувствовал себя с ним спокойней.

— Так что же ты собираешься делать, в конце концов? — спросил он.

— Чего ты беспокоишься? Ты же сам сказал, что я миллионер.

— Почему ты вечно злишься, когда видишь меня?

— Потому что ты действуешь мне на нервы.

— А ты нет?! Ты хуже, чем колючка в заднице. Ты всегда был таким. Вся школа смеялась над нами из-за тебя. Вся деревня по сей день смотрит на тебя как на чокнутого.

— Пусть смотрит, — сказал я. — Они просто завидуют. Они выгнали отсюда Эфраима, так пусть теперь знают.

— Перестань все время ссылаться на дедушку! — сказал Иоси. — И вообще, тебе не кажется удивительным, что ты один слышал от дедушки эту странную просьбу?

— Что ты хочешь этим сказать?

— Что эта его, так сказать, последняя воля не так уж плохо обернулась для тебя.

— Пинес тоже слышал, — сказал я.

— Пинес! — фыркнул Иоси. — Тоже мне свидетель! — Почему-то этот разговор был мне приятен. — Это мы с тобой впервые так разговариваем, — сказал Иоси.

Он встал, покрутился, наклонился понюхать цветы, стал разглядывать могилу Шуламит, прошелся туда-сюда, вернулся и сел рядом со мной.

— Зачем ты и ее похоронил здесь? Кто она нам такая?

— Так хотел дедушка, — сказал я.

— Так хотел дедушка, так хотел дедушка! Тебе еще не надоело?

— Но он действительно так хотел.

— И ты просто пришел и забрал ее, или как?

Я пришел и забрал ее. Ее гроб был единственным, который я не открыл перед погребением.

— Она была здесь совсем одна. У нее никого не было.

— Прямо плакать хочется! — усмехнулся он. — Скажи мне, ты ведь видел их там вместе иногда, в этом доме престарелых, что там было между ним и этой Шуламит?

— Я в этих делах не понимаю, — ответил я, глядя на морщинистую шею дедушки и его лысую голову, глубоко утонувшую в белизне мертвых женских бедер.

— Что ты сказал?

— Ничего.

Иоси с опаской посмотрел на меня.

— Но ты же наверняка подсматривал за ними. Ты всегда за всеми подсматривал. — Он выждал, не отвечу ли я, и наконец сказал: — Ты думаешь, мы не знали, что ты подслушиваешь за дверью и подсматриваешь в окна?

— Ну, знали, ну и что?

— Когда мы были маленькие, мама сказала, что, если она еще раз поймает тебя на этом, она тебе задаст трепку. А отец сказал ей, что, если она подымет на тебя хотя бы мизинец, он переломает ей руки и ноги.

Я молчал. Я вспомнил, как Ривка смотрела на меня, когда я боролся с подросшими бычками, и как она ненавидела мою мать, колокол свадебного платья которой и язычки белых ног не переставали бередить ее память даже после того, как они были съедены огнем.

— Я всегда тебе завидовал, — сказал он вдруг. — Ты жил с дедушкой, был его малышом.

— Я тоже думал тогда, что я его малыш. — Я проглотил сухой катышек, стоявший в горле. — Но сейчас я уже не так в этом уверен.

— Я завидовал тебе, потому что ты был сиротой, — сказал он. — Один раз, когда нам было лет шесть или семь, я сказал Ури, что, если бы наши родители умерли, Пинес брал бы нас тоже в прогулки по полям. И дедушка растил бы и нас.

— Но вы бы не похоронили его, как я, — сказал я. — Ты бы испугался Якоби, а Ури — ему такие вещи до лампочки.

— Ты всегда был странный, всегда со стариками. С Пинесом, и с дедушкой, и с Циркиным, и с Либерзоном, и мы все тебя боялись, уже со второго класса. Ты знаешь, нас с Ури никто даже пальцем не осмеливался задеть — и все из-за тебя. Они тебя боялись.

Он спустился с могилы и сел на землю, поковырял ее пальцами. У него были короткие квадратные пальцы Авраама. Сейчас он крошил маленькие комки земли, растирая их между большим, средним и указательным пальцами. Пионеры усвоили это движение, придя в Долину. Они научили ему своих сыновей, а третье поколение уже родилось с этим.

— Я бы остался здесь, — сказал он, помолчав. — Ей-богу, остался бы в деревне. И ты сам знаешь, что я мог бы совсем неплохо вести хозяйство. Но эти могилы — они просто заставляют меня уйти. И Ури тоже наверняка не вернется. Только ты останешься, чтобы показать всей деревне и всему миру, и сколотишь капитал, который наши старики даже в самых сладких своих мечтах не могли бы себе представить.

— Почему все говорят только о деньгах? — спросил я. — Ты сам видишь — я не пользуюсь этими деньгами. Что, я купил мебель? Одежду? Я построил здесь плавательный бассейн? Я даже за границу никогда не ездил.

— Это говорит, что ты действительно настоящий мошавник, — усмехнулся Иоси. — Ни один человек в деревне не умеет получать удовольствие от жизни. И я тоже. Наши мошавники не любят тратить деньги впустую. Они боятся засухи, саранчи, нашествия мышей. Их ноги вросли в землю, а головы в облаках — высматривают тучи, дождь, воду, которую можно получить задаром. Только Ури освободился от этих генов.

— Я просто сторож, — сказал я. — Я только сторож при дедушке. Я обещал ему, что никто не заберет его отсюда.

— Ты знаешь, в детстве я больше всего любил слушать, как дедушка спас тебя от шакала, — шепнул Иоси. — Отец рассказывал нам эту историю перед сном. Ты сидел во дворе, играл с котятами, а дедушка бросился на шакала и сломал ему все кости.

— Это была гиена, — сказал я. — Даже в газете написали, что это была гиена, и ее череп по сей день находится в школьном уголке природы.

— Пусть будет гиена, если тебе так важно, — сказал Иоси. — Главное, что дедушка тебя спас.

— Это случайно был я, — сказал я. — Что ты думаешь, что тебя дедушка не спас бы?

— Ко мне гиена не пришла бы, как ты не понимаешь?! Ты думаешь, она просто так проходила мимо, случайно?

Я был ошарашен. Мне никогда не приходило в голову, что он так думает.

— Иногда, когда мы подолгу лежим в засаде на границе и сутками не спим, мне начинают представляться разные видения, и я вдруг пугаюсь, что вот-вот появится Шифрис, ступит на заминированный участок вдоль забора, или кто-нибудь из ребят крикнет ему «Стой!» — ведь этот старый идиот в жизни не остановится, пока не вступит в Страну Израиля, — и тут его пристрелят в темноте.

— Он не придет, — сказал я. — Шифрис — это просто дедушкина выдумка.

— Наш дедушка все-таки был какой-то особенный. Крупного калибра, — сказал Иоси. — Иначе они бы не приезжали со всего мира, чтобы их похоронили именно здесь.

— Этот день, с гиеной, это был летний день, очень ясный и прозрачный, — сказал я. — Из-за Пинеса я все запоминаю по временам года.

— Идем, походим немного, — предложил он. — Мне что-то холодно стало.

— Твой отец родился в начале лета, в мае, — сказал я ему. — А двойная свадьба была осенью. Бабушка умерла весной, Рылов взорвался зимой, и Циркин умер зимой, Фаня умерла в конце лета, а дедушка ушел осенью.

«Я сидел с ним три дня и три ночи, — рассказывал я. Впервые в жизни я тоже рассказывал историю. — Твой отец входил и выходил, входил и выходил, врач пришел и ушел, и дедушкины друзья тоже были там — Циркин, и Либерзон, и Шифрис, и Пинес. И я так устал, что уже не понимал, что происходит».

Он лежал на своей кровати, на колючем матраце, набитом водорослями, его бледная кожа была скрыта новой пижамой. Я тяжело поднялся и вышел наружу, к поселковым дорогам, которые никогда меня не подводили.

Осень, по своему обычаю, опускалась на деревню дождем увядших листьев и печальными криками молодых рыжих славок, не решившихся лететь на юг. Я шел по колее, тянувшейся к полю, давя последние желтые травинки, еще торчавшие на горбатой тропке посредине. Во фруктовых садах и в водостоках коровников лежали распавшиеся гнезда славок и синиц. За бычьим загоном я увидел ненавистный шестиколесный грузовик торговцев скотом, нагруженный тремя унылыми, свесившими хвосты телятами. Он прокладывал себе дорогу среди телег, запряженных лошадьми, и американских машин, каких мы в деревне никогда не видели. Мужчины и женщины в элегантных костюмах с высокими круглыми воротниками и дети в черных лаковых туфлях расхаживали там. Я удивился — кто успел рассказать всем этим чужим людям, что дедушка умирает, — но не стал останавливаться. Я прошел по аллее рожковых деревьев, тяжелый белый аромат которых смущал прохожих. «Пальма и рожковое дерево — это двудомные растения, мужские органы на одном дереве, женские на другом. Пыльца одного дерева-самца может осеменить десятки самок», — сказал Пинес прямо мне в ухо.

Я слышал напряженное журчание родника, пытавшегося пробить путь своей жалкой, истощившейся в конце лета струе, и душистое брожение валявшихся на земле нежных перезревших плодов, кожура которых лопалась, издавая еле слышные, хлопающие, пьянящие звуки. Каждое лето мы прятали желтоватые груши «жентиль» в пакетах комбикорма, где они согревались, испуская сладкие бродильные пары. Мякоть груш разлагалась и растворялась внутри их кожицы, и к осени они превращались в покрытые тончайшей пленкой мягкие яйца, распираемые соком и брагой. Тогда мы осторожно вынимали их, надрывали эту пленку зубами и жадно глотали перебродивший сок.

«Я помню, — сказал Иоси. — Как ликер».

Сушь и смерть ощущались во всем. Цикады давно уже исчезли. Яростное, уверенное жужжанье ос и жуков, подталкиваемых жарой, уже умолкло. И только небольшие кучки камешков и мякины обозначали жилища муравьев, питавшихся травяными семенами. Но в зеленых цитрусовых плантациях еще набухали с медленным шепотом завязи яффских апельсинов, да вздувались на своих плодоножках желтые шары грейпфрутов. Делились клетки в оплодотворенных яйцах индеек. Замороженная сперма отогревалась и таяла в матках коров. Осень подбирала молоко и мед, соки и семя.

В воздухе стоял запах влажного поля. Земля уже была выворочена наизнанку для посева. Она всегда пахла дождем еще до прихода первых дождей. «Так она привлекает тучи, чтобы они ее напоили», — сказал идущий рядом со мной Пинес.

Огромная грусть перехватывала мое дыхание. Из-за дедушки, который решил умереть, и никакой врач не вылечит его от этого решения. Из-за моей собственной жизни. Из-за семьи Миркиных, где вместе с моим отцом и матерью умерла та единственная любовь, которая воровски постучала однажды к нам в окно.

У родника цвела малина, и младенец выкрикивал песни среди ее колючек. Босоногий, сильный парень с грубыми чертами, крепкий, как бык, шел мне навстречу, размахивая молочными бидонами. «Прямо из-под коровы», — прорычал он и закрыл глаза, ожидая, что дедушкина рука погладит его по затылку.

«Пошли отсюда, Малыш, пошли», — сказал Пинес и с несвойственной ему силой оттолкнул меня вбок.

Осень стояла, и стаи аистов и пеликанов уже летели на юг над моей головой, затемняя небо Долины своими гигантскими крыльями. Я знал, что малиновка скоро вернется на свое гранатовое дерево и будет защищать свой дом громким щелканьем, рвущимся из ее красного сердца. Потом появятся скворцы, мелькая тысячами пестрых грудок, и их клубящиеся, перемешивающиеся стаи разлетятся по всей Долине и покроют землю своим пометом.

Босыми ногами я ощущал огромных улиток, которые уже дрожали в земле в ожидании, пока первая вода понудит их раскрыться и охватить друг друга своими кремниевыми панцирями. Почки осеннего крокуса уже роняли первые пузыри на высохшую корку земли. «Скоро в поля прилетит чибис и будет прогуливаться в бороздах, потряхивая своим красивым хохолком», — воскликнул Пинес позади меня. Я шел к холмам по сиротливым тропам, что вели к голубой горе, и чем больше я удалялся от дома, тем сильнее становился своевольный запах девясила и все тверже деревенели подушки колючего бедренца. На голубой горе, где я никогда не был, уже цвели гибкие перья морского лука, и белополосатые почки каперсов таили крючки, которые вонзятся мне в кожу.

Зеленые равнины простирались по другую сторону горы до самого горизонта, и только колышущаяся рябь злаков говорила мне, что это не море. Широкая река текла там, в ее водах плескались белогрудые женщины, и маленькие деревушки гнездились на ее берегах, а еще дальше земля уходила книзу и исчезала в туманном, подвижном сиянии. Словно белые снежные волки выли там, словно ветер играл в березовых листьях. Широкой была эта земля. Такой большой, что горизонт не прижимался к ее краям, а только подымался там и дрожал.

Я повернулся и бросился назад, как мальчик, который открыл запретный сундук.

И тогда видения и сны перестали подыматься над телом дедушки, и я понял, что он умер.

— Забавно ты определяешь, когда человек уже умер, — сказал Иоси. — Ты рассказал об этом доктору Мунку?

— Дедушка умер, когда у него больше не осталось ни снов, ни воспоминаний, — сказал я. — А что, разве не все так умирают?

50

После Нового года Иоси вернулся в армию. Когда он садился в джип, я пожал ему руку и почувствовал, что его тело все еще ежится от подозрений. Ури остался дома, чтобы помогать мне в работе. В те дни умерла Тоня Рылова, и, когда мы с Ури стащили ее с памятника Маргулису, даже пчелы не заполнили образовавшуюся после нее пустоту. Дани Рылов стоял рядом и стонал высоким и странным голосом. «Ты только послушай, — прошептал Ури. — Он даже плакать не умеет. Отец его не научил».

Все последующие дни мы копали, не переставая. Маленькие комариные мозги Дани Рылова запутались в непредвиденной проблеме — похоронить Тоню возле сапог ее мужа или рядом с могилой Маргулиса? Со свойственной ему тупостью он решил выяснить, что думает по этому поводу Рива Маргулис, и та, аккуратно отжав мокрую половую тряпку, столкнула Дани с только что вымытых ступенек и сказала, что, по ее мнению, так пусть он вскроет гроб ее мужа и сунет туда свою мамашу вместе с вонючими сапогами своего отца. Теперь он каждое утро менял свое решение и заявлялся ко мне в слезах и смущении. Удивленный такими сложными душевными терзаниями этого грубого человека, который всю жизнь только и думал, как бы его бычки нагуляли побольше жира, я каждый день заново откапывал тело Тони и в очередной раз переносил его с места на место.

Мы делали это целых пять раз, невзирая на вонь разлагающейся плоти и укусы разъяренных пчел, но даже Ури, который в обычные дни наверняка и без колебаний отпустил бы какую-нибудь шутку о «переселении туш» под землей, теперь заметил только, что Тоня и впрямь заслуживает высочайшего уважения «хотя бы за то, что она столько лет, в любую погоду, в дождь и в солнце, да еще среди тучи пчел, так преданно сосала свой палец».

К счастью, Бускила потерял терпение и решительно заявил Дани: «Хватит. Пора кончать это позорище! Ты что, дохлую кошку хоронишь, что ли? Это так ты уважаешь своих родителей?»

Мне же он сказал:

— Судный день надвигается. Что он себе думает?

Потом он снова пригласил нас с Ури к себе в гости. Он жил в соседнем городке.

— Приходите, заглянете в марокканскую синагогу, увидите, что в этой стране еще есть евреи, — сказал он.

— Давай сходим, — сказал Ури. — Это может быть занятно.

— Ты можешь идти, — сказал я. — Это не для меня. С каких это пор ты стал обращать внимание на религиозные праздники?

— Нет, один я не пойду, — сказал Ури.

Мы остались дома. После обеда к нам пришли маленькие близнецы кантора. Они стояли на пороге стеснительно и гордо, точно два соловьиных детеныша, покрытые черными шапочками.

— Папа приглашает вас на обед перед постом, — сказали они и тут же выпорхнули за дверь таким единым, согласованным движением, словно были тенями друг друга.

— Давай пойдем к ним, — встрепенулся Ури. — Этот Вайсберг, наверно, нас простил.

— Не пойду, — упрямо сказал я. — Мне не интересно. И потом, я не люблю есть в четыре часа дня.

— Ну, тогда я сам пойду.

— Как хочешь.

Ровно в четыре часа дня я стащил с себя рубашку, стал посреди двора и с превеликим шумом расколол несколько чурбаков, а потом сунул поленья в стоявшую у стены времянки дровяную печь, что есть силы грохоча ее железной дверцей. И пока мой двоюродный брат восседал в доме своих родителей, насыщаясь едой кантора и опьяняясь красотой его дочери, я поворачивался под кипящими струями воды, сидя на маленькой дедушкиной табуретке.

Скрытый в клубах пара, я растирал себя докрасна, прислушиваясь к глубокому урчанью трубы за стеной. Я знал, что семейство Вайсберг тоже слышит шум огня и делает вид, будто не замечает этого вопиющего к небу святотатства.

Перед вечером, когда кантор со своей семьей отправились в синагогу, Ури вернулся.

— А ты что, не идешь помолиться? — спросил я как можно язвительней.

— Сегодня нет. Но завтра обязательно пойду, — ответил он серьезно.

Синагога в нашем мошаве большую часть года сиротливо пустовала, потому что мошавники второго и третьего поколения крайне редко навещали ее, но старики, давно сменившие принципиальный атеизм молодости на равнодушие зрелых лет, теперь, в свои последние дни, обрели новый интерес к религии. Некоторые стали еще более ярыми атеистами, зато другие, охваченные страхом и раскаянием, теперь молились каждую субботу, весьма набожно и даже порой со слезами. Этих последних Элиезер Либерзон именовал не иначе как «товарищи угоднички», и, хотя точный смысл этого прозвища был мне непонятен, его презрительный оттенок не оставлял сомнений.

— Как она выглядит? — спросил я.

— Кто?

— Молодая канторша.

Ури ухмыльнулся:

— Сидела, как телка с головой в кормушке. Уставилась в тарелку и ни слова не сказала. Все, что мне удалось увидеть, — это кусок лба, несколько пальцев и шесть метров синей ткани.

— Она красивая, — сказал я.

— С каких это пор ты стал засматриваться на девочек? — подозрительно спросил Ури. — Что с тобой стряслось? Ты можешь мне рассказать? — Я промолчал. — Я сам, правда, этими делами больше не занимаюсь, но кое-что еще помню, — сообщил он.

Ночью я его разбудил, и мы пошли на кладбище. Я еще раз вырыл Тоню и перенес ее к Маргулису, но ее памятник оставил возле той могилы, где были похоронены рыловские сапоги.

— Что-то мне говорит, что ты спятил или собираешься, — задумчиво сказал Ури, сидя на памятнике Шломо Левина.

— Пугало огородное! Тебе бы еще бороду и пейсы — было бы очень к лицу, — сказал я.

— Ты начинаешь меня раздражать, — сказал Ури. — Ты просто ревнуешь. Если хочешь приударить за ней, так давай, действуй. Можешь попросить Пинеса — он даст тебе несколько подходящих для начала фраз из Танаха, потом сходи в синагогу и подмигни ей. Я могу научить тебя еще кое-каким полезным штучкам.

— Я не ревную, — сказал я, разравнивая стенки ямы. — И я не думаю, что твои деревенские приемы на нее подействуют.

Утром, проснувшись, я увидел, что он стоит в трусах и майке, высунувшись из окна.

— Вставай быстрее, — сказал он. — Ты только посмотри на эту картину.

Я поднялся и подошел к окну. Выйдя с нашего двора, семейство Вайсберг торжественно направлялось к синагоге. Дочь и мать шли в темных чепцах, на канторе сверкал белый талит и чернела огромная кипа. На ногах у всех — новые светлые кроссовки вместо кожаных туфель, запрещенных на Йом-Кипур.

— Посмотри на этих спортсменов, — улыбнулся Ури и, высунувшись по пояс, крикнул: — Даешь, ребята, возвращайтесь с медалью!

Его голова и плечи торчали из окна, и солнечные пятна, просачиваясь сквозь листву казуарин, сверкали на его обнаженной коже. Вайсберг проронил какое-то невнятное междометье. Два дивных глаза снова стыдливо опустились долу, и две затянутые длинными чулками ноги снова зашагали под платьем.

— Давай поедим, — предложил Ури. — Приготовь мне знаменитый дедбургер, только без колострума, пожалуйста, ладно?

Но, поев, тут же объявил, что идет в синагогу.

— Они пригласили меня вчера, — объяснил он.

— Не уверен, что они так уж обрадуются, увидев тебя после твоих утренних шуточек.

— Это общественная синагога, а не их личная.

И он вышел.

Длинный, скучный день расстилался передо мною. На кладбище сегодня не предвиделось особой работы, за мной не было грехов, чтобы молиться об их отпущении, а уход Ури меня разозлил. Я вымыл посуду, покрутился немного во дворе, а потом поднялся по ступенькам в дом Авраама, бесшумно ступая на кончиках босых пальцев, пригнувшись и прислушиваясь, не вернулся ли кто из них, чтобы передохнуть от поста и молитв.

Полная тишина царила там. Я открыл дверь, вошел и оказался в окружении странного, незнакомого запаха, который уже успел впитаться в стены. На спинках стульев в бывшей комнате Ури и Иоси были аккуратно сложены костюмчики канторских близнецов. На этажерку с запретными светскими книгами была наброшена большая простыня. В спальне Авраама и Ривки стояли два больших, мрачных чемодана, а супружеские кровати были отодвинуты друг от друга. Все картины в большой комнате были повернуты лицом к стене. На диване лежало темное будничное платье — закрытое, сложенное и молчаливое. Я стал на колени и спрятал лицо в его плотных складках, в шести метрах тяжелой синей ткани, но тут же вздрогнул от страшного крика сойки за окном, сломя голову бросился вниз по лестнице и так же торопливо зашагал в центр мошава.

Вокруг, как ни в чем не бывало, рычали тракторы. Дни Покаяния никогда не внушали нашим мошавникам особого пиетета.

«Куры не перестают нестись даже в Йом-Кипур, и коровье вымя тоже не делает перерыва», — писал Элиезер Либерзон в деревенском листке за много лет до моего рождения.

Прижавшись к стене синагоги, я прислушивался к умоляющему шелесту молитвы, то и дело прерывавшемуся радостными возгласами игравших снаружи детей, посвистываниями стрижей и тарахтеньем охладительных компрессоров на молочной ферме.

Я заглянул внутрь. Вайсберг раскачивался взад и вперед, точно огромный сыч на развалинах. В женском отделении синагоги стояли его жена, дочь и несколько приезжих женщин, приехавших в гости к родственникам в мошав. Стайка девушек, перешептываясь и хихикая, вошли на минутку глянуть на моего двоюродного брата, который выглядел еще красивее обычного в вышитой кипе на голове. Маленькие канторские близнецы сидели по обе стороны от него и пели тонкими и сверлящими голосами. Ури следил за их слабыми пальцами, которые вели его по угрюмым бороздам молитвенника, помогая миновать ухабы древних непонятных слов.

«Отпусти нам грехи наши, которыми мы согрешили перед Тобой в нашем неведении. Отпусти нам грехи наши, которыми мы согрешили перед Тобой в запретном совокуплении. Отпусти нам грехи наши, которыми мы согрешили перед Тобой в нашем разврате. Опусти нам грехи наши, которыми мы согрешили перед Тобой в нашем ничтожном высокомерии. Отпусти нам грехи наши, которыми мы грешили перед Тобой в наших дурных наклонностях».

Закрыв глаза, Вайсберг выпевал стонущим голосом, как дедушка, когда его укусила гиена.

«Отпусти нам все наши прегрешения, и прости нам, и отпусти нам, и смилуйся над нами».

Солнце уже склонялось за голубую гору, и снаружи слышались последние ликующие крики подростков, плескавшихся в соседнем бассейне.

Звонкий, приятный голос кантора вырвался из окон синагоги: «Отвори нам врата, потому что доселе закрыты они, ибо день миновал, и солнце минует, отвори же нам врата Свои». И кучка молящихся подхватила: «К Тебе взываем, о Господи, отпусти нам, прости нас, помилуй нас, освободи нас, смилуйся над нами, избавь нас от гнева Твоего, отпусти нам все наши грехи и прегрешения!»

Воздух был неподвижен, раскален и молчалив. Не было ни дуновения, и слова — обкатанные, чистые и прозрачные — вылетали из окон, направляясь в свой великий полет.

На следующий день я поднялся на заре и спустился к «Кладбищу пионеров». Ури еще спал, а Бускила пришел в полдень и сообщил мне, что у него был «удачный Судный день» и что в следующем месяце нужно ожидать двух новых похорон, «одни скромные из-за границы и одни шикарные из Тель-Авива». Бускила управлял нашими делами организованно и эффективно, время от времени объезжая мошавы и кибуцы, дома престарелых и больницы, и никогда не ошибался в своих предсказаниях. «Опять едет проверять свой товар», — презрительно и раздраженно говорил Пинес, когда черный пикап Бускилы в очередной раз поднимал клубы пыли в полях.

Потом я увидел вдали фигуры канторских близнецов и его дочери, которые спускались по гравийной дорожке к моему кладбищу. Охваченный смущением, я спрятался среди деревьев, но малыши тут же меня обнаружили.

«Мы завтра уезжаем», — сообщили они. Их сестра медленно ходила среди памятников, и я все время видел только ее спину.

Меня охватил жуткий страх перед собственным телом. «Счастливого пути», — шепнул я близнецам, торопясь удалиться, прежде чем совершу что-то такое, исхода чего даже не могу себе представить. Мне всегда было покойно в глубоком и сумеречном молчании моего большого тела, и теперь, охваченный непонятным возбуждением и страхом, я поспешил унести ноги и почти бегом вернулся домой.

— Куда ты мчишься? — удивился Ури, встретив меня по дороге.

— Я забыл кое-что дома, — сказал я. Несколько минут спустя, лежа на крыше сеновала, я увидел, как он открывает калитку в ограде кладбища.

В тот вечер я отправился навестить Пинеса.

— Яков, — сказал я, — Ури был весь Йом-Кипур в синагоге и молился, как будто его укусила гиена.

— Это не страшно, Малыш, это не страшно, — сказал Пинес

— Можно мне сегодня переночевать у тебя? — спросил я.

— Пожалуйста, — сказал Пинес.

У него за дверью стояла раскладушка, и после ужина он показал мне, куда ее поставить.

— Укрой меня, Яков, — попросил я.

Мне хотелось поговорить с ним, услышать какую-нибудь историю, пожаловаться, что ни он, ни дедушка не научили меня изгонять бесов из собственного тела.

Его толстое, слабое и больное тело двигалось с огромным трудом. Он укрыл меня тонким одеялом, и меня зазнобило от наслаждения и тоски. Его рука скользнула в темноте по моему лицу, а потом я услышал скрип пружин его кровати и какой-то невнятный шепот.

Я проснулся после полуночи. В темноте я увидел округлую, согнутую тень старого учителя, сидящего в постели. Без очков он выглядел как испуганный крот, который ждет удара мотыгой по затылку.

— Что с тобой, Яков? — спросил я. — Что случилось?

— Тише! — резко сказал Пинес. — Молчи!

Тишина молчала. Ветерок, легкий и теплый, как пар изо рта спящего теленка, о чем-то шептался с листвой деревьев. И вдруг Пинес затаил дыхание и задрожал. Отчетливые, звучные и сильные, словно большие капли последнего дождя, вызывающе громкие, словно десятки тысяч саранчиных крыльев, откуда-то сверху упали слова:

«Я трахнул канторскую дочку!»

И снова тишина. Я не знал, куда броситься раньше — к Пинесу, который свалился с кровати, точно мешок комбикорма, хрипя и судорожно пытаясь вдохнуть, или к Ури на его водонапорной башне, уже окруженной со всех сторон криками и тяжелым топотом бегущих ног.

«Помоги мне», — простонал Пинес, который умел распознавать противоречия в любом живом организме.

Я уложил его в постель и стал заталкивать в него еду, грубо и утешающе, непрерывно, ложку за ложкой, останавливаясь лишь затем, чтобы вытереть ему рот и подбородок.

Когда я добежал до водонапорной башни, там уже собрались десятки людей. Вайсберг и его жена, бледные, как американские покойники, сидели на земле[1]. Грузные мошавники сгрудились у подножья лестницы.

Все смотрели вверх, и тут я увидел Ури, который перенес ногу через ограду и начал спускаться по ступеням. А следом за ним — колокольные очертания темного платья и великолепие запретных ног, сверкавших белизной даже сквозь плотную ткань длинных чулок. Толпа злобно зарычала, и я шагнул вперед, раздвигая людей тем медленным бодливым движеньем быка, которое было хорошо знакомо каждому скотоводу мошава. Я встал спиной к подножью лестницы, скрестив на груди руки.

Ури спустился первым, протянул руку, чтобы помочь дочери кантора, и я пошел следом за ними, держась поблизости и защищая их, пока они не достигли дома.

Семейство Вайсбергов покинуло деревню в ту же ночь, Ури добровольно заточил себя в дедушкиной постели, а наутро Рива Маргулис проснулась от влажного и смрадного запаха, который доносился снаружи. Сначала она подумала, что это вернулся кот Булгаков и это его дыхание отравляет ее двор. Она радостно метнулась к окну, но, отдернув накрахмаленные занавесы и глянув через оконное стекло, на котором, влекомые тоской и прозрачностью, непрерывно гибли осы и мухи, увидела, что Мешулам разбил большой водяной вентиль на ее водопроводной трубе.

По всему двору лежали покрытые грязью животные, и отвратительная жижа уже поднималась по ступенькам веранды. Рива, которая накануне Нового года выскребла даже дорогу перед своим домом и запретила трактористам ездить по ней, пока она не высохнет, была последним человеком в деревне, в котором еще сохранилась пионерская смесь безумия, идеализма и бескомпромиссности. Не колеблясь ни мгновения, она ринулась в бой.

Риву нельзя было поймать врасплох. На старом мужнином складе, на полках, где раньше лежали приспособления для окуривания и откачки меда, рамки для сот и банки прополиса, у нее были приготовлены тысячи половых тряпок, сотни метел и десятки скребков.

Вооруженная этими простейшими орудиями труда и испытанной идеологией, вышла она на самую большую чистку своей жизни. Весь мошав пришел посмотреть на эту несчастную старуху, которая из-за своего помешательства на чистоте потеряла мужа, стала посмешищем всей деревни и обузой общества.

Тренированные руки Ривы двигали палки с намотанными на них тряпками умелыми движениями, каждое из которых завершалось точным шлепком тряпки по земле. Для начала она отогнала жидкую грязь подальше от своего дома, а потом, немного передохнув, вышла на последний и решительный бой. Три дня подряд, без перерыва, она промокала жижу своими тряпками, чтобы потом выжать их в вади.

«Теперь все чисто», — удовлетворенно сказала она, закончив наконец свою работу, постирала свои тряпки, повесила их сушить и вернулась в дом, чтобы заново начистить окна.

51

Ури не вернулся на свою работу у Ривкиного брата. Неделю за неделей он лежал в дедушкиной кровати, издавая ужасные звуки. Нехама, прекрасная и молчаливая дочь кантора, была увезена домой той же ночью. Вайсберг не задержался даже для того, чтобы упаковать свои вещи.

Он отказался от платы за проведенное богослужение, отклонил все предложения отвезти его к поезду и отверг все извинения и скорбные заверения в раскаянии. Он взял жену и детей, и они пошли по полям, спотыкаясь в темноте на вывернутых из земли комьях и натыкаясь на острые осенние колючки.

Все эти недели я ухаживал за Ури, который был раздавлен тяжестью тоски и любви. «Я хочу только ее, Нехаму, — стонал он, — только ее, ее одну».

«Поезжай туда и привези мне ее! — требовал он от меня. — Перед тобой никто не устоит».

«Поезжай! — кричал он. — Взвали ее на спину, на плечи, возьми на руки, как хочешь. Привези ее, иначе я умру!»

Я был изрядно напуган. Я не знал, с чего начать. Я отправился в деревню к хасидам, чтобы спросить совета, но они отказались говорить со мной.

«Это уже не смешно, — было все, что я услышал от старого «рабби», который сидел на земле, в стыде и скорби, и, не теряя времени, чистил велосипедную цепь в тазу с бензином и маслом. — Это уже не те наши давние споры с ребе Элиезером. Подлое дело свершилось в Израиле, воистину подлое дело».

Ури отказывался мыться, одеваться и есть. Ночью он стонал и выкрикивал ее имя. Судорожно хватался за низ живота, выдергивал, наклонялся и нюхал, как одержимый бесом, свои пальцы, пытаясь учуять оставшийся в них запах ее лона, тяжелый и сладкий, точно капли янтаря, не желающие просыхать.

Сначала я уговаривал его поесть, потом все мое тело наполнилось страхом, и я попытался накормить его силой. Но ложка согнулась, упершись в его стиснутые зубы, и он вырвал на простыню странную, прозрачную слизь.

Пять недель спустя, когда он уже потерял двадцать семь килограммов веса и большую часть волос на лобке, Нехама была доставлена обратно в мошав в сопровождении трех печального вида раввинов.

«Она беременна», — сказали они и забрали Ури с собой.

Так я впервые в жизни попал в город. Свадьба Ури и Нехамы происходила в сыром внутреннем дворике, окруженном старыми жилыми домами. Вайсберг почти не пригласил гостей, а из мошава приехали только Пинес и Иоси. Бускила, единственный, кто сообразил послать телеграмму Аврааму и Ривке, приехал тоже. Родители Ури прибыли прямо из аэропорта. Авраам казался напряженным и злым, но при виде Нехамы морщины на его лбу распрямились, словно их разгладили утюгом, и его лицо осветилось. Загорелая Ривка выглядела подозрительно и говорила крикливо, но сватья набросила на нее плотный большой платок, и она сразу же успокоилась, как курица в темноте, затихла и замолчала.

Ультраортодоксы устроили свадьбу в соответствии со всеми своими правилами и тонкостями. У нас не взяли даже фрукты. Они приготовили крепкие напитки и сладкое вино, жирные пирожки с мясом и запеканки из пригоревшей вермишели. Еду подавали два официанта, а кантор не переставая плакал и причитал знакомым, мягким и слабым голосом.

Беременность еще не испортила фигуру Нехамы, но ее лицо уже отсвечивало тусклым бархатным блеском. Ее сдержанный голос был неожиданно звучным и удивлял каким-то волшебным обаянием. Харедим, по своему обычаю, побрили ей голову, но сильный, приятный запах влажной земли уже успел разойтись во все стороны и осесть в складках подвенечной фаты, скрывавшей ее лицо. И даже Вайсберг и его близкие, которым этот запах был незнаком, поняли, что невеста переедет к своему мужу в деревню.

Затем появились смущенные клезмеры[1] и стали наигрывать мелодии, знакомые нам по деревне, где их напевали отцы-основатели в зимние ночи, — «Рабби Элимелех», «Жаждет тебя душа моя» и «В субботний день», — но никто из них не играл так, как играл Циркин-Мандолина, который «умел ущипнуть одной рукой и струны, и сердце». Иоси, Авраам и я стояли чуть в стороне, неловко улыбаясь, и смотрели, как хасиды, смирившись с приговором, покорно проделывают положенные танцевальные движения. Пинес пел с ними громким, глупым и счастливым голосом, а Бускила уже торговался шепотом с каким-то бледным бородатым мужчиной. Никто не смеялся, когда затейник вскочил на стол, никто не смеялся, когда толстый брат Вайсберга поставил себе на лоб стул с семью бутылками бренди и таким же количеством рюмок, которые тут же свалились на пол и разбились все до единой.

Потом собрались тучи, пошел первый осенний дождь, ласковый и мелкий, и мы отправились домой. Иоси вел машину, Авраам всю дорогу оживленно рассказывал о теплых летних дождях на экваторе и об удивительных тропических фруктах. Бускила пытался шутить, Пинес продолжал петь, а я молчал, зная, что вскоре покину свой дом. Ури сидел сзади и держал Нехаму за крохотный кулачок, в котором, как единственная защита, был намертво зажат маленький платочек.

Всю ту зиму я помогал Ури вырубать декоративные деревья на «Кладбище пионеров», выворачивать цветочные клумбы, запахивать гравийные дорожки.

Ури был весел и кипуч. Он все уговаривал меня нанять две мотопилы, чтобы ускорить работу, но мне хотелось вырубать деревья своими руками, топором, и самому вытаскивать их тяжелые мертвые тела наружу, потому что я снова ощущал клокочущее в теле беспокойство.

Богинии, пуансианы, иудины деревья и большие кусты гибискуса падали под моими ударами, лужи сока медленно впитывались в землю, а потом я рубил стволы и ветви на маленькие душистые чурки и укладывал их в коровнике аккуратными рядами для зимней топки.

Авраам и Ривка оставили свой дом молодым. Когда наступила весна и Нехама вышла в поле, коротко постриженная, в платье для беременных, которое открывало ее ноги, я видел, как солнце вычерчивает внутри легкой ткани красивую округлость ее живота и мягкую приподнятую сводчатость меж ее ногами. Иоси приехал на неделю в отпуск, и мы вчетвером посадили фруктовые деревья и посеяли кормовые травы среди памятников. Маленькие гладкие семена клевера приятно скользили по подушечкам пальцев.

Ури был полон планов. У него не было своих сбережений, но он взял взаймы у родителей, дяди и у меня.

Нехама вычистила коровник, и коровы, в железных обручах на покорных шеях, снова заполнили стойла, чтобы мычать и слушать музыку под чмокающий перестук оживших доильных автоматов.

В конце лета мы похоронили Элиезера Либерзона. За несколько недель до этого он исчез из своей комнаты.

«Он ушел в поля», — сказал Альберт с таинственной улыбкой и произнес еще какую-то пословицу на своем ладино, но Либерзона уже не было рядом, чтобы перевести мягкие, испытанные жизнью слова.

Все знали, что Либерзон бродит по Долине, потому что маленькие клубы пыли, которые поднимали его ноги, появлялись и исчезали в самых неожиданных местах. Но старик был неуловим. Качаясь от голода и жажды, брел он по своей земле, не имея сил сорвать созревшее яблоко или приоткрыть водяной вентиль. Даниэль, не переставая, искал отца, но Либерзон, как и дедушка перед смертью, стал таким маленьким и легким, что не оставлял за собой следов. Его нашли только через несколько месяцев, когда какая-то кибуцница, собиравшая кукурузу, наткнулась на его птичьи косточки.

Теперь я ждал Пинеса. «Когда он уйдет, я тоже уйду отсюда», — объявил я, но Ури и Нехама сказали, что будут рады, если я останусь.

«Ты что, Барух? Я хочу, чтобы хоть у меня одного была на хозяйстве живая рабочая скотина, а не трактор», — смеялся Ури.

Я улыбнулся. Нехама засмеялась. Эфраим, который сосал из ее груди, испуганно задрожал. А Пинес, который был теперь самым старым и больным человеком в Долине, последним из поколения отцов-основателей, продолжал медленно-медленно жевать фаршированный рубец, который принес и торжественно положил ему на стол Бускила. Пинес знал, что я жду его, и уже несколько месяцев избегал со мной разговаривать.

«Зря ты тянешь, — с трудом выговорил он, не глядя на меня. — Я тебе не дам похоронить меня на твоем кладбище, даже задаром».

Провожая старого учителя домой, я ощущал страх в его осторожных движениях. Он уже не говорил со мной о насекомых и фруктах и не клал успокаивающую руку на мой затылок. Все свои слабые силы он собирал для последнего принципиального сражения.

«Ты меня не получишь, — повторил он. — Не получишь ни за что».

Я не ответил. Я знал, что великая школа природы, которая с равно случайной властностью управляет и людьми, и животными, сильнее меня и Пинеса.

«Блоха, кухонный таракан, гиена, коршун, пантера, очковая змея — все они столь же важны в глазах природы, что и собака, которая любит и верно охраняет человека, что и лошадь, которая понимает человека и работает для него, что и молодая девушка в объятиях любимого, что и ребенок, молящийся на коленях матери, или взрослый мужчина, от которого зависит счастье и благополучие милой жены и стайки симпатичных детишек», — писал Лютер Бербанк.

«Наша самовлюбленность закрывает от нас эту очевидную истину, — сказал мне Пинес, когда я был еще мальчиком. — Мы подслащаем эту пилюлю религиозными россказнями о мессиях, болтовней об иных мирах и суеверными сказками о райских кущах».

Теперь я шел за ним, как стая гиен идет за раненым оленем, выжидая, пока он рухнет. Я шел молча. «Жалкий коллекционер, — сказал он вдруг, обернувшись. — Если бы ты мог, ты бы, наверно, насадил нас всех на булавки, чтобы украсить свою коллекцию. Но мною ты ее не завершишь».

Среди ночи я увидел, что он копошится в ящике тумбочки возле своей кровати, достает оттуда старый ключ и выходит. Он прошел пять километров за два дня, и я шел за ним следом, в нескольких метрах позади, как шел когда-то за Либерзоном, когда тот направлялся к кибуцной фабрике, только Пинес иногда поворачивался и смотрел на меня со страхом.

«Ты можешь подождать меня там, — сказал он. — Нечего тебе идти за мной. Ты прекрасно знаешь, куда я иду». Но я упрямо шел за ним, неся на плечах память о старом рюкзаке с пинцетами и баночками с формалином — об английском рюкзаке моего дяди Эфраима.

Старый железный засов, который уже многие годы не скользил по своим направляющим, сдвинулся так легко, словно его окунули в масло. Пинес на мгновенье остановился у входа, оборотился ко мне и улыбнулся. «В здравом уме, — провозгласил он. — В здравом уме и твердой памяти». Потом нагнулся и исчез. Я думал, что он пришел сказать торжественное «прости», чтобы выйти снова и упасть в мои руки.

Ступив в пещеру, он на мгновенье остановился, жадно втягивая воздух. Слепые змеи далекого прошлого льнули к его ногам, и древние африканские древесные вши с плотоядным вожделением вползали на его кожу, а я, стоя снаружи, вдруг понял, что должно сейчас произойти, и рванулся вперед, крича и рыдая. Но учитель торопливо заковылял дальше вглубь, с неожиданной ловкостью нащупывая путь, спотыкаясь и оскользаясь на мокрой почве, пока не остановился под сланцевой плитой, которая нависала над нераскопанными глубинами, вытащил из кармана маленький молоток и стал щупать, пока не нашел ту точку, которую когда-то показал ему старый каменщик из Назарета.

Он поднял слабую руку, но не нашел в себе сил ударить — просто бессильно уронил молоток на эту слабую точку скалы.

Звук удара был хорошо слышен даже снаружи. Какое-то мгновение казалось, что ничего не изменилось, но тут же раздался ужасающий скрежет дробящегося камня, по его поверхности с устрашающей скоростью побежали во все стороны мелкие трещины, и внезапно весь он распался, как стеклянная доска. Пинес упал лицом вниз, покатился по острым обломкам и тут же исчез, похороненный под десятками тонн земли в толще геологических эпох вместе с костями своих древних, как мир, предков, среди своих одноклеточных друзей — тех трудолюбивых бактерий, что предшествовали осушению болот и сотворению света. Стоя снаружи, я услышал приглушенное эхо — даже не услышал, а лишь ощутил босыми ступнями.

Полная луна продырявила небо, и вся Долина вдруг распростерлась у моих ног, освещенная и яркая, как белый шелк. Такой, думал я, видел ее Либерзон перед тем, как окончательно ослеп, когда пленка на его глазах еще была мутно-прозрачной и Фаня еще не умерла.

Я оглянулся вокруг. Пластиковые простыни, натянутые над огородными участками, сияли в ночи, как большие молочные озера, деревья и сеновалы чернели, как огромные куски темноты, и где-то вдали сверкала новая громадная лужа. Фруктовые деревья, которые Ури посадил на моем кладбище, еще не поднялись, и памятники среди них белели, точно могучие перелетные птицы, присевшие ненадолго отдохнуть на коре планеты.

Моя голова медленно поворачивалась, будто насаженная на невидимую ось. Маленький сыч, присев над своими зловонными птенцами, кивал мне с древней мудрой насмешливостью. Я стал спускаться обратно в деревню.

Всю ту ночь я ворочался на кровати не в силах уснуть. Ранним утром я медленно и с шумом, точно большой медведь, забрался на казуарину, что стояла против спальни Ури и Нехамы, чтобы попрощаться с ними. Сжавшись среди ветвей, с головой, полной опавших казуариновых игл, я расслышал их запыхавшееся дыхание, а потом голос Нехамы, в котором все еще звучали отголоски странного быстрого акцента. «А теперь, — сказала она Ури, — выкрикни это еще раз».

Мы рассмеялись все трое — Ури и Нехама в своей комнате, а я — среди веток огромного, мощного дерева, на коре которого еще белели шрамы, врезанные когда-то гамаком моего отца и матери.

Через несколько недель Бускила сообщил мне, что нашел для меня жилье, и перевез меня и мои мешки с деньгами в дом банкира.

Тридцать восемь лет исполнилось мне ныне, и тело мое вновь обрело покой. Расти я уже больше не расту, и вес мой уже не меняется, остановился примерно на семи пудах, как я записал в измятой записной книжке дедушки. Бускила иногда приезжает ко мне на своем черном пикапе и везет меня в деревню — навестить Ури и Нехаму и поиграть с их четырьмя малышами.

В последний раз я был у них этой весной. Я привез Ури еще денег, и он устало обнял меня. Нехама пожала мне руку и улыбнулась, а четверо детишек набросились на меня, прыгая, пища и пытаясь подставить мне ножку, чтобы я свалился на землю. После обеда я взял их с собой погулять в поля. Так я делаю каждый раз. Старших, Эфраима и Эстер, я сажаю на плечи, Биньямина и маленькую Фейгу, что вечно жалуется на имя, которое дали ей родители, я несу под мышками.

Мы отправились вместе посмотреть красные флажки природы, маленьких диких котят и пчелиных цариц. Потом мы пошли навестить могилы дедушки и его друзей. Ури вбил высокие, точно корабельные мачты, шесты с багровыми вымпелами на них возле каждого памятника, потому что они уже скрылись в дебрях хлопка и пшеницы, в густых зарослях кукурузных кистей и в тесноте садовых деревьев.

Оттуда мы пошли босиком по полевым дорогам и поднялись на холм. Дети бегали, а я сидел подле проржавевшей, покореженной железной двери и смотрел на стаи пеликанов, летящих на север, на клетчатый ковер, покрывающий Долину, на могучую стену голубой горы.

«Посмотри! — Фейга дергала меня за полу рубашки. — Посмотри, дядя Барух!»

Ее карие глаза вспыхнули зелеными и желтыми крапинками, и солнце сощурило ее зрачки, придав ей выражение филина, открытого насмешкам дневных птиц. Опасливая, всегда настороженная улыбка прабабки дрожала в уголках ее рта. Крылом своей маленькой руки она указывала на далекое имя моей матери. Даниэль Либерзон когда-то пропахал его в земле, и каждый год весна расцвечивала его гигантскими синими васильками.

Примечания

1

[1] *Долина* — имеется в виду Изреельская долина (от ивр. «ис-ре-эль» — букв. «Посей, Боже») — вторая по величине (после Иорданской) внутренняя долина Израиля; тянется от Хайфского залива на восток между горами Самарии и Галилеи. Благодаря относительному изобилию воды и плодородным почвам стала средоточием многочисленных еврейских сельскохозяйственных поселений. Именно в Изреельской долине (и на берегах озера Киннерет) сложились основные формы еврейского кооперативного (мошав) и коллективного (кибуц) труда.

[2] «*Деревня… спала праведным сном*» — из посвященной поселенцам Изреельской долины песни на слова известного израильского поэта Натана Альтермана, припев которой (в приблизительном русском переводе) гласил:

> Вот она, ночь ночей,
> Тишина среди полей,
> Спит Долина праведным сном,
> Мы ее стережем.

[3] *Мошав* (букв. «поселение») — кооперативное сельскохозяйственное поселение, сочетающее элементы коллективного и частного хозяйства. Первые мошавы возникли в 1920-е годы в Изреельской долине. Характеризуется коллективным снабжением и сбытом и частным (семейным) производством и потреблением.

[4] *Вади* — сухая долина, которая временно наполняется водой после сильного дождя, превращаясь в бурный, стесненный узкими стенами поток.

[5] *Пеницилляриия* — злаковая трава.

[6] *Страна* — разговорное название Страны Израиль (или Земли Израиля, на иврите Эрец-Исраэль); отсюда выражение «всходить в Страну», т.е. репатриироваться в Израиль.

[7] *Халука* — существовавшая в XIX — начале XX века система сбора денег среди западных евреев для помощи нищим религиозным еврейским семьям, составлявшим в то время основную массу еврейского населения Палестины (особенно в Иерусалиме).

[8] *Цфат* — город на севере Израиля, исторически, начиная с XVI века, — центр еврейского мистицизма и кабалы.

[9] *Рабочий батальон* (на иврите Гдуд а-Авода) — первое еврейское рабочее объединение в Палестине времен британского мандата, основан в 1920 г., сыграл важную роль в заселении и обороне страны, распался в 1926 г. после выхода из него коммунистов (позднее уехавших в СССР и погибших в 1930-е годы).

[10] *Отцы-основатели* — пионеры-сионисты, основатели первых еврейских поселений и отрядов вооруженной самообороны в Палестине, преимущественно активисты Второй (1903–1914) и отчасти Третьей (1919–1923) алии.

[11] *Рафия* — род пальм, чье мочало (кожица листьев вместе с сосудисто-волокнистыми пучками) применяется в садоводстве как обвязочный и подвязочный материал

[12] *Танах* — аббревиатура названий трех разделов еврейского Священного Писания («Тора», или Пятикнижие; «Невиим», или Пророки, «Ктувим», или Писания), принятое в современном иврите название еврейской Библии (в христианской традиции — Ветхого Завета).

[13] *Пионер* (на ивр. — халуц, мн. халуцим) — имеются в виду первые еврейские поселенцы в Палестине начала XX в., активисты сионистского движения, отцы-основатели нынешнего Израиля.

[14] *Движение* — разговорное название израильского Рабочего движения, общее название разветвленной системы сионистских рабочих организаций, партий, молодежных и поселенческих движений и общественных объединений в Эрец-Исраэль. В 1920–1950-е годы играло центральную (и монопольную) роль во всей жизни ишува.

[15] *«Член ослиный, а похоть, как у жеребца»* — Ср.: «…плоть ослиная, и похоть, как у жеребцов». Иезекииль, 23:20.

[16] *«Восемьдесят лет мне…»* — слегка измененная цитата из Второй книги Царств, 19:35.

2

[1] *Седжера* — мошав в Нижней Галилее, основан Еврейским колонизационным обществом в 1899 г. Во время Второй алии через Седжеру прошло значительное число репатриантов (среди них был и Давид Бен-Гурион).

[2] *Тора* (учение, закон), или Пятикнижие Моисеево — свод пяти книг (в русской традиции — Бытие, Исход, Числа, Левит, Второзаконие), которые, согласно Библии, были продиктованы Создателем Моисею на горе Синай.

[3] *«Делают дела свои во мраке»* — Исайя, 29:15.

[4] *«Если кто застанет вора…»* — Исход, 22:2.

3

[1] *Ишув* (букв. «заселение») — собирательное название еврейского населения Эрец-Исраэль. Бытовало главным образом до образования государства Израиль.

[2] *Верховный комиссар* — глава британской администрации в подмандатной Палестине (1918–1948).

[3] *Алия* (букв. «восхождение») — переселение евреев в Израиль на постоянное жительство, а также сами группы переселившихся евреев, прибывшие в Эрец-Исраэль в определенный промежуток времени. Вторая алия (1904–1914) — состояла в основном из молодых пионеров (халуцим), выходцев из России и Восточной Европы, которые вначале были наемными рабочими в сельскохозяйственных поселениях и городах. Эта алия насчитывала более 40 тысяч репатриантов и была прервана Первой мировой войной. Третья алия (1919–1923) — прибыла из России, Восточной, а также Западной и Центральной Европы. Насчитывала более 35 тысяч человек.

[4] *Марокканец* — распространенное в Израиле общее прозвище евреев-репатриантов из арабских стран Африки и Ближнего Востока (Ирак, Сирия, Египет и т.д.), вернувшихся на историческую родину в 1950-е гг.; евреи из Марокко в этой алие составляли значительную часть. По своему этническому составу эта алия состояла из евреев-сефардов (в противоположность европейским евреям-ашкеназам).

[5] *Мекнес* — город на северо-западе Марокко.

4

[1] *Гилеад* — область к востоку от реки Иордан, в нынешней Иордании. В Библии — территория Заиорданья, которую некогда населяли израильтяне.

[2] *Белые ослята* — по некоторым преданиям, Мессия явится на белом осленке.

[3] *Галилея* — северная, холмистая и лесистая область Эрец-Исраэль.

[4] *Киннерет*, озеро (в русской традиции — Галилейское море, Генисаретское озеро, Тивериадское озеро) — самый большой в Израиле и самый низкий на Земле (210 метров ниже уровня моря) пресноводный проточный водоем. Находится в Иорданской впадине на северо-востоке страны.

[5] *Немцы-колонисты* — немецкие христиане приезжали на Святую землю с середины XIX в. Они основывали свои колонии в городах (Хайфа, Яффо, Иерусалим), а также покупали землю с намерением построить сельскохозяйственные общины.

5

[1] *Зихрон-Яков* — город в 30 километрах к югу от Хайфы, на южных отрогах горы Кармель.

[2] *Барон* — прозвище легендарного барона Эдмона де Ротшильда (1845–1934), главного финансового покровителя еврейских поселений в Палестине в конце XIX–начале XX в. В 1883 г. он взял под свое покровительство только что основанное поселение, оказавшееся на грани финансового краха, переименовав его в Зихрон-Яков («Памяти Якова»), в память о своем отце.

[3] *Рахель Янаит* (1886–1979) — лидер Рабочего движения, педагог и писательница, уроженка Украины, впоследствии — жена второго президента Израиля Ицхака Бен-Цви.

[4] *Страж* — здесь: член организации «а-Шомер».

[5] *«а-Шомер»* (букв. «Страж») — первая организация еврейской самообороны в Эрец-Исраэль, действовавшая в 1909–1920 гг. Организация была основана пионерами из Второй алии. Ее члены впоследствии участвовали в отражении арабских погромов в Палестине 1929 г., а также в сборе оружия и подготовке восстания против британских мандатных властей.

[6] *Хуран* — область в северо-восточной части Израиля

[7] *Цемах* — городок у южного берега озера Киннерет

[8] *Мушт* — рыба, живущая в озере Киннерет. Иначе — «белый мушт», или «галилейский амнон», или «рыба святого Петра».

6

[1] *Шейгец* (идиш) — нееврейский парень.

[2] *Ахиман* — один из трех сыновей Енака, каанита, проживавшего в Хевроне. Все три брата были исполинского роста и своим видом напугали израильских разведчиков, посланных Моисеем обозреть ханаанские земли (Числа, 13:23).

[3] *Харедим* (множ. от «хареди», букв. «богобоязненные») — ультрарелигиозные евреи, сохраняющие многие стороны специфического образа жизни и формы одежды еврейских местечек Европы XVII–XIX вв. До начала сионистского поселенчества составляли основную массу еврейского населения Палестины.

[4] *Цадик* (букв. «праведник»), также «адмор» — харизматический духовный вождь ультрарелигиозной общины, которому безоговорочно подчиняются все его верующие.

[5] *Старый город* — огороженная турецкой стеной старинная территория Иерусалима, в начале XX в. составлявшая основную часть города.

[6] *Месамсам* — род камня, как будто бы посыпанного крошечными семечками сезама (сумсума).

[7] *Абу-Гош* — большая арабская деревня к западу от Иерусалима.

[8] «*...первые дома Тель-Авива*» — Тель-Авив, главный город Израиля, который в настоящее время вместе с пригородами насчитывает свыше 1 млн жителей, вырос начиная с 1909 г.,

на безлюдных песках к северу от старинного арабского города и порта Яффо (сегодня ставшего пригородом).

[9] *«...пушки англичан, приближавшихся с юга»* — в конце 1917 г., наступая со стороны Египта, британская армия под командованием генерала Алленби изгнала турков из Палестины.

[10] *Бреннер, Иосеф Хаим* — известный еврейский писатель, убит арабскими погромщиками в Яффо в 1921 г.; *Зискинд, Эттингер* — видные деятели сионистского движения в 1920–1930 гг.

[11] *Руппин, Артур* (1876–1943) — экономист, социолог, руководитель сионистской поселенческой деятельности в Эрец-Исраэль.

[12] *«Высмотреть землю»* — Иисус Навин, 2:2.

7

[1] *Шавуот* (букв. «недели», в русской традиции Пятидесятница) — праздник в честь первых плодов урожая; празднуется в Израиле 6-го числа месяца сивана (вторая половина мая — 1 июня).

[2] *Хамат-Гедер* — урочище в долине реки Ярмук у южного подножья плато Голан, к юго-востоку от озера Киннерет. Включает пять горячих целебных источников. Известно с римских времен.

[3] *Самария* — горная область между Изреельской долиной и Иерусалимом. Названа по древнему городу Самария (вблизи нынешнего арабского города Шхем), который был столицей северного Израильского царства и где был похоронен Иоанн Креститель.

[4] *Кармель* — гора на северо-западе Эрец-Исраэль, на ее западных отрогах расположена Хайфа.

[5] *Моэль* — специалист по обрезанию крайней плоти у младенцев мужского пола во время церемонии брит-мила.

[6] *Башан* — область к северу от реки Ярмук. Славится своими пастбищами.

8

[1] *Гелигнит* — взрывчатое вещество.

[2] *«Расцвели ли гранатовые яблони»* — Песнь Песней, 7:13; *«Маслины будут у тебя...»* — Второзаконие, 28:40; *«Кто стережет смоковницу...»* — Притчи, 27:18; *«Виноградная лоза даст плод свой»* — Захария, 8:12.

[3] *«Дерево четырех видов»* — иронический намек на религиозный термин «Четыре вида» (на иврите — «арбаа миним»), связанный с праздником Суккот (Кущей). В память о кущах (шалашах), в которых жили евреи в пустыне после исхода из Египта, верующие в эти дни живут вне дома, во временных жилищах, покрытых ветками, и берут с собой туда, согласно предписанию, четыре вида растений (этрог, мирт, пальмовую ветвь, вербу).

[4] *Пальма Деборы* — Дебора-Пророчица, одна из легендарных руководителей («судей») израильских племен в первые столетия после Исхода из Египта в Ханаан. «Она жила под Пальмой Девориною, между Рамою и Вефилем, на горе Ефремовой; и приходили туда к ней сыны Израилевы на суд» (Книга Судей, 4:5). *Тамариск Авраама* — из библейского рассказа о праотце Аврааме, который «насадил тамариск в Беер-Шеве» (Бытие, 21:33, пер. Иосифона).

[5] *«...о скитании, о земле и шатре... о колодце, о дубе и бесплодном чреве»* — в Библии рассказывается о скитаниях Авраама в земле Ханаанской, разделе земли с племянником Лотом и жизни в шатре вблизи «Дубравы Мамрийской» около Хевро-

на. Именно здесь Ангел Господень явился наложнице Авраама Агари у колодца, а затем Бог (в виде трех ангелов) явился самому Аврааму у дуба, обещав потомство от его бесплодной старой жены Сары.

[6] *Гаваониты* — жители древнего, часто упоминаемого в Библии города-царства Гаваона. («Жители Гаваона... и обувь на ногах их была ветхая с заплатами, и одежда на них ветхая», Иисус Навин, 9:3–5).

[7] *«Кто пустил дикого осла на свободу...»* — Иов, 39:5.

9

[1] *Шив'а* (букв. «семь») — траурный срок, семь дней со дня погребения; в это время скорбящим прямым родственникам предписывается не работать, они не выходят из дома, сидят на полу и принимают приходящих с утешением.

[2] *Шлошим* (букв. «тридцать») — траурный срок, тридцать дней со дня погребения. В эти дни скорбящим предписывается не стричься и не бриться, не надевать новое платье, не слушать музыку и не посещать праздники.

10

[1] *Мушмула* — род деревьев и кустарников с вкусными сладкими плодами, медонос.

[2] *Гранд Александр* — сорт зеленых кислых яблок.

11

[1] *Дрек* (идиш) — дерьмо.

12

[1] *Ханаан* — древнее название земель Палестины и прилегающих к ней территорий нынешних Ливана, Сирии и Иордании.

[2] *Хасиды* — приверженцы хасидизма, религиозно-мистического движения в иудаизме, основанного Баал Шем Товом.

13

[1] *Черниховский, Шаул* (1875, с. Михайловка, Таврической губ. — 1943, Иерусалим) — еврейский поэт, один из основоположников новой поэзии на иврите.

[2] *Йеке* — полупрезрительное прозвище евреев — выходцев из Германии.; символ дотошного в своей аккуратности и точности, педантичного человека.

[3] *Огласовка* — система диакритических (подстрочных и т.п.) значков, указывающих произнесение отсутствующей (в иврите) гласной.

[4] *Семь плодов* — семь видов плодов Земли Израиля, перечисленных в стихе Библии: «Пшеница, ячмень, виноградные лозы, смоковницы и гранатовые деревья... масличные деревья и мед» (Второзаконие, 8:8).

[5] *Гордон, Аарон Давид* (1856, Троянов, Житомирской губ. — 1922, Дгания Алеф, Израиль) — один из основателей, идеолог и духовный руководитель халуцианского (пионерского) движения в сионизме. Его последователи определяли мировоззрение Гордона как «религию труда». Возвращение евреев к труду на земле должно было, по Гордону, завершиться появлением «нового еврея» и возрождением еврейского государства.

[6] *«Машбир»* — сеть универсальных магазинов в Израиле.

14

[1] *Ионатан* — верный друг и постоянный спутник царя Давида.

[2] *Сертификаты* — после утверждения британского мандата (1922) англичане приняли систему иммиграционных сертификатов, ограничивающую число потенциальных репатриантов.

15

[1] *Борохов, Бер* (1881–1917) — еврейский ученый и общественный деятель, один из идеологов и лидеров социалистического («пролетарского») сионизма, основатель Еврейской социалдемократической парти Поалей-Цион («Рабочие Сиона»).

[2] *Хасидский двор* — община последователей одного цадика, круг его приближенных и последователей; зачастую называется по имени цадика или по названию местности, где он проживал.

[3] *Голем* — человекоподобное существо, созданное посредством магического акта. Герой множества легенд. Наибольшую известность приобрела легенда о пражском Големе.

[4] *Табенкин, Ицхак* (1887, Бобруйск — 1971, Эйн-Харод, Израиль) — лидер Рабочего движения, один из организаторов кибуцного движения.

[5] *Шват* — один из зимних, нисан — один из весенних месяцев еврейского календаря.

[6] *Пурим* — еврейский праздник в честь чудесного избавления народа от угрозы уничтожения, история которого описана в библейской Книге Есфирь, приходится на конец февраля–начало марта, знаменует конец зимы.

[7] *Песах* (в русской традиции — Пасха) — весенний праздник в память исхода евреев из Египта. Приходится на конец марта–апрель.

16

[1] *«Грабители-мидианиты»* — полукочевые племена, упоминаемые в Библии, обитали в Заиорданье и в Негеве, на торговых путях из древнего Ханаана в Египет, занимались разведением скота и не гнушались грабежом караванов и соседних территорий.

[2] *«...проворных и храбрых»* — ср.: «...не проворным достается успешный бег, не храбрым — победа...». Екклесиаст, 9:11.

[3] *«Сеявшие со слезами... С плачем несущий семена...»* — Псалтирь, 125:5, 6.

[4] *Боаз и Рут* (в русской традиции — Вооз и Руфь) — герои библейской Книги Рут, где рассказывается, что женщина Рут из страны Моав после смерти мужа-еврея вернулась со свекровью в Бейт-Лехем (Вифлеем) и пришла собирать колосья на поле Боаза, родственника мужа, который отнесся к ней благосклонно, узнав о ее преданности свекрови. По совету последней Рут пошла на сеновал, где спал Боаз, и легла у его ног. История кончается счастливым браком Боаза и Рут.

[5] *Хупа* — традиционный еврейский свадебный балдахин, под которым происходит венчание.

[6] *Дунам* — единица площади, одна десятая гектара

17

[1] *Иахин и Воаз* — два могучих столба, стоявшие, согласно легенде, у входа в построенный царем Соломоном Первый иерусалимский храм.

[2] *«... Левая рука протянута к тискам, правая к молоту труженика»* — ср.: «Левую руку свою протянула к колу, а правую свою к молоту работников...». Книга Судей, 5:26.

[3] *Отряды мстителей* — группы еврейских партизан и спасшихся из лагерей уничтожения евреев создали после Вто-

рой мировой войны на территории Германии подпольные отряды мщения уцелевшим нацистам.

[4] *Пальмах* (аббревиатура слов «плугот махац», букв. «ударные роты») — ударная часть Армии обороны Израиля, ставшая романтическим символом «евреев с оружием», первого поколения евреев — уроженцев страны, составивших основу этих подразделений.

18

[1] *«Ослиным погребением будет он погребен...»* — Иеремия, 22:19.

[2] *«Держись этого, но не отнимай руки и от того»* — ср.: «Хорошо, если ты будешь держаться одного и не отнимать руки от другого...». Екклесиаст, 7:18.

[3] *Шесек* — мушмула.

19

[1] *Ирмиягу* (в русской традиции — Иеремия) — библейский пророк. «Египет — прекрасная телица...». Иеремия, 46:20.

20

[1] *Тель-Адашим* — мошав в Изреельской долине в 5 км к северу от города Афулы.

[2] *Дибук* (букв. «прилепление») — в еврейских народных поверьях злой дух, который вселяется в человека, овладевает его душой, причиняет душевный недуг, говорит устами своей жертвы, но не сливается с ней, сохраняя самостоятельность.

[3] *Мигдал* — поселение к северу от Тверии, возникло на месте древнего городка Магдалы.

22

[1] «*Давар*» (букв. «слово») — первая ежедневная газета израильского Рабочего движения.

23

[1] «*Старые поселения*» — до прихода евреев Второй алии основную часть еврейского населения Палестины составляли жители старых, основанных на рубеже XIX и XX вв. поселений, финансировавшихся бароном Ротшильдом и враждебно встретивших новых поселенцев.

[2] *Люцилия* — металлически-зеленая муха, один из основных пожирателей падали.

24

[1] *Галут* (букв. «изгнание») — совокупное название стран рассеяния еврейского народа, а также самого состояния рассеяния.

[2] *Алеф, хет* — первая и восьмая буквы еврейского алфавита.

[3] «*Как гоняются за куропаткою по горам*» — 1-я Царств, 26:20.

[4] *Ишаягу* (в русской традиции Исайя) — библейский пророк. Притча о винограднике — Исайя, 5:1–7.

[5] *Горы Гильбоа* — холмистый кряж на северо-востоке Самарийских гор, высота до 500 м над уровнем моря. Его северо-западные пологие склоны плавно спускаются к Изреельской долине.

[6] *Давид* — царь Израиля, отец царя Соломона. Плач Давида — 2-я Царств, 1:17–27.

[7] *Эйн-Дор* — кибуц в Нижней Галилее, вблизи руин древнего поселения Эйн-Дор, где Аэндорская (Эйн-Дорская) волшебница по требованию царя Саула вызвала дух пророка Самуила,

который предсказал гибель царя и приход ему на смену династии Давида. Об этом рассказывает известное стихотворение Черниховского.

[8] «*Знаешь ли ты время, когда рождают дикие козы на скалах?*» — Иов, 39:1. «*Нисходил ли ты во глубину моря?*» — Иов, 38:16. «*Из чьего чрева выходит лед...*» — Иов, 38:29.

[9] «*...жить, жить будет он*» — ср.: «Когда Я скажу праведнику, что он будет жить...». Иезекииль, 33:13.

25

[1] *Талит* — еврейское молитвенное облачение, представляющее собой особым образом изготовленное прямоугольное покрывало белого цвета с цветными полосами.

[2] *Гематрия* — толкование слова или группы слов по числовому значению составляющих их букв (в еврейской традиции каждой букве приписывается определенное число).

[3] *Тайное Имя* — евреям запрещается произносить имя Бога.

[4] *Адмор* (аббревиатура слов «адонейну, морейну, рабейну» — «господин, учитель, наставник наш») — обычно титул хасидских цадиков, духовных лидеров.

[5] «*...потому что блудница — глубокая пропасть, и иноверка — тесный колодезь*» — ср.: «Потому что блудница — глубокая пропасть, и чужая жена — тесный колодезь». Притчи, 23:27.

[6] «*Ударом бича и укусом скорпиона*» — ср. «...отец мой наказывал вас бичами, а я буду наказывать вас скорпионами». 3-я Царств, 12:11.

26

[1] «*И взял Иоав правою рукою...*» — 2-я Царств, 20:9,10.

[2] *Сисара* — военачальник Иавина, царя Ханаанейского, воевал против израильтян в эпоху Судей (Книга Судей 4:1–22).

В знаменитой Песне Деборы о нем сказано: «Пришли цари, сразились, тогда сразились цари Ханаанские в Фаанахе у вод Мегиддонских… С неба сражались, звезды с путей своих сражались с Сисарою». (Книга Судей, 5:19–20).

[3] *Абу-Тор* (араб.) — отец (обладатель) быка.

27

[1] *Самсон* (Шимшон) — в Библии богатырь, обладавший необыкновенной физической силой. Согласно библейской истории (Книга Судей, 13–16), был предназначен спасти Израиль от филистимлян. Свой первый подвиг совершил, когда «растерзал льва, как козленка», а спустя несколько дней «зашел посмотреть труп льва, и вот, рой пчел в трупе львином и мед. Он взял его в руки свои…». Преданный своей возлюбленной Далилой в руки филистимлян, он, желая им отомстить, «сдвинул… с места два средних столба, на которых утвержден был дом, упершись в них… И уперся всею силою, и обрушился дом на владельцев и на веь народ, бывший в нем».

[2] *Нимрод* — в Библии царь Вавилона и Аккада и «сильный зверолов перед Господом» (Бытие, 10:8). Его имя перешло в греческую мифологию, как Нимврод.

[3] *Абд эль-Хамид* — Абдул-Хамид II, последний турецкий султан, жестокий и деспотичный правитель, свергнутый младотурецкой революцией 1908 г.

28

[1] *Кишон* (в древности Киссон) — ручей, берущий начало на западном склоне горного кряжа Гильбоа и впадающий в Средиземное море к северо-востоку от Хайфы.

[2] *Бейт-Шеарим* — древний город на южном склоне гор Нижней Галилеи, по дороге из Назарета в Хайфу.

[3] «*Пришли цари, сразились…*» — Книга Судей, 5:19–21.

[4] *Мероз* — древний город вблизи горы Тавор (Фавор), старейшины которого отказались прийти на помощь израильтянам в их войне с Сисарой. В посвященной этой войне «Песне Деборы» говорится: «Прокляните Мероз… прокляните, прокляните жителей его за то, что не пришли на помощь Господу… с храбрыми» (Книга Судей, 5:23).

[5] «*И покоилась земля сорок лет*» — Книга Судей, 5:31.

[6] *Иегуда а-Наси* (II–III в. н.э.) — духовный и политический вождь еврейского народа, собиратель и редактор Мишны, лежащей в основе Талмуда.

[7] «*Козлы и голуби*» — у евреев существуют обычай перенесения своих грехов на животных — козлов отпущения и голубей. Этот ритуал совершается в день отпущения грехов — Йом-Кипур.

29

[1] «*Держись за это…*» — см. примеч. к главе 18.

30

[1] *Митнагдим* (букв. «возражающие») — противники хасидизма, группировавшиеся вокруг известного литовского раввина Элиягу Залмана, Виленского Гаона.

[2] *Залив* — Хайфский залив, где сосредоточены химические предприятия.

[3] *Баал Шем Тов* (XVIII в., Украина) — основатель хасидизма, считавшийся цадиком и чудотворцем.

[4] *Поалей Цион* (букв. «трудящиеся Сиона») — общественно-политическое движение, сочетавшее политический сионизм (возрождение еврейского государства в Земле Израиля) с социалистической идеологией.

[5] *Таммуз* — летний месяц еврейского календаря, соответствует июню — июлю. В древности — один из богов ханаанской мифологии, умирающий и воскресающий бог, сродни Озирису и Адонису.

[6] *Рицпа, дочь Айя* — наложница царя Саула, чьи сыновья были повешены гаваонитами. «Тогда Рицпа, дочь Айя, взяла вретище и разостлала его себе на той горе, и сидела от начала жатвы до того времени, пока не полились на них воды Божии с неба, и не допускала касаться их птицам небесным днем и зверям полевым ночью» (Царств 2, 21:10).

[7] *Повелитель мух* (на иврите букв. «бааль звув», позднее — Вельзевул) — повелитель нечистой силы (отсюда название знаменитого романа Голдинга).

[8] *Шимон и Леви* (в русской традиции Симон и Левий) — сыновья праотца Иакова. Когда сын царя Шхема силой овладел их сестрой Диной, они в отместку обманом захватили Шхем, разграбили его, вырезали всех мужчин и увели в плен детей; Иаков осудил их в своем завещании: «Проклят гнев их, ибо жесток; и ярость их, ибо свирепа...» (Бытие, 49:7).

[9] *«Время плакать и время плясать...»* — сокр. цитата из Екклесиаст, 3:4,5.

[10] *«Мясной горшок»* — символ корыстного соблазна, намек на те египетские «мясные горшки», которые (см. Исход) влекли многих сынов Израилевых вернуться обратно в египетское рабство.

[11] *«Ты влек меня, и я увлечен»* — ср. «Ты влек меня, Господи, — и я увлечен...». Иеремия, 20:7.

[12] *«Баба-Пинес»*: приставка «Баба» — почетный титул праведников и чудотворцев, например прославленного сефардского кабалиста Баба-Сали.

[13] *Шамгар, сын Аната,* — один из руководителей («судей») израильтян в первые столетия после Исхода их Египта в Ханаан. Он победил филистимлян и этим спас народ от истребления (Книга Судей, 4:11).

[14] *Вейцман, Хаим* — выдающийся лидер сионистского движения, первый президент Государства Израиль.

32

[1] *«Арабское восстание 29-го года»* — антиеврейское восстание палестинских арабов, начавшееся в 1929 г. кровавой и садистской резней, учиненной арабами в еврейском поселении города Хеврон; восстание было подавлено британскими мандатными властями лишь после многочисленных жертв среди еврейского населения.

33

[1] *Рефаимы* — легендарный народ гигантов, живший в Ханаане (Второзаконие, 2:20–21).

[2] *Ущелье Бен-Хином* (в русской синодальной Библии — «долина сыновей Энномовых», Иеремия, 7:31, 9:2 и далее) — место, где пророчествовал Иеремия; *Кармель* — постоянное место чудес и пророчеств Элиягу (в русской традиции — Илии, 3-я Царств, 8:20 и далее); *Иотам* (в русской традиции Иофам, Книга Судей, 9:7 и далее) — автор рассказанной на горе *Гризим* (Гаризим) знаменитой притчи о том, как деревья выбирали себе царя.

34

[1] *Мухтар* — глава арабской деревни.

[2] *«Еще жив сын мой…»* — Бытие, 45:28.

35

[1] «… *нет у человека преимущества перед скотом*» — Екклесиаст, 3:19

[2] а-*Поэль а-Цаир* (досл. «Молодой рабочий») — первая сионистская рабочая партия, основана в Палестине членами Второй алии в 1905, выдвинула задачу овладения еврейскими рабочими всех видов трудовой деятельности и создания в Палестине еврейского «бесклассового» большинства, выступала против социалистической идеологии партии Поалей Цион.

36

[1] *«И почил… и погребен в саду при доме его»* — 4-я Царств, 21:18.

[2] *«Зеленеющею маслиною…»* — Иеремия, 11:16.

38

[1] *«От голоса стенания моего…»* — Псалтирь, 101:6,7.

[2] *Гой* (идиш) — нееврей.

[3] *Бог Таммуз* — см. примечание к гл. 30.

[4] *«Пойди из земли твоей…»* — неточная цитата из: Бытие, 12:1. Повеление Бога праотцу Аврааму идти в Ханаан, с чего началась история еврейского народа.

39

[1] *Пещера Праотцев* (маарат а-махпела, ивр.) — пещера вблизи Хеврона, где погребены, согласно Библии, праотцы Авраам, Исаак и Иаков.

40

1 *«Голос слышен в Раме...»* — Иеремия, 31:15.

2 *Технион* — политехнический институт в Хайфе.

41

1 *Трумпельдор, Иосеф* (1880, Пятигорск — 1920, Тель-Авив) — герой Русско-японской войны, во время которой потерял левую руку; в 1919 г. покинул Россию и отправился в Эрец-Исраэль, где командовал еврейской самообороной, занимался общественной деятельностью и был первым мэром Тель-Авива.

2 *Мезуза* — пергаментный листочек с текстом из Торы, прибиваемый в футляре к косяку двери.

42

1 *«Без гробов»* — у религиозных евреев (а сейчас и среди большинства израильтян) принято хоронить покойников прямо в земле, завернутыми в саван (тахрихим).

2 *Царь Борис* — правитель Болгарии времен Второй мировой войны, известен тем, что спас болгарских евреев от нацистов.

43

1 *Ротель* — мера веса, 2880 граммов.

44

1 *«Пойди к муравью...»* — намек на слова из наставления царя Соломона ленивому. Притчи, 6:6.

2 *«Во все дни свои ел впотьмах»* — Екклесиаст, 5:16.

3 *«Участь сынов человеческих...»* — Екклесиаст, 3:19.

45

[1] *Хагана* — подпольные вооруженные силы, созданные ишувом в подмандатной Палестине в 1920 г. и ставшие, после основания еврейского государства, основой Армии обороны Израиля. *Рехеш* — подпольная еврейская организация времен британского мандата в Палестине, занималась тайными закупками оружия для предстоящей борьбы с арабскими армиями.

46

[1] *Слуцкин, Элиезер* — один из основателей кибуца Эйн-Харод в Изреельской долине и основателей Рабочего движения.

[2] *Берл* — Кацнельсон, Берл (1887, Бобруйск — 1944, Иерусалим) — руководитель и идеолог Рабочего движения в сионизме, основатель и многолетний редактор газеты «Давар».

[3] *Дни Покаяния* — Судный день (Йом-Кипур), один из важнейших еврейских религиозных праздников, празднуется осенью, через неделю с лишним после еврейского Нового года.

47

[1] *«Во сне у Иосифа»* — скабрезный намек на библейскую историю: «И видел Иосиф сон, и рассказал братьям своим: ...вот, мы вяжем снопы посреди поля; и вот, мой сноп встал, и стоит прямо; и вот, ваши снопы стали кругом, и поклонились моему снопу». (Бытие, 37:5–7).

[2] *«Агнец перед стригущим его безгласен»* — Исайя, 53:7.

[3] *Йом-Кипур* — см. примечание к гл. 46 (Дни Покаяния).

[4] *«Лето и зима, ласточка и журавль»* — ср.: «...и ласточка и журавль наблюдают время, когда им прилететь...». Иеремия, 8:7.

[5] *«Прошла жатва, кончилось лето»* — Иеремия, 8:20.

48

[1] *Новый год* — еврейский Новый год (Рош а-Шона) празднуется осенью, незадолго до Дней Покаяния (Йом-Кипур, Судный день).

[2] *Ладино* — язык сефардских евреев.

[3] *Шатер Яэли* (в русской традиции «шатер Иаили») — согласно библейской истории, Яэль вышла навстречу полководцу Сисаре, бежавшему после поражения в войне с израильтянами, и убила его, вонзив ему кол в висок (Книга Судей, 4:17–21).

50

[1] *«Сидели на земле...»* — см. примечание к гл. 9, «шив'а».

51

[1] *Клезмеры* — исполнители народной еврейской музыки.

Содержание

Р. Нудельман. К русскому читателю 5

РУССКИЙ РОМАН 17

Примечания 615

Шалев М.

Ш18 Русский роман: Роман / Меир Шалев; Пер. с иврита Р.Нудельмана, А.Фурман. — М.: Текст, 2008. — 638, [2] с.

ISBN 978-5-7516-0781-4

Вторым изданием на русском языке выходит самый знаменитый роман ведущего израильского прозаика Меира Шалева. Эта книга о том поколении евреев, которое пришло из России в Палестину и превратило ее пески и болота в цветущую страну, Эрец-Исраэль. В мастерски выстроенном повествовании трагедия переплетена с иронией, русская любовь с горьким еврейским юмором, поэтический миф с грубой правдой тяжелого труда. История обитателей маленькой долины, отвоеванной у природы, вмещает огромный мир страсти и тоски, надежд и страданий, верности и боли.

УДК 821.41
ББК 84(5Изр)

ПРОЗА ЕВРЕЙСКОЙ ЖИЗНИ

Меир Шалев

Русский роман

Редактор В. Генкин

Корректоры Т. Калинина, Н. Пущина

Издательство благодарит Давида Розенсона
за участие в разработке этой серии

Фото Меира Шалева:
Михаил Левит (Иерусалим)

Подписано в печать 16.05.08. Формат 70 x $100/_{32}$.
Усл. печ. л. 26,0. Уч.-изд. л. 22,74. Тираж 5000 экз. Изд. № 814.
Заказ № 1832

Издательство «Текст»
127299 Москва, ул. Космонавта Волкова, д. 7/1
Тел./факс: (495) 150-04-82
E-mail: textpubl@yandex.ru
http: //www.textpubl.ru
Представитель в Санкт-Петербурге: (812) 312-52-63

Отпечатано в ОАО «Типография «Новости»
105005 г.Москва, ул. Ф.Энгельса, д.46